LES RÈGLES
DES SAINTS PÈRES

SOURCES CHRÉTIENNES

Fondateurs : H. de Lubac, s.j., et † J. Daniélou, s.j.
Directeur : C. Mondésert, s.j.

N° 297

LES RÈGLES DES SAINTS PÈRES

TOME I

TROIS RÈGLES DE LÉRINS AU Ve SIÈCLE

Introduction, texte, traduction et notes
par

Adalbert de VOGÜÉ

Moine de la Pierre-qui-Vire

Cet ouvrage est publié avec le concours du Centre National des Lettres

LES ÉDITIONS DU CERF, 29, bd de Latour-Maubourg,
PARIS
1982

ISBN 2-204-01957-7

FRANCISCO MASAI

IN MEMORIAM

AVANT-PROPOS

Les six petits textes que nous réunissons dans ces deux volumes ne forment pas, du point de vue codicologique, un tout homogène. Si les trois « Règles des Pères » proprement dites se suivaient déjà dans la source du *Codex regularum* de Benoît d'Aniane, c'est celui-ci qui leur a juxtaposé de son propre chef la Règle de Macaire, texte qui appartenait, dans son modèle, à un autre ensemble. Quant à la Règle Orientale et à la recension sud-italienne des Quatre Pères (Π), l'une et l'autre conservées dans un seul manuscrit ancien, elles n'y ont de rapport de voisinage ni avec les pièces mentionnées plus haut, ni entre elles.

C'est donc par une décision apparemment arbitraire que nous rassemblons dans le présent recueil ces textes dispersés, en les plaçant sous le titre, quelque peu artificiel lui aussi, de « Règles des saints Pères[1] ». Cependant notre démarche se

1. Correspondant assez exactement aux titres de la Règle des Quatre Pères, de la Seconde et de la Troisième Règle des Pères, il convient aussi, plus largement, à la *Regula Macarii* et à l'Orientale. Quant au nom particulier de chaque pièce, nous avons pris soin de reprendre les appellations courantes actuellement, en évitant toute innovation perturbante. Le titre de *Regula Vigilii,* qui eût parfaitement convenu à la Seconde Règle, a été écarté pour ne pas créer de confusion avec l'Orientale, ainsi appelée à tort par Holste.

justifie aisément. Outre que le premier et le dernier de nos textes ne sont que deux états de la même œuvre des « Quatre Pères », des rapports étroits de fond et de forme unissent manifestement tous ces écrits en une véritable famille littéraire, dont il est même possible de tracer avec sûreté un arbre généalogique complet.

Ainsi l'unité de notre recueil est loin d'être factice. Quant à la limite que nous lui avons imposée, en n'y incluant pas des ouvrages qui, comme les règles de Césaire ou la *Regula Tarnantensis*, doivent quelque chose à l'un ou l'autre de nos textes, elle se justifie de son côté par la nature différente de ces ouvrages dépendants et les connexions qui les unissent à d'autres ensembles. Sans être fermée sur elle-même, la série que nous éditons ici forme une collection bien définie et distincte des autres groupes de règles. On ne saurait rien y ajouter sans inconvénient.

Homogènes par leurs caractères littéraires, interdépendantes par leur contenu, ces six pièces jalonnent un grand chapitre d'histoire monastique, dont l'élucidation est le résultat le plus important de notre travail. Quand nous avons entrepris celui-ci, au début de 1978, nous étions loin d'entrevoir où il nous mènerait. Dans l'opinion de nos prédécesseurs, les Quatre Pères oscillaient entre la Provence et l'Italie, et si la Règle de Macaire et la Troisième Règle des Pères ne paraissaient pouvoir se situer qu'en Gaule, l'Orientale, arbitrairement identifiée au XVIIe siècle avec l'œuvre du diacre Vigile, cherchait encore sa patrie. La même incertitude régnait en ce qui concerne les dates, d'autant que la généalogie des pièces n'avait pas toujours été exactement reconnue.

Partant de cette dernière, nous sommes parvenus en deux ans à une hypothèse d'ensemble qui localise et date assez précisément chaque document. En bref, il s'agit, selon nous, d'une série de règles écrites à Lérins (Règle des Quatre Pères, Seconde Règle des Pères, Règle de Macaire) ou incorporant des textes lériniens (Règle Orientale, Troisième Règle des Pères, recension Π des Quatre Pères). Les deux premières offrent l'intérêt insigne de nous faire assister à la naissance du grand coenobium insulaire (vers 400-410) et à son premier changement de supérieur (426-427). La suivante, attribuée à « Macaire » (Porcaire ?), semble être un nouvel état de la règle de Lérins, aux approches de son premier centenaire. Quant à l'Orientale, nous croyons pouvoir l'identifier avec les « Institutions » compilées vers 515, à l'intention de ses confrères d'Agaune, par le moine anonyme de Condat qui écrivit la *Vie des Pères du Jura*, le document lérinien qu'elle utilise étant vraisemblablement l'œuvre de l'abbé Marin. Enfin la Troisième Règle des Pères paraît émaner du concile austrasien de Clermont en Auvergne (535), qui mit sans doute à profit un exemplaire de l'œuvre de Macaire apporté par un de ses membres, l'évêque burgonde Grégoire de Langres. Peu après, dans les années 535-540, un compilateur d'Italie méridionale révisa, d'un point de vue presque exclusivement formel, le texte des Quatre Pères, de sorte que notre collection s'achève, sinon dans le pays de ses origines, au moins sur l'œuvre même par où elle avait commencé.

L'importance de cette hypothèse historico-littéraire ne peut échapper à personne. Pour la première fois, on tire ces pièces du vide et de l'obscurité où elles flottaient, pour en faire des documents datés, localisés, utilisables pour l'histoire du monachisme et de la société. Des noms d'auteurs sont proposés, des lignes d'évolution dégagées. Un grand siècle de vie monastique, qui se résume dans le nom prestigieux de Lérins, sort de l'ombre. Ainsi se trouve comblé, par une ligne d'ouvrages continue et ordonnée, le fossé qui séparait les grandes règles originelles, écrites ou traduites en latin vers 400 – celles d'Augustin, de Basile, de Pachôme –, et les premières œuvres bien classées du VIe siècle (règles de Césaire, du Maître, de Benoît)[2]. Les débuts du monachisme

---

2. Les datations et localisations proposées ici annulent celles qu'indique notre article « Regole cenobitiche d'Occidente », à paraître dans *Dizionario degli Istituti di perfezione,* Rome 1981 (version française : *Autour de saint Benoît,* Bellefontaine 1975, p. 15-28 ; anglaise : *Cistercian Studies* 12 (1977), p. 175-183). Cf. l'article « Regula(e) Patrum » du même Dictionnaire, qui présente nos derniers résultats.

en Gaule – et dans tout l'Occident – en sont intensément éclairés. Si notre hypothèse est acceptée, l'histoire monastique aura fait un des progrès les plus considérables qu'il lui ait été donné d'accomplir depuis les grandes reconnaissances du XVIIe siècle.

Mais n'avons-nous pas trop bonne opinion des résultats de nos recherches ? En tout cas, nous espérons avoir suffisamment marqué, dans nos Introductions particulières, le coefficient d'incertitude parfois élevé qui affecte chacun d'eux. A cet égard, le premier chapitre de notre Introduction générale, où nous donnons, sans démonstration ni qualification, une vue d'ensemble de nos thèses, ne doit pas faire illusion. Conscient de la large et irréductible marge d'erreur qui subsiste autour de notre esquisse, nous serions satisfaits si seulement celle-ci fournissait aux historiens de l'avenir une base de discussion honnête et utile.

Au reste, ici comme dans nos éditions antérieures, nous devons beaucoup aux chercheurs qui nous ont précédé. En dédiant notre ouvrage à la mémoire de l'un d'eux, nous voudrions acquitter globalement cette dette multiforme. Pendant trente ans – depuis le congrès de Cluny de 1949 jusqu'à sa mort en 1979 –, François Masai s'est occupé à mainte reprise de plusieurs des petites règles que nous éditons. Et sans doute n'est-il pas parvenu, le plus souvent, à des résultats convaincants, comme il le reconnaissait lui-même par de loyales rétractations. Sollicitée par trop d'objets, sa brillante intelligence ne pouvait accorder à celui-ci l'attention prolongée et quasi exclusive qui lui eût seule permis de rassembler ses aperçus fragmentaires en une synthèse cohérente et solide. Dans ce domaine, comme dans celui des relations du Maître et de Benoît[3], il lui manqua toujours une vue d'ensemble du problème, ainsi qu'une

3. De ces travaux de F. Masai sur le Maître et Benoît, nous espérons dresser bientôt un inventaire qui fera le bilan des résultats atteints par lui dans un domaine où il fut si actif.

connaissance générale et approfondie de la littérature des règles qui en constitue l'arrière-plan. Mais avec le temps et les moyens insuffisants dont il disposait, il n'en a pas moins formulé quantité d'observations suggestives, parfois pénétrantes. C'est la lecture de son dernier article sur la question, celui des *Regulae Benedicti Studia*, qui nous décida à entreprendre notre propre recherche. Aussi est-il juste que nous commémorions avant tout, au terme de celle-ci, cet esprit ardent et agile, ce chercheur indépendant et infatigable, qui fut longtemps pour nous un interlocuteur stimulant.

Nous sommes également redevable à A. Mundó de ses premières études, qui restent fondamentales, et à J. Neufville de son édition modèle des Quatre Pères et de la Seconde Règle. En outre, ce dernier a mis à notre disposition tout le matériel de microfilms et de notes réuni par lui, tant au sujet des deux premières règles que de la *Regula Macarii*, qu'il projetait d'éditer. Nous pensons aussi avec reconnaissance aux Frères Yvan de Carheil et Fernando Villegas pour leurs contributions à cette dernière entreprise, ainsi qu'au Père Alban Toucas et à Sœur J.-B. Juglar pour l'aide qu'ils apportèrent à notre publication préparatoire de l'Orientale.

A la parfaite obligeance de Monsieur Pierre Gras et de Madame Damongeot (Bibliothèque Publique de Dijon), de Mesdames Denise Bloch (Bibliothèque Nationale) et Geneviève Contamine (*IRHT*), des Pères Petrus Becker (Trèves) et Anselme Gendebien (Le Bec Hellouin), nous devons d'avoir tiré au clair, ou du moins posé correctement, plusieurs questions concernant les manuscrits et éditions de nos règles. Grâce au Frère Noël Denay, une carte géographique éclaire, au début de notre Introduction, la genèse et le cheminement des textes. Enfin le Père Jean-Marie Clément, de l'Abbaye de Steenbrugge, a bien voulu réaliser pour nous, sur le modèle de celui de J. Neufville, un *Index uerborum* complet. Une fois de plus, il aura bien mérité de quiconque s'intéresse aux règles monastiques anciennes.

Il nous reste à remercier Dieu de tout le travail accompli et des aides reçues. Pour nous, ces vieilles règles ne sont pas de simples objets de curiosité historique, mais les témoins d'une tradition vivante à laquelle nous avons vocation d'appartenir[4]. Que leurs appels à l'ascèse et à la prière, à l'amour du prochain et à l'humilité, se joignant à ceux de la Règle bénédictine, se fassent entendre une nouvelle fois à notre époque comme des incitations à suivre le Christ.

---

4. Cf. notre Préface à l'ouvrage de V. DESPREZ, *Règles monastiques d'Occident. IVe-VIe siècle. D'Augustin à Ferréol*, Bellefontaine 1980 (*Vie monastique* 9), p. 7-15, et celle de notre recueil *Saint Benoît, Sa Vie et sa Règle. Études choisies*, Bellefontaine 1980 (*Vie monastique* 12), p. 11-12.

SIGLES ET ABRÉVIATIONS

I. Règles éditées ici

RIVP	Règle des Quatre Pères (texte E, primitif).
2RP	Seconde Règle des Pères.
RMac	Règle de Macaire.
ROr	Règle Orientale.
3RP	Troisième Règle des Pères.
Π	Recension sud-italienne de la Règle des Quatre Pères.

II. Divers

ANRW	*Aufstieg und Niedergang der Römischen Welt*, Berlin.
AS	*Acta Sanctorum*, Bruxelles.
AS OSB	*Acta Sanctorum Ordinis S. Benedicti*, éd. L. d'Achery - J. Mabillon, 9 vol., Paris 1668-1701 ; 2e éd., Venise 1733-1740.
BHL	*Bibliotheca Hagiographica Latina*, Bruxelles.
CC	*Corpus Christianorum*, Steenbrugge.
Clavis	E. Dekkers - A. Gaar, *Clavis Patrum Latinorum*[2], Steenbrugge 1961 (*Sacris Erudiri* 3).
Col. Cis.	*Collectanea Cisterciensia*, Scourmont.
CSEL	*Corpus Scriptorum Ecclesiasticorum Latinorum*, Vienne.
DACL	*Dictionnaire d'Archéologie chrétienne et de Liturgie*, Paris.
DIP	*Dizionario degli Istituti di Perfezione*, Rome.
LTK	*Lexikon für Theologie und Kirche*, Fribourg en Brisgau.
MGH	*Monumenta Germaniae Historica*, Berlin.
PG	J. P. Migne, *Patrologia, Series Graeca*, Paris.

PL	J. P. MIGNE, *Patrologia, Series Latina,* Paris.
PLS	A. HAMMAN, *Patrologia, Series Latina, Supplementum,* Paris.
RAM	*Revue d'Ascétique et de Mystique,* Toulouse-Paris.
RB	*La Règle de saint Benoît,* éd. A. de VOGÜÉ – J. NEUFVILLE, t. I-II, Paris 1972 (*SC* 181-182).
RBS	*Regulae Benedicti Studia,* Hildesheim.
RHE	*Revue d'Histoire Ecclésiastique,* Louvain.
RHS	*Revue d'Histoire de la Spiritualité,* Paris.
RM	*La Règle du Maître,* éd. A. de VOGÜÉ, t. I-II, Paris 1964 (*SC* 105-106).
SC	*Sources Chrétiennes,* Paris.

BIBLIOGRAPHIE

A. BLAISE, *Dictionnaire Latin-Français des auteurs chrétiens,* Strasbourg 1954.

– *Lexicon latinitatis medii aevi*, Turnhout 1975.

A. BOON, *Pachomiana Latina,* Louvain 1932 (*Bibliothèque de la Revue d'Histoire Ecclésiastique* 7).

M. BROCKIE, *Lucae Holstenii... Codex Regularum,* t. I, Augsbourg 1759 (*PL* 103, 393-701).

H. BRUNS, *Canones Apostolorum et Conciliorum,* t. I-II, Berlin 1839.

Concilia Galliae, A. 314 - A. 506, éd. C. MUNIER, Turnhout 1963 (*CC* 148).

– *A. 511 - A. 695,* éd. C. DE CLERCQ, Turnhout 1963 (*CC* 148 A).

P. B. CORBETT, « Unidentified Source Material Common to Regula Magistri, Regula Benedicti and Regula IV Patrum ? », dans *RBS* 5 (1976), p. 27-31.

P. B. CORBETT - F. MASAI, « L'édition Plantin de Cassien, de la Règle des Pères et des Capitulaires d'Aix pour les moines », dans *Scriptorium* 5 (1951), p. 60-74.

P. COURCELLE, « Nouveaux aspects de la culture lérinienne », dans *Revue des Études latines* 46 (1968), p. 379-419.

P. DESEILLE, *L'Évangile au désert. Des premiers moines à saint Bernard,* Paris 1965 (p. 271-276 : *Règle monastique dite de saint Macaire*).

V. DESPREZ, *Règles monastiques d'Occident. IVe - VIe siècle. D'Augustin à Ferréol,* Bellefontaine 1980 (*Vie monastique* 9).

C. DU CANGE, *Glossarium mediae et infimae latinitatis, edit. nova a* L. FAVRE, nouveau tirage, t. I-X, Paris 1937-1938.

L. DUCHESNE, *Fastes épiscopaux de l'ancienne Gaule*², t. I-III, Paris 1907, 1910, 1915.

A. GALLAND, *Bibliotheca Veterum Patrum,* t. VII, Venise 1770.

É. GRIFFE, *La Gaule chrétienne à l'époque romaine,* t. I-III, Paris 1964-1965.

L. HOLSTENIUS, *Codex regularum monasticarum et canonicarum,* Rome 1661 ; [2]Paris 1663.

P. JAFFÉ - G. WATTENBACH, *Regesta Pontificum Romanorum*[2], t. I-II, Leipzig 1885-1888.

P. LABBE - G. COSSART, *Sacrosancta Concilia ad regiam editionem exacta,* t. I-XVIII, Paris 1671-1672.

J. MABILLON, *Annales Ordinis S. Benedicti,* t. I, Lucques 1739.

F. MASAI, « Les antécédents de Cluny : la Règle du Maître à Moutiers-Saint-Jean », dans *À Cluny. Travaux du Congrès,* Dijon 1950, p. 192-202.

— « Le chap. XXXI de S. Benoît et sa source, la 2e édition de la *Regula Magistri* », dans *Studi e Materiali di storia delle religioni* 38 (1967), p. 350-395.

— « La *Vita patrum iurensium* et les débuts du monachisme à Saint-Maurice d'Agaune », dans *Festschrift Bernhard Bischoff,* Stuttgart 1971, p. 43-69.

— « Recherches sur les Règles de S. Oyend et de S. Benoît », dans *RBS* 5 (1976), p. 43-73.

— « L'édition Plantin... » : voir CORBETT.

— *La Règle du Maître. Édition diplomatique...* : voir VANDERHOVEN.

H. MÉNARD, *S. Benedicti Abbatis Anianensis Concordia regularum,* Paris 1638 (*PL* 103, 713-1380).

A. MUNDÓ, « Les anciens synodes abbatiaux et les *Regulae SS. Patrum* », dans *Regula Magistri - Regula Benedicti. Studia monastica,* éd. B. STEIDLE, Rome 1959 (*Studia Anselmiana* 44).

J. NEUFVILLE, « Sur le texte de la Règle des IV Pères », dans *Rev. Bénéd.* 75 (1965), p. 307-312.

— « Les éditeurs des *Regulae Patrum* : saint Benoît d'Aniane et Lukas Holste », dans *Rev. Bénéd.* 76 (1966), p. 327-343.

— « Règle des IV Pères et Seconde Règle des Pères. Texte critique », dans *Rev. Bénéd.* 77 (1967), p. 47-106.

J. F. NIERMEYER, *Mediae latinitatis lexicon minus,* Leyde 1954-1964.

H. PLENKERS, *Untersuchungen zur Überlieferungsgeschichte der ältesten lateinischen Mönchsregeln,* Munich 1906 (*Quellen und Untersuchungen zur lateinischen Philologie des Mittelalters* I, 3).

S. PRICOCO, *L'isola dei santi. Il cenobio di Lerino e le origini del monachesimo gallico,* Rome 1978.

F. PRINZ, *Frühes Mönchtum im Frankenreich,* Munich-Vienne 1965.

P. ROVERIUS, *Reomaus seu Historia monasterii S. Ioannis Reomaensis in tractatu Lingonensi,* Paris 1637.

« The Rule of Four Fathers. The Second Rule of the Fathers », Translated by a Monk of Mount Saviour and Annotated by A. de VOGÜÉ, dans *Monastic Studies* 12 (1976), p. 249-263.

H. STYBLO, « Die Regula Macharii », dans *Wiener Studien* 76 (1963), p. 124-158.

J.-M. THEURILLAT, *L'Abbaye de Saint-Maurice d'Agaune. Des origines à la réforme canoniale (515-830),* Sion 1954.

L.-S. LENAIN de TILLEMONT, *Mémoires pour servir à l'histoire ecclésiastique des six premiers siècles,* t. XII et XV, Paris 1707 et 1711.

G. TURBESSI, *Regole monastiche antiche,* Rome 1974 (p. 324-331 : RIVP trad. par M. BOZZI ; p. 332-334 : 2RP trad. par I. DE PICCOLI).

H. VANDERHOVEN - F. MASAI - P. B. CORBETT, *La Règle du Maître. Édition diplomatique des manuscrits latins 12205 et 12634 de Paris,* Bruxelles-Paris 1953 (*Les Publications de Scriptorium* 3).

Vie des Pères du Jura, éd. F. MARTINE, Paris 1968 (*SC* 142).

J. E. VILANOVA, *Regula Pauli et Stephani. Edició crítica i comentari,* Montserrat 1959 (*Scripta et documenta* 11).

F. VILLEGAS - A. de VOGÜÉ, *Eugippii Regula,* Vienne 1976 (*CSEL* 87).

A. de VOGÜÉ, *La communauté et l'abbé dans la Règle de saint Benoît,* Paris 1961 (*Textes et études théologiques*). Trad. *Community and Abbot in the Rule of St Benedict,* t. I-II, Kalamazoo 1979-1983 (*Cistercian Studies Series* 5).

– *La Règle de saint Benoît,* t. IV-VI, *Commentaire historique et critique,* Paris 1971 (*SC* 184-186) ; t. VII, *Commentaire doctrinal et spirituel,* Paris 1977.

– *Autour de saint Benoît, La Règle en son temps et dans le nôtre,* Bellefontaine 1975 (*Vie monastique* 4).

– « La *Regula Orientalis.* Texte critique et synopse des sources », dans *Benedictina* 23 (1976), p. 241-272.

– « Sur la patrie d'Honorat de Lérins, évêque d'Arles », dans *Rev. Bénéd.* 88 (1978), p. 290-291.

– « Trithème, La Règle de Macaire et l'héritage littéraire de Jean de Biclar », dans *Sacris Erudiri* 23 (1978-1979), p. 217-224.

– « La Règle de Vigile signalée par Gennade. Essai d'identification », dans *Rev. Bénéd.* 89 (1979), p. 217-229.

– « La *Vita Pachomii Iunioris* (*BHL* 6411). Ses rapports avec la Règle de Macaire, Benoît d'Aniane et Fructueux de Braga », dans *Studi Medievali*, 3e série, 20 (1979), p. 535-553.

– « La Règle des Quatre Pères et les Statuts de la Société des Douze Apôtres », dans *Rev. Bénéd.* 90 (1980), p. 132-134.

– *Saint Benoît. Sa Vie et sa Règle. Études choisies*, Bellefontaine 1981 (*Vie monastique* 12).

– art. *Regole cenobitiche d'Occidente ; Regula Macarii ; Regula(e) Patrum ; Regula Patrum Tertia*, à paraître dans *DIP*.

A. Wilmart, « Les *Monita* de l'abbé Porcaire », dans *Rev. Bénéd.* 26 (1909), p. 475-480.

INTRODUCTION GÉNÉRALE

CHAPITRE I

Le siècle de Lérins

Dans la première décennie du ve siècle[1], la petite île de Lérins, alors inhabitée, vit arriver les premiers de ces occupants qui devaient la rendre célèbre : quelques moines, conduits par un certain Honorat.

Fondation de Lérins et Règle des Quatre Pères (400-410)

Originaire d'une région inconnue[2], ce Gallo-romain de haute naissance avait embrassé de bonne heure la vie ascétique. Baptisé, « converti » dès le temps de son adolescence, il avait

1. Selon l'estimation de Tillemont, *Mémoires,* t. XII, p. 473 et 675-676, confirmée avec de nouveaux arguments par S. Pricoco, *L'isola dei santi. Il cenobio di Lerino e le origini del monachesimo gallico,* Rome 1978, p. 30-40. Pour la suite de notre aperçu, nous renvoyons une fois pour toutes à cette excellente étude récente, qui récapitule et dépasse toutes les précédentes.

2. Voir notre notice « Sur la patrie d'Honorat de Lérins, évêque d'Arles », dans *Rev. Bénéd.* 88 (1978), p. 290-291 (supprimer la note 2, p. 291, qui repose sur une erreur d'interprétation). Les renseignements qui suivent sont tirés d'Hilaire d'Arles, *Vie de saint Honorat,* éd. M.-D. Valentin, Paris 1977 (*SC* 235).

d'abord mené avec Venance, son frère aîné, une existence austère et charitable, qui contrastait avec la mondanité du milieu familial. Mais ce renoncement spectaculaire leur valut une réputation qui les gênait. Afin d'être moins en vue, les deux jeunes gens partirent pour l'Orient, emmenant avec eux un ascète plus âgé, Caprais, qui leur servirait de mentor.

Embarqués à Marseille, ils firent un voyage pénible, et Venance mourut en Grèce. On ne sait si Honorat et ses compagnons, avant ou après ce deuil, allèrent jusqu'aux Lieux saints et en Égypte. Par l'Italie et la Toscane, ils revinrent en Gaule, s'arrêtèrent à Fréjus auprès de l'évêque Léonce, et de là gagnèrent Lérins.

L'installation sur cet ilôt désert n'alla pas sans appréhensions. Lérins passait pour être infesté de serpents. Bravant l'« horreur de la solitude[3] » et la crainte de ces animaux dangereux, Honorat entraîna les siens et se fixa avec eux sur l'île. Comme à tant d'autres moines en Occident au même moment, un site insulaire lui semblait propice à son dessein de rupture avec le monde. Quelque temps après, Léonce vint l'ordonner prêtre, marque d'estime qui consacrait l'autorité du jeune moine et l'attachait à l'église de Fréjus. N'ayant pu le retenir dans sa cité, l'évêque le liait du moins à son diocèse.

C'est probablement dans ces circonstances – et dès avant l'ordination d'Honorat[4] – que fut composé le petit écrit

3. HILAIRE, *V. Honor.* 15, 4 : *horror solitudinis*. Cf. 15, 1 : *heremum* ; 15,2 : *nimietatem squaloris... terribilem illam uastitatem*. Les mesures de la petite île (1500 m × 700 m, d'après M.-D. VALENTIN, *op. cit.*, p. 108, n. 1), font penser au désert où Pachôme fit ses premières armes avec Palamon : une bande stérile de 1000 m × 500 m, entre l'agglomération et les cultures ; cf. L.-Th. LEFORT, « Les premiers monastères pachômiens », dans *Le Muséon* 52 (1939), p. 379-407 (voir p. 386). Il n'en fallait pas davantage pour qu'un ancien se sentît au désert.

4. Celle-ci est rapportée par HILAIRE, *V. Honor.* 16, 2-3, aussitôt après l'arrivée dans l'île (15, 1-4) et avant les premiers aménagements (17, 1), mais cet ordre de la narration n'est pas nécessairement chronologique. Hilaire mentionne ici l'ordination parce qu'elle fut pour Honorat un « honneur » qui justifia son nom (17, 1), ce thème étant lui-même amené

connu sous le nom de Règle des Quatre Pères. Les trois personnages qui y prennent la parole, Sérapion, Macaire et Paphnuce, représentent sans doute, sous des pseudonymes égyptiens, les autorités qui présidèrent à la naissance du coenobium lérinien. Véritable charte de fondation, l'opuscule commence par décréter la réunion de tous les frères, jusque-là dispersés, en une seule maison. La « désolation du désert » et la « terreur qu'inspirent certains monstres » sont invoquées pour mettre fin à la vie solitaire. Désormais, on obéira à l'invitation des psaumes qui proclament le « bonheur d'habiter ensemble » et qui disent de Dieu : « Il fait habiter en une maison ceux qui ne font qu'une âme. »

Ce regroupement des frères égaillés dans le petit désert s'opère autour d'une personne. A peine « Sérapion » a-t-il tracé son programme de cohabitation joyeuse et d'unanimité qu'il indique le moyen de le réaliser : se ranger tous sous l'autorité d'un chef unique et lui obéir comme au Seigneur. La suite de la règle, où l'on entend tour à tour Macaire, Paphnuce et de nouveau Macaire, poursuit constamment dans la même ligne. Pour ces « Pères » des origines, le supérieur, encore désigné par une périphrase assez gauche qui rappelle Basile (*is qui praeest*), est la véritable cheville ouvrière, on dirait presque le factotum, de la communauté, et celle-ci n'a pas d'autre principe d'unité que l'obéissance. Au supérieur de donner l'exemple, de gouverner avec un mélange de fermeté, de bonté et d'équité, de présider la prière commune, d'éprouver les vocations et de former les postulants, de recevoir les hôtes et de les édifier, de désigner le responsable du travail commun, de veiller sur les santés sans

par celui de la gloire que la venue d'Honorat conféra à l'île inconnue. L'enchaînement est thématique plutôt qu'historique. L'ordination a donc pu avoir lieu, en fait, assez longtemps après l'arrivée des moines et la fondation du monastère. D'après RIVP 4, 14-17, passage du second discours de Macaire qui risque d'être additionnel, le supérieur semble être encore laïc. En revanche, RIVP 1, 1 parle déjà de « foules nombreuses » sur l'île, ce qui correspond à l'afflux de vocations décrit dans *V. Honor.* 17, 2-3, après la page sur l'ordination et les premières constructions.

tolérer l'oisiveté, d'organiser les tours de service, d'autoriser, s'il le juge bon, le transfert d'un sujet dans un autre monastère. A côté de cette figure dominante, les rôles du « second », de l'hôtelier, du chef de chantier, du cellérier sont à peine esquissés. Quant aux frères, leur seul devoir semble être de se tenir à leur place et d'obéir.

Qui sont les trois auteurs de cette règle si simple et autoritaire ? Léonce, Honorat et Caprais sont les seuls noms que l'indigence des documents nous permette d'avancer. Auteur probable du second discours, Honorat a pu aussi, en qualité de supérieur permanent, compléter l'œuvre initiale en reprenant la parole dans le quatrième discours, dont la dernière page au moins[5], qui manque dans certains manuscrits, semble dater d'une époque ultérieure. Dans cette finale, qui traite sommairement de la correction, on voit apparaître des collaborateurs, non plus seulement matériels, mais spirituels du supérieur.

Outre son option cénobitique et l'accent qu'elle met sur l'obéissance, cette première « Règle des saints Pères » se signale par quelques points d'observance, dont certains se retrouveront dans toute sa postérité : jeûne quotidien jusqu'à none, chômage complet du dimanche, horaire bipartite des jours de semaine avec trois heures de loisir spirituel au début de la matinée et six heures de travail ensuite. Sur ce dernier point, les Pères se séparent nettement de la coutume qui était en vigueur à Marmoutier, sous saint Martin, durant le dernier quart du siècle précédent. Au lieu d'avoir tout leur temps, comme les disciples de Martin, pour lire et prier, ceux des Pères n'emploieront à ces exercices spirituels que les premières heures du jour. Le travail dans l'obéissance, à la mode égyptienne, sera la nouveauté et la force du monastère qui se fonde[6].

---

5. C'est-à-dire RIVP 5.

6. En dépit du silence à peu près complet d'Eucher et d'Hilaire sur cette observance. Cf. S. Pricoco, *op. cit.*, p. 120-122. Mais depuis dix ans déjà certains moines africains travaillaient chaque jour pendant six heures et même davantage (*Ordo monasterii* 3).

En rupture – au moins partielle[7] – avec certaines formes antérieures du monachisme en Gaule, l'œuvre des Pères n'est pas sans rapport avec celle qu'Augustin vient de réaliser en Afrique. Là, au cours de la décennie précédente, ont été rédigés l'*Ordo monasterii* et le *Praeceptum*, deux opuscules qui, réunis, ont à peu près la même longueur que notre règle. Est-ce sur ce modèle que les fondateurs de Lérins ont conçu leur législation ? Outre le format de l'ensemble, ils ont pu emprunter certains traits à chaque partie : à l'*Ordo* plusieurs prescriptions, au *Praeceptum* l'idée-mère de la vie commune, placée au principe de l'œuvre et fondée sur la même citation du Psaume 67[8]. Mais là s'arrête l'analogie. Au lieu d'évoquer ensuite, avec Augustin, l'Église primitive, où tous n'étaient qu'un cœur et qu'une âme dans le partage des biens, « Sérapion » présente d'emblée le supérieur et l'obéissance, d'une façon qui rappelle plutôt le cénobitisme égyptien tel que le décrit Jérôme[9]. L'obéissance, non la charité, est la vertu dominante dans cette première règle de Lérins.

La Règle des Quatre Pères permet donc, si nous ne nous trompons, d'entrevoir la communauté de Lérins à sa naissance. Les premiers compagnons d'Honorat et les autres aspirants à la vie monastique qui ont afflué dans l'île, ont d'abord logé, à la mode martinienne, chacun chez soi. Lérins a ressemblé à Marmoutier, avec cette différence que l'étroit espace entre fleuve et rocher y était remplacé par une étendue plus vaste, limitée seulement par la mer. Mais les autorités s'inquiètent de cette multitude trop éparpillée et insuffisamment encadrée. Une maison commune a été bâtie, et le moment est venu de s'y rassembler. Cette inauguration de la maison s'accompagnera de l'installation d'un supérieur

7. Outre l'absence de travail manuel, la communauté martinienne se distingue de celle des Quatre Pères par son habitat dispersé (SULPICE SÉVÈRE, *V. Mart.* 10, 4-5). En revanche, elle lui ressemble par la désappropriation (*ibid.* 6).

8. AUGUSTIN, *Praec.* 1, 2 ; RIVP 1, 6 (Ps 67, 7).

9. JÉRÔME, *Ep.* 22, 35, 1. Cf. SULPICE SÉVÈRE, *Dial.* 1, 10, 1.

et de la promulgation d'une règle. Sommaire, lacuneuse, celle-ci prévoit du moins le minimum nécessaire pour un début de vie commune. Si les réunions de prière, qui existaient sans doute déjà comme à Marmoutier, ne sont mêmes pas mentionnées directement, un emploi du temps est tracé et les principales éventualités de l'existence communautaire sont envisagées. Bientôt ce rassemblement de frères recevra un nom : les habitants de l'île formeront une *congregatio*[10], une communauté.

Les témoignages de Paulin et de Cassien

Ce nom de *congregatio* est aussi celui que Paulin de Nole donne à Lérins dans une lettre adressée, entre 412 et 420, à Eucher, qui vit avec sa femme Galla sur l'île voisine de Lero[11]. Quant à Cassien, qui dédie son second volume de Conférences à Honorat et à Eucher, il en parle comme d'un *ingens fratrum coenobium*[12]. Ce dernier témoignage date de 425 environ et nous mène aux abords du grand événement qui survint à Lérins vers la fin de 426, ou plus probablement de 427 : le départ d'Honorat pour l'évêché d'Arles et l'avènement de son successeur, Maxime.

L'entrée en charge de Maxime et la Seconde Règle des Pères (426-428)

Fondateur du monastère, supérieur depuis une vingtaine d'années, maître spirituel très rayonnant et chef vénéré, Honorat laissait, dans sa communauté, un vide cruellement senti. La première page de l'histoire de Lérins était tournée. Une nouvelle phase s'ouvrait, qui serait celle du second supérieur, Maxime, originaire de Riez et futur évêque de cette ville.

10. Le mot n'apparaît qu'une fois (RIVP 3, 22), dans un passage qui risque d'être un ajout provoqué par un nouvel afflux de vocations (*si fratrum congregatio multa est*), les deux emplois ultérieurs (RIVP 5, 3 et 10) faisant partie de textes certainement additionnels (cf. note 5).

11. PAULIN, *Ep*. 51, 1.

12. CASSIEN, *Conl.* 11, *Praef.* 1.

C'est, semble-t-il, au moment de son entrée en charge que les autorités réunies à cette occasion établirent un nouveau directoire pour la communauté : la Seconde Règle des Pères. Qui étaient ceux-ci ? Probablement les auteurs de la charte précédente, tous trois encore en activité, et en outre quelques notables du dedans ou du dehors. L'un d'entre eux, sans doute le rédacteur du texte, nous est connu par Gennade, qui en fait même l'unique auteur : un certain diacre Vigile.

A peine plus longue qu'un des discours des Quatre Pères, cette Seconde Règle est un document d'aggiornamento. A quelque vingt ans de la fondation, on répète et on met au point certaines consignes, on en donne de nouvelles, on réoriente la vie commune vers ses fins. Le supérieur, appelé maintenant *praepositus*, garde toute son autorité, mais sa figure n'a plus le même relief. De la tête, l'accent est passé sur le corps. Ce qui intéresse avant tout, c'est la charité entre membres de la communauté, le chef étant d'ailleurs le premier de ceux qu'il faut aimer. En même temps, la règle – et non plus le supérieur – apparaît comme l'axe central qui assure l'unité[13].

Par l'intérêt qu'elle porte aux relations fraternelles dans la charité, la Seconde Règle se rapproche de l'*Ordo monasterii* et du *Praeceptum* augustiniens, dont l'influence se fait sentir sur plus d'un point. Comme l'*Ordo*, en particulier, les Pères insistent beaucoup sur le silence. Un autre point qui passe au premier plan est l'office. Supposé connu, simplement maintenu tel qu'il existe « depuis longtemps », ce « *cursus* de prières et de psaumes » n'en devient pas moins un objet de préoccupations. Les Pères recommandent d'y être exact et d'y demeurer jusqu'au bout, avec sanctions à l'appui. On le devine très long et pesant pour certains. L'ensemble de

---

13. 2RP 2-4. On ne peut donc souscrire entièrement aux vues de S. Pricoco, *op. cit.*, p. 76-93 (pas de règle écrite à Lérins dans les premières générations) et 93-111 (en Europe, pas de monachisme « régulier », lié à une législation écrite, pendant une bonne partie du ve siècle). Sur les limites inévitables de ce remarquable ouvrage, voir notre compte rendu dans *RHE* 76 (1981), p. 94-97.

l'observance paraît s'en ressentir. Les trois heures de lecture au début du jour ne sont plus garanties, un travail commun pouvant s'imposer même à ce moment.

Par rapport aux Quatre Pères, la législation pénale s'est développée. Des sanctions nouvelles frappent non seulement retardataires et déserteurs de l'office, mais encore ceux qui murmurent au travail. Surtout la matière pénale est reprise et considérée d'ensemble dans un *addendum*. L'aptitude à généraliser est d'ailleurs une des qualités de la Seconde Règle, qui marque à cet égard un progrès sensible sur les Quatre Pères.

Dans une de ces sanctions pénales apparaît un détail qui mérite d'être relevé. Autour du « monastère » se trouvent des « cellules », sans doute habitées par des ermites. Le principe fondamental des origines – la cohabitation de tous les frères en une seule maison – n'a donc pas empêché le passage de certains à la vie solitaire, suivant une ancienne pratique égyptienne dont Cassien – juste après la promotion épiscopale d'Honorat – atteste la renaissance dans l'archipel voisin des Stoechades[14].

Les gloires de Lérins sous Maxime et Fauste

A Lérins même, en 428, le *De laude eremi* d'Eucher confirme la présence de ces « cellules » qui rappellent l'Égypte. Car sous le supériorat de Maxime, une floraison d'œuvres littéraires éclôt chez les Lériniens. Après son Éloge du désert, qui se termine par un hymne à la petite île paradisiaque, Eucher écrit vers 430 un *De contemptu mundi*. Pour l'anniversaire de la mort d'Honorat, en janvier 431, son parent et successeur Hilaire prononce dans l'église d'Arles le beau panégyrique qu'est la *Vita Honorati*. En 434, le prêtre Vincent, frère de l'évêque Loup de Troyes et comme lui moine de Lérins, signe du nom de Peregrinus son fameux *Commonitorium*.

---

14. CASSIEN, *Conl.* 18, *Praef.* 1-3. Comme EUCHER, *De laude eremi* 42 (*diuisis cellulis*) et 2RP 30, Cassien parle de « cellules ». Quant à l'Égypte, voir en particulier SULPICE SÉVÈRE, *Dial.* 1, 10-11.

L'abbatiat de Maxime s'achève au bout de sept ans, vers 434, par sa promotion mouvementée à l'évêché de Riez. A son tour, Eucher devient évêque de Lyon avant 441, et ses deux fils, qui ont été élevés dans l'île, accèdent eux-mêmes à l'épiscopat. A Lérins, Maxime est remplacé par Fauste, breton d'origine, dont l'abbatiat durera près d'un quart de siècle pour finir, comme ceux de ses prédécesseurs, par une nomination épiscopale : peu avant 462, il succède à Maxime comme évêque de Riez. Avant de prononcer en cette qualité l'éloge de Maxime[15], Fauste a donné au cours de son abbatiat une série de sermons à ses moines[16] et célébré comme Hilaire la grande œuvre fondatrice d'Honorat[17].

Tandis qu'Eucher continue d'écrire – il dédie à ses fils des *Formulae spiritalis intelligentiae* et des *Instructiones*, à un collègue dans l'épiscopat la première Passion des martyrs d'Agaune –, un autre ancien lérinien, le prêtre Salvien de Marseille, lance successivement, dans la décennie 440-450, son *Ad ecclesiam*, appel passionné en faveur de la pauvreté où il se dissimule sous le pseudonyme de Timothée, et son célèbre *De gubernatione Dei*, qui justifie les voies de la Providence, en ces temps calamiteux pour les Romains, par de terribles attaques contre ces derniers.

En 449, Hilaire meurt dans la cité d'Arles, dont il est le pasteur depuis la mort d'Honorat. Ses pénibles démêlés avec l'épiscopat gaulois et le Siège romain ne peuvent faire oublier la grandeur de cette figure d'évêque, qui a transporté dans la vie cléricale la ferveur, l'austérité et le zèle laborieux d'un vrai moine. La vie exemplaire de ce lérinien sera racontée, quelque trente ans plus tard, par son disciple Honorat de Marseille, sans originalité, malheureusement, en ce qui concerne la jeunesse monastique du héros – le biographe ne fait que reproduire les renseignements donnés par le *De laude eremi* d'Eucher et par Hilaire lui-même dans sa *Vita Honorati* –, mais de façon intéressante pour la suite.

15. EUSÈBE GALL., *Serm.* 35.

16. EUSÈBE GALL., *Serm.* 36-45.

17. EUSÈBE GALL., *Serm.* 72.

Sous l'évêque Ravennius, qui remplace Hilaire (449-461), un concile se réunit en Arles pour dirimer la querelle de juridiction qui oppose Fauste, abbé de Lérins, et Théodore, évêque de Fréjus. Bien qu'ancien abbé lui-même, ce successeur de Léonce a des prétentions qui paraissent insupportables au supérieur du grand coenobium insulaire, mais que semblent appuyer ses collègues Valérien de Cimiez – l'auteur d'élégantes homélies – et Maxime de Riez[18]. Les douze prélats réunis autour de Ravennius, parmi lesquels on note le vieux Rusticus de Narbonne et Salonius de Genève, fils d'Eucher, tranchent le débat en définissant ce qui revient à l'évêque – ordinations, confection du chrême, confirmations, admission de clercs étrangers – et ce qui appartient à l'abbé. Celui-ci a pleine et exclusive autorité sur l'élément laïc qui forme le gros de la communauté, les clercs seuls relevant de l'évêque. En passant, le concile déclare qu'aucun moine ne peut être ordonné sans l'assentiment de l'abbé et que celui-ci doit être choisi par les moines. Une référence solennelle à la « règle posée autrefois par le fondateur du monastère[19] » clôt

18. Voir la lettre de convocation dans *CC* 148, p. 132, ligne 4. Valérien et Maxime paraissent associés à Théodore et opposés aux Lériniens que conduit Fauste. Est-ce pour des questions d'ordinations ? Ancien abbé de Lérins, Maxime aurait-il cherché à y prendre des moines pour en faire des clercs sans l'autorisation de Fauste (cf. p. 134, l. 29-30) ? Il est possible toutefois que les deux évêques soient opposés à Théodore et alliés de Fauste, comme le suggère la répétition *episcopum... episcopos,* qui distingue l'évêque de Fréjus de ses collègues. En tout cas, Maxime figure ensuite parmi les prélats qui rendent la sentence (p. 133), tandis que Valérien n'est pas de leur nombre. Cette sentence ne fait d'ailleurs aucune mention de la part qu'ils ont prise à la querelle, pas plus que Fauste n'y fera allusion dans son éloge de Maxime. Cette énigme n'a pas retenu l'attention de É. GRIFFE, *La Gaule chrétienne à l'époque romaine,* t. II, Paris 1957, p. 114 ; t. III, Paris 1965, p. 340. TILLEMONT, *Mémoires,* t. XV, p. 407, et H. LECLERCQ, art. « Lérins », *DACL* 8 (1929), col. 2599, pensent que Maxime avait pris parti pour Lérins, son ancien monastère.

19. *Ibid.,* p. 134, lignes 34-36. Cf. S. PRICOCO, *op. cit.,* p. 83-84, qui exclut le sens spécialisé de « règle monastique », tout en reconnaissant qu'il peut s'agir d'une norme *écrite* ou orale (c'est nous qui soulignons).

cette très importante décision conciliaire, qui servira de précédent, au VIe siècle, à l'épiscopat africain.

Lérins entre Fauste et Porcaire

En cette affaire, Fauste a fait preuve d'une vigueur combative qu'on retrouve dans les luttes théologiques soutenues par lui contre plusieurs adversaires, les tenants de l'augustinisme en particulier. Sans entrer dans ces disputes, qui nous conduiraient dans le temps de son épiscopat, il faut noter que nous ignorons qui lui succéda, vers 460, comme abbé de Lérins. C'est seulement trente ans plus tard qu'un de ses successeurs, l'abbé Porcaire, émerge dans la Vie de Césaire.

Entre temps, l'histoire de Lérins nous échappe presque complètement. On ne fait que l'entrevoir à travers de rapides mentions de Sidoine Apollinaire[20] et d'Ennode, celui-ci relatant le passage d'Épiphane de Pavie à Lérins lors de sa mission diplomatique auprès du roi wisigoth[21]. Ce dernier fait, qui eut lieu en 474, se rattache aux dernières convulsions de l'Empire d'Occident et nous mène à une date mémorable pour Lérins comme pour toute la Provence : celle de 477, année où les Wisigoths d'Euric franchirent le Rhône et occupèrent le littoral méditerranéen jusqu'aux Alpes. Depuis sa fondation, Lérins avait vécu sous la loi romaine. Désormais, l'île appartiendra, avec sa région, aux états barbares qui se succéderont : royaumes des Wisigoths jusqu'en 507, des Ostrogoths jusqu'en 536, et enfin des Francs.

Nous serions moins affirmatif. Sans doute le concile pense-t-il surtout (peut-être pas exclusivement, cf. *in omnibus*) à la pleine et entière autorité de l'abbé sur ses moines, mais la RIVP, où ce point est si fortement marqué, ne pourrait-elle pas être visée ici sous le nom de *regula* ?

20. SIDOINE APOLLINAIRE, *Ep.* 7, 17, 3 ; 8, 14, 2 ; 9, 3, 4 ; *Carm.* 16, 104-115. A ces passages cités par S. PRICOCO, *op. cit.*, p. 82-85, on peut ajouter *Ep.* 6, 1, 3 (PRICOCO, p. 51-52), qui évoque le lointain passé du vieux Loup.

21. ENNODE, *V. Epiphanii, PL* 63, 221 c.

L'abbatiat de Porcaire et la Règle de Macaire

Comme les deux premières de ces dominations barbares, la période obscure de Lérins aura duré une trentaine d'années. En 490 ou 491, l'entrée de l'homme célèbre que sera Césaire y apporte enfin un peu de lumière. Par ses biographes, nous apprenons le nom de l'abbé qui le reçut, un certain Porcaire, qu'on connaît d'ailleurs par une petite exhortation spirituelle appelée *Monita* dont il est l'auteur. Le jeune Césaire, qui arrivait de Chalon, fut vite promu cellérier, puis destitué pour excès de rigueur. Tournant alors sa sévérité contre lui-même, il ruina sa santé. Avant 499, Porcaire l'envoyait se soigner en Arles, où il fut ordonné prêtre et placé à la tête d'un monastère. Après trois ans d'abbatiat, il succéda à l'évêque Aeonius, son parent, qui n'avait cessé de le pousser en avant. Son importante Règle des vierges, dont il tira, après 534, une petite Règle pour les moines, nous renseigne indirectement sur l'observance lérinienne, surtout en matière liturgique, où l'auteur se réclame expressément de la *regula monasterii Lirinensis*. Un de ses Sermons aux moines s'adresse à la communauté de Lérins, dont il fait un splendide éloge[22].

Vers 506-510, une autre recrue de grande envergure se présenta à Lérins, sans qu'on sache quel fut l'abbé qui le reçut. Abbé lui-même, Jean de Réomé venait du diocèse de Langres, fuyant le monastère qu'il y avait fondé et dissimulant sa dignité pour se faire admettre dans l'île comme postulant. Mais le nouvel évêque de Langres, Grégoire, bisaïeul de Grégoire de Tours, le contraignit à rentrer à Réomé et à reprendre ses fonctions de supérieur. C'est alors qu'il mit en application, au dire de Jonas son biographe, une règle attribuée au Bienheureux Macaire.

Cette *regula*, il l'avait probablement rapportée de Lérins. De fait, un bon nombre de manuscrits nous font connaître une petite *Regula beati Macarii*, d'un format intermédiaire entre la Règle des Quatre Pères et la Seconde Règle, et qui

---

22. CÉSAIRE, *Serm.* 236.

contient en son milieu presque toute la seconde moitié de cette dernière. Autour de ce noyau de législation lérinienne se trouvent disposées symétriquement plusieurs couches de textes, dont l'une en particulier reproduit certains conseils de Jérôme à Rusticus. Ces avis spirituels adressés à un seul moine ne sont pas sans analogie avec les *Monita* de Porcaire. C'est vraisemblablement cet abbé de Lérins qui se cache sous le pseudonyme de Macaire, auteur que le titre de la règle identifie avec le supérieur légendaire d'une communauté de cinq mille moines dont parle la Vie apocryphe de saint Pachôme.

Par cette Règle de Macaire, nous retrouvons donc le monachisme lérinien dans l'état où il se trouvait vers la fin du ve siècle, sous un abbé que la Vie de Césaire nous montre plutôt bon que ferme. Comme dans les *Monita*, l'intérêt de ce nouveau maître semble aller de préférence à l'édification spirituelle des individus. Les parties proprement législatives sont moins soignées, qu'il s'agisse du morceau central repris presque sans changement à la Seconde Règle ou des règlements pour l'admission des recrues et pour la correction, qui se lisent à la fin. Dans ces derniers, on constate des simplifications naïves et une certaine rudesse, qui ne sont peut-être pas sans rapport avec la mutation culturelle provoquée par les invasions.

Un autre trait remarquable de cette œuvre est qu'elle mène à son terme l'évolution que nous avons vu s'amorcer en passant des Quatre Pères à la Seconde Règle. Plus encore que les auteurs de cette dernière, « Macaire » met en valeur les relations fraternelles, tandis que la figure du supérieur, appelé maintenant *abbas*, s'estompe toujours davantage. Absente de la Règle des Quatre Pères, la dilection prend ici toute sa place comme animatrice de l'ascèse individuelle et des rapports entre personnes.

Bien que cet accent sur la charité fasse penser à Augustin, ce n'est pas à celui-ci que Macaire doit son inspiration et ses formules. Son maître favori est Jérôme, et cette prédilection est peut-être en relation avec le courant anti-augustinien qui domine encore en Provence. L'école semi-pélagienne, dont

Fauste de Riez a été en son temps le plus brillant champion, se réclame en effet de Jérôme et l'oppose à Augustin, comme on le voit à travers les efforts que fera le concile d'Orange, en 529, pour prouver l'accord théologique des deux docteurs.

L'abbatiat de Marin et la « Regula Orientalis » L'abbé Porcaire eut pour successeur, immédiat ou non, le prêtre Marin, qui ne nous est connu que par l'épilogue de la Vie des Pères du Jura. Écrivant vers 514-520, l'auteur anonyme de celle-ci termine en effet son œuvre en disant qu'il y joint des *Instituta* qu'il vient de compiler pour le monastère d'Agaune, sur l'ordre du « saint prêtre Marin, abbé de l'île de Lérins[23] ».

Ces *Instituta* sont probablement l'œuvre que Benoît d'Aniane nous a transmise sous le nom de *Regula Orientalis*. Plus longue que la Règle des Quatre Pères, l'Orientale est faite d'une alternance de textes pachômiens et de textes propres, ceux-ci utilisant librement la Seconde Règle des Pères. Sa structure est simple : passant en revue tous les membres de la communauté monastique, rangés en ordre descendant, elle traite successivement de l'abbé, des deux anciens et du prieur, puis du cellérier, du portier et des semainiers, enfin de tous les officiers et de tous les frères non gradés, en réglant avec le plus grand soin la façon dont ceux-ci doivent être corrigés de leurs manquements.

Les parties propres – c'est-à-dire non pachômiennes – de l'Orientale ne sont probablement pas l'œuvre du rédacteur qui les a réunies aux textes pachômiens. Simple compilateur, celui-ci les aura extraites d'un document préexistant, qui contenait sans doute une réglementation plus complète de la vie commune. Si l'Orientale s'identifie, comme nous le pensons, aux *Instituta* composés par l'Anonyme jurassien, le document en question pourrait être une règle lérinienne due à l'abbé Marin. La façon très souple dont l'auteur utilise la Seconde Règle des Pères, comme si cette petite législation lui

23. *V. Patr. Iurensium* 179.

était aussi familière que l'Écriture sainte, est bien de nature à confirmer que ces textes non pachômiens viennent de Lérins.

L'origine lérinienne des parties propres n'est nullement démentie par le titre d'« Orientale » donné à l'ensemble de l'œuvre. Nous savons en effet que les « Pères de Lérins » étaient, aux yeux de l'Anonyme jurassien, des « Orientaux », au même titre que Basile, Pachôme et Cassien[24]. Fondée sur les noms égyptiens de Sérapion, Macaire et Paphnuce, cette qualification s'étendait sans doute pour lui à la Seconde Règle, qui fait suite à l'œuvre des Quatre Pères, ainsi qu'au document dérivé de la Seconde Règle dont il se servait.

Reflet du contenu pachômien et lérinien de la règle, ce titre d'*Orientalis* se comprend bien dans l'hypothèse d'un ouvrage destiné au coenobium d'Agaune. En effet, les martyrs de la légion thébaine, dont le culte est la raison d'être de ce monastère, venaient de l'Orient eux aussi. Relevée sans insistance par Eucher dans le premier récit de leur passion[25], cette origine orientale est fortement soulignée dans la Passion X^2, qui semble dater du dernier quart du Ve siècle[26]. Or cette seconde Passion est une des sources de l'Anonyme jurassien, qui lui emprunte son interprétation du nom celtique d'Agaune[27]. On s'explique assez bien, dès lors, que les

24. *V. Patr. Iur.* 174.

25. EUCHER, *Passio Agaun. Mart.* 2, *PL* 50, 828 b : *ab Orientis partibus.*

26. *Passio S. Mauricii* (X^2), d'après le ms. d'Einsiedeln *256*, fol. 367-380, dans L. DUPRAZ, *Les Passions de S. Maurice d'Agaune*, Fribourg 1961 (*Studia Friburgensia*, Nouvelle Série 27), p. 13*-18*. Voir I, fol. 367 : *ex orientalibus militibus ;* II, fol. 367 : *christianae religionis ritum orientali traditione susceperant ;* V, fol. 370 : *traditam orientali more religionem.* Sur la date de la *Passion* X^2, voir L. DUPRAZ, *op. cit.*, p. 297. Cf. S. PRICOCO, *op. cit.*, p. 234-244, spécialement p. 238, n. 151.

27. Comparer X^2 III, fol. 368 (*Acaunum accole, interpretacione gallici sermonis, saxum dicunt*), et *V. Patr. Iur.* 3, 1-4 : *Quia ergo Acaunus uester Gallico priscoque sermone... petra esse dinoscitur.* La dépendance de l'Anonyme par rapport à la Passion ne semble pas avoir été remarquée. S'il substitue *petra* à *saxum,* c'est à cause de *Petri* (ligne 3).

Instituta destinés à ce monastère soient placés sous une étiquette « orientale ». Celle-ci était de mise pour une communauté fondée sur la tombe des martyrs thébains.

Cependant rien n'indique que la *Regula Orientalis* soit faite pour régir, à proprement parler, la communauté d'Agaune. Il s'agit seulement d'un texte privé, informatif plutôt que normatif, adressé à deux moines sans autorité par un religieux sans mandat. Seule la mission que ce dernier dit avoir reçue de l'abbé de Lérins confère à l'écrit une sorte de visa officiel.

Quant au document lérinien qu'utilise le compilateur, il témoigne d'un intérêt exclusif pour l'organisation communautaire. A la différence de « Macaire », l'auteur – l'abbé Marin, selon notre hypothèse – ne s'occupe pas d'ascèse et de spiritualité individuelles. Sans cesse citée dans les règles précédentes, la Bible ne l'est jamais dans celle-ci. Définir exactement le rôle de chaque officier et les relations de tous avec le premier d'entre eux, tel est l'unique souci de cette législation.

Le concile de Clermont (535) et la Troisième Règle des Pères

La même absence de notations spirituelles et de références scripturaires se retrouve dans le dernier document dont il nous reste à parler : la Troisième Règle des Pères. Cette fois, en outre, le point de vue est celui d'autorités extérieures, qui règlent la vie monastique du dehors. Ce sont des évêques qui parlent. La Troisième Règle n'est qu'une série de canons pour les moines, décrétés par un synode épiscopal.

A peine plus longue que la Seconde Règle, la Troisième ne dépend pas directement de celle-ci, mais de la Règle de Macaire. A ces textes d'origine monastique et lérinienne se joignent des emprunts aux grands conciles gaulois des premières décennies du VIe siècle : Agde (506), Orléans I et II (511 et 533). Enfin quelques passages appartiennent en propre aux rédacteurs du document.

Avec une très grande vraisemblance, on peut attribuer l'œuvre au concile d'Auvergne tenu en 535 à Clermont. Un des quinze évêques réunis là était Grégoire de Langres, dont nous avons vu le rôle dans la carrière de Jean de Réomé. Assistant pour la première fois à un concile austrasien – le royaume burgonde, auquel il appartenait, a été annexé par les Francs l'année précédente –, ce vieil évêque y aura fait lire et déflorer la petite règle observée à Réomé, prestigieuse à la fois par le patronage du grand Macaire, la sainteté de l'abbé Jean et le renom de Lérins qui l'a diffusée.

Le dernier texte original de notre collection a donc vu le jour loin de Lérins, encore que sous l'influence au moins indirecte du grand monastère méditerranéen. Le caractère purement laïc que celui-ci présentait à l'origine contraste avec la forte empreinte cléricale des communautés visées par la Troisième Règle. Qu'en est-il à présent de Lérins lui-même ? Le fameux coenobium disparaît malheureusement à nos yeux après Marin[28], pour ne reparaître qu'à la fin du siècle dans deux lettres de Grégoire le Grand[29].

Après les Règles des Pères : Césaire et sa postérité

Quant à la tradition littéraire des règles lériniennes, elle est bien close avec le concile de Clermont. Un autre évêque est sur le point de légiférer pour les moines et de leur transmettre

28. Sauf la mention qu'en fait ENNODE, *V. Antonii, PL* 63, 243 d-244 c : c'est à Lérins qu'Antoine, « déjà âgé », passe les deux dernières années de sa vie. Comme Antoine semble être né vers 470, l'épisode doit se placer peu avant 520 (Ennode lui-même meurt en 521). La *Vita* est dédiée à un certain abbé Léonce, dans lequel F. PRINZ, *Frühes Mönchtum im Frankenreich,* Munich-Vienne 1965, p. 473, voit un abbé de Lérins. Absent du catalogue abbatial de ce monastère (H. LECLERCQ, *loc. cit.,* col. 2604), Léonce n'est-il pas plutôt le supérieur des frères qu'Antoine a laissés dans la Valteline, ou quelque autre abbé italien ?

29. GRÉGOIRE, *Reg.* 6, 54 = *Ep.* 6, 56 (à Étienne, abbé ; mentionne *presbyteros et diaconos cunctamque congregationem*) ; *Reg.* 11, 9 = *Ep.* 11, 12 (à Conon, abbé ; son prédécesseur manquait de fermeté).

à sa façon l'héritage de Lérins[30]. L'année précédente (534), Césaire d'Arles a mis la dernière main à sa longue Règle des vierges. Au cours des huit années qui lui restent à vivre, il en tirera une petite Règle pour les moines, que lui et son neveu, le prêtre Teridius, répandront de tous côtés. Avec cette œuvre nouvelle, qui se rattache délibérément à Augustin, commence une nouvelle lignée de règles gauloises, celles d'Aurélien d'Arles, du monastère de Tarnant et de Ferréol.

La Règle du Maître et la recension italienne des Quatre Pères

Si la veine créatrice des Règles des Pères est désormais épuisée, les textes déjà produits continuent à vivre. En Gaule franque, après 511, la Règle des Quatre Pères subit, de la part d'un synode de trente-huit abbés, une recension assez profonde, qui lui donne la forme sous laquelle elle passera, trois siècles plus tard, dans le *Codex regularum* de Benoît d'Aniane.

En Italie du Sud, on va plus loin encore. L'œuvre des Quatre Pères s'y était conservée dans un texte excellent, dont Eugippe tirait encore, autour de 530, un extrait pour sa règle-centon. Mais peu après, entre 535 et 540 probablement, elle a été entièrement récrite par un rédacteur soucieux d'en polir le style rugueux pour faciliter la lecture publique. Cette recension Π n'est conservée que par un manuscrit, qui présente la petite œuvre des Quatre Pères comme une introduction à l'immense Règle du Maître. C'est pour servir de propylées à cet édifice géant que le premier monument législatif de Lérins a été soumis à une telle réfection.

Quant au fond, la recension Π ne change presque rien. Une de ses rares modifications consiste à retirer au supérieur la charge d'instruire les postulants par lui-même. Est-il rem-

30. Notamment l'horaire de la *lectio,* faite chaque jour jusqu'à la deuxième heure (CÉSAIRE, *Reg. uirg.* 19 et 69) ou la troisième (*Reg. mon.* 14 ; cf. *Reg. uirg.* 20). Voir aussi 2RP 40, reproduit par *Reg. uirg.* 13 (cf. *Reg. mon.* 11).

placé, dans ce rôle, par un maître des novices ? Le texte ne le dit pas, mais le témoignage de la Règle bénédictine, écrite dans le même temps et la même région, rend la chose des plus vraisemblable ; au reste, Benoît semble connaître la recension Π, dont il reproduit une expression caractéristique dans son chapitre sur le cellérier.

En faisant subir à la Règle des Quatre Pères une toilette presque exclusivement formelle et en la préfixant à la toute récente Règle du Maître, la recension sud-italienne laisse entrevoir le sort qui attend désormais toutes ces vieilles règles. Le temps de leur application effective est passé. Si l'on s'intéresse encore à elles, c'est en qualité de monuments vénérables, toujours instructifs, d'une époque révolue[31]. Les Pères sont appelés à envelopper de leur prestige des auteurs de fraîche date : l'*Explicit* qui suit la Règle du Maître fait de ce dernier, à l'instar des trois grands moines d'Égypte, un des « saints Pères ».

Vers une démonstration Ainsi se situent dans l'espace et dans le temps, si nous ne nous abusons, ces divers documents. Mais tous les points de notre construction ne sont pas également assurés, tant s'en faut. Curieusement, c'est le sommet de l'édifice – lieu et date de la Troisième Règle des Pères – qui s'avère le plus ferme, tandis que les étages inférieurs peuvent paraître moins robustes. La rapide vue d'ensemble que nous venons de donner doit maintenant faire place à de patientes et minutieuses investigations, qui en établissent un à un tous les éléments.

31. Voir notre article « *Sub regula uel abbate*. Étude sur la signification théologique des règles monastiques anciennes », dans *Col. Cis.* 33 (1971), p. 209-241, spécialement p. 225-227.

CHAPITRE II

Vue d'ensemble des textes
L'ordre des cinq premières pièces

Caractères communs : brièveté Les cinq petites règles que nous éditons – laissons de côté pour l'instant Π, simple remaniement de la première –, ont en commun plusieurs traits évidents. Le premier est leur brièveté : bien que d'ampleur fort inégale – la Règle des Quatre Pères est trois fois plus longue que la Seconde Règle des Pères –, elles se signalent toutes, au sein de la grande collection des Règles latines, par des dimensions très modestes[1].

Anonymat Un second caractère commun est le mystère de leurs origines. Deux des pièces – la Seconde et la Troisième Règle des Pères – ne présentent aucune indication de lieu, de temps ou d'auteur[2]. Une autre, que son titre qualifie d'Orientale, n'est guère mieux située pour autant. Quant à la Règle des Quatre Pères et à celle de Macaire, c'est encore vers l'Orient que les noms égyptiens de Macaire, de Sérapion et surtout de Paphnuce invitent à regarder, mais on ne sait ni les localiser précisément et les dater, ni même si ces attributions exotiques méritent d'être prises au sérieux.

---

1. Voir *La Règle de saint Benoît*, t. I, Paris 1972 (*SC* 181), p. 29, n. 1.
2. Sauf leur attribution à des « Pères » dans l'un ou l'autre manuscrit.

Répétitions

Un dernier trait commun de nos cinq petits écrits est de reproduire souvent les mêmes prescriptions, en termes identiques ou à peine différents. Pas un, par exemple, ne manque de fixer l'horaire quotidien en commençant par deux ou trois heures de lecture, suivies du travail manuel le reste du jour[3].

De telles répétitions manifestent clairement des liens de dépendance littéraire. Nos cinq règles ne sont pas seulement analogues, mais encore apparentées. Notre premier soin doit donc être de reconnaître la nature exacte des liens de famille qui les unissent. Comme nous allons le voir, elles se rangent en une généalogie qui ne fait pas de doute. L'ordre des pièces est le suivant : d'abord les Quatre Pères, puis la Seconde Règle des Pères, ensuite les deux filles de celle-ci : l'Orientale et la Règle de Macaire, enfin le rejeton de cette dernière : la Troisième Règle des Pères.

Les Quatre Pères antérieurs à la Seconde Règle des Pères

La première filiation est la plus difficile à définir, car les contacts des Quatre Pères avec la Seconde Règle sont très restreints. Le passage où les deux textes se côtoient le plus visiblement – il s'agit des prescriptions sur l'horaire déjà mentionnées – n'offre lui-même qu'un tout petit nombre de termes communs permettant d'établir un diagnostic[4] :

RIVP 3, 8-13	2 RP (V) 22-26
[8]Qualiter debent fratres *opera*ri praecipimus. [9]Debet ergo iste ordo teneri. [10]A prima hora *usque ad tertiam* Deo uacetur.	[22]Cursus uero uel orationum uel psalmorum, sicut dudum statutum est, uel tempus meditandi *operan*dique seruabitur. [23]Ita meditem habeant fratres ut *usque ad* horam

3. RIVP 3, 8-13 ; 2RP (V) 23-25 ; RMac 10-11 ; 3RP 5 ; ROr 24, 1-3.

4. Nous indiquons entre parenthèses trois variantes de la recension Π, dont la première éloigne les Quatre Pères de la Seconde Règle, tandis que les deux autres les en rapprochent.

[11]A *tertia uero usque ad nonam quidquid iniunctum fuerit* (fuerit imperatum) *sine* aliqua *murmuratione* suscipiatur (*perficia*tur). [12]Meminere debent hi quibus iniungitur dictum *apostol*i : « Omnia quae facitis *sine murmuratione* (+ et *haesitatione*) facite ». [13]Timere debent illum dictum terribile : « Nolite murmurare sicut quidam eorum murmurauerunt et ab exterminatore perierunt. »

tertiam legant, [24]si tamen nulla causa extiterit qua necesse sit etiam praetermisso medite aliquid fieri in commune. [25]Post horam *uero tertia*m unusquisque ad opus suum paratus sit *usque ad* horam *nonam* [26]uel *quidquid iniunctum fuerit* « *sine murmuratione* uel *haesitatione perficia*nt », sicut docet sanctus *apostol*us.

Tout en incorporant à son texte une des citations des Quatre Pères et en omettant l'autre, la Seconde Règle se montre généralement plus ample dans sa rédaction. Plus précise aussi : au lieu d'être désigné par l'expression vague *Deo uacetur,* l'exercice spirituel du début du jour se définit à la fois par la répétition orale (*meditem*) et par la lecture (23). Une clause supplémentaire (24) prévoit son omission en cas de travail urgent. Plus sobre en matière de considérants scripturaires, la Seconde Règle présente donc un surcroît de spécifications pratiques.

L'hypothèse de la priorité des Quatre Pères, que ces observations tendent à suggérer, se trouve légèrement confirmée par un trait de vocabulaire. L'expression *quidquid iniunctum fuerit,* commune aux deux textes, se rattache sans peine à la langue des Quatre Pères[5], tandis qu'elle ne trouve pas d'écho dans la Seconde Règle[6]. Mais celle-ci est si courte que tout argument de cette nature manque de poids.

Un autre passage commun donne lieu à la même remarque :

---

5. *Iniungere* : RIVP 2, 37 ; 3, 12 et 14 (*bis*). *Quidquid* : RIVP 2, 24 ; 3, 28.

6. Celle-ci n'a ni *iniungere,* ni *quidquid,* et elle emploie le synonyme *iubere* (2RP 43 ; cf. RIVP 2, 42 et 5, 6).

RIVP 2, 41-42	2RP (VII) 46
[41]...*ad* horam refectionis... [42]*nulli* licebit *loqui* nec alicuius audiatur sermo *nisi* diuinus... et eius *qui praeest uel qui*bus ipse iusserit loqui...	*Ad* mensa autem specialiter *null*us *loqu*atur *nisi qui praeest uel qui* interrogatus fuerit.

De nouveau, l'expression *qui praeest* est familière aux Quatre Pères, qui l'emploient quelque vingt fois, tandis que la Seconde Règle ne s'en sert qu'ici. Il semble donc que les Quatre Pères présentent le texte-source et la Seconde Règle le texte dérivé. Sous la réserve faite plus haut, on peut dire que ce point de contact laisse entrevoir de nouveau l'antériorité des Quatre Pères.

Sans poursuivre le relevé des correspondances entre les deux textes, qui sera mené à terme en son lieu, notons pour finir les deux allusions que fait la Seconde Règle à un long passé communautaire qui a précédé sa rédaction. Dès leur entrée en matière, les auteurs déclarent qu'ils « suivent la tradition des saints Pères[7] ». Or cette première phrase renferme justement deux expressions (*residentibus nobis in unum* et *ordinare regulam*) qu'on retrouve à la même place chez les Quatre Pères. Comme ceux-ci, de leur côté, ne se réfèrent à aucun précédent, on peut voir dans cette référence de la Seconde Règle à la « tradition » une allusion à l'œuvre des Quatre Pères.

Plus loin, nous l'avons vu, la Seconde Règle prescrit de maintenir l'ordonnance de l'office « comme il est établi depuis longtemps[8] ». Si ces mots s'appliquent également à l'emploi du temps (*tempus meditandi operandique*) mentionné aussitôt après, on pourrait y voir une nouvelle allusion aux Quatre Pères, dont l'horaire est identique. En tout cas, cette référence à un usage ancien, sans parallèle chez les Quatre Pères, situe de nouveau la Seconde Règle à un stade historique ultérieur.

7. 2RP 1 : *secundum traditionem patrum uirorum sanctorum.*

8. 2RP 22 : *sicut dudum statutum est.*

La communauté qu'elle concerne a déjà des normes et un passé. On n'en est plus aux premiers pas dans la vie commune, comme c'était apparemment le cas chez les Quatre Pères. Ceux-ci décrétaient, pour commencer, la réunion de tous les frères en une seule maison et instituaient un supérieur pour les régir[9]. La Seconde Règle suppose que cette cohabitation en un monastère existe d'ores et déjà[10], et qu'un supérieur est « établi sur place[11] ».

Tout indique donc que la Seconde Règle vient après les Quatre Pères et dépend d'eux. La critique interne ratifie ainsi l'ordre dans lequel les deux pièces sont rangées dans les très rares manuscrits qui les réunissent. Comme les Codex de Corbie, de Tours et d'Aniane, nous devons placer la Seconde Règle à la suite de celle des Quatre Pères.

La Règle de Macaire entre la Seconde et la Troisième Règle des Pères

Le maillon suivant de notre chaîne est la Règle dite de Macaire. Pour s'en convaincre, il est d'abord nécessaire de dresser un tableau synoptique des péricopes communes aux trois textes si étroitement apparentés que sont la Seconde Règle, la Règle de Macaire et la Troisième Règle des Pères :

	2RP	RMac	3RP
(V)	[22]	[9, 1]	
	23-24	10, 1-3	5, 1-2
	25-26	11, 1-3	5, 3-4
	27-29	12, 1-6	
	30	13, 1-2	

9. RIVP 1, 1-14.

10. 2RP 2 : la Règle est ordonnée au « progrès des frères », déjà réunis « en monastère ». L'« unanimité » était liée, chez les Quatre Pères, à la « cohabitation » qu'ils instituaient selon le mot du Psalmiste (RIVP 1, 6-9 ; cf. Ps 67, 7). A présent elle en est détachée et évoque un autre texte scripturaire (2RP 4 ; cf. Ph 2, 2).

11. 2RP 3 : *sanctus praepositus qui constitutus est in loco* (cf. 7).

(VI)	31	14, 1-4	6,1
	32.37-39	15, 1-7	
(VII)	40-41	16, 1-6	
	43-45	17, 1-4	
	46	18, 1-2	7, 1-2
		22, 1-3	8, 1-3
		23, 1-3	1, 3-5
		24, 1-4	1, 6-7
		28, 1-3	10, 1-3

Cette table montre à l'évidence que Macaire se place entre la Seconde et la Troisième Règle des Pères. En effet il a en commun avec chacune d'elles prise séparément des passages qui ne se retrouvent pas dans l'autre, tandis que l'inverse ne se produit jamais : la Seconde Règle et la Troisième n'ont aucun passage commun qui ne se retrouve chez Macaire.

La même conclusion résulte d'une comparaison des trois textes dans les passages où ils se rencontrent :

2RP	RMac	3RP
(V) [23]*Ita meditem habeant fratres* ut *usque ad horam* tertiam legant, [24]*si tamen nulla causa extiterit qua necesse sit etiam praetermisso medite aliquid fieri in commune.*	10 [1]*Matutin*umque *dict*um *ita meditem habeant fratres usque ad horam secundam,* [2]*si tamen nulla causa extiterit* [3]*qua necesse sit etiam praetermisso medite aliquid fieri in commune.*	5 [1]*Matutino dicto fratres* lectioni uacent *usque ad horam secundam,* [2]*si tamen nulla causa extiterit qua necesse sit etiam praetermiss*a lectione *aliquid fieri in commune.*
[25]*Post horam uero* tertiam *unusquisque ad opus suum paratus sit usque ad horam nonam* [26]*uel quidquid iniunctum fuerit sine murmuratione* uel haesita-	11 [1]*Post horam uero secundam unusquisque ad opus suum paratus sit usque ad horam nonam* [2]*uel quidquid iniunctum fuerit sine murmuratione perficiat,* [3]*sicut*	[3]*Post horam secundam unusquisque ad opus suum paratus sit usque ad horam nonam* [4]*uel quidquid iniunctum fuerit sine murmuratione perficiat.*

tione *perficiant, sicut docet sanctus apostolus.*	*docet sanctus apostolus.*	
(VI) [31]*Ad horam uero orationis dato signo,* si quis *non statim praetermisso omni opere quod agis – quia nihil orationi praeponendum est – paratus fuerit, foras excludatur* confundendus.	14 [1]*Ad horam uero orationis dato signo* [2]*qui non statim praetermisso omni opere quod agit* [3]*– quia nihil orationi praeponendum est – paratus fuerit,* [4]*foras excludatur* ut erubescat.	6 [1]*Ad horam uero orationis dato signo qui non statim praetermisso omni opere quod agit, quia nihil orationi praeponendum est,* [2]ab abbate uel praeposito corripiatur.
(VII) [46]*Ad mensa autem specialiter nullus loquatur nisi qui praeest uel qui interrogatus fuerit.*	*18* [1]*Ad mensa*m *autem specialiter nullus loquatur* [2]*nisi qui praeest uel qui interrogatus fuerit.*	7 [1]*Ad mensa*m *autem specialiter nullus loquatur* [2]*nisi qui praeest uel qui interrogatus fuerit.*

Ici encore, il apparaît que Macaire est en contact immédiat avec la Seconde Règle et la Troisième, tandis que celles-ci ne communiquent entre elles que par son moyen. On trouve en effet des particularités communes à Macaire et à la Seconde Règle[12], d'autres communes à Macaire et à la Troisième[13], mais point de particularité commune aux deux Règles des Pères à l'exclusion de Macaire[14].

12. Ainsi *ita meditem habeant* (2RP 23 = RMac 10, 1) ; *medite* (2RP 24 = RMac 10, 3) ; *uero* (2RP 25 = RMac 11, 1) ; *sicut docet sanctus apostolus* (2RP 26 = RMac 11, 2) ; *paratus fuerit... foras excludatur* (2RP 31 = RMac 14, 3-4).

13. Ainsi *matutin(umque) dict(um)* (RMac 10, 1 = 3RP 5, 1) ; *ut* omis (*ibid.*) ; *uel haesitatione* omis (RMac 11, 2 = 3RP 5, 4 ; noter le retour à RIVP 3, 12, au moins selon E) ; *perficiat* singulier *(ibid.)* ; *qui* (RMac 14, 2 = 3RP 6, 1). Nous laissons de côté *secundam* (RMac 10, 1 = 3RP 5, 1), vu qu'on trouve déjà cette leçon dans un des témoins de 2RP.

14. Il est vrai que *legant* (2RP 23) trouve un écho dans *lectioni uacent*

Quel que soit donc l'ordre dans lequel se sont succédé la Seconde et la Troisième Règle, il est en tout cas certain que celle de Macaire a joué entre elles le rôle de trait d'union, soit comme source commune, soit comme maillon intermédiaire. Cette situation peut être représentée par trois schémas[15], entre lesquels nous devrons choisir :

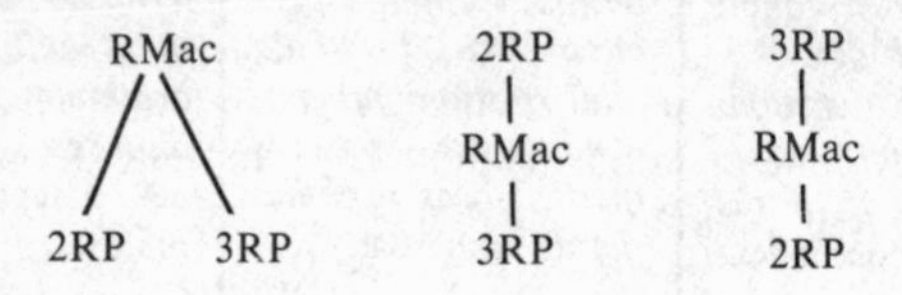

La Seconde Règle des Pères source de Macaire

La première de ces trois hypothèses (Macaire source des deux autres règles) est celle qu'adoptait il y a vingt ans A. Mundó dans un travail de pionnier qui fit époque[16]. Mais un examen plus approfondi montre qu'il faut lui préférer la suivante (Macaire dépendant de la Seconde Règle et influant sur la Troisième[17]).

En effet, la partie commune à la Seconde Règle et à Macaire s'avère homogène à l'une et hétérogène à l'autre. Cette section, qui représente presque toute la deuxième moitié de la Seconde Règle (2RP 23-46), appartient au même genre législatif que la première moitié. Comme dans

(3RP 5, 1), mais il ne s'agit là, semble-t-il, que d'une rencontre, analogue à celle de RMac 11, 2 avec RIVP 3, 12 (cf. note précédente).

15. On pourrait en ajouter un quatrième, qui reproduirait le premier en intervertissant 2RP et 3RP (celle-ci supposée antérieure), mais cette variante est sans conséquence pour notre problème.

16. A. MUNDÓ, « Les anciens synodes abbatiaux et les Regulae SS. Patrum », dans *Regula Magistri - Regula S. Benedicti,* éd. B. STEIDLE, Rome 1959 (Studia Anselmiana 44), p. 107-125. Voir p. 118-121.

17. C'est peut-être à quoi songeait déjà J. NEUFVILLE, « Règle des IV Pères et Seconde Règle des Pères », dans *Rev. Bénéd.* 77 (1967), p. 47-106 (voir p. 48, n. 2).

celle-ci[18], les prescriptions et les défenses y sont tantôt au pluriel, tantôt au singulier, suivant qu'elles visent la communauté entière ou un de ses membres, mais toujours à la troisième personne (« ils » ou « il »).

Il en va autrement chez Macaire. La section qu'il a en commun avec la Seconde Règle (RMac 10-18) est entourée de textes à la deuxième personne du singulier (RMac 4-9 et 19-21). Malgré les phrases de transition qui les relient à la partie commune[19], ces morceaux en « tu » contrastent nettement avec celle-ci, non seulement par leur forme, mais encore par leur contenu : au lieu de véritables lois, positives ou négatives, on y trouve de simples exhortations spirituelles adressées à l'individu pour sa vie personnelle et émaillées d'emprunts à des auteurs tels que Cyprien et Jérôme. Le même genre, spirituel plutôt que législatif, apparaît d'ailleurs, sans le « tu », dans tout le début de Macaire (RMac 1-3) et une fois dans la suite (RMac 28, 4-7).

Que la section commune appartienne aux Pères et non à Macaire, on le voit encore quand on considère le style et le vocabulaire. La manière de signaler les citations par *sicut docet apostolus* (2RP 26 = RMac 11, 3), *secundum praeceptum Domini dicentis* (2RP 41 = RMac 16, 4), *sicut Dominus dixit* (2RP 45 = RMac 17, 4) rappelle exactement les formules des Pères[20], tandis que Macaire a coutume d'incorporer tacitement à son texte les citations, tant bibliques que patristiques, sans les signaler par une formule d'introduction (RMac 1, 3 ; 3, 3 ; 8, 1 ; 20, 1 ; 28, 7. Cf. 6, 3 ; 7, 1 ; 8, 3-4 ; 21, 1-2).

De son côté, le mot rare *medite,* deux fois employé dans la partie commune (2RP 23-24 = RMac 10, 1-3), revient ailleurs chez les Pères (2RP 11, cf. 22), tandis qu'il ne reparaît pas chez Macaire. Quant aux mots-outils, dont on

18. Sauf la Préface (2RP 1-3), où les auteurs usent du « nous ».

19. RMac 9, 2 ; 19, 1-2 et 20, 1.

20. Voir 2RP 4.6.9 (*sicut scribtum est*) ; 5 (*quae docet sanctus apostolus*) ; 33 (*quia scribtum est in euangelio*) ; 45 (*sicut Dominus dixit*).

sait la valeur de test dans ce domaine, leur usage oppose nettement la partie commune à la Règle de Macaire et l'unit à celle des Pères. Voici en effet un relevé des principales conjonctions, soit dans la partie commune, soit dans les parties propres à chacune des deux règles[21] :

	2RP (propre)	Partie commune	RMac (propre)
autem[22]	7 ; 29 ; 35	27 = 12, 1 ; 39 = 15, 7 ; 46 = 18, 1	
ergo			1, 1 ; 23, 1 ; 26, 1
nam			24, 1-5 ; 27, 1 ; 28, 4
quod si			23, 3 ; 24, 3 ; 25, 1.4 ; 26, 3 ; 28, 1
secundum	7	28 = 12, 3 ; 41 = 16, 4	
sicut	4 ; 6 ; 9 ; 22	26 = 11, 3 ; 45 = 17, 14	
uero[23]	20 ; 37	[22 = 9,2] ; 25 = 11, 1 ; 30 = 13, 1 ; 31 = 14, 1 ; 32 = 15, 1 ; 43 = 17, 1	

21. Nous ne retenons que les conjonctions apparaissant au moins deux fois dans la partie commune. Ainsi se trouve exclu *sic*, qui n'apparaît qu'une fois (dans RMac 4 fois ; manque dans 2RP).

22. Dans RMac 28, 6, *autem* paraît venir de Mt 8, 12.

23. Comme *autem* en RMac 28, 6 (note précédente), le *uero* de RMac 9, 2 peut venir d'une source, en l'occurrence 2RP 22, qui fournit certainement à Macaire son *cursum* (RMac 9,1). – *Vero* sera de nouveau fréquent dans 3RP (6 fois dans les parties propres).

Dans chaque cas, la partie commune s'avère en continuité avec la Seconde Règle et en discontinuité avec Macaire[24]. Le présent sondage confirme donc que cette section commune est originaire de la Règle des Pères.

Genre, style, vocabulaire, tout indique ainsi l'homogénéité de l'ouvrage des Pères et le caractère composite de celui de Macaire. Rédigée par les premiers, la section commune n'est chez l'autre qu'un morceau d'emprunt. La Seconde Règle des Pères a précédé et engendré celle de Macaire.

La Règle de Macaire source de la Troisième Règle des Pères

Cette conclusion a un corollaire : la Règle de Macaire est la source de la Troisième Règle des Pères. Ce point ne requiert pas de démonstration spéciale. S'il est prouvé d'une part que l'œuvre de Macaire se situe entre les deux Règles des Pères et d'autre part qu'elle dépend de la Seconde Règle, il s'ensuit nécessairement que la Troisième dépend d'elle.

Cette fois, l'investigation critique oblige à rejeter l'ordre suggéré par la tradition manuscrite. Le *Codex* de Benoît d'Aniane place l'œuvre de Macaire après la Troisième Règle des Pères[25]. En réalité, la séquence des pièces est la suivante :

RIVP → 2RP → RMac → 3RP

24. Il faut d'ailleurs tenir compte du fait que *nam* et *quod si* n'apparaissent que dans la partie finale de Macaire (RMac 24-28), dont le style législatif est fort différent de la manière spirituelle du début (RMac 1-9 et 19-21). Même dans ses parties propres, cette règle n'est pas homogène.

25. Cette séquence vient de la juxtaposition de deux groupes de règles, que Benoît d'Aniane a trouvés dans deux sources manuscrites distinctes : le groupe des trois Règles des Pères (cf. ms. *Paris Lat. 4333 B*) et celui que forme la Règle de Macaire avec les *Pachomiana,* la Règle de Basile et la *Consensoria* (cf. ms. *Londres BM Add. 30055*). Constitués l'un en Gaule, l'autre en Espagne, ces deux groupements se suivent dans le Codex de Benoît, qui a judicieusement rapproché la Règle de Macaire, première pièce du second groupe, de la Troisième Règle des Pères, dernière pièce du premier groupe, d'après l'analogie de leur contenu.

La Seconde Règle des Pères source de l'Orientale

Il reste à classer la Règle Orientale par rapport à cette série. Un relevé de ses rencontres avec la Seconde Règle des Pères permet déjà d'affirmer qu'elle est en contact direct avec celle-ci :

2RP	ROr	2RP	ROr
3	1, 1	28	32, 9-10
4	24, 3	30	33, 1
5-6	3, 3-4	35	33, 2
	30, 1-2	35-36	24, 4
10	31, 1-3	40	34
11	22, 4-5	43-45	32, 3-5
23-24	24, 1-2	44	35
25	24, 3		

Sans doute un bon nombre de ces textes communs aux deux écrits se retrouvent-ils chez Macaire, voire dans la Troisième Règle des Pères. Mais il en est d'autres que Macaire omet, en particulier tous ceux de la première moitié de la Seconde Règle (2RP 3-11) et une des sanctions pénales de la deuxième moitié (2 RP 35-36). Inversement l'Orientale ne possède aucun texte propre à Macaire ou à la Troisième Règle des Pères[26]. Il est donc certain qu'elle se rattache à la Seconde Règle sans intermédiaire.

Est-ce à titre de source ou de dérivée ? A cette question,

26. Dans le détail de l'expression, l'Orientale présente deux variantes qu'on retrouve chez Macaire : *(abbatis ac) seniorum* (ROr 32, 9) rappelle *senioris* (RMac 12, 3), tandis que 2RP 28 écrivait *praepositi*; *se* est ajouté à la fois par ROr 34 et RMac 16, 3, alors qu'il manquait dans 2RP 40. De plus, ROr 22, 2 écrit *bini uel terni* comme RMac 22, 1 = 3RP 8, 1, tandis que la source pachômienne de l'Orientale s'exprime autrement. Mais ces points de contact n'impliquent pas nécessairement une relation directe de l'Orientale avec Macaire.

l'examen du vocabulaire ne donne pas de réponse claire[27]. En revanche, on peut établir un diagnostic en rapprochant l'Orientale et la Seconde Règle de l'écrit que nous avons reconnu être la source de cette dernière : la Règle des Quatre Pères. Voici une synopse des trois textes dans l'unique passage où ils se rencontrent :

RIVP	2RP	ROr
3 [10]A prima hora *usque ad tertiam* Deo uacetur.	(V) [23]Ita meditem habeant fratres ut *usque ad* horam *tertiam* legant, [24]si tamen nulla causa extiterit qua necesse sit etiam praetermisso medite aliquid fieri in commune.	[24 1]Quibus erit potestas legendi *usque ad* horam *tertiam*, [2]si tamen nulla causa steterit qua necesse sit etiam aliquid fieri.
[11]A *tertia uero usque ad nonam quidquid iniunctum fuerit sine* aliqua *murmuratione* suscipiatur. [12]Meminere debent hi quibus iniungitur dictum *apostoli* : « Omnia quae facitis *sine murmuratione* facite. »	[25]Post horam *uero tertia*m unusquisque ad opus suum paratus sit *usque ad* horam *nonam* [26]uel *quidquid iniunctum fuerit « sine murmuratione* uel haesitatione perficiant », sicut docet sanctus *apostolus*. [27]Si quis autem...	[3]Post horam *uero tertia*m si quae statuta sunt, sicut scriptum est, uel superbiam uel neglegentiam uel desidiam intercedentem non custodierit, [4]sciat se...

Le fait décisif est que l'Orientale omet les mots *usque ad nonam* et *quidquid iniunctum fuerit sine murmuratione* (2RP 25-26), qui sont dans la Seconde Règle des traces de la Règle

27. Parmi les mots et expressions de la partie commune, *error* se retrouve six fois dans l'Orientale et jamais chez les Pères, mais *fabula, quae statuta sunt* et *in ordine* se retrouvent une ou deux fois chez les Pères et jamais dans l'Orientale, du moins dans les parties propres, non pachômiennes, de celles-ci.

des Quatre Pères[28]. L'héritage de ceux-ci s'amenuise en passant de la Seconde Règle à l'Orientale, qui s'avère ainsi postérieure. L'Orientale est donc fille de la Seconde Règle des Pères. Cette dépendance à l'égard des Pères n'est pas faite pour nous surprendre, puisque nous savons à quel point l'Orientale dépend aussi de Pachôme.

Généalogie des cinq règles

Munis de cette ultime certitude, nous pouvons tracer à présent la généalogie complète de nos cinq règles :

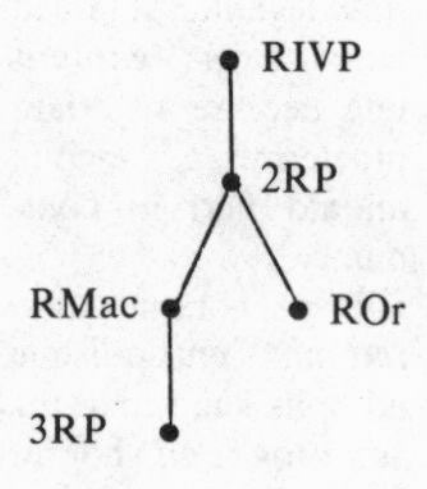

28. Noter aussi que *legant* (2RP 23) est à la même place et au même mode que *Deo uacetur* (RIVP 3, 10), tandis que *erit potestas legendi* (ROr 24, 1) se trouve à une autre place et à un autre mode.

RÈGLE DES QUATRE PÈRES

INTRODUCTION

CHAPITRE I

Vue d'ensemble et inventaire

La première pièce de notre collection présente un caractère qui se retrouvera dans la Seconde et la Troisième Règle des Pères : la forme synodale de sa rédaction. Avant d'analyser son contenu et d'en dégager l'esprit, il importe d'examiner cet aspect formel de l'œuvre.

I. *La forme*

Les quatre discours et les trois auteurs Notre texte se compose de quatre discours, dont chacun est introduit par la formule *N dixit*. Le premier discours a ainsi pour auteur Sérapion, le second Macaire, le troisième Paphnuce, le quatrième de nouveau Macaire.

Le retour de ce dernier nom signifie-t-il que l'auteur du quatrième discours est le même que celui du second, ou s'agit-il de deux Macaire différents ? A en croire les titres donnés à la Règle par les manuscrits, le second Macaire (*alterius Macharii*) serait distinct du premier[1]. Mais cette interprétation, qui correspond au voisinage de deux Macaire également célèbres, l'Égyptien et l'Alexandrin, dans l'*Historia monachorum* et les textes apparentés[2], ne se trouve guère confirmée par l'examen de notre Règle.

En fait, nous le verrons, le quatrième discours continue visiblement le second, comme si le même orateur ajoutait à ce qu'il avait dit quelques compléments. Dans les deux cas, la formule d'introduction est exactement la même (*Macharius dixit*), sans la distinction marquée par *alterius* dans le titre général de la Règle[3]. D'ailleurs le caractère particulier du dernier discours – celui d'un appendice ajouté par un des auteurs précédents – est assez clairement indiqué par deux traits insolites et corrélatifs : la conclusion qui le précède[4] et l'espèce d'excuse souriante qui l'introduit[5]. Il est donc permis de penser que cette Règle dite des Quatre Pères n'a en réalité que trois auteurs : Sérapion, Macaire et Paphnuce[6].

1. Comme le constate J. NEUFVILLE, « Règle des IV Pères et Seconde Règle des Pères », dans *Rev. Bénéd.* 77 (1967), p. 49, ce titre est très ancien, puisque représenté dans toutes les familles, mais il semble « factice », c'est-à-dire forgé secondairement d'après ce qui se lit dans le texte, plutôt qu'originel.

2. *Hist. mon.* 28-29 ; PALLADE, *Hist. Laus.* 17-18 ; RUFIN, *Hist. eccl.* 2 (11), 4.8 et *Apol. in Hier.* 2, 12 ; CASSIEN, *Conl.* 19, 9, 1 ; SIDOINE APOLLINAIRE, *Carm.* 16, 100 ; cf. A. GUILLAUMONT, « Le problème des deux Macaire dans les *Apophtegmata Patrum* », dans *Irénikon* 48 (1975), p. 41-59.

3. Seuls les mss *M* et *V* ont *item alius* devant le *Macharius dixit* de 4, T.

4. Voir 3, 31 : *Custodienda sunt ista praecepta et per singulos dies in aures fratrum recensenda* (cf. n. 70). Comme il n'y a rien de tel en 1, 18 et 2, 42, il semble que ce soit la conclusion primitive de toute la règle. Nouvelle conclusion en 4, 20, suivie d'un nouvel appendice.

5. Voir 4, 1-2 (cf. n. 71). Il se pourrait que l'excuse soit présentée par un quatrième orateur, mais l'identité de noms rend plus probable qu'il s'agit d'un des « trois témoins » précédents.

6. Ainsi déjà J. NEUFVILLE, *art. cit.*, p. 49, n. 3.

L'ensemble et son unité Quoi qu'il en soit du nombre des orateurs, les quatre discours sont en tout cas liés l'un à l'autre par des agrafes et forment un tout. Un préambule collectif (Pr 1-3) introduit le premier. Quant aux trois suivants, chacun d'eux débute par une référence à ce qui vient d'être dit[7]. L'analyse que nous ferons bientôt mettra en lumière la séquence et la complémentarité des quatre discours. Dès maintenant, toutefois, on peut dire que l'œuvre se présente, non comme un agrégat de propos discontinus, mais comme un ensemble agencé avec soin.

La forme conciliaire Dans cet appareil qui assure l'unité littéraire du texte, le préambule mérite une attention particulière. Il commence par la formule *Sedentibus nobis in unum*, qui fait penser à maint exorde d'actes conciliaires[8]. Ensuite les auteurs font état de la prière qu'ils ont adressée au Seigneur pour lui demander l'Esprit Saint, « afin que celui-ci nous instruise de la façon dont nous pourrions ordonner le comportement des frères et leur règle de vie ».

L'objet de la réunion ainsi défini diffère sensiblement de celui que se proposent d'ordinaire les conciles. Sans doute ceux-ci s'occupent-ils souvent — et parfois exclusivement — de questions disciplinaires concernant la manière de vivre de leurs clercs et de leurs ouailles, parmi lesquelles les moines ont droit, le cas échéant, à certaines prescriptions particulières[9]. Mais aucun concile d'évêques, à notre connaissance,

7. Voir 2, 1 : *Quoniam... insignia... superius conscripta sunt* ; 3, 1 : *Magna... dicta sunt omnia* ; 4, 1-2 (note précédente).

8. Cf. J. Neufville, *art. cit.*, p. 65.

9. Voir par exemple le préambule du concile d'Agde (506) : *de disciplina et ordinationibus clericorum atque pontificum uel de ecclesiarum utilitatibus tractaturi* (*CC* 148, p. 192) ; les canons 27-28 concernent les moines. — Une exception apparente : le concile d'Agaune (30 avril 515) pour la fondation du monastère dédié aux martyrs de la Légion Thébaine. Quatre des soixante évêques présents, dialoguant avec le roi Sigismond et avec leurs collègues, y prennent la parole tour à tour. L'éta-

ne s'est donné pour but unique de légiférer sur l'existence des moines, soit en général, soit en un lieu donné, et moins encore de le faire de façon assez complète pour qu'une communauté monastique puisse y trouver la « règle de vie » dont elle a besoin.

D'autres traits, si l'on se réfère au modèle conciliaire, paraissent insolites. D'abord le nombre minime de trois participants, qui, autant que nous sachions[10], est toujours largement dépassé dans ce genre de réunions. Ensuite l'absence de toute indication locale ou chronologique dans le préambule. Normalement un protocole de concile désigne au moins le lieu, quand ce n'est pas le jour ou l'occasion de l'assemblée[11]. On s'attendrait aussi à ce que les participants soient désignés de quelque façon dans le préambule, à quoi devraient correspondre des signatures à la fin[12]. Date, lieu,

---

blissement de la communauté monastique et de sa règle est l'objet principal, sinon exclusif (le premier discours trace un directoire pour le souverain) de la réunion. Cependant le dernier éditeur de cette relation, connue seulement par des documents émanant d'Agaune même, estime qu'il s'agit d'une composition carolingienne, qui, prétendant être un acte contemporain des événements, constitue un faux. Voir J.-M. THEURILLAT, *L'Abbaye de Saint-Maurice d'Agaune (515-830)*, Saint-Maurice 1954, p. 57-82 (cf. p. 72). D'après F. MASAI, « La *Vita patrum iurensium* et les débuts du monachisme à Saint-Maurice d'Agaune », dans *Festschrift B. Bischoff*, Stuttgart 1971, p. 43-69 (cf. p. 51-52), le faussaire aurait justement pris pour modèle la RIVP.

10. Pour certains conciles, on ignore le nombre des participants. Tel document rédigé par deux évêques (*CC* 148, p. 10) ou par trois (*ibid.*, p. 136) ou par quatre (*CC* 148 A, p. 199) ne constitue pas des actes de concile proprement dits.

11. Le concile de Paris de 360 (*CC* 148, p. 32) ne mentionne cette ville que dans son titre, mais les « évêques de Gaule » sont du moins nommés dans l'adresse et le § 4.

12. Les noms des participants sont parfois donnés au début (Valence 374 ; Arles *in causa Fausti* ; Angers 453 ; Vannes 461-491), le plus souvent à la fin sous forme de souscriptions, les rares Actes qui n'en donnent pas du tout (Paris 360 ; Turin 398 ; Arles II...) pouvant fort bien les avoir perdus par la négligence des copistes. Quand ils ne se désignent pas

personnes : le défaut de ces diverses mentions donne à la Règle des Quatre Pères l'aspect d'un document déficient, qui s'inspire du genre conciliaire mais reste étrangement imprécis.

Au reste, notre mini-concile monastique rédige son procès-verbal dans un style particulier, qui le distingue de certains actes conciliaires et le fait ressembler à d'autres. Comme on l'a relevé avant nous[13], la formule initiale *Sedentibus nobis in unum* et les discours successifs introduits par *N dixit* sont caractéristiques de certaines époques et de certaines régions. Nous y reviendrons quand nous essaierons de situer et de dater notre règle. Pour l'instant, un seul échantillon peut suffire[14], qui offre l'intérêt de réunir les deux caractéristiques mentionnées et même d'y joindre une troisième particularité de notre texte : la référence à une autorité qui « confirme » (*firmare*), par un écrit émanant d'elle, la démarche de l'assemblée.

Le parallèle en question est celui du concile d'Aquilée (381), réuni à l'instigation d'Ambroise et dirigé par lui, bien que présidé par un autre. Après un préambule utilisant le tour *considentibus cum episcopis*..., Ambroise et d'autres participants prennent la parole successivement (*Ambrosius episcopus dixit... Palladius dixit... Constantius episcopus dixit*...), et le premier en appelle, dès sa seconde intervention, à une « confirmation » écrite de l'empereur (*Disceptationes nostrae ex re firmandae sunt scripto imperiali*), un peu comme Sérapion recourt, dans ses premières phrases, à la force des Écritures (*firmitas Scripturarum*) pour « confirmer » ses prescriptions (*nostrum ordinem firmet*[15]).

---

nommément au début, les évêques y indiquent au moins, d'ordinaire, leur qualité d'*episcopi* (Arles 314) ou de *sacerdotes* (Tours 461).

13. J. Neufville, *art. cit.*, p. 64-65.

14. Il n'est pas recensé par J. Neufville.

15. *PL* 16, 916 (cf. RIVP 1, 4). A la différence des deux traits précédents, ce recours à une « confirmation » n'appartient pas, semble-t-il, aux usages conciliaires, mais se produit ici et là pour des raisons

Discours oraux et rédaction écrite : un indice de fiction ? Tout en prenant la forme d'un compte rendu de session qui rapporte une série de discours, la Règle des Quatre Pères ne cache pas que sa rédaction n'a cessé d'être visée par les participants de la façon la plus directe et qu'elle s'est faite séance tenante, voire à mesure que se déroulait la réunion. Parlant du discours précédent, Macaire dit en commençant que « les vertus distinctives des frères – habitation en commun et obéissance – *ont été plus haut mises par écrit*[16] ». C'est dire que les quatre discours représentent autant de dictées.

Cependant on ne peut s'empêcher de songer à certains entretiens littéraires de l'Antiquité, comme les Consultations de Zachée et d'Apollonius, les Dialogues de Sulpice Sévère et ceux de Grégoire le Grand, dont les interlocuteurs se réfèrent parfois de même à « ce qui vient d'être écrit » ou prennent à parti « le lecteur », comme si l'auteur mettait de côté un instant la fiction du dialogue et retournait, délibérément ou par mégarde, à ses habitudes d'écrivain[17]. En serait-il de même pour notre Règle des Quatre Pères ? Ces mots de Macaire ne suggèrent-ils pas que les discours sont fictifs, le législateur anonyme attribuant ses propres ordonnances à des orateurs imaginaires ?

Il faut tenir compte toutefois de l'usage synodal en cette

---

particulières. Cependant plusieurs documents de la « Collection d'Angers » emploient *firmare* ou *firmitas* pour signifier l'effet légal, la « force de loi » que les Pères entendent donner à leurs décisions en les publiant. Voir *CC* 148, p. 136, 27 (lettre de trois évêques vers 453) ; p. 143, 7 (Tours I 461) ; p. 151, 9 et 24 (Vannes 461-491). Cf. BRUNS II, p. 15 (Tarragone 516) : *ut... praesentia obseruatione sint firma.*

16. RIVP 2, 1 : *superius conscripta sunt.* A son tour, Paphnuce conclura son exposé en prescrivant de « répéter chaque jour aux frères ces préceptes » (3, 31), ce qui semble supposer la rédaction d'un texte écrit.

17. Voir notre Introduction à GRÉGOIRE LE GRAND, *Dialogues*, t. I, Paris 1978 (*SC* 251), p. 78. Dans certains cas, toutefois, on peut admettre que l'interlocuteur responsable de tels propos est censé averti de la future publication du dialogue. Cf. SULPICE SÉVÈRE, *Dial.* 3, 2 : *Quae... dicta sunt... qui non audierunt ex scriptis recognoscent.*

matière. Mettre par écrit des *gesta* est une des tâches habituelles des conciles. Plus d'une fois les évêques réunis s'en préoccupent expressément[18]. Il n'est pas impensable qu'une pareille mention trouve place même dans des actes reproduisant des discours oraux. Les mots *superius conscripta sunt* ont pu être effectivement prononcés par Macaire, ou encore placés dans sa bouche par un secrétaire-rédacteur mettant par écrit de vrais discours. Ce propos ne trahit pas nécessairement une fiction.

Homogénéité du style On peut en dire autant d'un fait qui, de soi, suggère aussi des discours fictifs : l'unité formelle qui règne d'un bout à l'autre de la règle. Les trois ou quatre orateurs ont tous le même style sec et répétitif. Le mot le plus caractéristique de ce vocabulaire uniforme est le verbe *tenere*, qu'il soit employé seul[19] ou dans des expressions telles que *magno studio teneatur*[20], *ordo teneri*[21], *regulam tenere*[22], *qualiter... teneatur*[23]. Les mots *firmus, firmitas, firmare* reviennent aussi avec fréquence[24], et le premier de ces termes entre en outre dans la phrase *firma ... regula pietatis,* qu'on trouve telle quelle à deux reprises[25]. L'expression *congregatio fratrum*[26],

18. Voir *CC* 148, p. 56, 49 (Turin 398, can. 3) : *Gestorum quoque seriem conscribi placuit* ; Bruns II, p. 15 (Tarragone 516) : *titulos subter annexos conscripsimus obseruandos* ; *Ibid.*, p. 287 (Rome 465) : *edere gesta notariorum sollicitudo curabit.*

19. RIVP 2, 8 et 32-33 ; 4, 30.

20. RIVP 1, 18 ; 2, 21 (*tenere*), les deux fois avec *ergo*. Cf. 2, 23 (*magnum... et*) ; 3, 1 (*magna et*).

21. RIVP 2, 11 ; 3, 2 ; 3, 5 et 9 (*debet ergo iste ordo teneri*).

22. RIVP 2, 21 et 28.

23. RIVP 1, 9 et 2, 2 (*qualiter ... teneatur Deo iuuante mandamus* ou *ostendimus*) ; 2, 16 (*qualiter ... teneri debeat ostendimus*) ; 3, 2 (*qualiter ... tenendus sit*).

24. RIVP 1, 4 (les trois réunis) ; 1, 18 ; 3, 3 ; 4, 3.

25. RIVP 1, 7 ; 4, 2.

26. RIVP 3, 22 et 5, 3. Cf. 3, 23 (*cellarium fratrum*).

la suite de mots *instruere qualiter fratrum regulam possit...*[27] se retrouvent deux fois aussi, avec seulement de légères variations, tandis que, parmi les nombreuses prescriptions utilisant l'adjectif verbal[28], la formule *Nec hoc tacendum est qualiter...* n'apparaît pas moins de trois fois[29]. De même les mots ou groupes de mots *aequalitas, conuenit, decernere, huius(ce)modi, nouerit, pro qualitate, nullus cum eo iungatur* figurent chacun à deux ou plusieurs reprises dans des discours différents[30]. L'usage massif du verbe *debet* et la désignation constante du supérieur par la périphrase *is qui praeest*, celle-ci servant souvent de sujet à *debet*, achèvent de donner à la règle cette monotonie qui impressionne le lecteur.

Tout cela, répétons-le, donne à penser que les différents orateurs ne sont qu'un seul et même auteur. Cependant cette homogénéité de l'œuvre entière peut s'expliquer par le travail rédactionnel d'un secrétaire qui aura réduit à l'unité les styles particuliers des trois Pères.

Au reste, il subsiste une curieuse marque de parenté qui unit particulièrement les deux discours de Macaire. L'emploi périphrastique de *uideri* se rencontre deux fois dans le premier, une fois dans le second, jamais dans les discours des autres Pères[31]. De même le tour *non (nec, nulli) licebit... nisi...* revient, en lourdes séries de quatre phrases consécutives, aussi bien dans le premier discours de Macaire que dans le second[32], tandis qu'on ne le trouve pas ailleurs[33]. Si

27. RIVP Pr 3 et 2, 28. La *regula fratrum* reparaît en 1, 7 (avec *ordinare* comme en Pr 3).

28. RIVP 1, 15 (*Considerandum est*) ; 2, 7.17.32 ; 3, 18.20 ; 4, 10 (bis).

29. RIVP 3, 2 ; 4, 3 (*hoc* omis) ; 5, 1.

30. Voir l'Index.

31. RIVP 2, 18 et 32 ; 4, 11.

32. Comparer 2, 38.40.41.42 (cf. 2, 37) et 4, 13.16.17.18-19 (*licebit* est remplacé par *liceat* en 13 et 17, par *permittatur* en 18, et *nisi* manque en 17 ; la répétition est donc ici moins caractérisée que dans le premier discours de Macaire).

33. Cependant on trouve des *nec (nullo, non, nulla)... nisi* en série dans

ces analogies ne sont pas fortuites, il est possible qu'elles tiennent à la diction personnelle de « Macaire ». Un autre trait – sorte de tic – pourrait aussi lui être attribué : l'emploi continuel, et parfois sans objet, des adverbes *primo* et *primum*, tel qu'on l'observe dans le second discours et là seulement[34].

Tout en confirmant pour une part l'identité des deux Macaire, ces remarques peuvent faire penser que le rédacteur a bien eu affaire à des discours quelque peu différents, dont il n'a pas complètement effacé les particularités. Si donc l'examen du style révèle avant tout le travail d'un rédacteur unique, il n'exclut pas – peut-être même laisse-t-il entrevoir – une matière orale variée, due à des personnages différents, que ce travail de rédaction aura presque entièrement unifiée.

Annonces et sous-titres Une des marques de ce style uniforme est d'introduire les diverses questions traitées par chaque orateur au moyen d'une phrase commençant par *Qualiter*. Esquissé dès le préambule[35], ce tour reçoit sa première forme dans le discours de Sérapion[36]. Comme l'avait déjà fait l'*Ordo monasterii* augustinien[37], notre orateur annonce son sujet par une interrogation indirecte (*qualiter...*) dépendant d'un verbe principal à la première personne du pluriel, placé en finale (*mandamus*). Cette formule revient cinq fois dans les deux

3, 3.5.6.7. Noter dans ce même discours les lourdes répétitions de *iniungere* (3, 11.12.14) et de *debet* (3, 22.23.24.26.28).

34. *Primo* : 2, 17.21.29.38 ; *primum* : 2, 15.25.33. Au quatrième discours (second de Macaire), ce trait peut avoir été effacé par le rédacteur, à supposer que celui-ci ne soit pas Macaire lui-même.

35. Pr 3 : *qui nos instrueret qualiter... ordinare possimus.*

36. RIVP 1, 9 : *sed qualiter unianimitas... recto ordine teneatur Deo iuuante mandamus.* Cf. ci-dessus, n. 23.

37. *OM* 2 : *Qualiter autem nos oportet orare uel psallere describimus.*

discours suivants, le verbe final en « nous » étant toutefois remplacé à deux reprises par un adjectif verbal initial[38].

Au milieu de cette longue série d'annonces, le rédacteur compose, dès la fin du deuxième discours, un véritable sous-titre, c'est-à-dire une phrase d'interrogation indirecte qui ne dépend d'aucun verbe principal : *Qualiter peregrini hospites suscipiantur*[39]. Cette nouvelle formule aura ensuite ses faveurs. Il l'emploiera trois fois dans le troisième discours et encore une fois dans le dernier[40], non sans retourner à deux reprises dans celui-ci à l'adjectif verbal introduisant l'interrogation[41].

Au total, ces intitulés commençant par *qualiter* ne sont pas moins d'une douzaine, distribués à travers les quatre discours. La répartition de leurs formes, que nous venons de décrire, est significative : le passage d'une forme à l'autre ne coïncide pas avec un changement d'orateur, mais se produit au milieu d'un discours. Ce détail suggère à nouveau l'indépendance très large du rédacteur par rapport à la matière orale qu'il met ou est censé mettre par écrit. Si son style se modifie parfois, d'ailleurs de façon légère et plus ou moins passagère, c'est au gré de son propre goût plutôt que sous l'influence des différents Pères auxquels il prête ou est censé prêter sa plume.

---

38. RIVP 2, 2 et 16 (*ostendimus*) ; 2, 7 (*Decernendum est...*) ; 3, 2 (*Nec hoc tacendum est...*) ; 3, 8 (*praecipimus*). Noter en outre, dans la phrase interrogative, l'emploi de *debere* (2, 7 et 16 ; 3, 8) ou d'un adjectif verbal (3, 2 : *tenendus sit*).

39. RIVP 2, 36.

40. RIVP 3, 15 ; 3, 21 ; 3, 23 (avec *debeat*) ; 4, 14. Ce dernier sous-titre est suivi d'une phrase elliptique qui répond à la question en la supposant (*Cum omni reuerentia...*). Cf. 2, 37, où *eis* suppose le sous-titre précédent (2, 36).

41. RIVP 4, 3 et 5, 1 : *Nec (hoc) tacendum est*. Cf. 3, 2. Cette formule est à distinguer de *Decernendum est* (2, 7), où l'obligation n'incombe pas à l'auteur lui-même, mais au supérieur (*ab eo qui praeest*) auquel s'adresse la règle.

Feuilles volantes et chapitres Ces treize annonces et sous-titres délimitent autant de petites sections distinctes. Il se peut que certaines de celles-ci aient été, à l'origine, notées sur des feuilles volantes (*schedae*) avant d'être réunies en un livret[42]. En tout cas, leur ensemble équivaut à une division en chapitres, et l'on comprend qu'un éditeur comme Benoît d'Aniane s'en soit prévalu pour doter la Règle des Quatre Pères d'une véritable capitulation[43].

Les citations scripturaires et leurs introductions Bien visible dans le découpage et l'étiquetage des sections, la main du rédacteur se reconnaît encore dans la présentation des *testimonia* scripturaires. Ceux-ci abondent presque partout[44], conformément à un dessein affirmé dès le principe : nos Pères entendent fonder leurs ordonnances sur la « solidité des Écritures[45] ». Insolite dans des Actes conciliaires[46], cette profusion de textes bibliques s'offre sous des formes variées : citations isolées[47], par groupes de deux[48], par groupes de trois[49], en séries plus nombreuses encore[50].

---

42. Cf. CÉSAIRE, *Reg. uirg.* 49.

43. *PL* 103, 435-442. Sur ces 16 titres de chapitres, 9 commencent par *Qualiter*, et presque tous correspondent à un des *Qualiter* du texte. Pour le détail, voir J. NEUFVILLE, « Les éditeurs des *Regulae Patrum* : Saint Benoît d'Aniane et Lukas Holste », dans *Rev. Bénéd.* 76 (1966), p. 327-343 (cf. p. 332-333).

44. Ils ne manquent complètement qu'en 2, 36-42 et 4, 14-17, deux sections « macariennes » et d'ailleurs connexes (hospitalité).

45. 1, 3-4 : *firmitas scripturarum.*

46. Les cas de ce genre, comme Orange 529 et Tours 567, font figure d'exceptions. D'ordinaire, les conciles décrètent sans « prouver ».

47. RIVP 2, 3.9.30 ; 3, 4.30 ; 4, 1.6 ; 5, 5.14.17.

48. RIVP 1, 5-6 et 13-14 ; 2, 5-6 et 12-13 ; 3, 12-13.17-19.25-26 ; 5, 7-9.

49. RIVP 1, 15-17.

50. Les séquences de 1, 13-14 et 15-17 peuvent être réunies en une seule série de *testimonia* sur l'obéissance. Voir aussi 5, 11-19.

La citation, souvent très libre[51], est introduite d'ordinaire par une formule employant le verbe *dicere*[52]. Parmi les exceptions[53], il faut relever en particulier deux formules qui utilisent le verbe *ait*[54]. S'agissant de la dernière citation de Sérapion et de la première de Macaire, ces deux *ait* consécutifs suggèrent invinciblement que le rédacteur cède à un caprice passager, analogue aux variations que nous avons observées dans les annonces et sous-titres. Comme celles-ci, le présent changement de formule ne correspond pas au changement d'orateur, mais transcende la division en discours. Il est donc imputable au rédacteur plutôt qu'aux deux Pères.

Il en va de même pour les autres cas où *dicere* fait défaut. Si trois de ces formules aberrantes se suivent à la fin du troisième discours[55], on en trouve aussi une ou deux dans chacun des discours voisins[56]. Il s'agit donc de fantaisies occasionnelles auxquelles le rédacteur est sujet, ou si l'on veut, de l'habitude qu'il a de manquer parfois à son habitude.

Les noms des trois Pères

Il reste, pour conclure cet examen de la forme, à considérer les noms portés par les orateurs. Tous trois, ils font penser d'emblée au monachisme égyptien. Le plus ancien ouvrage latin décrivant celui-ci, l'*Historia monachorum*, parle déjà, entre autres, d'un Sérapion, d'un Paphnuce et de deux Macaire. Sérapion est présenté comme « le père de nombreux monastères, ayant

51. Voir les notes sous le texte. Un bon exemple de cette liberté est la citation « salomonienne » de 2, 12-13.

52. RIVP 1, 5.13-14 ; 2, 5.9.12.14.19.20 ; 3, 3.12-13 (*dictum*) ; 4, 16 ; 5, 5.7.14.

53. RIVP 1, 6 (*et iterum*) ; 2, 6 (*inquit*) ; 2, 24 (*memor esse debet* ; cf. 2, 9 et 3, 12) ; 5, 17 (rien).

54. RIVP 1, 17 ; 2, 3.

55. RIVP 3, 17 (*quam Apostolus praecipit*) ; 3, 19 (*considerans Apostolum qualiter*) ; 3, 26 (*Studere debet... ut audiat*).

56. Voir note 53.

sous son autorité environ dix mille moines[57] », tandis que Paphnuce est qualifié d'« anachorète très célèbre en ces régions[58] ». Quant aux deux Macaire, l'Ancien et le Jeune, l'Égyptien et l'Alexandrin, leur gloire conjointe dépasse encore celle des précédents[59]. Les mêmes personnages, ou du moins les mêmes noms, reviennent dans les écrits de Rufin et de Jérôme[60], dans l'Histoire Lausiaque et chez Cassien[61]. Il arrive même que deux d'entre eux soient réunis dans le même passage[62].

Un tel concert de témoignages sur les moines d'Égypte donne à penser que nos trois noms ont quelque chose à faire avec ce pays. Sans doute celui de Macaire, d'origine purement grecque, est-il assez répandu dans le monde romain

57. *Hist. mon.* 18.

58. *Hist. mon.* 16. Cf. *Hist. eccl.* 1 (10), 4 : autre Paphnuce, confesseur et évêque.

59. *Hist. mon.* 28 (une évocation de mort et une résurrection) et 29 ; cf. 27. Cf. SOZOMÈNE, *Hist. eccl.* 2, 22 : autre Macaire, prêtre d'Alexandrie, vers 330.

60. RUFIN, *Hist. eccl.* 2 (11), 4 (*Macarius... aliusque M.*) et 8 (*Macarius de superiori eremo, alius M. de inferiori*) ; *Apol. in Hier.* 2, 12 (595 a : *Macarius Antonii discipulus et alter M.* ; le Sérapion nommé auparavant est-il moine ?). – JÉRÔME, *Ep.* 22, 33, 2 (*Macarius*) ; 58, 5, 3 (*Macarios*) et 108, 14, 2 (*Macarios... Serapionas*). Il faut sans doute distinguer de ce Macaire de Nitrie un autre Macaire, disciple d'Antoine, qui ensevelit avec Amathas le corps de son maître (*V. Pauli* 1 ; cf. 13) et que mentionne *Chron.* 19 (359).

61. PALLADE, *Hist. Laus.* 7, 3 (Sérapion de Nitrie) ; 17 (Macaire d'Égypte) et 18 (Macaire d'Alexandrie ; celui-ci, d'après § 27, a pour disciple un certain Paphnuce) ; 21, 1.8.9 (Macaire, disciple d'Antoine avec Amatas) ; 37 (Sérapion le Sindonite, qui vécut à Rome vers 390-410) ; 46, 2 (Sérapion le Grand et Paphnuce le Scétiote) et 3 (Paphnuce en exil) ; 47 (Paphnuce surnommé Céphalas). – CASSIEN, *Conl.* 3 (Paphnuce ; cf. 10, 3 et 18, 15) ; 5 (Sérapion ; cf. 2, 11 et 10, 3 : est-ce le même ?) ; 7, 27 (Macaire ; cf. 15, 3, etc.) ; 19, 9, 1 : *Paphnutium duosque Macarios.*

62. Ainsi Macaire et Sérapion (JÉRÔME, *Ep.* 108, 14, 2) ; Macaire et Paphnuce (PALLADE, *Hist. Laus.* 18, 27 ; cf. Apopht. *Macaire* 37) ; Sérapion et Paphnuce (*Ibid.*, 46, 2 ; CASSIEN, *Conl.* 10, 3) ; Paphnuce et les deux Macaire (*Conl.* 19, 9, 1).

finissant[63], et Sérapion lui-même se rencontre-t-il çà et là hors de son Égypte natale[64]. Mais Paphnuce, spécifiquement copte, est-il attesté ailleurs ? Placés à côté de celui-là, les deux autres noms prennent décidément la même couleur, et le trio évoque avec force le milieu égyptien. Quand Eucher de Lyon veut faire penser au désert d'Égypte, *Macarius* est un des deux noms qui viennent sous sa plume[65]. Quand Sidoine Apollinaire énumère quelques grands moines de là-bas, les deux Macaire et Paphnuce sont les premiers qu'il mentionne[66]. Quelle que soit la nature, réelle ou fictive, de sa nomenclature, notre règle a dû au moins en recevoir, aux yeux de ses lecteurs latins, un aspect nettement égyptien.

II. *Le contenu*

Morcelée en quatre discours, notre règle n'en a pas moins

---

63. On trouve notamment un Macaire, évêque de Jérusalem au temps de Nicée (SOZOMÈNE, *Hist. eccl.* 1, 17), un autre, envoyé de l'empereur Constant à Carthage en 348 (conc. Carth. I, Prol. ; AUGUSTIN, *Ep.* 23, 6), un autre en Cappadoce douze ans plus tard (BASILE, *Ep.* 18), un autre en Lycie (BASILE, *Ep.* 218), un autre, prêtre luciférien, à Rome en 383 (FAUSTIN et MARCELLIN, *Lib. prec.* 21, *PL* 13, 98), un autre à Rome vers la fin du siècle (RUFIN, *Apol. in Hier.* 1, 11 ; *De adult. libr. Orig.* 1 ; *Praef. in libr. Orig. Peri Arch.* I, 2 et III ; PALLADE, *Hist. Laus.* 62 ; GENNADE, *De uir. inl.* 28 : haut fonctionnaire devenu « moine » et auteur d'un ouvrage *aduersus mathematicos*). Cf. PAULIN DE NOLE, *Ep.* 49 ; AUGUSTIN, *Ep.* 259, 1.

64. Outre l'écrivain chrétien Sérapion d'Antioche (IIe s.), on peut citer le roi alaman Sérapion dont parle AMMIEN MARCELLIN, *Hist.* 16, 12, 1.23.25. Il tenait son nom du séjour fait en Gaule par son père, qui s'y était initié à certains mystères grecs. – Cependant le nom de Sérapion est si caractéristique de l'Égypte qu'ARNOBE LE JEUNE, *Conflictus cum Serapione Aegyptio*, *PL* 53, 239 c, le prend pour désigner son interlocuteur fictif, porte-parole du monophysisme de ce pays.

65. EUCHER, *De laude eremi* 27 : *Ioannem Macariumque.*

66. SIDOINE APOLLINAIRE, *Carm.* 16, v. 100 : *Nunc duo Macarii, nunc et Paphnutius heros.* Cf. *Ep.* 7, 9, 9 : Paul, Antoine, Hilarion, Macaire.

une structure assez cohérente et ordonnée, qu'il nous faut maintenant considérer.

Analyse : le préambule et le premier discours

Le préambule anonyme et le début du discours de Sérapion indiquent d'abord l'objet et la méthode de l'entreprise. Il s'agit d'instituer une règle de vie pour de nombreux frères qui tendent à la perfection dans la solitude, et cette institution se fera sous la conduite de l'Esprit Saint parlant par les Écritures.

Le point de départ concret est l'impossibilité de rester isolés dans un désert affreux, peuplé de monstres effrayants. De son côté, l'Écriture recommande d'habiter tous ensemble, dans la concorde fraternelle, en une même maison (Ps 132, 1 ; 67, 7). Tel sera donc le premier point de la règle : habiter ensemble, tant spirituellement que matériellement.

A son tour, ce programme d'unité communautaire réclame l'établissement d'un chef unique, auquel tous obéiront en toute chose. Ce devoir primordial d'obéissance est illustré par une chaîne de cinq textes bibliques, la plus longue de celles que contient la règle. Aux exhortations à obéir, elle joint les exemples de grands obéissants : Abraham, les Apôtres, le Christ (Jn 6, 38).

Deuxième discours

Le premier discours ayant ainsi campé le personnage du supérieur, le second va lui tracer un directoire pour l'exercice de sa fonction. Celle-ci consiste avant tout à donner l'exemple, de façon à entraîner les frères vers le ciel. Il faut aussi « reprendre, supplier, réprimander en toute douceur » (2 Tm 4, 2) et unir à ces manières variées une affection constamment égale envers tous.

Cette recommandation de l'égalité est aussitôt nuancée par la considération d'un ordre de préséance qui règle les relations entre frères. La psalmodie commune est le lieu par excellence où cet ordre doit être respecté, personne ne se permettant de prendre le tour d'un plus ancien. Au supérieur en appartient la présidence et le contrôle : personne ne peut réciter un psaume sans son injonction. S'il tarde à venir, de sorte que l'office ne puisse commencer, il faut d'abord lui en référer, puis obéir à ce qu'il décide[67].

Après ce paragraphe sur la prière commune, qui s'adresse surtout aux frères, on revient au directoire du supérieur. Une de ses tâches principales est d'éprouver les postulants et de les former. Le cas des postulants pauvres donne l'occasion d'exposer cette formation à l'humilité, à l'obéissance et à la patience, cette dernière vertu étant mise à l'épreuve préalablement par une semaine d'attente à la porte. Quant aux riches, la première démarche à leur imposer est le renoncement à tout ce qu'ils possèdent, selon l'invitation du Christ (Mt 19, 21). Ensuite, « le suivre en portant sa croix » consistera à obéir. Aux riches encore s'adressent des recommandations particulières pour le cas où ils donneraient de leurs biens au monastère ou y amèneraient avec eux des serviteurs.

Des postulants on passe à une autre catégorie de personnes qui viennent du monde : les étrangers reçus comme hôtes. Avec plus d'insistance encore que l'office, l'hospitalité est placée sous le contrôle entier du supérieur. De lui dépend l'unique responsable de l'accueil. A lui revient, soit de voir le visiteur avant même qu'on l'admette à la prière et à la paix, soit de parler avec lui ou d'autoriser d'autres à le faire, soit de le recevoir à table et de dire lui-même ou laisser dire par d'autres quelque chose d'édifiant pendant le repas. Ces prérogatives sans cesse rappelées de l'autorité ôtent aux frères toute possibilité de contact spontané avec les hôtes.

Troisième discours Frères, postulants, hôtes : Macaire a donc passé en revue les différentes sortes de personnes auxquelles le supérieur a

67. RIVP 2, 10-15. Ce paragraphe est quelque peu difficile à insérer dans son contexte, à ordonner et à interpréter. Le début (10) et la fin (15), qui parlent du supérieur, paraissent se répondre, tandis que l'entre-deux, où il n'est pas mentionné, vise les relations entre les frères.

affaire[68]. A ce discours sur les personnes va succéder un discours sur les choses. Jeûne et heure du repas, horaire de la lecture et du travail, réduction ou surcroît d'ouvrage à procurer aux individus suivant leurs besoins, service mutuel par tours hebdomadaires, responsabilité particulière du cellérier, respect d'un chacun pour les objets d'utilité commune dont il se sert : tous ces thèmes connexes se tiennent dans le même domaine des observances concrètes et de la vie pratique, centrée sur l'alimentation et le travail.

Au reste, l'accent continue à porter sur l'entière autorité du supérieur et l'entière obéissance des frères. Ceux-ci doivent accomplir leurs travaux sans aucun murmure, obéissant non seulement au supérieur mais encore au chef de chantier désigné par lui, et soit qu'on ménage leur faible santé, soit qu'on leur impose un surcroît de fatigue pour les tenir en haleine, la loi suprême est que nul ne doit faire ce qu'il veut. C'est encore au supérieur qu'il appartient d'organiser, si la communauté est nombreuse, le tour de service hebdomadaire, comme de choisir[69] un cellérier doté des qualités requises.

S'il se place sur le plan pratique, ce discours de Paphnuce reste toutefois aussi chargé de références scripturaires que les précédents. L'Apôtre Paul, si souvent cité à travers toute la règle, fournit ici l'esquisse des occupations du dimanche et les mises en garde contre le murmure, les incitations à « travailler de ses mains » comme à « réduire son corps en servitude ». C'est encore lui qui encourage le cellérier à servir comme un bon diacre (2 Tm 4, 2). Mais cette dernière exhortation paulinienne est précédée et suivie de menaces sinistres : après l'extermination des murmurateurs, voici la « sentence de Judas » et le sort de l'impie Balthazar.

---

68. Le caractère « spirituel » de ce discours est marqué dès son début (2, 2 : *spiritale exercitium*) et peut-être rappelé en 3, 1 (*Magna et utilia ad animae salutem dicta sunt omnia*).

69. RIVP 3, 24 : *eligi*. L'auteur de ce choix n'est pas indiqué, mais tout donne à penser qu'il revient au supérieur, auquel on vient de confier l'organisation du tour de service. Il en était de même plus haut pour l'hôtelier (2, 37).

C'est sur cette note sévère que Paphnuce met fin à son intervention. Elle s'achève par une conclusion générale : les préceptes susdits doivent être observés, et pour cela relus aux frères chaque jour[70].

L'ajout de Macaire : quatrième discours Après cette phrase de conclusion, tout nouveau discours ne peut que faire figure d'addenda. De fait, Macaire, en reprenant la parole, constate que les « trois témoins » prescrits par l'Écriture ont été entendus[71]. Un point cependant lui paraît requérir quelques mots : le maintien de la paix entre monastères, chaque supérieur devant respecter l'autorité de ses collègues sur leurs propres sujets. En pratique, il s'agit du passage d'un frère à un autre monastère, pour lequel le consentement de son supérieur est requis.

Cette question, il faut le souligner, est la suite naturelle de celles que Macaire a traitées dans son premier exposé. Là, il s'agissait de l'admission des postulants. Ici, c'est de nouveau de réception qu'il s'agit, avec cette particularité que l'arrivant n'est plus un séculier, mais un « frère » déjà engagé dans la vie monastique. Et de même que Macaire, dans son premier discours, s'est occupé des hôtes après les postulants, de même ici l'admission des moines d'autres monastères va être suivie de l'hospitalité accordée aux clercs.

Ainsi ce deuxième exposé de Macaire reprend le double thème du premier – incorporation et hospitalité –, en s'atta-

70. RIVP 3, 31 (cf. n. 4). C'est dans sa conclusion qu'AUGUSTIN, *Praec.* 8, 2, prescrit de lire la règle une fois par semaine.

71. RIVP 4, 1-2 (cf. n. 5). Cette citation (Mt 18, 16) et la conséquence qu'en tire Macaire (*firma ergo est regula pietatis*) sont énigmatiques. Nous comprenons que le principe scripturaire (*regula pietatis*) des trois témoins, « bien établi » (*firma* ; cf. 1, 7) par la citation, vient de recevoir son application : Sérapion, Macaire et Paphnuce ont parlé tour à tour. Il semble que Macaire ratifie, par une nouvelle conclusion, celle de Paphnuce, avant d'ajouter son post-scriptum.

chant à deux cas particuliers non encore envisagés. Cette complémentarité des deux discours confirme l'identité des deux Macaire : selon toute apparence, c'est le même personnage qui, par-delà le discours de Paphnuce, revient ici sur ce qu'il a dit plus haut.

Certains détails corroborent cette induction de façon très nette. Ce que Macaire exige à présent du frère venu d'ailleurs, correspond exactement à ce qu'il prescrivait dans sa première intervention. D'abord l'acceptation d'un ordre de communauté où le nouveau venu doit prendre la dernière place, en respectant la « priorité » de ses anciens[72]. Ensuite l'abandon de toute propriété, qu'il s'agisse de livres ou d'autres objets[73], afin d'être « parfait[74] ». Enfin l'abstention de toute parole dans les conférences, à moins d'un ordre du supérieur[75]. Cette triple discipline imposée au moine postulant reprend point par point, et en bon ordre, les règles tracées par Macaire dans son premier morceau.

Le paragraphe suivant, sur l'hospitalité offerte aux clercs, commence par des prescriptions plus originales, où l'on retrouve toutefois le souci des préséances qui caractérise Macaire[76]. Après ces directives au sujet des collectes d'oraisons, le thème de l'humilité, si marqué dans le traité de la formation des postulants, resurgit à propos des clercs faillis : seuls ces humiliés sont admis à séjourner au monastère[77].

---

72. RIVP 4, 8-10 ; cf. 2, 11-14.

73. *Rebus* (4, 11) fait penser à des vêtements (*RM* 17, 11.14.20, etc. ; *RB* 55, 7.10 et 58, 26.28), d'autant qu'un moine ne peut guère apporter autre chose. D'ailleurs *siue... siue...* suggère que le mot n'a pas son sens général, qui engloberait les *codices*.

74. RIVP 4, 11-12 ; cf. 2, 29-35.

75. RIVP 4, 13 ; cf. 2, 42 (voir aussi 2, 40).

76. RIVP 4, 14-17 ; cf. 2, 11-14 et 4, 8-9.

77. RIVP 4, 18-19.

L'appendice sur la correction Une nouvelle conclusion, qui fait écho à celle de Paphnuce[78], clôt apparemment cet ajout de Macaire. Cependant le texte continue, au moins dans deux des manuscrits, par un assez long développement sur la correction. A défaut d'indication contraire, il semble que ce soit encore Macaire qui parle.

De fait, si ces propos additionnels se conforment globalement, surtout dans les premières lignes, au style commun de la règle[79], on relève quelques traits qui les rattachent plus précisément aux discours de Macaire. La faute et le châtiment du frère coupable de parole oiseuse sont formulés en des termes qui rappellent les dires de celui-ci[80]. Quant au second délit sanctionné – rire et plaisanterie –, sa répression par des peines qui « humilient » ramène avec insistance le thème spécifiquement macarien de l'humilité[81].

Plus caractéristique encore est la recommandation de l'« égalité » qui suit ces sanctions particulières. Macaire, on s'en souvient, voyait dans celle-ci la qualité dont le supérieur doit faire preuve dans l'ensemble de ses relations avec les frères. Ici on la loue avec la même généralité – « l'égalité plaît à Dieu » –, tout en la prônant spécialement dans le domaine de la correction. Le mot *affectus*, employé de part et

---

78. Comparer 4, 20 (*Haec... custodienda*) et 3, 31 (*Custodienda... ista*).

79. J. NEUFVILLE, « Règle », p. 52, relève *Nec hoc tacendum est qualiter* (5, 1 ; cf. 3, 2 et 4, 3, ce dernier sans *hoc*) ; *Ergo iste ordo teneatur* (5, 1 ; cf. 2, 11, sans *ergo* ; 3, 5 et 9, avec *debet... teneri*) ; *Si quis ex fratribus* (5, 2 ; cf. 3, 16). On peut ajouter *fratrum congregatione* (5, 3 ; cf. 3, 22) ; *praecipimus* (5, 3 et 11 ; cf. 3, 8) ; *qui huic officio* (5, 11 ; cf. 3, 26).

80. Comparer 5, 2 (*emiserit*) et 2, 10 (*emittere*), au sens de « prononcer » ; 5, 3 (*nullus cum eo iungatur*) et 2, 26 (*nullus cum eo de fratribus iungatur*). J. NEUFVILLE, *loc. cit.*, notait en outre *pro qualitate* (5, 1 ; cf. 2, 4).

81. Comparer 5, 6 (*omni flagello humilitatis*) et 10 (*per humilitatis frequentiam*) avec 2, 23 (*Debet ante omnia humilitate inbui*) et 4, 19 (*humilitatem... humilitatis medicina*). Voir aussi 2, 12-14.

d'autre, renforce la correspondance[82]. Tout se passe comme si Macaire achevait, dans cet appendice sur la correction, de répéter les enseignements de son premier exposé.

Après un avertissement menaçant, qui rappelle ceux de Paphnuce[83], les derniers mots de l'appendice sont d'exhortation et d'espérance[84]. Cette fois, point de conclusion – on en a déjà entendu deux –, mais une simple invocation des trois personnes divines, affixée à la promesse de la récompense.

Vue d'ensemble A travers ces quatre ou cinq morceaux bien distincts, notre règle s'ordonne donc suivant un plan assez ferme. Le principe de la vie commune une fois affirmé, Sérapion fonde la communauté sur l'obéissance de tous à un supérieur.

A celui-ci Macaire prescrit d'abord d'être pour les frères un exemple entraînant, un éducateur patient et souple, un chef également bienveillant envers tous. Puis il lui confie la direction de l'office divin, où l'ordre de communauté dans lequel se rangent les frères doit être particulièrement respecté, ainsi que la probation et l'instruction des postulants, pauvres et riches, qui doivent tous apprendre à obéir, le renoncement à la propriété constituant pour les seconds une démarche préalable à cette voie d'humilité et de patience. Au supérieur enfin de recevoir les hôtes de manière à les édifier, en se réservant de converser avec eux et d'autoriser d'autres à le faire.

A ce directoire du supérieur, qui sert de programme spirituel pour tous, Paphnuce joint un code pratique réglant l'heure du repas, l'emploi du temps, le roulement des services, l'office du cellérier. Si matériels que soient ces articles, les notations spirituelles n'y manquent pas : absence de murmure et obéissance dans le travail, ménagements dus aux santés faibles et fatigues imposées aux corps vigoureux,

82. Comparer 5, 11-14 et 2, 7-9.

83. Comparer 5, 15 et 3, 13.25.29-30.

84. RIVP 5, 16-18. Dans 3, 26-27, une parole d'espérance succède de même à la menace.

vertus requises du cellérier, respect de tous pour les moindres ustensiles communautaires.

Enfin, reprenant la parole, Macaire complète ce qu'il a dit de la réception des postulants et des hôtes, en traitant des moines qui changent de monastère et des clercs en visite ou en séjour de pénitence. Une ébauche de code pénal, envisageant deux délits particuliers, lui sert d'épilogue. Il y insiste une dernière fois sur l'égale charité des supérieurs et sur l'humilité demandée à tous.

Personnes et choses La communauté ainsi réglée par les Pères a pour organe essentiel un supérieur, désigné par la périphrase *is qui praeest*. Ce personnage, dont le mode de nomination n'est pas indiqué, exerce un pouvoir sans partage. Sa compétence universelle apparaît presque à chaque phrase de la règle. Il est assisté par un « second », qui le remplace en cas d'absence[85], et par un cellérier, détenteur des provisions de bouche. Il nomme un responsable permanent de l'accueil des hôtes et, à l'occasion, un chef de chantier pour diriger le travail. Par lui-même, sans maître des novices, il assure la formation des postulants, mais il y a plus d'un responsable de la correction. Des semainiers servent la communauté à tour de rôle, « si elle est nombreuse ».

Cette dernière clause montre qu'on n'exclut pas un type de communauté assez petite. Ce modèle réduit semble même impliqué par l'absence de chefs de groupe (*decani, praepositi, seniores*). Non seulement personne d'autre que le supérieur ne s'occupe des postulants, mais son rapport à tous et à chacun des frères paraît également immédiat[86].

---

85. RIVP 4, 17 : *secundum*.

86. C'est seulement dans l'appendice (5, 11) qu'apparaissent des officiers chargés de corriger. – Césaire et ses épigones ne parlent pas non plus de chefs de groupes, mais on trouve chez eux des *seniores* qui s'occupent des novices (CÉSAIRE, *Reg. uirg.* 4) ou veillent sur les sœurs (*Ibid.* 40).

Outre l'heure invariable du repas (none) et l'alternance, constante elle aussi, du « loisir pour Dieu » (avant tierce) et du travail (de tierce à none), la règle mentionne le programme spécial du dimanche, ainsi que des « conférences » réunissant les frères pour commenter l'Écriture Sainte[87]. Au réfectoire, on observe le silence et on fait la lecture quand il y a des hôtes[88], et sans doute aussi quand ils font défaut.

Pluralité des monastères ? Revenons aux mots « si la communauté est nombreuse ». Ils peuvent s'entendre soit d'une seule communauté dont on envisage la croissance, soit d'une communauté importante parmi plusieurs de tailles différentes[89]. Dans cette seconde hypothèse, notre règle serait destinée à un groupe de monastères.

D'autres mentions au pluriel peuvent indiquer la même situation. A deux reprises, Macaire parle *des* supérieurs[90], et ailleurs il pourvoit à ce que « les monastères gardent entre eux une paix solide[91] ». Sans exiger absolument qu'il pense à plusieurs communautés observant la règle composée par lui[92], ces phrases se comprendraient assez bien de cette manière.

---

87. RIVP 4, 13 : *Residentibus uero fratribus, si fuerit aliqua de Scripturis conlatio...*

88. RIVP 2, 42.

89. RIVP 3, 22 : *Si fratrum congregatio multa est...* cf. ci-dessous, n. 94. Voir aussi ch. suivant, n. 60.

90. RIVP 2, 2 (*his qui praesunt*) ; 5, 11 (*uobis qui huic officio praesto estis*). Cette dernière mention, de forme insolite, vise-t-elle bien la charge de supérieur unique définie au début de la règle (1, 10) ? Voir note 86. Noter d'autre part le pluriel dans les citations qui précèdent (5, 8-9). Il a pu amener le « vous » qu'on trouve ici.

91. RIVP 4, 3.

92. Dans le premier cas (n. 90), Macaire pourrait songer aux supérieurs qui se succéderont à la tête d'un seul monastère. Dans le second cas (n. 91), il pourrait s'agir de frères venant de monastères non régis par la règle, ce qui expliquerait qu'ils « n'ont pu être parfaits ailleurs » (4, 12).

C'est aussi à plus d'une communauté que fait songer le *multorum agmina* initial de Sérapion[93]. Et puisque, dès le départ, ces « armées en marche » au désert comprenaient des frères « nombreux », la conditionnelle ultérieure « si la communauté est nombreuse » n'implique-t-elle pas que la masse des moines, numériquement importante à l'origine, s'est répartie entre diverses communautés plus ou moins grandes ? Sans doute ce raisonnement ne s'impose-t-il pas plus nécessairement que les indices précédents[94], mais tout compte fait on ne peut d'emblée exclure l'hypothèse que les Pères destinaient leur règle à un ensemble de monastères, soit déjà en formation, soit à créer.

III. *L'esprit*

La communauté Le trait le plus remarquable de notre règle est sans doute le schème communautaire tracé dès le début par Sérapion et développé de façon conséquente jusqu'à la fin. Ce schème place avant tout la communauté, conçue comme un fait à la fois matériel et moral : tous « habitent ensemble dans la même maison », et cette cohabitation est « bonne et joyeuse », parce qu'elle réunit des « frères » qui « ne font qu'une âme ».

Les deux citations psalmiques qui définissent cet idéal (Ps 132, 1 ; 67, 7) se retrouvent l'une au principe même de la Règle d'Augustin[95], l'autre dans les premières pages de celle

93. RIVP 1, 1. Cf. Jérôme, *Ep.* 108, 20, 3, où *unumquodque agmen* désigne les trois *turmas monasteriaque* du monastère de Bethléem dont il vient de parler (§ 1). Cependant Honorat de Marseille, *V. Hil.* 9, 5 ; 13, 13 ; 29, 5, emploie aussi *agmina* au pluriel, en un sens faible qui équivaut au singulier.

94. Voir note 92. Ici on ne saurait tirer un argument strict du rapprochement de deux énoncés aussi éloignés et attribués à des orateurs distincts.

95. Augustin, *Praec.* 1, 2, citant Ps 67, 7.

de Basile[96]. Connaissant ces deux auteurs, on s'attendrait à ce que Sérapion ajoute aussitôt les phrases analogues du début des Actes : le « rassemblement » et le *cor unum et anima una* des premiers croyants, entraînant parmi eux le renoncement à la propriété et la mise en commun des biens[97]. Mais il n'en est rien. Sérapion ne cite pas les Actes, et quand Macaire traitera plus loin de la désappropriation, il ne la présentera pas comme un geste de charité communautaire. Ce qui suit ici les deux versets des Psaumes et l'établissement de la communauté, c'est l'investiture d'un supérieur chargé de maintenir la « joyeuse unanimité » des frères. La volonté de ce supérieur unique, auquel tous obéiront en tout point et en toute joie, sera le principe d'unité du groupe.

Le supérieur Ce passage immédiat de la communauté au supérieur est intéressant à plus d'un titre. Remarquons d'abord que, comparée aux législations de Basile et d'Augustin, notre règle donne à la figure du chef un relief extraordinaire.

Chez Augustin, le *praepositus* apparaît bien dès les premières lignes – c'est lui qui « distribue à chacun selon ses besoins », comme les Apôtres dans le récit des Actes[98] –, mais sa présence reste à l'arrière-plan d'une pensée tout occupée des rapports fraternels entre riches et pauvres, faibles et forts, malades et bien portants. On peut en dire autant de la suite du *Praeceptum* : discrètement présent çà et là, le supérieur – et avec lui l'obéissance – ne vient sur le

96. BASILE, *Reg.* 3 (496 a), citant Ps 132, 1.

97. BASILE, *Reg.* 3 (496 b) cite Ac 2, 44 : *Omnes credentes erant in unum* (Vulg. *pariter*) *et habebant omnia communia.* De son côté, AUGUSTIN, *Praec.* 1, 2-3 cite Ac 4, 32 : *sit uobis anima una et cor unum... et non dicatis aliquid proprium, sed sint uobis omnia communia.* De même AUGUSTIN, *En. Ps. 132,* 2.6.12, et JÉRÔME, *Tr. de Ps. 132*, citent Ac 4, 32 après Ps 132, 1.

98. AUGUSTIN, *Praec.* 1, 3 : *et distribuatur unicuique uestrum a praeposito uestro... sicut cuique opus fuerit* (cf. Ac 4, 35).

devant de la scène qu'à l'avant-dernière page[99], en qualité de gardien de la règle et de correcteur des manquements, investi du périlleux honneur de servir en commandant.

De son côté, Basile s'occupe encore moins du supérieur dans les débuts de son œuvre, et c'est même sous une forme indistincte, incertaine, collégiale que l'autorité fait chez lui son apparition[100].

A l'opposé de ces présentations obliques et pleines de réserve, la Règle des Quatre Pères place d'emblée le supérieur sous les feux de la rampe. « Nous voulons qu'un seul commande à tous » : cette déclaration liminaire, solennellement motivée par les requêtes fondamentales de la vie en communauté, fait de lui le personnage capital, directement voulu, expressément singulier, introduit par priorité. Toute la règle, nous l'avons vu, confirmera ce décret initial, le supérieur y étant à chaque page renforcé dans sa compétence et sa responsabilité universelles.

Cette place privilégiée, première littérairement autant qu'institutionnellement, que les Pères attribuent à « celui qui commande » et au devoir de lui obéir, fait penser à la fameuse description du cénobitisme égyptien due à Jérôme[101]. Sans peine, nos auteurs pourraient dire de leurs « frères » ce que celui-ci écrit de ces cénobites dès sa première phrase : « Le pacte primordial qui les réunit, c'est d'obéir à leurs supérieurs et de faire tout ce qu'ils commandent ». Il est vrai que des chefs subalternes s'adjoignent au « Père » dans ce grand coenobium d'Égypte subdivisé en groupes de dix et de cent. Mais à part cette différence de taille et d'organisation, c'est bien la même structure verticale qui est puissamment mise en évidence dans les deux textes. Le « Père » du monastère égyp-

---

99. AUGUSTIN, *Praec.* 7, 1-4. L'*Ordo monasterii* ne nomme le *praepositus* que deux fois (§§ 6-7).

100. BASILE, *Reg.* 7 (498 d) : désignation des responsables de la *cura infantium* ; (499 a) : qualités requises de ceux qui examinent les postulants. C'est seulement dans *Reg.* 15 qu'on voit paraître le supérieur (*is qui praeest*).

101. JÉRÔME, *Ep.* 22, 35. Cf. SULPICE SÉVÈRE, *Dial.* 1, 10.

tien, dont Jérôme célèbre ensuite le rôle quotidien de maître et d'inspirateur, occupe bien dans le tableau, avec ses collaborateurs, la même place énorme et centrale que notre « supérieur ».

Une synthèse Cette analogie avec l'Égypte monastique, qu'on pourrait confirmer par certains témoignages du milieu pachômien[102], ne doit pourtant pas nous faire oublier le rapport à Basile et à Augustin qui nous est apparu au premier moment. Si la figure du supérieur se dresse dans une lumière éclatante, il reste que l'image de la communauté l'a précédée et comme engendrée. C'est en vue d'assurer l'unité des frères qu'un chef unique s'est avéré indispensable. Si peu qu'elle soit rappelée dans la suite[103], cette considération première demeurera fondamentale. Le rôle du supérieur est pour toujours au service de la communauté, il est un ministère d'unité.

A peine suggérée par Jérôme[104], cette ordination de la hiérarchie elle-même à un idéal communautaire est une nota-

---

102. En particulier HORSIÈSE, *Lib.* 7-19 (voir *La Règle de saint Benoît*, t. VII, Paris 1977, p. 101-102). Sur le sens communautaire du *Liber*, voir ci-dessous, n. 104.

103. RIVP 5, 2-10 semble reconnaître à chacun (*unusquisque*) le droit et le devoir de corriger son prochain « comme un frère » (cf. 2 Th 3, 15).

104. JÉRÔME, *Ep.* 22, 34, 1 : *coenobium, quod... nos in commune uiuentes possumus appellare* ; 35, 1 : *prima apud eos confoederatio...* Dans son ensemble, ce tableau présente le coenobium comme un établissement d'éducation où des supérieurs très compétents s'occupent de leurs sujets avec le plus grand soin, tandis que les relations des frères entre eux ne sont pas considérées. – Chez HORSIÈSE, *Lib.* 50 (142, 17-22), on trouve cités successivement Ac 4, 32-33 et Ps 132, 1 pour illustrer l'idéal de « communion » dans la charité, mais cette double citation, qui fait penser à Basile et à Augustin, manque de relief, du fait qu'elle se présente seulement vers la fin du discours et parmi beaucoup d'autres. Au reste, le *Liber* insiste fort sur la concorde et l'égalité des frères dans la plus complète désappropriation (§§ 22-23, 26-27, 29, 31, 39, etc.), ce thème communautaire restant dominé par celui de la hiérarchie fondée par le « Père » (ci-dessus, n. 102).

tion de grand prix, qui suffirait à classer notre règle parmi les documents majeurs du cénobitisme. Dans cet exorde clair, vigoureux, profond, Sérapion associe la vision augustinienne et basilienne de la communauté fraternelle à celle, venue d'Égypte, d'un groupe constitué avant tout par le rapport des membres au chef.

L'obéissance Ce rapport a pour nom *oboedientia*. L'obéissance est, pour Sérapion comme pour ses collègues, la vertu capitale. Alors que *caritas* n'apparaît jamais dans la règle et que l'unique *diligere,* tout à la fin de l'appendice, reste isolé[105], *oboedientia* et *oboedire* ne reviennent pas moins de onze fois.

La recommandation de l'obéissance qui termine l'exposé de Sérapion se fonde sur cinq *testimonia* scripturaires, dont le premier et le dernier sont particulièrement significatifs. Notre auteur cite d'abord la parole de l'Épître aux Hébreux : « Obéissez à vos chefs[106] ». Cette citation assimile le supérieur (*is qui praeest*) aux chefs de la communauté chrétienne à l'âge apostolique (*praepositis*). Voici donc le premier aspect que revêt l'obéissance monastique d'après Sérapion : comme les chrétiens obéissent dans l'Église à leurs pasteurs, ainsi les frères de la communauté obéissent à leur supérieur.

Le devoir d'obéir se fonde ainsi sur l'appartenance à une société. Au sein de celle-ci, les chefs légitimes ont le droit et le devoir de commander. Le moine, en tant que membre d'une communauté qui est une quasi-Église, doit se soumettre à eux. Une telle figure de l'obéissance est toute naturelle dans la perspective ouverte initialement par Sérapion : si le propos fondamental de la Règle est de « faire habiter les frères ensemble dans l'unanimité », il est normal que l'obéissance s'impose avant tout comme un devoir social, dans le cadre de la vie de communauté.

Cette parole de l'Épître aux Hébreux, Sérapion n'est pas

---

105. RIVP 5, 12.

106. RIVP 1, 13, citant He 13, 17 : *Oboedite praepositis uestris...*

seul à l'invoquer en premier lieu. Elle est aussi la première à laquelle semble faire allusion la phrase brève, mais pleine de substance, qu'Augustin consacre à l'obéissance dans sa règle[107]. De son côté, Horsièse la cite aussi dans son Testament[108]. Cependant le grand évêque latin et le moine copte, par une curieuse rencontre, ajoutent tous deux à cette citation ou réminiscence une référence aux Épîtres de la Captivité suggérant une autre image : celle de l'obéissance des enfants aux parents[109]. Ce second *testimonium* scripturaire, qui associe le modèle familial au modèle ecclésial, fait défaut dans notre règle. A sa place, Sérapion aligne une série de textes, dont le dernier attire spécialement l'attention : « Le Seigneur lui-même, en descendant du ciel sur la terre, a dit : ' Je ne suis pas venu faire ma volonté, mais celle de celui qui m'a envoyé '[110] ».

Cette citation johannique (Jn 6, 38) rattache le discours de Sérapion à la grande tradition doctrinale qui fait de l'exemple du Christ le motif suprême de l'obéissance du moine. De cette obéissance du Christ, ni Augustin, ni Horsièse ne souffle mot[111]. Mais Basile, l'*Historia monachorum* et Cassien, pour ne prendre que les chefs d'une longue file, y font appel, et précisément en citant Jn 6, 38[112].

---

107. AUGUSTIN, *Praec.* 7, 1 : *Praeposito tamquam patri oboediatur...* Peu apparente ici, la réminiscence de He 13, 17 devient claire plus loin (*Praec.* 7, 3 : *semper cogitans Deo se pro uobis redditurum esse rationem*). Voir notre article « *Semper cogitet quia rationem redditurus est.* Benoît, le Maître, Augustin et l'Épître aux Hébreux », dans *Benedictina* 23 (1976), p. 1-7.

108. HORSIÈSE, *Lib.* 19 (121, 11-13) : *Adquiescite principibus uestris...*

109. AUGUSTIN, *Praec.* 7, 1 : *tamquam patri... honore seruato, ne in illo offendatur Deus* (cf. Ep 6, 1-2) ; HORSIÈSE, *Lib.* 19 (121, 9-11) : *Filii oboedite parentibus* (Col 3, 20). Voir *La Règle de saint Benoît*, t. VII, p. 156-160.

110. RIVP 1, 17, citant Jn 6, 38.

111. Jn 6, 38 est pratiquement inutilisé en milieu pachômien. Voir *La Règle de saint Benoît*, t. VII, p. 159, n. 79.

112. Voir *La communauté et l'abbé dans la Règle de saint Benoît*, Paris 1961, p. 229, n. 3-4.

A travers ce mot de l'Évangile, l'obéissance n'apparaît pas comme une prestation sociale, due par tous les membres de la communauté ecclésiale ou monastique à leurs dirigeants, mais comme le caractère singulier de la mission du Christ et de sa relation personnelle au Père. De plus, l'accent est mis ici sur le renoncement à la volonté propre pour accomplir celle de l'Autre. Une notion de l'obéissance plus individuelle que communautaire, plus ascétique et mystique que fonctionnelle est en puissance dans ce mot du Christ, et plusieurs des auteurs qui le citent n'ont pas manqué de dégager ces virtualités[113]. Dans la simple citation que fait Sérapion, elles restent certes toutes latentes[114], mais il n'en est pas moins significatif que son exposé cumule à nouveau, en ce domaine de l'obéissance, des « preuves » scripturaires caractéristiques d'œuvres ou d'écoles nettement différentes : la citation de He 13, 17, propre à Augustin et à Horsièse, et celle de Jn 6, 38, ignorée de ceux-ci mais familière à Basile et à Cassien.

Cet amalgame rappelle celui que nous avons rencontré plus haut. De même que, pour fonder la communauté, Sérapion reproduisait les mots des Psaumes cités par Augustin et Basile, mais au lieu d'y ajouter ceux des Actes, passait aussitôt à la figure du supérieur proposée par une autre tradition, de même à présent, pour motiver l'obéissance, notre orateur se réfère d'abord au modèle ecclésial de l'Épître aux Hébreux évoqué par Augustin et Horsièse, mais au lieu d'y joindre comme ceux-ci le modèle familial des Épîtres de la Captivité, se tourne vers l'exemple du Christ cher à d'autres grands auteurs.

---

113. Cf. *La communauté et l'abbé*, p. 266-288.

114. Cependant Macaire présentera l'obéissance comme le moyen par excellence de « prendre la croix » et de suivre le Christ (2, 32-33). Cette interprétation de Mt 19, 21 est bien dans la ligne suggérée par Jn 6, 38, d'autant que Macaire définit l'obéissance : *non suam uoluntatem facere sed alterius*.

La Règle et l'Écriture Pour en finir avec l'obéissance, il faut noter que cette attitude n'est pas seulement exigée des frères, mais prise tout d'abord par Sérapion lui-même et ses collègues. La première apparition du verbe *oboedire* se rapporte à « l'obéissance aux préceptes du Saint Esprit », c'est-à-dire aux Écritures[115], que les auteurs prennent pour source unique et pour norme suprême de leur ouvrage. Les citations scripturaires quasi constantes et souvent multiples vérifient tout au long de la règle ce propos d'obéissance à la voix de l'Esprit.

Sujets négligés Avec l'obéissance, nos auteurs inculquent à l'occasion les vertus d'humilité, de pauvreté, de patience, mais ils ne se soucient pas de rédiger un directoire en forme, traitant méthodiquement de la montée des âmes vers la perfection, autrement dit de la lutte contre les vices et de la prière personnelle. Leur visée strictement communautaire a pu les en détourner.

D'autres lacunes s'expliquent moins bien ou différemment. La prière communautaire elle-même est à peine mentionnée, à propos de l'ordre de communauté et de l'accueil des hôtes[116]. Qu'il s'agisse du nombre et de l'heure des célébrations ou de leur contenu, on ignore tout de la structure de l'office[117].

Sujet éminemment communautaire lui aussi, le chapitre des relations fraternelles est presque entièrement négligé. Après avoir proposé en premier lieu un idéal d'« unanimité », la règle fait de l'obéissance le seul moyen d'y atteindre. Il semble que cette relation des sujets au supérieur doive suffire

---

115. RIVP 1, 3-4.

116. RIVP 2, 10-15 (office) ; 2, 38-39 (oraison d'accueil) ; 4, 16-17 (indéterminé).

117. Sans doute notre règle est-elle fort brève, mais l'*Ordo monasterii* augustinien, qui l'est bien davantage, n'en a pas moins une description de l'office assez détaillée (*OM* 2).

à les tenir unis. De leurs rapports entre eux il ne sera plus question, sinon sous la forme institutionnelle du « service mutuel » et, dans l'appendice, du point de vue de la correction fraternelle.

Enfin on peut s'étonner que cet appendice réglemente la correction de façon aussi incomplète, en se bornant à deux délits et à deux sanctions, sans vue d'ensemble sur la matière pénale. A défaut de principes généraux, on s'attendrait au moins à une sanction particulière contre le murmure, faute sévèrement réprouvée par le troisième discours. Et dans la répression des fautes en paroles, seules envisagées, comment Macaire n'applique-t-il pas la règle des avertissements successifs, posée par le Seigneur lui-même dans l'Évangile de Matthieu[118] ?

Place de la Règle des Quatre Pères dans la tradition

Si sommaire soit-elle, cette exploration des richesses et des limites de notre texte permet d'esquisser sa situation au sein de la littérature cénobitique primitive. Son trait le plus caractéristique est sans doute d'ériger une structure principalement verticale, où l'obéissance au supérieur est presque tout et les relations fraternelles presque rien. Par là il s'apparente avant tout au coenobium égyptien tel que le décrit Jérôme. Reine des vertus aux yeux de nos auteurs, l'obéissance a pour compagnes l'humilité, la patience, le renoncement à toute propriété. La figure du cénobite qui se dessine ainsi ressemble fort au portrait tracé par Cassien.

Cependant aucun de ces deux messagers d'Égypte que sont Jérôme et Cassien n'a fourni aux Quatre Pères ce qui forme la base de leur édifice : le rassemblement des frères dans une

118. Mt 18, 15-17. Voir *OM* 10 (*semel atque iterum commonitus*) ; AUGUSTIN, *Praec.* 4, 7-9 ; BASILE, *Reg.* 16 ; *RM* 12 ; *RB* 23, etc. Les avertissements préalables manquent aussi chez PACHÔME, *Praec.* 8, etc., et CASSIEN, *Inst.* 2, 16 ; 3, 7 ; 4, 16, dont les sanctions sont d'ailleurs différentes, mais on les trouve chez PACHÔME, *Iud.* 1, etc.

joyeuse unanimité, bien primordial dont l'autorité du supérieur n'a pas d'autre but que d'assurer la persistance et la fermeté. Cet idéal communautaire, avec un des textes du Psautier qui lui servent d'expression, n'est sans doute pas étranger à la tradition pachômienne, telle qu'elle a été connue très tôt du monde latin[119]. Mais son affirmation si nette et préalable à toute autre considération fait surtout penser à l'entrée en matière d'Augustin et à la troisième Question de Basile.

Telle est, à grands traits, la position de notre règle parmi les plus anciens documents du cénobitisme rédigés ou traduits en latin. Cependant il reste à préciser ses rapports avec ces textes primitifs, et d'abord à établir qu'elle appartient effectivement à une époque aussi reculée. Seule une investigation plus détaillée pourra nous le montrer, qu'il nous faut renvoyer au prochain chapitre.

---

119. HORSIÈSE, *Liber* 50. Voir ci-dessus, n. 104.

CHAPITRE II

Localisation et datation

I. *État de la question. Les hypothèses*

Pour un texte aussi énigmatique que la Règle des Quatre Pères, la recherche du lieu et de la date de naissance est une entreprise hérissée de difficultés.

Les questions préalables Plusieurs questions préjudicielles se posent en effet, dont aucune ne peut trouver réponse indépendamment des autres. D'abord la forme synodale reflète-t-elle une réunion réelle ou est-elle une simple fiction ? Les auteurs sont-ils multiples ou unique ? Dans la première hypothèse, leurs noms sont-ils authentiques ou fictifs ? Et puisque ces noms sonnent égyptien, la réunion s'est-elle tenue en Égypte ou ailleurs ? Par suite, notre texte a-t-il été écrit en latin ou traduit ? Enfin le mouvement décrit au début du premier discours – les frères dispersés dans le désert se rassemblent en une seule maison – signifie-t-il un passage effectif de l'érémitisme au cénobitisme ou seulement, en termes figurés, une option de principe pour la vie commune ?

La tentation lérinienne A cette chaîne d'interrogations résultant de l'écrit lui-même s'ajoute la pauvreté de notre information au sujet des origines du monachisme en Occident. Rédigée ou traduite en latin, la Règle des Quatre Pères s'adresse en tout cas à des lecteurs occidentaux, et son aspect archaïque, non moins que la série des règles qui en dérivent, suggère d'emblée une date assez haute. Or au Ve siècle, comme au IVe, le monachisme occidental ne nous est généralement connu que par des indications fugitives et des aperçus fragmentaires, dont l'indigence n'est pas faite pour compenser l'obscurité intrinsèque de notre texte.

Certes, il existe une exception : dans ce milieu monastique que nous entrevoyons à peine, le monastère de Lérins est l'objet de témoignages relativement nombreux et copieux, émanant d'auteurs contemporains dont plusieurs sont eux-mêmes lériniens. Mais il ne faut pas se dissimuler que cette exception, si heureuse soit-elle, est grosse de dangers. On ne prête qu'aux riches. La richesse singulière de nos informations au sujet de Lérins entraîne une tentation presque irrésistible de lui rapporter tout document que nous ne savons où situer. Les textes lériniens ou parlant de Lérins sont à peu près seuls, en effet, à offrir des points de comparaison littéraires et un cadre historique auxquels on puisse se référer. Faute de trouver ailleurs des notices utiles, l'historien se tourne instinctivement vers ce phare qui le fascine comme un animal dans la nuit. Mais si tant d'autres monastères contemporains n'ont pas laissé de trace importante, peut-on affirmer que ces communautés n'ont eu aucune production littéraire, pas même du genre des plus modeste auquel appartient notre petite Règle des Pères ?

Les hypothèses récentes : première étude d'A. Mundó

Cette remarque doit demeurer constamment présente à l'esprit quand on passe en revue les recherches récentes sur l'origine de la Règle des Quatre Pères. Dès le principe, en effet, elles se sont dirigées, suivant une pente quasi fatale, vers le milieu lérinien.

Quand, en 1959, A. Mundó publie la première monographie qu'on ait consacrée aux Règles des Pères[1], c'est déjà dans un milieu influencé par Lérins qu'il pense à les situer. Cependant le nom du grand monastère méditerranéen n'est prononcé par lui qu'avec beaucoup de prudence, au terme d'une investigation qui l'a conduit seulement, de façon plus large, dans les régions provençale ou narbonnaise. Étant donné la place que tient Lérins dans le monde ecclésiastique et monastique de ces régions, il lui semble raisonnable d'envisager, en guise de conclusion, que l'influence lérinienne soit pour quelque chose dans l'éclosion de la Règle des Quatre Pères. D'indice précis d'une telle influence, il n'en a pas encore. Tout ce qu'il peut avancer avec quelque assurance, c'est que la règle s'apparente aux réunions abbatiales prescrites par les conciles gaulois et espagnols du VIe siècle[2], dans la ligne de certains précédents pachômiens et basiliens. Bien que ces témoignages conciliaires datent du siècle suivant, le vocabulaire archaïque des Quatre Pères et l'antériorité certaine de leur œuvre par rapport aux législations dérivées invitent Mundó à placer cette première Règle des Pères dans la seconde moitié du Ve siècle.

Seconde étude du même

Ce coup d'essai n'atteignait donc Lérins que de façon assez vague. Mais peu après, A. Mundó est entré pour de bon dans le domaine lérinien. Dans une conférence donnée à Oslo en 1960 et restée malheureusement inédite[3], il compare systématiquement la

1. A. MUNDÓ, « Les anciens synodes abbatiaux et les *Regulae SS. Patrum* », dans B. STEIDLE, *Regula Magistri - Regula Benedicti*, Rome 1959 (*Studia Anselmiana* 44), p. 107-125. Voir p. 115-118. Cf. art. « Mönchsregeln », *LTK* 7 (1962), col. 540-542.

2. Cette parenté semble d'autant plus proche qu'A. Mundó tient pour authentiques les particularités des mss *A* et *B* (notre *T*) : mention de réunions abbatiales au chapitre 13 et de 38 abbés dans l'*Explicit*, interpellation *dulcissimi*, présentation sous forme de chapitres ou canons.

3. Le texte nous en fut communiqué par l'auteur en 1963. Voir *La Règle du Maître*, t. I, p. 230, n. 1. A présent, nous utilisons des notes prises à la lecture de ce texte, il y a quinze ans.

Règle des IV Pères avec les renseignements que nous possédons sur l'histoire de Lérins. La couleur égyptienne de la règle correspond bien à l'engouement pour l'Égypte dont témoigne maint texte lérinien. De son côté, le caractère pseudonymique qu'il faut probablement reconnaître aux noms de Sérapion et de Paphnuce, sinon de Macaire, fait penser à un autre trait des moines insulaires : le goût des noms d'emprunt dont ils signent leurs écrits.

A ces similitudes littéraires s'ajoutent des points de contact existentiels. En entendant « Sérapion » décréter le rassemblement des frères ermites en une seule maison, A. Mundó songe à ce qu'il croit être la situation de Lérins vers le milieu du ve siècle. L'initiative d'Honorat a connu un grand succès. De l'ilôt primitif, les moines se sont répandus dans les îles, sur la côte et même à l'intérieur des terres. En ces divers lieux, ils vivent encore dispersés et sans règle écrite, à la mode semi-anachorétique de l'*Historia monachorum* et des congrégations de Scété décrites par Cassien. Or les dangers matériels et spirituels ne manquent pas. Une tendance réformatrice, d'inspiration pachômienne et basilienne, s'affirme en Gaule vers 465, quand le concile de Vannes exige que les moines vivent en communauté et que chaque monastère ait son supérieur propre[4]. La Règle des Quatre Pères serait le produit de ce mouvement cénobitique à Lérins : les « ermites insulaires confédérés sous un supérieur général » se regrouperaient en de véritables communautés, gouvernées par des supérieurs particuliers, auxquelles notre texte viserait à fournir une première ébauche de statuts écrits.

La réforme et la règle dateraient donc de 465-470 environ, c'est-à-dire des années qui suivirent l'abbatiat de Fauste, devenu évêque de Riez vers 460. Entre celui-ci et Porcaire, qui devait accueillir Césaire à Lérins vers 490, on ignore qui fut abbé de Lérins. A. Mundó suggère que le Macaire qui

4. Concile de Vannes (461-491), can. 7-8. La datation indiquée dans *Concilia Galliae*, éd. C. MUNIER, *CC* 148, p. 150-157, est plus large et tardive que celle d'A. Mundó.

parle deux fois dans la règle est ce personnage inconnu, le plus qualifié des trois présidents du synode, dont « Sérapion » est toutefois le plus ancien. Il se pourrait, pense-t-il, que ce nom de Macaire soit authentique, tandis que les deux autres auront été travestis à la mode de cette Égypte à laquelle *Macarius* faisait penser.

Telles sont, à grands traits, les hypothèses émises par A. Mundó dans sa seconde étude. Quelques faits subsidiaires viennent les étoffer. Mundó note par exemple qu'on trouve dans le sillage des Quatre Pères, et sous le nom de l'un d'eux, une *Regula Macarii* que Jonas de Bobbio met en rapport avec le séjour de Jean de Réomé à Lérins[5]. De plus, les *Monita* de Porcaire sont en relation, non seulement avec cette « Règle de Macaire » par la célèbre maxime qu'« on ne doit rien préférer à la prière[6] », mais encore avec la Règle des Quatre Pères par le thème de l'attachement à la croix, qui consiste à ne pas faire sa volonté[7]. Ces faits, A. Mundó les relie en supposant que Macaire de Lérins, inspirateur du synode d'où est sortie vers 465-470 la Règle des Quatre Pères, a aussi composé des sentences ou admonitions dont Porcaire se serait inspiré une vingtaine d'années plus tard, en même temps que le compilateur de la *Regula Macarii*[8].

---

5. JONAS DE BOBBIO, *Vita Iohannis Reomaensis* 5, éd. B. KRUSCH, *MGH, Scr. Mer.* III, p. 509 : *Regressus ergo ad praefatum locum, studuit denuo salubria pocula sub regulare tenore, quam beatus Macharius indedit, monachis ministrare.* Jean revenait de Lérins. Voir ci-dessous, n. 87.

6. A. WILMART, « Les *Monita* de l'abbé Porcaire », dans *Rev. Bénéd.* 26 (1909), p. 475-480. Voir p. 478, ligne 12 : *Orationi nihil praeponas tota die.* Cf. RMac 14, 3 = 2RP 31 : *nihil orationi praeponendum est.*

7. PORCAIRE, *Monita,* lignes 64-65 : *Tene te ad crucem, ut non facias uoluntates tuas.* Cf. RIVP 2, 32-33 : *Deinde instruendus est... ut nihil sibi relinquat nisi crucem quam teneat et sequatur Dominum. Crucis uero fastigia quae tenenda sunt* : *primum omni oboedientia non suam uoluntatem facere sed alterius.*

8. Mundó tient la Seconde Règle des Pères pour dépendante de la *Regula Macarii.* D'autre part, il se fie au titre que celle-ci porte dans le

Les conjectures de J. Neufville

N'ayant pas été publiée, cette seconde étude d'A. Mundó est restée sans influence sur les chercheurs suivants. C'est seulement à la première étude du savant espagnol que se réfère J. Neufville dans son introduction au texte critique édité par lui en 1967[9].

Son premier mouvement est d'accepter la localisation provençale proposée par Mundó. Cependant la pluralité de monastères que semble supposer la Règle des Quatre Pères le détourne de Lérins, « où l'on n'a jamais connu qu'un seul coenobium et un seul Père ». C'est plutôt aux îles d'Hyères (*Stoechades insulae*) qu'il faudrait songer, puisqu'elles abritaient vers 428, au témoignage de Cassien[10], trois coenobia environnés de cellules d'ermites et un quatrième établissement, purement cénobitique, qui paraît antérieur à la fondation marseillaise de Cassien[11]. La présence de cellules d'ermites en ces lieux fait penser à une indication de la Seconde Règle des Pères[12], tandis que l'organisation cénobitique de base pourrait avoir à ses origines notre Règle des Quatre Pères. Celle-ci serait donc née au début du Ve siècle, soit quelque soixante ans plus tôt que ne le pensait A. Mundó. Cette date très haute trouve une confirmation dans le vocabulaire archaïque des Pères.

Cette localisation et cette datation ne sont toutefois, de la part de J. Neufville, qu'une tentative pour sauver les résultats essentiels de son prédécesseur en restant dans la zone pro-

---

ms. *L* : *Incipiunt alique sententie de regula sancti ac beati Macharii*, etc. – Nous mentionnerons plus loin (n. 17-18) d'autres indices recueillis par A. Mundó.

9. J. NEUFVILLE, « Règle des IV Pères et Seconde Règle des Pères. Texte critique », dans *Rev. Bénéd.* 77 (1967), p. 47-106. Voir p. 61-68.

10. CASSIEN, *Conl.* 18, *Praef.* 1. Voir aussi *Conl.* 11, *Praef.* 3.

11. *Conl.* 18, *Praef.* 1 : (*Theodorus*) *illam coenobiorum sanctam atque egregiam disciplinam in prouinciis gallicanis antiquarum uirtutum districtione fundauit*, selon l'exégèse de J. NEUFVILLE, *art. cit.*, p. 63.

12. Cf. 2RP 30 : *uel qui per cellulis consistunt*.

vençale où celui-ci s'était fixé. Pour sa part, l'éditeur des deux premières *Regulae Patrum* regarde d'un autre côté. La tradition manuscrite lui paraît indiquer un foyer initial italien, puisque « à part la famille α, tous les manuscrits proviennent d'Italie ou descendent d'un subarchétype perdu qui a toutes chances d'être venu d'Italie[13] ». De plus, les Quatre Pères citent les Psaumes d'après le Psautier romain. Enfin leurs formules protocolaires s'écartent des usages conciliaires de la Gaule et se rapprochent de ceux de Rome : les introductions du type *N dixit* se retrouvent notamment dans les conciles des papes Hilaire (465) et Symmaque (502), tandis que l'ablatif absolu initial *Residentibus...* apparaît déjà dans celui de Léon (444)[14].

C'est donc dans le ressort de l'Église de Rome que J. Neufville place les Quatre Pères, mais à une époque plus récente que celle qu'il avait envisagée pour la Provence. Les conciles romains n'attestant qu'assez tard les usages mentionnés[15], « le deuxième quart ou le milieu du ve siècle » est la seule date qu'il ose proposer. Sans doute cette datation un

13. J. NEUFVILLE, *art. cit.*, p. 64. Le « subarchétype venu d'Italie » est celui de la famille λ, qui serait un ms. de Reichenau. Cf. p. 58, n. 3 : « Il est peu vraisemblable que S. Pirmin, fuyant la Septimanie, ait emporté avec lui une bibliothèque. Ses successeurs on dû se procurer leur fonds en Italie. »

14. Les *gesta* de ce concile, que Léon envoya aux évêques d'Italie (*Ep.* 7, 1) et d'Espagne (*Ep.* 15, 16), sont perdus, mais le pape en donne un compte rendu dans son *Serm.* 16, 4, en commençant par les mots *Residentibus itaque mecum episcopis...*, qui ont chance de reproduire la formule initiale des actes. – A ces conciles romains cités par Neufville, on peut ajouter celui de Gélase (495), où l'on trouve au début *Residente... residentibus...*, ainsi que *Gelasius... dixit.* Voir *Epistulae Imperatorum Pontificum* (*Collectio Avellana*), éd. O. GUENTHER, Vienne 1895 (*CSEL* 35), p. 474-475 (*Ep.* 103, 1-2) = *PL* 59, 183 ab.

15. Celui de Sirice (386) commençait par *Cum in unum... conuenissemus...* (Lettre aux Africains insérée dans les actes de Télepte, 418 ; BRUNS, t. I, p. 152), et Zosime, en 417, rend compte du sien en commençant par une phrase à l'indicatif (*resedimus* : LABBE, t. II, 1558). Voir JAFFÉ 258 et 329 ; J. NEUFVILLE, *art. cit.*, p. 65, n. 9.

peu basse ne s'accorde-t-elle pas parfaitement avec l'archaïsme du vocabulaire. Mais « nous sommes bien moins renseignés sur l'évolution du monachisme en Italie (qu'en Provence) : il est possible que la situation correspondante à nos règles s'y soit rencontrée moins tôt[16] ».

Les recherches de F. Masai Avec F. Masai, c'est en Gaule et plus précisément à Lérins que revient la Règle des Quatre Pères. Cette fois cependant le témoignage décisif qui oriente en cette direction est un texte dont A. Mundó ne s'était servi qu'en passant et que J. Neufville ne citait même pas : la Vie des Pères du Jura. Celle-ci – Mundó l'avait déjà noté à Oslo – range les *sancti Lirinensium Patres,* aux côtés de Basile, Pachôme et Cassien, parmi ces « Orientaux » dont les moines du Jura entendent se distancer tout en les lisant avec vénération[17], et elle réfère à la *regula Patrum* une norme observée à Condat sous l'abbé Oyend – la défense d'entrer en contact avec les hôtes sans l'aveu du supérieur –, norme qu'on retrouve en fait, édictée par Macaire, dans la Règle des Quatre Pères[18].

Sans exploiter ce dernier fait, F. Masai insiste sur le premier. Dans une étude consacrée aux débuts du monachisme à Saint-Maurice d'Agaune, après avoir observé que le pseudo-concile de 515 suit le modèle de la Règle des

---

16. J. NEUFVILLE, *art. cit.*, p. 66, n. 1.

17. *V. Patr. Iur.* 174 : *ea cotidie lectitantes, ista pro qualitate loci et instantia laboris inuecta potius quam Orientalium perficere adfectamus.* Ces *Orientales* sont apparemment Basile, les Pères lériniens, Pachôme et Cassien.

18. *V. Patr. Iur.* 172 : *omni cautela iuxta Patrum regulam seruans, ne se conspectui aduentantium laicorum uel propinquorum saltim iniussus monachus praesentaret* ; RIVP 2, 40 : *Nec licebit alicui cum superueniente sermocinari nisi soli qui praeest aut quos ipse uoluerit* (cf. 2, 37 : *Venientibus eis nullus nisi unus cui cura fuerit iniuncta occurrat ut responsum det uenienti*). Voir ci-dessous, n. 88.

Quatre Pères[19], il se demande quelles étaient ces « Institutions » que l'Anonyme jurassien dit avoir rédigées « touchant la forme de vie du coenobium d'Agaune », et cela « sur les instances du saint prêtre Marin, abbé de l'île de Lérins[20] ». Les institutions des Jurassiens, nous le savons par le passage de la Vie déjà cité, étaient à la fois influencées par les modèles « orientaux », parmi lesquels on rangeait Lérins, et indépendantes à leur égard, surtout depuis que l'abbé Oyend avait délibérément rompu avec certains usages des « archimandrites d'Orient[21] ».

En d'autres termes, comme l'écrit F. Masai, « les vénérables législations de l'Orient et de la Provence avaient reçu au Jura une adaptation que, sur les instances de l'abbé de Lérins, les moines de Condat communiquaient à ceux d'Agaune en quête de règle[22]. » Les « saints Pères des Lériniens » mentionnés parmi ces auteurs « orientaux » sont sans doute, ajoute-t-il, nos Quatre Pères. Point de démonstration, mais celle-ci ne lui paraît « pas malaisée » à fournir le moment venu. C'est en tout cas un fait remarquable que, travaillant apparemment sur la seule base de la première étude d'A. Mundó[23], F. Masai découvre indépendamment une perspective ouverte par celui-ci dans sa seconde étude restée inédite.

---

19. F. Masai, « La *Vita patrum iurensium* et les débuts du monachisme à Saint-Maurice d'Agaune », dans *Festschrift B. Bischoff*, Stuttgart 1971, p. 43-69. Voir p. 51-52 (cf. notre chapitre précédent, n. 9).

20. *V. Patr. Iur.* 179 : *instituta quae de informatione monasterii uestri, id est Acaunensis coenobii, sancto Marino presbytero insulae Lirinensis abbate conpellente, digessimus.*

21. *V. Patr. Iur.* 170 : *Iste etiam, refutato archimandritarum orientalium instari, utilius omnes uniuit in medium.* Il s'agit de la suppression des cellules individuelles. Dans sa deuxième étude, A. Mundó voit là une réaction contre Lérins. Sur cette question de l'habitat des cénobites lériniens, voir *La Règle de saint Benoît*, t. V, p. 673, n. 77 (cf. ci-dessous, n. 34).

22. F. Masai, *art. cit.*, p. 61.

23. Citée par F. Masai, *art. cit.*, p. 61, n. 73.

Cet article sur la *Vita Patrum Iurensium* et les origines d'Agaune date de 1971. Cinq ans plus tard, F. Masai développait les mêmes vues dans ses « Recherches sur les Règles de S. Oyend et de S. Benoît[24] ». Il y ajoutait cependant deux considérations neuves, qui, sans concerner directement l'œuvre des Quatre Pères, touchent aux rapports de celle-ci avec les règles qui en dérivent. D'abord il estime que l'influence de Lérins, comme celle de Cassien, n'a pu s'exercer sur Condat que bien après la fondation de ce monastère, qu'il place « au début du ve siècle[25] ». Les *eximiae Institutiones Abbatum* que Romain apporta de Lyon dans le Jura[26] étaient plutôt un ensemble de règles orientales, comprenant en particulier ce florilège de préceptes pachômiens qu'est la *Regula Orientalis*. Telle dut être la première législation de Condat, qu'Oyend remplacera ou corrigera par des institutions inspirées de Cassien et des Lériniens.

L'autre complément apporté par F. Masai dans cette seconde étude se rapporte à la *Regula Macarii*. On se souvient que, d'après Jonas de Bobbio, une règle de ce nom servit à la formation des moines de Réomé au début du VIe siècle, quand l'abbé Jean y fut ramené de Lérins[27]. Pas plus aujourd'hui qu'il y a trente ans[28], F. Masai n'identifie cette « Règle de Macaire » mentionnée par Jonas avec la pièce placée sous ce titre dans le *Codex* de Benoît d'Aniane et dans plus d'un manuscrit ancien. Renonçant toutefois à y voir,

---

24. Dans *Regulae Benedicti Studia* 5 (1976), p. 43-73. Voir p. 52-62.

25. F. MASAI, « Recherches... », p. 57, d'après le Catalogue des abbés de Condat. Pour F. MARTINE, *Vie des Pères du Jura*, Paris 1968 (*SC* 142), p. 243 et 253, qui n'accepte pas la chronologie du Catalogue, comme pour É. GRIFFE, *La Gaule chrétienne à l'époque romaine*, t. III, Paris 1965, p. 344-345, Romain serait né vers 400, ce qui place son entrée en religion vers 435 (cf. *V. Patr. Iur.* 5 : *tricesimo et quinto ferme aetatis anno*).

26. *V. Patr. Iur.* 11. Voir F. MASAI, « Recherches... », p. 56.

27. Ci-dessus, n. 5.

28. F. MASAI, « La Règle du Maître à Moutiers-Saint-Jean », dans *À Cluny. Travaux du Congrès*, Dijon 1950, p. 192-202.

comme il le faisait jadis, la Règle du Maître, il y reconnaît à présent la Règle des Quatre Pères, qui est parfois nommée ainsi par Benoît d'Aniane dans sa *Concordia*. Quant à la pièce que nous appelons *Regula Macarii*, elle serait, d'après des recherches récentes de A. C. Vega[29], l'œuvre de Jean de Biclar, abbé espagnol de la fin du VIe siècle.

Si la vraie *Regula Macarii* rapportée de Lérins par Jean de Réomé n'est autre que la Règle des Quatre Pères, elle se confond avec l'ouvrage des *sancti Lirinensium Patres* qu'on lisait dans le Jura vers la même époque. Nantie du double prestige de l'Égypte et de Lérins, la législation des Pères aura rayonné, sous des noms différents, du grand monastère méditerranéen vers ces deux fondations septentrionales.

II. *Examen des hypothèses. Vers les origines de Lérins*

Telles sont les principales hypothèses récentes sur l'origine et la diffusion de la Règle des Quatre Pères[30]. Chacune d'elles appelle quelques commentaires.

Les vues de F. Masai sur l'Orientale et Macaire

Pour commencer par la dernière en date, on éprouve, après avoir lu F. Masai, le besoin

29. A. C. Vega, « En torno a la herencia literaria de Juan de Biclaro », dans *Boletin de la Real Academia de la Historia* 164 (1969), p. 13-74.

30. Signalons encore que F. Masai, « Recherches... », p. 65-66, commente le titre de RIVP d'après le *Codex Regularum* : *Incipiunt capitula regulae monasteriorum* (viserait *RM* 11-95) *uel Deo timentium pro discipulorum eruditione* (viserait *RM* Pr-10) *id est Saraphyonis*, etc. (la RIVP). Ce titre refléterait l'union de la RIVP et de la *RM*, telle que la présente (pour la recension Π) le *Par. Lat. 12205*. De même E. Manning, « Diskussion Masai und Manning », dans *RBS* 5 (1976), p. 393-394, présente la *RM* comme un « coutumier » annexe ou un « commentaire » de la RIVP. Ce serait l'œuvre demandée à Condat par les moines d'Agaune et l'abbé de Lérins. Voir aussi E. Manning, « A propos de quelques titres de la Regula *Magistri* », dans *Studia Monastica* 20 (1978), p. 7-15 (surtout p. 11-13).

de se remémorer l'ordre chronologique des règles, que nous avons établi dans notre Introduction générale (ch. II). Si la *Regula Orientalis,* comme nous l'avons montré alors, dépend de la Seconde Règle des Pères, qui suppose elle-même la Règle des Quatre Pères, cette *Regula* ne peut guère s'être trouvée à Condat au début de l'abbatiat de Romain. Comment la petite-fille aurait-elle précédé dans le Jura son aïeule, dont on nous dit que Romain fit sa fondation trop tôt pour avoir pu en prendre connaissance[31] ?

Un autre point fait difficulté dans le second exposé de F. Masai : l'identification de la Règle des Quatre Pères avec la *Regula Macarii* utilisée par Jean de Réomé. Pour interpréter ainsi Jonas de Bobbio, il faut en effet mettre de côté la « Règle de Macaire » proprement dite, en établissant que cette législation est trop tardive pour avoir été pratiquée au début du VIe siècle par le moine bourguignon. C'est ce que F. Masai pense faire en se référant à la thèse de A. C. Vega, selon lequel la *Regula Macarii* n'aurait été rédigée qu'à la fin du siècle par Jean de Biclar. Malheureusement cette thèse est dénuée de toute solidité[32]. La *Regula Macarii* n'ayant aucun rapport avec Biclar, tout ce qu'on peut en dire est qu'elle dérive de la Seconde Règle des Pères, elle-même tributaire de la Règle des Quatre Pères. Rien n'empêche qu'un tel texte ait existé du temps de Jean de Réomé et soit l'ouvrage mentionné par Jonas de Bobbio. Dès lors la Règle des Quatre Pères n'a plus de titre à la remplacer. Il n'y a pas de raison de supposer qu'elle soit venue sous ce nom de Macaire à Réomé.

Regula Orientalis et *Regula Macarii* : ces deux petites-filles de la Règle des Quatre Pères ne trouvent donc pas leur

31. Voir n. 26. Pour notre part, nous serions enclin à penser que les *eximiae Institutiones Abbatum* reçues par Romain à Lyon et apportées par lui dans le Jura comprenaient, entre autres, la RIVP.

32. Voir notre article « Trithème, la Règle de Macaire et l'héritage littéraire de Jean de Biclar », dans *Sacris Erudiri* 23 (1978-1979), p. 217-224.

vraie place dans la construction de F. Masai. Celle-ci, en revanche, comporte des observations utiles. Mais avant de recueillir ces éléments positifs, il nous faut remonter aux origines de l'hypothèse lérinienne et discuter les premières suggestions faites à ce sujet, celles de A. Mundó.

Les vues d'A. Mundó sur les Quatre Pères et Lérins

Pour celui-ci, on s'en souvient, la Règle des Quatre Pères est le manifeste d'un mouvement réformiste qui s'est produit à Lérins, et plus généralement en Gaule, dans le troisième quart du ve siècle. Cette datation tardive résulte de deux séries d'observations. D'une part, le premier Lérins, celui d'Honorat, de Maxime et de Fauste, apparaît à A. Mundó comme une colonie semi-anachorétique, analogue aux groupes décrits par l'*Historia monachorum* et les Conférences de Cassien, plutôt que comme un coenobium ; la Règle des Quatre Pères aurait justement pour but d'instaurer dans ce milieu, encore proche de l'érémitisme, un régime proprement cénobitique. D'autre part, c'est vers 465 que le concile de Vannes montre la même tendance à l'œuvre parmi les moines gaulois, que les évêques veulent grouper en communautés, avec un seul supérieur par monastère.

Seconde moitié ou début du Ve siècle ?

Ces deux prémisses sont l'une et l'autre difficiles à accepter. D'abord Lérins semble avoir été un coenobium dès l'origine. Ni la *Vita Honorati,* ni Cassien, ni Eucher ne le représente autrement[33]. Si ce dernier, en 428,

33. Hilaire d'Arles, *V. Honor.* 17, 3 (*in monasterio illius*) ; 19, 1 (*omnis congregatio illa*) ; 19, 2 (*congregatio illa*) ; 19, 3 (*in monasterio suo*) ; 19, 4 (*sibi creditae... congregationis*). Le contexte indique une nombreuse communauté rassemblée autour d'Honorat et formant « son monastère ». – Cassien, *Conl.* 11, *Praef.* 1 : *ingenti fratrum coenobio praesidens congregationem suam... optet institui.* – Eucher, *De laude eremi* 43 : *sanctorum coetus conuentusque... oboedientia citi.* Le témoignage de Cassien est le plus formel (*coenobio*).

parle aussi de « cellules séparées » qui abritent des « anciens » et font penser aux « Pères d'Égypte[34] », il y a tout lieu de penser que ces cellules forment autour du monastère principal une simple couronne anachorétique qui ne lui ôte rien de son caractère communautaire. Au reste, le *nunc* dont Eucher assortit cette notation[35] et la comparaison de son témoignage avec celui de Cassien, qui un ou deux ans plus tôt ne semble pas avoir entendu parler d'ermites lériniens[36], suggèrent que ceux-ci sont apparus depuis assez peu de temps. Plus tard, en tout cas, quand Fauste exhortera les moines de Lérins ou évoquera devant eux ses prédécesseurs[37], rien dans ses discours ne laissera entrevoir autre chose qu'une communauté du type cénobitique le plus strict.

On ne voit donc pas comment la Règle des Quatre Pères pourrait, dans la seconde moitié du siècle, viser à établir le

---

34. EUCHER, *De laude eremi* 42 : *Haec nunc habet sanctos senes illos, qui diuisis cellulis Aegyptios Patres Gallis nostris intulerunt* (*PL* 50, 711 b). Cf. nos remarques dans *La Règle de saint Benoît*, t. V, p. 673, n. 77. Malgré la similitude des termes, il ne semble pas que ces ermites soient visés par SIDOINE APOLLINAIRE, *Ep.* 9, 3, 4 : *de senatu Lirinensium cellulanorum* (en parallèle avec *de palaestra congregationis heremitidis*), texte qui confirmerait plutôt que les cénobites lériniens habitaient des cellules (cf. ci-dessus, n. 21).

35. Même adverbe plus haut, à propos de Maxime, qui vient de succéder à Honorat : *Haec nunc successorem eius tenet, Maximum nomine* (711 a). Des trois phrases intermédiaires, deux sont au passé (*habuit* : Loup et Vincent sont partis) et une au présent (*possidet* : Caprais est toujours là). Cette dernière, qui vise une présence remontant aux origines, est dépourvue de *nunc*. L'adverbe semble donc viser un fait récent, plus ou moins contemporain de l'entrée en charge de Maxime.

36. Eucher (*Conl.* 11, *Praef.* 1) n'est pas un vrai solitaire, puisqu'il a sa femme auprès de lui, cf. PAULIN DE NOLE, *Ep.* 51 (d'après HILAIRE, *V. Honor.* 22, 2, il vivait non à Lérins même, mais *in proxima insula*). Comparer *Conl.* 18, *Praef.* 1-3, où des « anachorètes » vivant en « cellules » sont signalés aux alentours de trois coenobia des Stoechades.

37. EUSÈBE GALL., *Hom.* 36-44 (*ad monachos*) ; 35 (Maxime) et 72 (Honorat). Voir en particulier *Hom.* 38, 2-5 : ces problèmes d'obéissance indiquent nettement un coenobium. Le mot *eremus* ne doit pas faire illusion : voir ci-dessous, n. 51.

cénobitisme dans ce milieu. Si elle y a son site, ce doit être non après Fauste, dans les années 465-470, mais plutôt aux origines, avant que Lérins ait pris ce visage communautaire qui nous est révélé, dès 425-430, par les plus anciens témoins.

De son côté, le concile de Vannes n'aide guère à comprendre notre texte. Ce que ces évêques de l'Ouest exigent des moines, c'est qu'« ils ne quittent pas leur communauté (*congregatio*) pour des cellules solitaires », à moins de vocations spéciales ou d'infirmités reconnues par l'abbé, qui fournira en ce cas des cellules à l'intérieur de la clôture[38]. Ce canon suppose des communautés déjà constituées, où l'on cherche à maintenir les moines en les empêchant de s'en écarter. Une telle situation est à l'opposé de celle qu'évoque Sérapion, au début de la Règle des Quatre Pères. Là, si nous en croyons le texte, il ne s'agit pas de maintenir un ordre communautaire déjà existant, mais de le créer.

La différence n'est pas moins nette en ce qui concerne le supérieur. Le concile se borne à interdire qu'un abbé ait plus d'un monastère sous sa direction, exception faite d'un refuge en ville où sa communauté puisse se replier en cas d'invasion[39]. Avec cette défense de portée très limitée, on est loin de l'espèce de loi fondamentale qu'édicte Sérapion, en vue d'assurer l'existence et l'unité d'une communauté naissante : « Nous voulons qu'un seul commande à tous ».

Les situations visées par le concile de Vannes et la Règle des Quatre Pères sont donc trop différentes pour que la date tardive de l'un convienne à l'autre. Au contraire, l'écart institutionnel qu'on observe entre les deux documents invite à placer la Règle beaucoup plus tôt. Ainsi ce point de comparaison externe ne fait que confirmer ce qui ressort des textes lériniens : si la Règle des Quatre Pères est née à Lérins, ce

38. Conc. de Vannes (461-491), can. 7.

39. Conc. de Vannes, can. 8. Il s'agit d'empêcher le vagabondage des abbés, comme celui des moines (can. 6-7) et des clercs (can. 5 et 9).

doit être à l'époque où cette communauté fut fondée, c'est-à-dire probablement dans la première décennie du ve siècle.

Une expression archaïque : « is qui praeest » Une date aussi haute peut seule expliquer la terminologie singulièrement archaïque de notre Règle. Que le supérieur soit désigné par la périphrase *is qui praeest,* c'est là un trait incompatible avec l'usage de la deuxième moitié du siècle, où Sidoine Apollinaire et le concile de Vannes lui-même, voire déjà le concile d'Arles *in causa Fausti* l'appellent *abbas*[40]. Tout le monde alors, y compris les instances officielles de l'Église, connaît et emploie ce terme exotique, devenu le titre propre du chef de communauté monastique.

En remontant le cours du ve siècle, on trouve *abbas* à deux reprises dans les Sermons de Fauste, mais *praepositus* semble y désigner encore, au moins une fois, le premier supérieur du monastère[41]. Aux alentours de 425, Cassien use habituellement d'*abbas,* qu'il s'agisse d'abbés orientaux ou provençaux[42], tout en lui substituant çà et là *senior.* Chez Fauste comme chez Cassien, le pluriel *praepositi* désigne indistinctement l'ensemble des supérieurs monastiques, quel que soit leur degré hiérarchique[43], tandis que le singulier *praepositus*

---

40. SIDOINE APOLLINAIRE, *Carm.* 16, 113 ; *Ep.* 7, 9, 9 ; 7, 17, 4 ; 9, 3, 4. – Conc. de Vannes, can. 7-8. – Conc. d'Arles *in causa insulae Lerinensis* (449-461), *CC* 148, p. 132-134. Voir aussi HONORAT DE MARSEILLE, *V. Hilarii* 5.

41. EUSÈBE GALL., *Hom.* 35, 12 (après 460) et 38, 2 (avant 460), emploie *abbas.* Dans *Hom.* 38, 2, ligne 44, les mots *praepositum uel abbatem* désignent-ils deux supérieurs différents ? En tout cas, à la ligne 75 le *praepositus* semble être l'abbé lui-même, seul habilité à prononcer une sentence d'expulsion. Le couple de la ligne 44 fait penser à *Hom.* 38, 5 : *praepositis ac patribus nostris* (ligne 152).

42. CASSIEN, *Inst.* 2, 3.16 ; 4, 1.5.7.15-16.20-21.28.30 ; 7, 7.12 ; 12, 28.32. – *Conl.* 4, 20 ; 18, 7 ; 19, 1.6 ; 20, 1 ; 24, 26, 4.

43. EUSÈBE GALL., *Hom.* 38, 5 (ci-dessus, n. 41) ; 40, 6 ; 43, 5. – CASSIEN, *Conl.* 18, 7, 4 (dans *Inst.* 4, 27, 1, *praepositis* désigne deux doyens différents).

s'applique chez Cassien à un officier subalterne, doyen ou chef de service[44]. Quant à *(is) qui praeest,* c'est en parlant de doyens comme d'abbés que Cassien emploie cette périphrase[45]. Nulle part elle ne désigne simplement le premier supérieur.

Au début du ve siècle, enfin, Sulpice Sévère se sert constamment d'*abbas* dans le premier Livre des Dialogues, c'est-à-dire dans les récits de Postumianus sur l'Égypte[46]. Quant aux récits martiniens, tant dans la *Vita Martini* que dans les Lettres, ils donnent seulement à Martin le titre assez vague de *magister*[47]. C'est donc, semble-t-il, entre les Dialogues de Sulpice Sévère (404) et les Institutions de Cassien (vers 425) que le nom d'*abbas* s'est attaché en Gaule, selon la mode d'Égypte, au personnage du supérieur de monastère. Son absence dans la Règle des Quatre Pères est d'autant plus remarquable que ceux-ci portent des noms égyptiens. Plus on remontera vers les premières années du siècle, plus une telle absence deviendra compréhensible.

De son côté, le recours à la périphrase *is qui praeest,* au lieu de termes simples d'usage très ancien comme *pater*[48],

---

44. Cassien, *Inst.* 4, 10 (*bis*) ; *Conl.* 20, 1, 3 (sur *Inst.* 4, 27, 1, voir note précédente). Quant à Fauste, le *praeposito suo* d'Eusèbe Gall., *Hom.* 38, 6, ligne 205, n'est pas plus clair que les deux cas d'*Hom.* 38, 2 (ci-dessus, n. 41).

45. Cassien, *Inst.* 4, 7 : *seniori qui decem iunioribus praeest* ; 4, 17 : *eum qui suae decaniae praeest* ; *Conl.* 19, 1, 1 : *prioris abbatis qui eidem coenobio praefuerat* (cf. *Inst.* 2, 3, 5 : *monasteriis praeesse*).

46. Sulpice Sévère, *Dial.* 1, 10-12 ; 17-19 ; 22 (en tout 19 emplois). On trouve aussi *senex* (*Dial.* 1, 11) et *magister* (*Dial.* 1, 18), mais seulement deux fois chacun et pour alterner avec *abbas.*

47. Sulpice Sévère, *V. Mart.* 10, 5 ; *Ep.* 2, 5, en corrélation avec *discipulus* (cf. *Ep.* 3, 15 : *discipulis* seul). Rien dans les Dialogues, semble-t-il.

48. Jérôme, *Ep.* 22, 35 ; 125, 13 et 15 ; *V. Hilarionis* 10, 3. Voir aussi *La communauté et l'abbé,* p. 390, n. 5. – Augustin, *De mor. eccl.* 1, 67.

praepositus[49] ou *senior,* paraît singulièrement gauche. Son emploi dans la Règle des Quatre Pères dénote une information et une expérience assez limitées, jointes à l'influence dominante de l'œuvre de traduction qu'est la *Regula Basilii* de Rufin. C'est dans les premiers temps de Lérins et dans les premières années du siècle que se comprend le mieux pareil langage.

Le « désert » et les « monstres »

La même datation est suggérée par les mots dont use la règle pour décrire la « désolation du désert », peuplé de « monstres terrifiants », qui rend impossible la vie solitaire[50]. *Heremi uastitas* : le premier de ces termes sera constamment appliqué à Lérins, même quand la petite île aura été colonisée par des générations de moines[51], mais le second ne lui convient qu'au moment où ceux-ci prennent pied sur une terre longtemps inhabitée. C'est justement ce terme de *uastitas* qui vient à la bouche d'Hilaire d'Arles quand il raconte l'arrivée d'Honorat à Lérins et les rapports sinistres que lui font les habitants du littoral : *circumiecti accolae terribilem illam uastitatem ferebant*[52].

---

49. Augustin, *Praec.* 1, 3 ; 4, 9.11 ; 5, 3.4.5 ; 7, 1-2 (en 7, 3 : *ipse... qui uobis praeest*) ; *Ordo Monasterii* 6-7. Cf. Jérôme, *Ep.* 125, 15 (voir *La communauté et l'abbé,* p. 390-391).

50. RIVP 1, 2 : *et quia heremi uastitas et diuersorum monstrorum terror singillatim habitare fratres non patitur.* Cf. ci-dessous, n. 209-211.

51. Eucher, *De laude eremi* 1-3 et 42-44 ; Eusèbe Gall., *Hom.* 35, 8 (*ter*) ; 39, 3 ; 40, 4 ; 42, 8 ; 44, 1 ; 72, 13 (l'hyperbole est particulièrement flagrante dans le premier passage), cf. *Hom.* 39, 2 et 44, 1a, où les *laudabiles eremitae* sont des cénobites, ainsi appelés du seul fait qu'ils se trouvent *extra mundum.* – Sidoine Apollinaire, *Ep.* 9, 3, 4, parle de *palaestra congregationis heremitidis,* alors que Lérins est bien pour lui un *coenobium* (*Ep.* 8, 14, 2). En revanche, Césaire, *Serm.* 236, ne parle plus d'*eremus* à propos de Lérins.

52. Hilaire, *V. Honor.* 15, 2 ; cf. 15, 2 (*nimietas squaloris*) et 4 (*horror solitudinis*). Cassien, *Conl.* 3, 2, 1, dit de même : *uastitatem eremi tolerare.*

Quant à *diuersorum monstrorum terror,* cette expression fait aussitôt songer à l'épisode narré par Hilaire dans le même passage de la Vie d'Honorat : malgré « la crainte inspirée par les bêtes venimeuses », le fondateur, fort des promesses du Psautier et de l'Évangile, s'installe tranquillement sur l'ilôt infesté ; « son intrépidité dissipe la frayeur des siens », et « la foule des serpents cède la place[53] ». Commentant ce miracle et développant sa signification morale, Fauste parlera de « monstres spirituels subjugués » par le saint[54].

Les « divers monstres terrifiants » mentionnés par Sérapion s'identifient-ils à ces terribles serpents de la Vie d'Honorat ? En ce cas, la Règle des Quatre Pères ne peut dater que des premiers temps de la fondation lérinienne, car Hilaire nous dit qu'après l'arrivée d'Honorat personne n'en éprouva plus ni danger ni frayeur[55]. Allant plus loin, Fauste prétend que les serpents avaient évacué l'île et gagné le littoral voisin[56]. De toute façon, la frayeur qu'ils inspiraient n'a pu servir de motif pour réunir les frères en une seule maison qu'à une époque reculée, avant le complet apaisement de ces craintes dont témoigne Hilaire.

Un seul monastère ou plusieurs ? En avançant ainsi la date de notre règle, on est conduit à mettre en question une autre suggestion d'A. Mundó : les trois ou quatre Pères et leurs

53. HILAIRE, *V. Honor.* 15, 2-4 : *inaccessam uenenatorum animalium metu* (cf. Ps 90, 13 : *aspidem et basiliscum... leonem et draconem* ; Lc 10, 19 : *serpentes et scorpiones*)... *pauorem suorum securitate sua discutit... cedit turba serpentium.*

54. EUSÈBE GALL., *Hom.* 72, 8 : *monstris spiritalibus subiugatis* (les hommes mauvais, symbolisés par les serpents). Fauste cite Ps 90, 13 (*aspides et basiliscos... leonem... draconem*), comme Hilaire qu'il a « lu ».

55. HILAIRE, *V. Honor.* 15, 4. Le « départ de la foule des serpents » n'empêche pas qu'Hilaire dit avoir « vu de nombreux serpents » en ces lieux bien des années plus tard, mais *nulli umquam non solum periculo sed nec pauori fuit.*

56. EUSÈBE GALL., *Hom.* 72, 8. Ce faisant, Fauste brode sur le *cedit turba serpentium* d'Hilaire (n. 53 et 55).

nombreux collègues légiféreraient pour un ensemble de monastères disséminés dans les îles, sur la côte et à l'intérieur des terres, dont le chef-lieu serait Lérins. Ce tableau ne revêt une certaine vraisemblance qu'à l'époque où Lérins rayonne de tout son éclat, avec quatre satellites aux îles Stoechades et d'autres à Marseille, à Apt et sans doute ailleurs. Aux origines du monastère, où nous ramènent toutes nos recherches, on ne voit pas que pareille situation ait pu se produire. Il faudrait donc se représenter nos trois Pères – car rien n'indique qu'il y ait eu d'autres participants[57] – réunis au berceau d'une seule communauté, celle de Lérins.

Cependant notre hypothèse se heurte à une difficulté : les indices d'une pluralité de monastères que nous avons nous-mêmes relevés dans la Règle des Quatre Pères[58]. A cause d'eux, on s'en souvient, J. Neufville se sent obligé d'abandonner Lérins et de transporter notre règle dans l'archipel des Stoechades[59]. Pour notre part, sans minimiser l'objection, nous noterons qu'aucun de ces indices ne nous a paru contraignant[60]. Au reste, certains des pluriels en question ne visent peut-être qu'à étoffer la fiction d'une

---

57. On se souvient (cf. ci-dessus, n. 2) que Mundó tient pour authentique la mention des 38 abbés dans l'*Explicit* de *A* et *B* (notre *T*). Sur cet ajout secondaire, voir J. NEUFVILLE, « Sur le texte de la Règle des IV Pères », dans *Rev. Bénéd.* 75 (1965), p. 307-312 (cf. p. 310-311).

58. Voir chapitre précédent, n. 89-94.

59. Ci-dessus, n. 10-11. Sur les Stoechades, voir M. BESNIER, *Lexique de Géographie ancienne,* Paris 1914, p. 718 : outre les trois îles d'Hyères, elles comprenaient les îles Ratonneau et Pomègue en face de Marseille.

60. En ce qui concerne RIVP 3, 22 (chap. précédent, n. 89), noter que ce petit paragraphe (3, 21-22) et le suivant (3, 23-27), tous deux munis de véritables titres, sont des sections indépendantes qui interrompent les recommandations adressées aux frères (3, 19-20 et 28-30). Ils peuvent avoir été insérés après coup. En ce cas, l'incise *si fratrum congregatio multa est* refléterait le développement ultérieur de Lérins, présenté rétrospectivement sous forme d'hypothèse, plutôt qu'elle ne viserait des communautés différentes.

assemblée de cénobiarques en Égypte[61]. Quant au règlement pour la réception des moines étrangers, qui implique l'existence d'autres monastères, il ne se présente que dans le deuxième discours de Macaire, qui semble avoir été ajouté à la rédaction primitive[62]. Nous pouvons donc continuer à regarder la Règle des Quatre Pères comme destinée en principe à l'unique monastère de Lérins, à une époque où nous ne savons s'il existait d'autres communautés dans la région[63].

Italie ou Gaule ? Le Psautier

Cependant une autre série d'objections a été faite par J. Neufville, qui tendent à transplanter la règle de Provence en Italie. Un premier indice en ce sens serait les citations psalmiques des Quatre Pères, qui proviendraient du Psautier romain. L'objection ne nous paraît pas de grand poids. Sur les cinq citations des Psaumes que fait notre texte, deux seulement (Ps 57, 2 et 67, 7) offrent des lieux variants où le Psautier romain s'oppose au gallican[64]. Dans le premier cas, les rares témoins de la règle se partagent entre les deux Psautiers. Dans le second, où les témoins sont unanimes, la leçon des Pères (*Qui habitare facit unianimes in domo*) est bien celle du romain, mais on la trouve aussi ailleurs, notamment dans l'exorde de la Règle d'Augustin, dont le parallélisme exact avec ce début de notre

61. Ce pourrait être le cas de RIVP 1, 1 ; 2, 2. Ce dernier pluriel vise peut-être aussi à atténuer le caractère personnel et singulier des directives données au supérieur. Voir en outre ci-dessous, n. 187 et 202.

62. RIVP 4, 3. Voir chap. précédent, n. 70-71 et 78.

63. Il est possible que l'un ou l'autre coenobium des Stoechades existât déjà. En 411, JÉRÔME, *Ep.* 125, suppose l'existence d'un coenobium où Rusticus de Marseille pourra se former. Voir aussi PAULIN DE NOLE, *Carm.* 24, 309-312, qui mentionne une *fraternitas* à Marseille vers 400.

64. RIVP 5, 14, citant Ps 57, 2 : *iusta* (Π) et *iuste* (*M*), qui relèvent tous deux du romain, s'opposent à *recta* (E_1), leçon du gallican ; RIVP 1, 6 citant Ps 67, 7 (gallican : *inhabitare facit unius moris in domo*). Autres citations : RIVP 1, 1 (Ps 32, 5) ; 1, 5 (Ps 132, 1) ; 2, 20 (Ps 88, 11).

règle est, nous l'avons vu[65], si frappant. Au reste, le Psautier romain ne caractérise Rome et sa zone d'influence que de façon assez floue, surtout à l'époque reculée que nous envisageons[66].

Les formules de style conciliaire

Un second indice d'origine italienne serait les formules *Sedentibus nobis in unum* et *N dixit,* qui rappellent les conciles romains de 444, 465, 495 et 502, alors que actes des conciles gaulois se présentent différemment. Cette objection n'est pas sans force, car il est exact que les nombreux conciles réunis en Gaule aux IVe, Ve et VIe siècles introduisent habituellement leurs actes par une phrase du type *Cum... conuenissemus (conuenissent)*[67], au lieu de l'ablatif absolu employé par les Quatre Pères, et qu'ils n'usent presque jamais de la présentation sous forme de discours (*N dixit*)[68]. Si le concile de Mâcon en 585 fait exception sur ces deux points, sa date est beaucoup trop

---

65. Chap. précédent, n. 95. Cf. AUGUSTIN, *Praec.* 1, 2 : *ut unianimes habitetis in domo.* L'omission de *qui* au début paraît résulter de l'adaptation au contexte. Cf. *En. Ps.* 67, 7 : *Deus qui inhabitare facit unius modi in domo,* avec les variantes *habitare, unius moris* et *unanimes* (*unum sentientes*).

66. Cf. R. WEBER, *Le Psautier Romain et les autres anciens psautiers latins,* Rome 1953, p. VIII-IX. En plein VIe s., CÉSAIRE, *Serm.* 46, 6, cite encore Ps 68, 15 selon le Psautier romain (*inhaeream*), non selon le gallican (*infigar*).

67. *Cum... uenissemus* : Nîmes 394, Orléans 538, Paris 552, Lyon 567-570 ; *cum... conuenissemus* : Turin 398, Riez 439, Arles 449-461, Agde 506, Orange 529 ; *cum... conuenisse(n)t* : Angers 453, Turin 461, Arles 524, Marseille 533, Clermont 535, Mâcon 581-583, Valence 583-585. On trouve d'autres verbes ou temps avec *cum* (Orléans 511, 533, 541, 549 ; Vaison 529 ; Arles 554 ; « Aspasi » 551), *dum* (Paris 573), *quoniam* (Vannes 461-491), ainsi qu'un *conuenimus* sans conjonction précédente (Narbonne 589).

68. Fait exception sur ce dernier point le concile de Cologne en 346, mais l'authenticité de ses actes est controversée. Ils commencent par *cum consedissent.*

tardive pour qu'il puisse nous aider à situer notre texte. On note toutefois çà et là des exordes mixtes, qui joignent l'ablatif absolu au *Cum... conuenissent*[69], ainsi que des formules participiales au nominatif, sans conjonction initiale[70].

Mais le principal défaut de cette objection est d'associer trop étroitement les deux caractéristiques en question à quelques conciles réunis à Rome, sans tenir compte des témoignages d'autres régions. Bien avant les synodes romains de Léon, d'Hilaire et de Symmaque, nous avons vu celui d'Aquilée en 381 ouvrir ses actes par un ablatif absolu (*considentibus*) et les présenter sous forme d'interventions orales introduites par *dixit*[71]. Or ce concile réunissait, avec une majorité d'Italiens, plusieurs évêques gaulois[72]. L'année précédente (380), le concile de Saragosse employait aussi l'exorde *residentibus,* et une fois au début, pour présenter globalement le sentiment unanime des Pères, l'introduction *dictum est*[73].

En remontant aux origines de la tradition espagnole, on trouve déjà au concile d'Elvire (305) une introduction générale analogue (*uniuersi dixerunt*), ainsi qu'un exorde mixte (*Cum consedissent... residentibus cunctis*). Plus

---

69. Ainsi Angers 453 : *Cum... conuenissent... omnibus pariter residentibus ;* Marseille 533 : *Cum... conuenissent, residentibus... ;* cf. Paris 552 : *Cum... uenissemus et in unum positi... resedentes...*

70. Épaone 517 et Lyon 518-523 : *congregati* ; Tours 567 : *coadunati* ; Paris 556-573 : *coniuncti.*

71. Ch. précédent, n 14-15.

72. Amantius de Nice, Dominus de Grenoble, Justus de Lyon, Constantius d'Orange et surtout Proculus de Marseille, auquel Jérôme, en 411, adresse le jeune Rusticus en quête de direction (*Ep.* 125, 20). Cf. HILAIRE, *V. Honor.* 13, 1 : c'est lui qui tenta de retenir Honorat à Marseille avant son départ pour l'Orient.

73. J. VIVES, *Concilios visigóticos e hispano-romanos,* Barcelone-Madrid 1963, p. 16 : *residentibus episcopis... ab uniuersis dictum est...* On retrouve *ab uniuersis episcopis dictum est* à la fin de chacun des huit canons, pour introduire l'anathème ou le *Placet.*

nettement encore, le premier concile de Tolède (397-400) présente un exorde à l'ablatif absolu (*Conuenientibus...*) et diverses interventions orales introduites par *dixit* ou *dixerunt*[74].

Ce concile de Tolède est celui dont la date approche le plus de celle de notre règle, si cette dernière est née dans la première décennie du ve siècle[75]. Quant aux conciles romains, les plus proches sont celui de 386, dont les actes commencent par *Cum in unum... conuenissemus*[76], et celui de 417, au sujet duquel, à défaut d'actes proprement dits, le pape Zosime qui le présida dit seulement : *resedimus*[77]. Aucun de ces deux synodes romains n'emploie les formules de notre règle. A l'époque reculée qui nous intéresse, ce n'est donc pas à Rome qu'il faut lui chercher des répondants, mais soit en Espagne (Saragosse 380 et Tolède 397-400), soit en Italie du Nord (Aquilée 381), sans oublier l'Afrique, où la formule *N dixit* est habituelle (Carthage, 348, 390, 397)[78].

En somme, le double formulaire des Quatre Pères correspond à des usages diffus, qui ne se laissent pas circonscrire en un temps et une région déterminés. Pour la période que nous envisageons, la région romaine n'est pas spécialement indiquée. La Gaule encore moins, certes, si l'on s'en tient aux actes des conciles proprement gaulois, mais la présence d'un

---

74. Voir le début et surtout la discussion finale (J. VIVES, *op. cit.*, p. 19 et 28-33).

75. A la même époque se place le concile de Turin (398), italien par son lieu et son président (Simplicius de Milan), mais gaulois par l'ensemble des participants et les problèmes traités (cf. n. 67).

76. Voir ci-dessus, n. 15. Début analogue (*Cum in unum... resedissent*) dans le *Constitutum* de Basile, vicaire d'Odoacre, promulgué à Rome en 483 et abrogé par le concile de 502 (BRUNS, t. II, p. 296, § II).

77. Cf. n. 15.

78. Voir BRUNS, t. I, p. 111 (Carthage I, 348), 117 (II, 390), 122 (III, 397). Au concile de Télepte en 418 (BRUNS, t. I, p. 152), on trouve un exorde mixte (*congregato... consilio... cum resedisset considentibus secum...*) et des interventions introduites par *dixerunt* et *dixit*.

groupe d'évêques de ce pays au concile d'Aquilée (381) montre assez que le formulaire employé là ne pouvait rien avoir d'inouï de l'autre côté des Alpes vers 400. Quand on ajoute le fait qu'à la même date il était utilisé au-delà des Pyrénées, les deux pays avoisinant la Gaule s'avèrent susceptibles d'avoir fourni à des Provençaux les formules que nous trouvons chez les Quatre Pères. Dans le cas de Lérins, ces influences « étrangères » sont d'autant moins à exclure que ce monastère maritime y était exposé par sa situation même et qu'il recevra, nous le savons par Hilaire d'Arles[79], des postulants, des hôtes et des visiteurs de tous les pays. Au reste, son fondateur ne venait-il pas de voyager en Méditerranée et n'arrivait-il pas justement d'Italie[80] ?

La tradition manuscrite Nous ne croyons donc pas que le style conciliaire de notre règle s'oppose à sa localisation en Provence. Reste un troisième obstacle : l'origine italienne qu'il faudrait reconnaître à la tradition manuscrite. Cependant l'examen des faits ne nous paraît pas confirmer que « tous les manuscrits proviennent d'un foyer initial italien[81] ». Cette origine n'est prouvée que pour deux des quatre familles (ε et μ). Une troisième (α) est gauloise, au moins par les témoins carolingiens que nous connaissons, comme le reconnaît J. Neufville lui-même[82]. Quant à la quatrième (λ), dont les témoins connus se situent en pays germanique, c'est par une conjecture hasardeuse qu'on la fait « descendre d'un subarchétype perdu qui a

---

79. Hilaire, *V. Honor.* 17, 3-4 et 19, 1 (postulants affluant *undique*) ; 20, 1 (*aduenas et hospites*) ; 20, 4 (*ex diuersarum regionum captiuitate*). Cf. 21, 2 (aumônes distribuées *multis in locis*) ; 22, 1 (correspondance arrivant *undique*).

80. Hilaire, *V. Honor.* 12-14 et 15, 1 (*Italia... Tuscia*). Plus tard, Honorat correspondra avec Paulin de Nole, qui le mentionnera, vers 412-420, dans son *Ep.* 51 (à Eucher et à Galla).

81. J. Neufville, « Règle des IV Pères... », p. 64.

82. *Ibid.*, p. 58 et 64.

toutes chances d'être venu d'Italie[83] ». Si ce subarchétype était bien un manuscrit de Reichenau, on ne voit pas pourquoi Pirmin, pour ne citer que le fondateur du monastère, ne l'y aurait pas apporté ou fait venir de cette région parisienne (Meaux) d'où il semble être venu en Alémanie[84].

Ainsi la tradition manuscrite se partage également entre le Nord et le Sud des Alpes, la première région ayant des textes plus courts, la seconde des textes plus longs, mais l'une et l'autre présentant pareillement en un cas (*T* et E_1) l'association de la Règle des Quatre Pères avec la Seconde Règle des Pères. Que cette situation soit singulièrement « compliquée », on le reconnaît sans peine avec J. Neufville. Mais nous ne voyons pas qu'elle se simplifie si l'on postule un foyer de diffusion italien. Une diffusion à partir de la Provence rendrait compte aussi bien, voire mieux, de la complexité des faits et de la répartition géographique des témoins[85].

III. *La Règle des Quatre Pères et le rayonnement de Lérins au Ve et au VIe siècle*

Outre la tradition manuscrite proprement dite, il faut

83. *Ibid.*, p. 64 (cf. p. 58, n. 3). Voir ci-dessus, n. 13.

84. J. Neufville accepte la thèse de G. Jecker, exposée par H. LECLERCQ, art. « Reichenau », dans *DACL* 14 (1948), col. 2200, qui fait venir Pirmin de Septimanie. Sur la faiblesse de cette thèse, voir F. PRINZ, *Frühes Mönchtum im Frankenreich*, Munich 1965, p. 213-217 ; « Frühes Mönchtum in Südwestdeutschland und die Anfänge der Reichenau », dans *Mönchtum und Gesellschaft im Frühmittelalter*, Darmstadt 1976, p. 151-203. Les conjectures qu'y ajoute J. Neufville (Pirmin, dans sa « fuite », n'a pu emporter une bibliothèque) sont encore plus fragiles.

85. Suivant qu'on tient le chapitre 5 pour hétérogène (Neufville) ou homogène aux précédents, on le regardera comme ajouté en Italie ou en Provence. Nous reviendrons sur la question en examinant les manuscrits.

d'ailleurs prendre en compte ces témoins indirects que sont les épigones de la Règle des Quatre Pères.

La descendance gauloise des Quatre Pères : l'Orientale et Macaire

Si le premier d'entre eux, la Seconde Règle des Pères, n'est pas plus clairement localisé, de prime abord, que le texte-source, c'est en Gaule que ses deux descendants immédiats sont signalés initialement vers 510, l'un (*Regula Macarii*) par une attestation explicite de la Vie de Jean de Réomé, l'autre (*Regula Orientalis*), de façon au moins probable, par certaines allusions de la *Vita Patrum Iurensium*. Manifestement gauloise, la Troisième Règle des Pères scellera cet aboutissement du lignage des Quatre Pères en pays transalpin.

Ces faits ont leur importance, car ils précèdent de plusieurs siècles presque tous les témoignages de la tradition directe. Si les deux plus anciens manuscrits des Quatre Pères[86], accompagnés de la recension Π, attestent la présence de notre règle dans l'Italie méridionale du VIe siècle, on voit à la même époque sa postérité fleurir en Gaule moyenne. Entre la Campanie et la Bourgogne, le Sud de la Gaule n'offre-t-il pas un centre de rayonnement idéal ?

Rapports de ces deux règles avec Lérins

Mais ce qui attire le regard de ce côté, ce n'est pas seulement la situation géographique de la Provence. Ce sont aussi les mentions concordantes de Lérins dans les deux documents dont nous venons de parler.

Quand l'abbé Jean met en application à Réomé la *Regula Macarii*, il vient de passer dix-huit mois, au dire de Jonas, dans le grand coenobium insulaire[87]. Quand l'Anonyme

86. A savoir E_1 et E_2 (vers 600), ce dernier reproduisant l'œuvre d'Eugippe (vers 530).

87. JONAS, *V. Ioh. Reom.* 5 (voir ci-dessus, n. 5). Le *denuo* de cette phrase renvoie à la fondation de Réomé (§ 2 : *et sanctorum Patrum*

jurassien parle d'une *regula Patrum* dont les prescriptions coïncident, nous le constatons, avec celles de la Règle des Quatre Pères et de l'Orientale[88], ces mots font penser d'emblée aux *sancti Lirinensium Patres* qu'il présentera un peu plus loin, en compagnie de Basile, Pachôme et Cassien, comme les inspirateurs de l'observance de Condat[89].

On le voit, tout se passe comme si la Règle de Macaire et l'Orientale avaient quelque chose à faire avec Lérins. Leur mère à l'une et à l'autre, la Seconde Règle des Pères, et leur aïeule commune, la Règle des Quatre Pères, ne doivent-elles donc pas être cherchées en cette direction ?

Jean de Réomé et Macaire

Pour y voir plus clair, il est indispensable à présent d'examiner de près les témoignages de Jonas et de l'Anonyme. Le premier est trop sobre pour prêter à beaucoup de commentaires. Il faut éviter de le majorer. Jonas ne prétend pas, comme on le lui a fait dire trop vite[90], que la Règle macarienne ait été rapportée de Lérins par Jean.

---

exemplo sub regulae tenore quam custodiendo proficerent subiectam plebem constituit). Les deux passages parlant d'une « règle », doit-on identifier « Macaire » (§ 5) avec les « saints Pères » (§ 2) ? Ceux-ci, toutefois, sont cités non comme auteurs de la *regula,* mais en « exemple ». On peut donc admettre que Jean n'a imposé la « Règle de Macaire » à ses moines qu'au retour de Lérins. Au reste, toute cette histoire de fuite à Lérins (§§ 3-4) s'inspire manifestement de CASSIEN, *Inst.* 4, 30-31 ; *Conl.* 20, 1.

88. *V. Patr. Iur.* 172 ; RIVP 2, 37 et 40 (voir plus haut, n. 18). Comparer ROr 26, 3-5 (ci-dessous, n. 95).

89. *V. Patr. Iur.* 174 : *non illa omnino quae quondam sanctus ac praecipuus Basilius Cappadociae urbis antistes, uel ea quae sancti Lirinensium Patres, sanctus quoque Pachomius Syrorum priscus abba, siue illa quae recentior uenerabilis edidit Cassianus fastidiosa praesumptione calcamus, sed...* (suite ci-dessus, n. 17). Voir plus loin, n. 100 et suivantes.

90. Selon la juste remarque de S. PRICOCO, *L'isola dei santi,* Roma 1978, p. 88, n. 36. Aux auteurs cités par lui, on peut ajouter G. PENCO, *S. Benedicti Regula,* Florence 1958, p. CV, qui suit F. Masai.

Il atteste seulement qu'elle lui servit à instruire les moines de Réomé quand il revint de Lérins. L'origine lérinienne du texte – ou de certains de ses éléments[91] – n'est que suggérée[92].

La Vie des Pères du Jura et l'Orientale : les relations des moines avec l'extérieur

Le témoignage de l'Anonyme jurassien est plus complexe et nous retiendra davantage. Il parle d'abord d'une *regula Patrum* dans un passage qui traite des relations du monastère avec l'extérieur au temps de l'abbé Oyend[93]. De soi, l'expression peut désigner une simple coutume, relevant de la tradition orale, aussi bien qu'une règle écrite, et le contexte ne paraît pas imposer ici ce dernier sens[94]. Mais quelle que soit la portée du terme, c'est en tout cas un fait remarquable que les deux prescriptions qui suivent se retrouvent dans l'Orientale l'une après l'autre, dans le même ordre et – au moins la seconde – en termes partiellement identiques[95] :

Vitra Patrum Iurensium 172, 4-9	*Regula Orientalis* 26, 3-5
...omni cautela iuxta Patrum regulam seruans, ne se conspectui	[3]Nec ullus extraneorum patiatur iniuriam, [4]neque habeat cum

91. On songe en particulier au long morceau de 2RP que contient RMac.

92. En fait, nous le verrons, c'est bien de Lérins que provient sans doute la RMac en son entier. Mais cette provenance requiert une démonstration.

93. Cf. notre article « La Vie des Pères du Jura et la datation de la *Regula Orientalis* », dans *RAM* 47 (1971), p. 121-127.

94. Celui-ci ne commence à prendre le pas sur l'autre – la tradition orale des fondateurs de la vie monastique, et spécialement de ceux de Condat (cf. *V. Patr. Iur.* 177, 6-7 : *Patrum... instituta*) – que quand on découvre le parallélisme des deux interdits avec ceux des Quatre Pères et de l'Orientale. Encore ne s'impose-t-il pas absolument, même alors.

95. Dans la *Vita,* le point de vue est celui du moine soumis à la règle ; dans la *Regula,* celui du portier chargé d'appliquer celle-ci.

aduentantium laicorum uel propinquorum saltim iniussus monachus praesentaret.	aliquo de fratribus necessitatem ac facultatem loquendi absque conscientia abbatis uel seniorum praesentia.
Si quid uero cuicumque[96] *fuit* a proximis fortassis oblatum, confestim hoc *abbati* aut oeconomo deferens *nihil* exinde absque paterno praesumpsit imperio.	[5]*Si quid uero cuicumque* de fratribus missum mandatumque *fuerit, nihil* ad ipsum perueniat priusquam *abbati* uel senioribus indicetur.

De plus, la première prescription a aussi un parallèle dans la Règle des Quatre Pères : *Nec licebit alicui cum superueniente sermocinari nisi soli qui praeest aut quos ipse uoluerit*[97], et ce parallèle est même un peu plus précis[98]. Il se pourrait que le *iuxta Patrum regulam* de la Vie se rapporte uniquement à cette première prescription et renvoie aux Quatre Pères. Peut-être aussi la référence en question s'étend-elle au second point[99] et vise-t-elle l'Orientale. Peut-être enfin, répétons-le, l'Anonyme pense-t-il simplement, en écrivant ces trois mots, à une norme remontant aux fondateurs de Condat et non consignée par écrit.

Dans tous les cas, le parallélisme suivi avec l'Orientale, joint à la similitude des termes dans la seconde phrase, suggère une relation littéraire entre les deux textes. Or nous verrons que l'Orientale est faite de deux éléments : d'une part, des extraits de Pachôme, et de l'autre, des parties propres qui dépendent de la Seconde Règle des Pères. Le directoire du

96. *Cuicumque* est la leçon courante, à laquelle F. Martine préfère le *cuique* des mss *PJL*.

97. RIVP 2, 40, cité dans notre article, p. 123, n. 11. Cf. RIVP 2, 37.

98. Comparer *aduentantium (Vita)* et *superueniente* (RIVP), en face de *extraneorum* (ROr). Comme RIVP, la *Vita* se place au point de vue du moine, alors que ROr s'occupe de l'étranger confié au portier. Voir aussi 2RP 14-16 (*aduenienti*).

99. On retrouve celui-ci chez AUGUSTIN, *Praec.* 4, 11 et 5, 3 ; CÉSAIRE, *Reg. uirg.* 25 et 43 (cf. *Reg. mon.* 1) ; *RB* 54, 1-3 ; *Reg. Tarn.* 19, 1-4 (voir notre article, p. 122, n. 9-10). Mais ici la similitude des termes est frappante.

portier, d'où sont tirées les phrases qui nous intéressent, fait partie de cette dernière couche de textes, où se reconnaissent des traces de la Seconde Règle.

Retenons donc que l'Anonyme jurassien semble connaître un dérivé de la Seconde Règle des Pères, qui est elle-même, nous le savons, un épigone – et une suivante dans les manuscrits – de la Règle des Quatre Pères. De cette dernière, il est possible que notre auteur se souvienne aussi dans le présent passage.

La Vie des Pères du Jura et les « Pères de Lérins »

Deux chapitres plus loin, la *Vita Patrum Iurensium* mentionne les « saints Pères des Lériniens », avec Basile, Pachôme et Cassien, comme des auteurs « orientaux » qu'on lit et qu'on vénère à Condat, sans toutefois les suivre aveuglément. Ces auteurs sont au nombre de quatre, mais la phrase qui les énumère ne comporte que trois éléments syntaxiques, les deux mentions médianes, celles des Lériniens et de Pachôme, étant réunies en une seule proposition relative :

(1) *non illa omnino quae quondam sanctus ac praecipuus Basilius Cappadociae urbis antistes,*
(2) *uel ea quae sancti Lirinensium Patres, sanctus quoque Pachomius Syrorum priscus abba,*
(3) *siue illa quae recentior uenerabilis edidit Cassianus fastidiosa praesumptione calcamus...*[100]

Grammaticalement, l'œuvre des Lériniens n'est donc pas séparée de celle de Pachôme. Stylistiquement aussi, les deux productions sont présentées en termes analogues : aux « Pères des Lériniens » correspond « l'abbé des Syriens[101] ». Ainsi

---

100. *V. Patr. Iur.* 174.

101. Ce parallélisme de *Lirinensium Patres* et de *Syrorum... abba* nous porte à croire que les premiers sont simplement les Pères – c'est-à-dire les supérieurs locaux – des moines lériniens (comme Pachôme est « l'abbé

l'Anonyme regarde l'œuvre lérinienne et l'œuvre pachômienne comme conjointes. Or une association analogue se retrouve au sein de la *Regula Orientalis,* faite d'emprunts à Pachôme et de sections qui utilisent la Seconde Règle des Pères.

Cette analogie est d'autant plus significative que l'Anonyme jurassien, nous venons de le voir, semble connaître la *Regula Orientalis*. Aurait-il lui-même opéré l'amalgame de textes pachômiens et de textes dépendant de la Seconde Règle en quoi consiste l'Orientale[102] ? Et ces textes dépendant de la Seconde Règle ne viendraient-ils pas des « Pères de Lérins » dont il parle ici ? En ce cas, la chaîne constituée par les Quatre Pères, la Seconde Règle et les parties non-pachômiennes de l'Orientale appartiendrait, au moins par son dernier maillon, et peut-être en son entier, à la littérature lérinienne.

L'âge des « Pères de Lérins » d'après l'Anonyme jurassien

Un second fait intéressant est le jeu des notations temporelles qui parsèment cette phrase. L'œuvre de Basile appartient, nous dit-on, à un passé reculé (*quondam*), Pachôme est aussi un auteur ancien (*priscus*), Cassien au contraire se situe plus près de nous (*recentior*). Dans cette série, les « Pères de Lérins » occupent la deuxième place, entre Basile et Pachôme, mais sans qu'aucune note chronologique leur soit attribuée.

Cette lacune singulière vient peut-être de l'ignorance de

des Syriens »), non des étrangers vénérés à Lérins, ainsi que le suggère F. Masai. « La *Vita...* », p. 61 et n. 72. Comme celui-ci, nous croyons que l'Anonyme pense à RIVP, mais l'expression employée ici ne paraît pas viser spécialement les noms exotiques des Pères. *Lirinensium* équivaut à *Lirinenses.*

102. De fait, nous l'avons dit (Introd. générale, chap. I, n. 22), l'Anonyme jurassien est probablement l'auteur de la *Regula Orientalis,* qui semble s'identifier aux *Instituta* composés par lui pour le monastère d'Agaune à la demande de Marin, abbé de Lérins (*V. Patr. Iur.* 179 ; cf. ci-dessus, n. 20). Voir Introd. à ROr, chap. II.

leur âge où se trouve l'Anonyme et de son impuissance à les situer par rapport aux autres grands auteurs de Condat. En ce cas, notre interprétation du lien établi entre eux et Pachôme serait confirmée. N'ayant rien de chronologique, cette liaison tiendrait à une autre cause, qui pourrait être celle que nous venons de suggérer. Si l'Anonyme présente ainsi les deux œuvres *per modum unius,* n'est-ce pas que, pour les avoir trouvées fusionnées – ou fusionnées lui-même – dans la rédaction de l'Orientale, son esprit les tient pour inséparables ?

Cependant il se peut aussi que notre auteur écrive ainsi en connaissance de cause et intentionnellement. D'une part, en effet, Lérins fut fondé – et la Règle des Quatre Pères écrite, selon notre hypothèse – à une date peu éloignée de celle des traductions latines de Basile par Rufin (397) et de Pachôme par Jérôme (404). D'autre part, l'Anonyme savait que les législations de ces deux Pères orientaux remontaient à une époque bien antérieure. Il était donc fondé à leur joindre l'œuvre lérinienne, sans pour autant lui attribuer la même antiquité.

Cette explication ne touche pas le rapport spécial des *sancti Lirinensium Patres* avec Pachôme, et par suite elle laisse intacte notre interprétation de ce rapport. Mais elle aide à comprendre la situation et la présentation particulières des Pères de Lérins dans la présente liste. C'est à bon droit que l'Anonyme les considère comme des auteurs à la fois moins « antiques » que Basile ou Pachôme et moins « récents » que Cassien.

Dans cette perspective, l'identification des « Pères de Lérins » avec les auteurs de nos règles acquiert une vraisemblance nouvelle. Non que la Seconde Règle des Pères – et a fortiori les parties de l'Orientale qui en dérivent – puisse être assignée à une époque aussi haute. Mais si elle est sans doute, comme nous le verrons, plus ou moins contemporaine des œuvres de Cassien, son annexion à la Règle des Quatre Pères la fait appartenir à un ensemble qui a bien son origine quelque vingt ans plus tôt, dans la première décennie du siècle.

Liens de ces Pères avec l'Orient

Mais ces détails, d'interprétation délicate, ne doivent pas masquer le fait très remarquable que voici : les « Pères de Lérins » sont rangés par l'Anonyme parmi les « Orientaux », dont l'ascèse est à ses yeux trop admirable pour être imitée[103]. Rien de plus naturel s'il songe aux noms égyptiens de Sérapion, Macaire et Paphnuce. Bien plus, ce qualificatif d'« orientale » attribué à une œuvre « lérinienne » n'a de sens que si celle-ci, comme les Institutions et les Conférences de Cassien, prétend transmettre l'enseignement et les usages des moines d'Orient. Énigmatique ou même absurde en elle-même, une telle appellation postule un document à la fois latin et exotique comme l'est la Règle des Quatre Pères.

L'anonymat des Pères et leur collégialité

En outre, notre règle est bien apte à expliquer la pluralité et l'anonymat de ces « Pères de Lérins » dont parle l'hagiographe jurassien. Pour qui regarde ces origines de Lérins à travers la Vie d'Honorat, les Sermons de Fauste ou les actes du concile d'Arles présidé par Ravennius, il est un peu surprenant de ne pas voir mentionné ici le fondateur unique et prestigieux du grand monastère, auteur de la *regula* qui y est observée[104], ou

103. Voir note 17.

104. Sans parler de *regula*, HILAIRE, *V. Honor.* 15-22, donne un relief extraordinaire à la figure du fondateur, véritable « soleil » de sa communauté. *Regula* : voir EUSÈBE GALL., *Hom.* 72, 4 : *sanctam regulam... ab illo allatam et per illum a Christo ad confirmationem loci istius constitutam* (*allatam* peut faire allusion à l'origine étrangère de la règle : Honorat ne l'a pas créée sur place, mais seulement « apportée ») ; *Hom.* 72, 13 : *nobis... quibus de Aegypti seruitute translatis apostolicae regulae praecepta, ex utroque composita testamento, uelut duas tabulas detulit de institutione Aegyptiorum Patrum, tamquam de monte uirtutum* (ici *detulit* recoupe *allatam* du texte précédent). Cf. concile d'Arles *in causa Fausti* (449-461) : *regula quae a fundatore ipsius monasterii dudum constituta est in omnibus custodita.* Bien entendu, on ne saurait affirmer que ces textes visent une règle écrite. Cf. S. PRICOCO, *op. cit.*,

encore l'un ou l'autre de ses illustres successeurs, Maxime et Fauste. Si aucun de ces abbés fameux ne figure ici aux côtés de Basile et de Pachôme, c'est apparemment que la législation lérinienne[105] visée par l'hagiographe se présentait, aussi bien que les *statuta Lirinensium Patrum* dont parle Sidoine Apollinaire[106], comme une œuvre collective portant soit un titre anonyme, soit des noms d'auteurs tenus pour fictifs. Tout cela s'accorde à merveille avec nos deux règles, l'une attribuée à plusieurs Pères d'Égypte, l'autre à un ensemble d'auteurs non désignés[107].

« Pères de Lérins » et Quatre Pères

Il est donc très tentant de reconnaître dans l'œuvre des *sancti Lirinensium Patres* reçue à Condat la Règle des Quatre Pères, la Seconde Règle des

p. 81-84, dont la critique nous paraît toutefois aller trop loin en excluant ce sens.

105. C'est bien en effet à une législation que pense l'Anonyme, malgré les objections de S. Pricoco, *op. cit.*, p. 86-87. Le contexte l'indique assez clairement, comme le même auteur le reconnaît au début de sa discussion (« antiche regole orientali ed orientalizzanti »). L'Anonyme pense avant tout, sinon exclusivement, à la *Regula Basilii* traduite par Rufin et aux *Praecepta* pachômiens traduits par Jérôme, les autres pièces de Basile et de Pachôme n'entrant pas en ligne de compte. Quant aux Institutions de Cassien, si elles ne sont pas une législation à proprement parler, elles prétendent bien décrire la règle observée par les cénobites égyptiens et la proposer à leurs confrères gaulois.

106. Sidoine Apollinaire, *Ep.* 7, 17, 3 (année 477) : *fluctuantemque regulam fratrum destitutorum* (les moines de Saint-Cirgues à Clermont après la mort d'Abraham) *secundum statuta Lirinensium Patrum uel Grinnicensium festinus informa.* Ici encore, le sens de « statuts écrits » ne peut être ni affirmé a priori ni exclu catégoriquement. Cf. S. Pricoco, *op. cit.*, p. 84-86, avec la réserve que nous avons formulée plus haut, n. 104. Rapproché du texte de la *Vita Patrum Iurensium* que nous commentons, celui de Sidoine nous paraît s'entendre assez naturellement dans ce sens.

107. Quant au document dérivé de la Seconde Règle des Pères que reproduit partiellement l'Orientale, nous ignorons évidemment sous quel titre il se présentait, mais on verra qu'il vient peut-être de l'abbé Marin, ce que l'Anonyme ne pouvait guère ignorer.

Pères et le texte dépendant de cette dernière qui a passé dans l'Orientale. C'est sans doute à cet ensemble, introduit et patroné par Sérapion, Macaire et Paphnuce, que pense l'Anonyme jurassien. Les « Pères de Lérins » mentionnés par lui ressemblent singulièrement à nos Quatre Pères. Il les présente au pluriel, comme responsables d'une œuvre collective. Il fait d'eux des « Orientaux », aux côtés de Basile le Cappadocien et de Pachôme le Syrien (sic), ainsi que de ce porte-parole gaulois des moines d'Orient qu'est Cassien. Enfin, sans les reculer dans les « temps anciens » avec Basile et Pachôme, il les associe pourtant à ces derniers, en contraste avec la date « plus récente » du *uenerabilis Cassianus*.

Ce signalement de l'œuvre lérinienne correspond exactement à l'aspect de la Règle des Quatre Pères, ouvrage collectif, censément oriental et, si nos estimations chronologiques sont exactes, sensiblement contemporain des traductions latines de Basile et de Pachôme, bien antérieur par conséquent à la production de Cassien. L'identification est confirmée par la liaison étroite que l'Anonyme établit entre l'œuvre des *Patres Lirinensium* et la Règle pachômienne, celle-ci se trouvant de fait amalgamée avec un dérivé de la Seconde Règle des Pères au sein de la *Regula Orientalis*.

L'orientalisme de Lérins d'après d'autres sources

Dans ce faisceau d'indices convergents, il est clair que le caractère « oriental » que la *Vita Patrum Iurensium* reconnaît aux Pères de Lérins, rapproché des noms égyptiens des Quatre Pères, joue un rôle-clé. Aussi importe-t-il d'étayer cet indice capital avec les témoignages d'autres auteurs sur l'orientalisme des Lériniens.

C'est un fait que ceux-ci et leurs amis semblent avoir constamment regardé le grand monastère insulaire comme une réplique exacte des institutions monastiques de l'Égypte. Dès 426 environ, Cassien fait état du désir qu'a Honorat d'apprendre à sa communauté ce qu'enseignent les Pères égyptiens, tandis qu'Eucher brûle même de passer la mer et de les visiter[108]. Un ou deux ans plus tard, le même Eucher célèbre, parmi les illustrations de l'île, « ces saints vieillards qui, avec leurs cellules séparées, ont apporté à nos Gaulois les Pères d'Égypte[109] ».

Mais ces indications encore périphériques ont moins de poids que les paroles prononcées par Fauste dans son panégyrique d'Honorat. Abbé de Lérins, Fauste parle avec autorité, et ce qu'il dit d'Honorat représente l'image officielle qu'on se fait sur place du saint fondateur. Or le parallèle d'Honorat et de Moïse l'amène à présenter le premier « apportant, comme les deux Tables, les préceptes de la règle apostolique, pris à l'un et l'autre Testaments, du haut de l'enseignement des Pères égyptiens, comme de la montagne des vertus[110] ».

Ces mots font-ils allusion à une règle écrite ? En ce cas, cette règle composée par Honorat, dont Fauste marque à la fois l'imprégnation scripturaire et l'inspiration égyptienne, pourrait bien être la Règle des Quatre Pères, si pleine de citations des deux Testaments et surtout de « l'Apôtre », si nettement affiliée à l'Égypte, en même temps, par les noms que portent ses auteurs. Mais peut-être s'agit-il seulement d'une doctrine et d'une observance non codifiées. En toute hypothèse – et c'est là ce qui nous importe à présent –, cette « règle » donnée par Honorat à Lérins vient non seulement de la Bible, mais aussi de l'enseignement des Pères égyptiens. On ne peut marquer plus fortement et plus solennellement le rôle fondateur de l'Égypte monastique aux origines du cénobitisme lérinien.

Un dernier témoignage, plus tardif, confirme cette orientation originelle et permanente de Lérins vers l'Orient. Lorsque, vers 478-479, Sidoine Apollinaire veut rendre hommage à

---

108. Cassien, *Conl.* 11, *Praef.* 1-2. Cf. *Conl.* 18, 1, 1, qui attribue la demande au seul Eucher.

109. Eucher, *De laude eremi* 42 (ci-dessus, n. 34). Cf. 27 : *Ioannem Macariumque*, etc.

110. Eusèbe Gall., *Hom.* 72, 13 (ci-dessus, n. 104).

l'évêque Antiole, ancien moine lérinien, compagnon des Loup et des Maxime, il le représente « courant par sa frugalité à la suite des archimandrites de Memphis et de Palestine[111] ». Douze ou quinze ans plus tôt, l'éloge de Fauste avait déjà donné à Sidoine l'occasion de tracer un parallèle au moins implicite entre les Pères d'Égypte et ceux de Lérins. Ouvert par Élie et Jean Baptiste, un premier cortège de huit grands moines égyptiens – les deux Macaire et Paphnuce en tête – précède le groupe des célébrités lériniennes : Caprais et Loup, Honorat et Maxime, Eucher et Hilaire. Dans ses retraites en solitude, Fauste suit les austères exemples des premiers ; dans ses visites à Lérins, il vante aux frères les mérites des seconds[112]. Il est clair que cet ancien abbé de Lérins n'a pu apprendre que là à imiter ainsi les modèles égyptiens.

Tous ces témoins s'accordent à proclamer les liens qui rattachent le grand monastère méditerranéen, depuis sa fondation même, au mouvement monastique de l'Orient, et spécialement à celui de l'Égypte. L'origine lérinienne de la Règle des Quatre Pères n'en est que plus probable : aucun milieu n'était aussi apte que Lérins à produire cet écrit « égyptien ».

Deux réminiscences de l'abbé Porcaire

Un dernier *confirmatur* nous est fourni par les points de contact de la Règle des Quatre Pères et de la Seconde Règle des Pères avec l'œuvre d'un Lérinien de la fin du siècle : les *Monita* de l'abbé Porcaire[113].

111. SIDOINE APOLLINAIRE, *Ep.* 8, 14, 2 : *parsimoniae saltibus consequi affectans Memphiticos et Palaestinos archimandritas.* Ce dernier mot fait penser à *V. Patr. Iur.* 170 : *archimandritarum orientalium.* Quant à *Memphiticos,* on le retrouve pour évoquer l'Égypte chez SIDOINE, *Carm.* 9, 185.

112. SIDOINE, *Carm.* 16, 91-103 et 114-115.

113. Voir A. WILMART, « Les *Monita* de l'abbé Porcaire », dans *Rev. Bénéd.* 26 (1909), p. 475-480 (nos références sont aux lignes de cette édition).

Quand celui-ci prescrit de « ne rien préférer à la prière », il répète un précepte de la Seconde Règle[114]. Quand il conseille : « Tiens bon à la croix, pour ne pas faire ta volonté », il fait écho à un passage du premier discours de Macaire[115]. Ces rencontres d'idées et de mots suggèrent que l'abbé qui reçut Césaire à Lérins avait en mémoire nos deux règles aussi bien que l'Écriture, qu'il cite presque toujours de la même manière implicite. Un tel usage de nos documents se comprend, s'ils étaient des biens de famille pour les Lériniens.

IV. *La législation des Quatre Pères et la littérature cénobitique primitive*

Cependant, au delà de ce rapprochement favorable à notre hypothèse, il nous faut soumettre celle-ci à une épreuve générale qui embrasse l'ensemble des contacts littéraires et institutionnels de la Règle des Quatre Pères avec d'autres textes. En rapprochant ainsi la règle d'ouvrages similaires et datés, pourrons-nous la maintenir au lieu et à l'époque où nous conjecturons qu'elle est apparue, c'est-à-dire à Lérins dans la première décennie du Ve siècle ?

Obéissance et autorité : le coenobium égyptien de Jérôme

Le premier texte à lui comparer est la description des moines d'Égypte tracée par Jérôme en 384[116]. On y relève, nous l'avons vu[117], le même accent sur l'obéissance comme vertu

114. Comparer PORCAIRE, *Mon.* 12 (*Orationi nihil praeponas tota die*) et 2RP 31 : *quia nihil orationi praeponendum est* (cf. RMac 14, 3).

115. Comparer PORCAIRE, *Mon.* 64-65 (*Tene te ad crucem, ut non facias uoluntates tuas*) et RIVP 2, 32-33 : *ut nihil sibi relinquat nisi crucem quam teneat et sequatur Dominum. Crucis uero fastigia quae tenenda sunt : primum omni oboedientia non suam uoluntatem facere, sed alterius*. Cf. ci-dessous, n. 122.

116. JÉRÔME, *Ep.* 22, 35.

117. Voir chap. précédent, n. 101.

primordiale des cénobites, la même prédominance du rapport vertical entre supérieurs et sujets. Cependant, nous l'avons aussi noté, la grande communauté décrite par Jérôme est articulée en groupes de dix et de cent, avec autant de chefs secondaires obéissant à l'unique « Père ». L'absence de ces officiers subalternes, la mention unique d'un seul supérieur (*is qui praeest*) qui semble suffire à tout, ces traits distinctifs de la Règle des Quatre Pères, au moins dans son premier état, suggèrent une communauté beaucoup plus restreinte. Si Lérins est en cause, il ne peut s'agir de l'*ingens coenobium* qu'y admirait Cassien vers 426[118]. On doit être bien plus près des origines, sinon au début même de la fondation.

Conformes au modèle cénobitique de Jérôme, l'autoritarisme de la Règle des Quatre Pères et l'importance énorme qu'elle attribue au supérieur font aussi penser au portrait d'Honorat brossé par Hilaire d'Arles. D'après la *Vita Honorati*, qui cite sur ce point un mot de Salvien[119], le fondateur de Lérins était pour sa communauté un « soleil ». Sans doute faut-il faire la part du panégyrique dans ces pages enflammées, qui célèbrent sous tous ses aspects l'action universelle, infatigable et triomphante du grand abbé[120]. Néanmoins la vérité foncière du tableau nous est garantie, non seulement par les éloges concordants de Fauste[121], mais encore par la réputation pastorale d'Honorat, qui lui valut d'être promu à l'évêché d'Arles. Que pareil chef ait tracé, inspiré ou fait sien, au début de son supériorat, un programme de gouvernement tel que la Règle des Quatre Pères, on n'en serait pas surpris.

---

118. CASSIEN, *Conl.* 11, *Praef.* 2. Aux origines, Fauste parle d'un *pusillum quidem sed electum gregem* (EUSÈBE GALL., *Hom.* 72, 5), mais il est difficile de faire fonds sur cette allusion à Lc 12, 32.

119. HILAIRE, *V. Honor.* 19, 2 : *quasi a peculiari in Christo sole.*

120. *V. Honor.* 17-22.

121. EUSÈBE GALL., *Hom.* 72, surtout 7-11. Dans quelle mesure Fauste, qui a lu Hilaire, donne-t-il un témoignage indépendant ?

Il est même un point de l'enseignement d'Honorat qui nous est rapporté par Fauste et qui correspond exactement à la doctrine des Quatre Pères. En recommandant aux Lériniens de « garder l'obéissance[122] », le panégyriste observe qu'Honorat « ne cessait de la prêcher de façon toute spéciale et particulièrement insistante ». Ces mots font penser au primat conféré à l'obéissance par Sérapion, à sa solennelle recommandation au moyen de cinq textes scripturaires, à l'insistance continuelle des autres orateurs de la règle sur cette vertu.

L'emploi du temps Mais ces remarques, que nous a suggérées la description de Jérôme, ne doivent pas nous détourner de celle-ci. Relevons-y encore l'usage monastique égyptien du repos dominical, assez insolite à l'époque pour mériter d'être noté[123]. Paphnuce, de son côté, le prescrit en termes voisins[124]. De façon analogue aussi, Jérôme et Paphnuce passent l'un et l'autre du dimanche aux jours ouvrables, où sinon le temps entier – car il faut travailler –, du moins un moment de « vacance » religieuse est consacré aux activités spirituelles.

Là s'arrête cependant la marche parallèle des deux auteurs. Tandis que les cénobites égyptiens, au dire de Jérôme, lisent et prient « une fois le travail achevé », la Règle des Quatre

122. EUSÈBE GALL., *Hom.* 72, 7 : *Teneamus oboedientiam, de qua ille semper specialius et studiosius praemonebat* (les deux premiers mots font penser aux phrases de RIVP et de Porcaire citées plus haut, n. 115). Cf. 10 : *in subiectis totum oboedientia, totum humilitas possidebat.*

123. JÉRÔME, *Ep.* 22, 35, 7 : *dominicis diebus orationi tantum et lectionibus uacant ; quod quidem et omni tempore completis opusculis faciunt.*

124. RIVP 3, 6-7 : *Die autem dominica nonnisi Deo uacetur ; nulla operatio in eo die conperiatur, nisi tantum hymnis et psalmis et canticis spiritalibus dies transigatur* (cf. Ep 5, 19). La *lectio,* toutefois, n'est pas mentionnée, pas plus qu'elle ne le sera ensuite (3, 10 : *A prima hora usque ad tertiam Deo uacetur*).

Pères fait « vaquer à Dieu de la première heure à la troisième[125] ».

La lecture matinale à Jérusalem

Ces trois heures de loisir spirituel au début de la journée font penser à deux des plus anciens documents ascétiques latins. Par le fait que la quantité du temps consacré à Dieu n'est pas, comme en Égypte, laissée dans l'indétermination et subordonnée à l'achèvement du travail, mais fixée à trois heures qui tiennent une place définie dans l'horaire, la Règle des Quatre Pères s'accorde avec l'*Ordo monasterii* augustinien[126]. Mais en spécifiant que cette place est la première, tout au début de la journée, notre règle s'écarte de l'*Ordo*, qui met la *lectio* entre sexte et none, et elle s'accorde avec les recommandations de Pélage à Démétriade[127]. La rencontre est remarquable. Si Pélage écrit son directoire en 413 ou 414[128], son témoignage est sans doute pos-

125. Voir note précédente. Le *completis opusculis* de Jérôme (ci-dessus, n. 123) fait penser à *V. Patr. Iur.* 126 : Oyend s'adonne à la lecture *expletis consummatisque omnibus quae a praeposito uel abbate iniuncta sunt.* Cf. AUGUSTIN, *Op. mon.* 37 (travail, puis lecture).

126. *Ordo monasterii* 3 : *A sexta usque ad nonam uacent lectioni.*

127. PÉLAGE, *Ep. ad Demetr.* 23, *PL* 30, 37 b : *debet... aliquis esse determinatus et constitutus horarum numerus quo plenius Deo uaces... Optimum est ergo huic operi matutinum deputari tempus, id est meliorem diei partem, et usque ad horam tertiam animam quotidie in caelesti agone certantem hoc uelut spiritualis quodam palaestrae exerceri gymnasio* (la suite parle de *lectio* et d'*oratio*). Chose curieuse, JÉRÔME, *Ep.* 130, 15, s'adressant à la même Démétriade, prescrit de fixer un temps déterminé pour la lecture (*quot horis sanctam scripturam ediscere debeas, quanto tempore legere...*) et de travailler manuellement après celle-ci (*Cumque haec finieris spatia...*). Si le temps de *lectio* n'est pas précisé, il semble que sa place soit avant le travail, comme chez Pélage, non après, comme chez les moines d'Égypte décrits dans *Ep.* 22, 35, 7. De 384, date de l'*Ep.* 22, à 414, date de l'*Ep.* 130, se serait-il produit une évolution ? Cependant voir déjà *Ep.* 43, 2 (ci-dessous, n. 129), écrite en 385.

128. Voir G. DE PLINVAL, *Pélage,* Paris 1943, p. 13-14 : Pélage a quitté l'Afrique pour l'Orient en 411 et écrit à Démétriade en 413.

térieur à la fondation de Lérins et à la date présumée de notre règle.

L'un des textes a-t-il influé sur l'autre ? Peut-être recueillent-ils tous deux, sans qu'il y ait contact direct entre eux, une pratique vivante en Orient. Dans la dernière décennie du IVe siècle, Évagre conseille déjà aux vierges d'avoir un livre de l'Écriture en main au lever du soleil et de ne commencer le travail que deux heures plus tard[129]. Plus précisément encore, c'est pendant trois heures, de prime à tierce, qu'on « lit les Écritures » aux *competentes* de Jérusalem pendant le carême[130]. Ce renseignement dû à Éthérie est d'autant plus significatif que Pélage se trouvait justement en Palestine au moment où il rédigeait sa Lettre à Démétriade, et que l'*Ordo monasterii* pourrait bien être, selon des recherches récentes, le reflet d'observances palestiniennes recueillies vers 394 par un pèlerin africain[131]. Évagre, de son côté, avait séjourné au Mont des Oliviers avant de se rendre en Égypte[132].

L'usage catéchétique de l'Église de Jérusalem semble donc être à l'origine des diverses pratiques que nous venons de mentionner. Abrégées par Évagre à l'intention des vierges[133],

---

129. ÉVAGRE, *Sent. ad uirg., PL* 20, 1185 d = *PG* 40, 1283 a (grec d'après W. FRANKENBERG, *Evagrius Ponticus,* Göttingen 1912, p. 563) : *Exoriens sol uideat codicem (hè graphè) in manibus tuis, et post secundam horam opus tuum.* Cf. JÉRÔME, *Ep.* 43, 2 : *si secunda hora legentes inuenerit... ;* ISAÏE, *Reg.* 32, *PL* 103, 430 d : *Cum e somno surrexeris, ora antequam ullum opus attingas et meditare prius uerba Dei ; tunc aggredere impigre opus* (= *Log.* 3, 42). En revanche, quand CASSIEN, *Conl.* 10, 10, 8, parle d'*hora tertia* à propos de la lecture, le contexte (sommeil) fait penser à la nuit plutôt qu'au jour.

130. ÉTHÉRIE, *Pereg.* 46, 3 : *omnes docentur per illos dies quadraginta, id est ab hora prima usque ad horam tertiam, quoniam per tres horas fit cathecisin.* Cf. HIPPOLYTE, *Trad. Apost.* 41.

131. Cf. L. VERHEIJEN, *La Règle de saint Augustin,* t. II, Paris 1967, p. 169 et 207-208.

132. Voir PALLADE, *Hist. Laus.* 38, 7-9.

133. C'est aussi pour les vierges que CÉSAIRE, *Reg. uirg.* 19-20 et 69,

déplacées par l'*Ordo monasterii*, qui les reporte au milieu de la journée, ces trois heures du matin subsistent sans altération dans la Règle des Quatre Pères et chez Pélage. Comment celui-ci a pu en prendre connaissance, nous venons de le dire. Quant à l'auteur de la règle, il se peut qu'il ait lui aussi constaté le fait sur place. Dans le cadre de notre hypothèse, on songe au voyage qu'Honorat venait de faire en Orient quand il s'installa à Lérins[134]. Une information indirecte ne saurait pourtant être exclue, d'autant que les pèlerins revenant des Lieux saints ne manquaient pas en Occident.

La lecture du matin en Arles et à Lérins

Au reste, ces trois heures matinales consacrées à Dieu ne nous intéressent pas seulement par leur origine palestinienne probable, mais aussi parce que leur histoire ultérieure conduit dans la zone d'influence lérinienne. Au delà de la Règle des Quatre Pères et de sa descendance directe, on les retrouve en effet aussi bien chez Fauste de Riez, dans une lettre de direction à un laïc pieux[135], que chez Césaire d'Arles. Si la Seconde Lettre aux moniales de

ramène à deux heures la *lectio*, alors que les moines en font trois heures (*Reg. mon.* 14). Cf. *La Règle de saint Benoît,* t. V, p. 594, n. 17.

134. HILAIRE, *V. Honor.* 12-14. Seuls sont mentionnés le « littoral d'Achaïe » et la ville de Mothone (14, 1-2). Quant aux pèlerins de Palestine et d'Égypte, citons entre autres Postumianus, qui débarque à Marseille en 404 après trois ans de voyage (SULPICE SÉVÈRE, *Dial.* 1, 1).

135. FAUSTE, *Ep.* 6, *CSEL* 21, p. 196, 26-27 = *Ep.* 5, *PL* 58, 851 b : *quibus* (oraisons nocturnes) *usque ad horam tertiam lectio moderata succedat, ut exercitium spiritale non desinat desiderari et semper possit augeri.* Ce conseil de modération se trouve déjà chez PÉLAGE, *Ep. ad Dem.* 23, ainsi que l'image de l'« exercice spirituel ». Peut-être *usque ad horam tertiam* vient-il de là aussi, mais le conseil précis de *lire* pendant ces trois heures – pas seulement de « vaquer à Dieu », comme dit Pélage – fait surtout penser à 2RP 23. – Cette lettre à Félix date de l'épiscopat de Fauste (cf. GENNADE, *De uir. inl.* 85), et plus précisément de sa « relégation » en 477. Cf. É. GRIFFE, *La Gaule chrétienne à l'époque romaine,* t. III, Paris 1965, p. 146.

celui-ci dépend à cet égard de Pélage[136], ses Règles pour les vierges et pour les moines doivent le trait à la Seconde Règle des Pères[137], dont l'influence a évincé sur ce point particulier celle de l'*Ordo monasterii*. Pour que Césaire délaisse là sa source augustinienne habituelle, il faut que l'usage codifié par la Seconde Règle des Pères appartienne au fonds d'observances auxquelles il est lui-même attaché par tradition. Or ce fonds, nous le savons, vient de Lérins[138]. Il est donc probable que la lecture de prime à tierce était pratiquée à Lérins et que la Règle des Pères, à laquelle Césaire en emprunte la prescription, a une origine lérinienne, ainsi que la Règle des Quatre Pères dont elle est inséparable.

Jeûne, travail et condamnation du murmure

L'horaire de la *lectio* vient de nous faire rencontrer l'*Ordo monasterii* attribué à Augustin. Ce texte très ancien présente d'autres points de contact insignes avec notre règle. Non seulement il s'accorde avec elle à réserver trois heures pour la lecture, mais comme elle aussi il prescrit positivement de travailler le reste du temps[139]. De part et d'autre, l'unique repas est pris à l'heure de none, apparemment d'un bout à l'autre de l'année, sans variation saisonnière[140]. C'est le

136. CÉSAIRE, *Ep. II ad uirg.* 7, p. 43, 1-7 Morin = *PL* 67, 1132 d.

137. CÉSAIRE, *Reg. uirg.* 19-20, corrigeant *Ordo monasterii* 3 et 9 ; *Reg. uirg.* 69 et *Reg. mon.* 14. Les trois passages sont influencés par 2RP 23.

138. CÉSAIRE, *Reg. uirg.* 66 : *Ordinem etiam, quo modo psallere debeatis, ex maxima parte secundum regulam monasterii Lyrinensis in hoc libello iudicauimus inserendum.* Cette « règle de Lérins » est sans doute comprise, avec celle d'Augustin, dans les *statuta antiquorum Patrum* dont parle *Reg. uirg.* 1. Cf. *V. Caesarii* 1, 11 : *numquam instituta Lirinensium uel modicum subrelinquens.*

139. *Ordo monasterii* 3 (cf. 9) ; RIVP 3, 11. L'*Ordo* prescrit la reprise du travail après none jusqu'au lucernaire, ce que RIVP ne mentionne pas.

140. *Ordo monasterii* 3 ; RIVP 3, 2-5. Le dimanche est formellement excepté par RIVP. L'*Ordo* accorde le vin les samedis et dimanches (§ 7).

« jeûne égal toute l'année » décrit en 384 par Jérôme, qui notait toutefois les exceptions faites en Égypte au temps du carême et de Pâques[141].

Après avoir prescrit le travail, l'*Ordo* et la règle s'accordent encore à proscrire le murmure[142]. Ce vice, que Jérôme ne signale pas chez ses laborieux cénobites, est certes un défaut souvent reproché aux moines d'Orient[143], mais l'accord de nos deux textes occidentaux n'en reste pas moins frappant, d'autant qu'il prolonge le parallélisme suivi que nous venons de constater entre leurs prescriptions sur l'emploi du temps, l'heure du repas, la *lectio* et le travail. L'un et l'autre brandit d'ailleurs la même menace biblique du « châtiment des murmurateurs ».

Cependant les Pères se distinguent par leur insistance sur ce point comme par la relation immédiate qu'ils établissent entre murmure et travail[144]. Placés dans le contexte gaulois de nos recherches, leurs propos sont à rapprocher de l'image toute différente que Sulpice Sévère, en 397, traçait de Marmoutier à ses débuts. Là, il n'était pas question de travail, ni d'ailleurs d'obéissance. Tout métier manuel était même exclu, hormis celui de copiste laissé aux plus jeunes, tandis que les aînés vaquaient à la prière[145]. A cet idéal des origines de la communauté martinienne, qui paraît encore valable à Tours et à Primuliac dans les dernières années du

141. Jérôme, *Ep.* 22, 35, 8. D'après *Praef. in Reg. Pach.* 5, les Pachômiens étaient moins stricts : sauf les mercredis et vendredis, on pouvait prendre deux repas, le premier étant servi à midi.

142. *Ordo monasterii* 5 (cf. 1 Co 10, 10) ; RIVP 3, 11-13 (Ph 2, 14 ; 1 Co 10, 10).

143. Pachôme, *Iud.* 5 (travail) ; Horsièse, *Lib.* 19 (obéissance ; cf. Ph 2, 14). – Basile, *Reg.* 71 = *PR* 39 (travail ; cf. Ph 2, 14) ; *Reg.* 93 = *PR* 133 (nourriture ; cf. 1 Co 10, 10). Voir aussi *GR* 29.47.51 ; *PR* 63 (cf. Mt 20, 11). – Cassien, *Inst.* 4, 6 ; 4, 16, 2.

144. Entre le travail (§ 3) et le murmure (§ 5), l'*Ordo* parle de désappropriation (§ 4). Cependant *faciat* (§ 5) rappelle *faciant* (§ 3).

145. Sulpice Sévère, *V. Mart.* 10, 6. Cf. *Dial.* 3, 14, 5-6 : *Nos ecclesia et pascat et uestiat.*

IVe siècle, se substitue chez les Quatre Pères un programme violemment divergent. « Vaquer à Dieu » chacun pour soi n'est plus permis qu'aux trois premières heures du jour. Ensuite six heures au moins sont dévolues au travail et soumises à l'obéissance.

Si la Règle des Quatre Pères a été écrite au Sud de la Gaule vers 400-410, on comprend qu'elle insiste partout sur le devoir d'obéir, et ici-même sur celui de travailler sans murmure. Une nouvelle vague de spiritualité monastique, formée en Orient, déferle sur les rivages de la Provence comme sur ceux de l'Afrique, balayant les vieilles notions de liberté et de loisir illimités que d'autres courants, orientaux eux aussi probablement, y avait déposées auparavant[146]. Que le murmure résulte facilement d'habitudes ainsi dérangées, on l'imagine sans peine. Le législateur doit rappeler que le précepte et l'exemple du travail manuel viennent de l'Apôtre[147], se pencher sur les cas particuliers, distinguer entre infirmités physiques et morales, ménager les premières et traiter énergiquement les secondes[148].

Il est possible que l'extraordinaire succès de Lérins tienne pour une large part à ce programme de travail nettement tracé dès le principe et vigoureusement appliqué au cours des deux premières décennies. On s'expliquerait ainsi que la communauté d'Honorat soit qualifiée d'*ingens fratrum coenobium* par Cassien vers 426, alors que celui-ci, dans son amère critique des monastères gaulois, constate l'infériorité numérique de leurs effectifs et l'attribue au défaut de travail manuel[149]. En tout cas, les plaintes que les Institutions font entendre à ce sujet[150] montrent à quel point le travail et

146. Cf. AUGUSTIN, *De opere monachorum* ; CASSIEN, *Inst.* 10, 23.

147. RIVP 3, 16-17 (1 Co 4, 12 ; 1 Th 2, 9).

148. RIVP 3, 15-20. Cf. HILAIRE, *V. Honor.* 18, 1-2.

149. CASSIEN, *Conl.* 11, *Praef.* 1 (Lérins) ; *Inst.* 10, 23 (monastères gaulois).

150. Travail : outre *Inst.* 10, 23, voir *Inst.* 2, 3, 3 (d'après le contexte, cette description des Égyptiens est une critique des Gaulois) ; cf. *Inst.* 2, 12, 2 ; 2, 14 ; 4, 14, etc. – Obéissance : *Inst.* 4, 1-2 ; 12, 28.

l'obéissance faisaient encore difficulté pour les moines de Provence.

Vingt ans plus tôt, si notre hypothèse est exacte, l'auteur de la Règle des Quatre Pères avait tout à construire en ce domaine, et l'on ne s'étonne pas qu'il s'y emploie avec énergie, en se couvrant de l'autorité des Pères d'Égypte.

Autres rapports avec l'Ordo monasterii Pour revenir à l'*Ordo monasterii*, on peut encore le rapprocher de notre règle sur plusieurs points. La formule par laquelle il introduit ses rubriques de l'office, et avec elles toute sa législation (*Qualiter autem nos oportet orare uel psallere describimus*[151]), se retrouve au début du discours de Macaire (*Nunc qualiter spiritale exercitium ab his qui praesunt teneatur Deo iuuante ostendimus*[152]) et sert ensuite, nous l'avons vu[153], à introduire divers paragraphes.

Quant au fond, quatre autres injonctions de l'*Ordo* correspondent à quelque article de la règle. Désappropriation[154], obéissance[155], silence et lecture à table[156], correction des manquements, placée de part et d'autre en finale[157], tous ces thèmes leur sont communs. Plus concis, l'*Ordo* est aussi plus général. Là où les Pères ne présentent que des notations particulières, de caractère concret et de portée limitée, il formule

151. *Ordo monasterii* 2. Au reste, la RIVP n'a pas d'*ordo officii*. Il y manque aussi les notations sur le silence d'*Ordo mon.* 9.

152. RIVP 2, 2. Cf. 2, 16, plus proche encore : *Qualiter uero examinatio... teneri debeat ostendimus.*

153. Chap. précédent, n. 38.

154. *Ordo monasterii* 4 ; RIVP 2, 29-31 et 34-35 (postulant riche) ; 4, 11-12 (moine étranger).

155. *Ordo monasterii* 6 ; RIVP 1, 10-18.

156. *Ordo monasterii* 7 ; RIVP 2, 42 (limité au cas de la réception des notes). Le supérieur intervient de part et d'autre, mais différemment.

157. *Ordo monasterii* 10 ; RIVP 5, 1-9 (seulement à propos de l'*otiosum uerbum* – cf. *OM* 9 – et du rire).

en quelques mots une loi qui embrasse toute la question. Seule des quatre thèmes en cause, l'obéissance reçoit dans la règle un traitement comparable, sinon supérieur, à celui de l'*Ordo*.

L'influence de Basile : « is qui praeest » Une des notes distinctives de la règle, comparée à ce document si voisin, est l'abondance de ses références à l'Écriture. Alors que l'*Ordo* n'y fait guère que trois allusions, les Pères, conformément à un dessein affirmé dès le début[158], citent la parole de Dieu à chaque instant. Un tel souci de tout fonder sur la Bible ne distingue pas seulement notre texte de l'*Ordo monasterii* et, cela va sans dire, de la Règle pachômienne, mais même d'œuvres qui font de l'Écriture un usage assez copieux, comme le *Praeceptum* d'Augustin et les Institutions de Cassien. Pour lui trouver un équivalent, il faut se tourner vers la Règle de Basile.

A cette œuvre basilienne, ou plutôt à sa version due à Rufin, la Règle des Quatre Pères ressemble encore, et de façon très frappante, par le nom qu'elle donne au supérieur : *is qui praeest*. Dans le latin de Rufin, cette périphrase traduisait le *proëstôs* de Basile[159]. S'agirait-il aussi, chez les Pères, d'une traduction ? Et en ce cas, celle-ci serait-elle encore due à Rufin ?

---

158. RIVP 1, 3-4. Cf. chap. précédent, n. 44-50.

159. *Is qui praeest : Reg. Bas.* 15 ; 44 ; 80 ; 91 ; 92 (*bis*) ; 96 ; 98 ; 102 ; 106 ; 119 ; 174 ; 197. *Ille qui praeest* : 31. *Hic qui praeest* : 69. *Qui praeest* : 97. Pluriel *ii qui praesunt* : 176 ; 194. *Hi q. p.* : 81 ; 94. *Qui praesunt* : 192. Cette vingtaine d'emplois au masculin ne dépasse guère le nombre d'emplois dans la RIVP, dont le texte est 15 fois plus court. Au féminin (197-199 et 201), l'équivalent (*proëstôsa*) est traduit de façon plus compliquée (*ea quae sororibus praeest*) et concurrencé par *presbutera*, que Rufin traduit par *mater monasterii, senior mater, senior*. On trouve aussi *matris illius quae praeest* (199). – L'expression peut aussi désigner des évêques (*Reg. Bas.* 31 : *his qui... ecclesiis praesunt*). En ce sens, Rufin l'emploie dans sa traduction de CLÉMENT, *Ep. ad Iacobum, PG* 2, 31-56 (voir §§ 6.11.12.16.18).

A cette dernière question, on peut répondre avec une certaine assurance par la négative. Si la manière de citer des Pères n'est pas sans analogie avec celle de la Règle basilienne[160], il est un trait qui les oppose radicalement au traducteur de Basile : l'adverbe qui sert à introduire leurs questions est, nous l'avons vu, *Qualiter*, tandis que celui de Rufin est *Quomodo*[161]. Ce dernier est inconnu des Pères, de même que *Qualiter* est absent de Rufin, au moins dans ses titres. Une telle divergence interdit de les identifier.

L'expression « regula pietatis »

Quant à inférer de ce *is qui praeest* que la Règle des Quatre Pères est une traduction du grec, il ne faudrait pas le faire sans envisager une autre explication non moins plausible : l'appellation a été suggérée au rédacteur de notre règle – un latin – par la lecture de la *Regula Basilii.* Cette dernière supposition est corroborée par l'existence d'une seconde expression commune : *regula pietatis*. Employée par les Pères à deux reprises[162], cette formule est fréquente dans les traductions de Rufin[163], qui s'en sert une fois, justement à la fin de la *Regula Basilii*[164]. En cet endroit, la comparaison avec le grec de Basile permet de vérifier ce que D. van den Eynde a observé au sujet de Rufin traducteur d'Origène : « L'expression *regula pietatis* est à mettre sur son compte ; là où le contrôle est possible, elle est sans parallèle dans l'original et dans la traduction de

160. Citations scripturaires introduites habituellement par *dicit (dicens),* parfois par *inquit* ou *ait*. Cependant la Règle basilienne emploie aussi *scriptum est,* que les IV Pères ignorent.

161. Employé par Rufin 37 fois dans les titres.

162. RIVP 1, 7 ; 4, 2.

163. Voir D. VAN DEN EYNDE, *Les normes de l'enseignement chrétien dans la littérature patristique des trois premiers siècles,* Louvain 1933, p. 309 : huit exemples tirés des traductions d'Origène.

164. BASILE, *Reg*. 202 (553 a), à propos de la *pietas* de Job.

S. Jérôme ». En fait, Basile ne parlait pas de « règle de la piété », mais de « jugement pieux[165] ».

Regula pietatis est donc, autant que nous sachions, un tour très personnel de Rufin plutôt que le décalque d'une locution telle que *kanôn tès eusebeias* qui eût été familière aux théologiens grecs[166]. Jusqu'à preuve du contraire, nous pouvons penser que la Règle des Quatre Pères ne la doit pas à un original grec qu'elle traduirait ou même, plus généralement, à une influence orientale, mais simplement à Rufin et à sa traduction assez libre de la *Regula Basilii*. Dès lors, nous tenons un *terminus post quem* pour la datation de notre texte : l'an 397, date probable de la version rufinienne[167].

Autres traits basiliens Quelques faits supplémentaires confirment que la Règle des Quatre Pères dépend de Basile-Rufin. D'abord la citation, déjà relevée[168], de l'*Ecce quam bonum* (Ps 132, 1) vers le début, de part et d'autre. Ensuite la défense de « voir même » l'apostat, formulée dans les mêmes termes par les deux textes[169]. Enfin la recommandation de traiter les outils et autres objets comme des vases sacrés[170].

---

165. Basile, *PR* 275 : *eusebous kriseôs*.

166. Le Dictionnaire de Lampe, s. v. *eusebeia*, ne cite qu'un seul exemple (Isid. Pel., *Ep*. 4, 53). Nous en avons trouvé d'autres chez Basile, *Ep*. 204, 6, ligne 11 (avec allusion à Ga 6, 16) ; *Mor*. 80, 14 (cf. Ph 3, 16).

167. Cf. M. Simonetti, *Regesta Rufiniana*, dans *CC* 20, X-XI (d'après F.-X. Murphy). Rufin a fait sa traduction en Italie, où Honorat passa juste avant de fonder Lérins.

168. Chap. précédent, n. 96. Cf. Basile, *Reg*. 3 (496 a) ; RIVP 1, 5.

169. Basile, *Reg*. 7 (499 a) : *nec uideri eos oportet* ; RIVP 4, 5 : *nec uidere oportet*.

170. Basile, *Reg*. 103 : *Quomodo debent... curam gerere ferramentorum... ? Sicut uasis Dei uel his quae iam Deo consecrata sunt uti debent ;* 104 : *Quod si per neglegentiam pereat aliquid... is quidem qui contemnit uelut sacrilegus iudicandus est et qui perdidit per negligentiam et ipse simile crimen incurrit*, etc. Cf. RIVP 3, 28-30 : *quidquid in monas-*

Rapports avec Cassien Cette dernière notion, toutefois, se retrouve chez Cassien[171], et l'on peut hésiter à première vue au sujet de la source à laquelle les Pères l'ont puisée. L'hésitation paraît d'autant plus fondée que Cassien vient de décrire le service hebdomadaire des moines palestiniens, observance que les Pères, de leur côté, instaurent quelques lignes plus haut[172]. Notre règle dépend-elle donc des Institutions ? Un trait fort remarquable semble le prouver : la semaine d'attente *pro foribus* qu'elle impose aux postulants rappelle de façon précise les « dix jours ou plus » que le cénobitisme égyptien, selon une notation mainte fois répétée de Cassien[173], leur fait passer pareillement « à la porte » des monastères.

Si sur ces trois points la Règle des Quatre Pères s'avérait dépendante de Cassien, le *terminus post quem* fourni par Basile-Rufin devrait être rabaissé d'une trentaine d'années, et il faudrait renoncer à situer l'ouvrage aux origines de Lérins. Cependant aucun de ces trois indices ne paraît décisif. L'assimilation des outils aux vases sacrés s'explique suffisamment

terio tractatur siue in uasis siue in ferramentis uel cetera omnia esse sanctificata. Si quis neglegenter aliquid tractauerit, partem se habere nouerit cum illo rege qui in uasis domus Dei... bibebat, etc.

171. Cassien, *Inst.* 4, 19, 3 : *quae (utensilia... ac uasa) tanta sollicitudine... custodiunt... ut credant se etiam pro minimis quibusque uasibus tamquam pro sacrosanctis rationem... Domino reddituros, si forte aliquid ex eis neglegentia fuerit imminutum* ; 4, 20 : *omnia quae sua sunt credunt Domino consecrata. Propter quod si quid fuerit in monasterio semel inlatum, ut sacrosanctum cum omni decernunt reuerentia debere tractari.*

172. Cassien, *Inst.* 4, 19, 1-2 ; RIVP 3, 22.

173. Cassien, *Inst.* 4, 3, 1 (*diebus decem uel eo amplius pro foribus excubans*) ; 4, 30, 3, (*diutius pro foribus perseuerans*) ; 4, 32 (*quot diebus pro foribus excubans*) et 4, 36, 2 (*decem diebus pro foribus perseuerans*) ; *Conl.* 20, 1, 3 (*multis... diebus... pro foribus excubauit*). Cf. RIVP 2, 25 : *ebdomada pro foribus iaceat.* Noter aussi *Inst.* 4, 3, 1 (*perseuerantiae*) ; 4, 30, 3 (*perseuerans*) ; 4, 36, 2 (*perseuerans*), en face de RIVP 2, 27 (*perseuerauerit pulsans*), qui fait d'ailleurs écho à Lc 11, 8 ; Ac 12, 16.

par l'influence de Basile, qui se sera exercée à la fois sur notre règle et sur les Institutions[174]. Le service hebdomadaire est aussi mentionné par deux documents antérieurs, les descriptions hiéronymiennes de 384 et de 404[175].

Quant au délai *pro foribus*, on le trouve déjà dans la Règle pachômienne, dont Cassien, quand il décrit la probation des cénobites égyptiens pour la première fois, s'inspire certainement[176]. De son côté, la Règle des Quatre Pères dépend probablement ici de Pachôme traduit par Jérôme[177]. Il se peut

---

174. Cassien dépend certainement de Basile, ici comme ailleurs. Quant aux IV Pères, ils présentent des points de contact particuliers soit avec Basile (*debent... ferramentorum... uasis Dei*), soit avec Cassien (*tractari* ; son *sacrosanctis* rappelle *sanctificata* un peu plus que le *consecrata* de Basile, au moins quant à la racine *sanct-*). Ces derniers sont si minces qu'ils peuvent être fortuits.

175. JÉRÔME, *Ep.* 22, 35, 4 : *mensas quibus per singulas ebdomadas uicissim ministrant ; Praef. in Reg. Pach.* 2 : *ebdomadarios ac ministros... ut... in ebdomadarum ministerio sibi succedant per ordinem.* Ce dernier mot manque chez CASSIEN, *Inst.* 4, 19, 1, dont le seul point de contact particulier avec les IV Pères est *officia* (cf. aussi *multitudinem coenobii,* rappelant la *congregatio multa* des Pères, mais la multitude est évoquée par Jérôme dans le contexte ; quant à *fratres,* ce mot banal ne peut guère fonder un rapprochement).

176. PACHÔME, *Praec.* 49 : *Manebit paucis diebus foris ante ianuam.* Sur l'utilisation de Pachôme par CASSIEN, *Inst.* 4, 3, 1, voir notre étude « Les sources des quatre premiers Livres des Institutions de Jean Cassien », à paraître dans *ANRW,* Berlin, notes 345-361. – Au reste, c'est un fait remarquable que PALLADE, *Hist. Laus.* 18, 13 = *HP* 6, 273 a, parle d'une semaine d'attente imposée par Pachôme à Macaire d'Alexandrie, postulant à Tabennèse. C'est là exactement le temps prescrit par notre règle. Quant à Cassien, son récit sur Pinufius (*Inst.* 4, 30, 3 ; *Conl.* 20, 1, 3) ressemble étrangement à cette histoire de Macaire et pourrait s'en inspirer. – Voir aussi *Hist. mon.* 31 (457 b) : *ante fores cellulae stanti « Hic, inquit, expecta me... » ; Vitae Patrum* 5, 7, 9 : *dimisit eum foris.*

177. Comparer RIVP 2, 25 *(cum de saeculi latebris liberari uoluerit, primum adpropians monasterio...)* et PACHÔME, *Praec.* 49 : *Si quis accesserit ad ostium monasterii uolens saeculo renuntiare...* Plus loin, RIVP 2, 28 veut qu'on « instruise » le postulant de la manière d'« observer la règle et la vie des frères », ce qui correspond aux directives de

que Cassien et notre « Macaire » aient tous deux, indépendamment l'un de l'autre, changé le *foris ante ianuam* de Jérôme en *pro foribus*, expression banale à l'époque[178]. Tous deux aussi peuvent avoir précisé le *paucis diebus* pachômien, soit par « dix jours ou plus », soit par « une semaine », sans que l'un ait influencé l'autre. Si toutefois on estimait que ces analogies entre eux, auxquelles s'ajoute leur commune exigence de « persévérance », indiquent un rapport de dépendance littéraire, les « dix jours ou plus » de Cassien s'expliqueraient assez bien comme une exagération de la « semaine » des Pères, de même que les opprobres et injures qu'il fait infliger au postulant corseraient la simple prédiction des épreuves de la vie monastique prescrite par la règle. Les Institutions offrent d'autres exemples de cette sorte de surenchère[179].

De toute façon, nous l'avons vu, la terminologie archaïque de notre règle rend peu vraisemblable une date de rédaction postérieure à Cassien[180]. Si une relation de dépendance l'unit aux Institutions, le sens de cette relation ne paraît pas douteux : c'est Cassien qui doit dépendre de la règle, comme il emprunte sans le dire à d'autres écrits latins venus d'Orient[181].

Pachôme : *docebitur et reliquas monasterii disciplinas, quid facere debeat... ut instructus... fratribus copuletur*. Le point de contact principal reste toutefois l'attente à la porte.

178. On la trouve plusieurs fois chez SULPICE SÉVÈRE, *V. Mart.* 16, 6 ; *Dial.* 2, 13 ; 3, 4.

179. Voir « Les sources des quatre premiers Livres... », notes 339-344 (*Inst.* 4, 1), 381-383 (*Inst.* 4, 10), 483-487 (*Inst.* 4, 27-28), etc. Cassien pourrait aussi allonger la « semaine » indiquée, à propos de Macaire, par PALLADE, *Hist. Laus.* 18, 13 (cf. n. 176).

180. Voir ci-dessus, n. 40-49. A *is qui praeest,* on peut joindre les périphrases désignant l'hôtelier (RIVP 2, 37 : *unus cui cura fuerit iniuncta*) et le cellérier (3, 23 : *qui cellarium fratrum contineat* ; 3, 26 : *qui huic officio deputatur*).

181. Outre Basile et Jérôme (*Inst., Praef.* 5), il utilise sans doute l'*Historia monachorum* et Sulpice Sévère (cf. *Inst., Praef.* 7), ainsi que des apophtegmes non encore traduits. Voir « Les sources des quatre premiers

Vue d'ensemble Quand nous aurons encore mentionné le *Praeceptum* d'Augustin[182] et l'*Historia monachorum*[183], nous aurons passé en revue les principales sources possibles de la Règle des Quatre Pères[184]. Sans affirmer qu'elle en dépend effectivement, ce qui n'est certain que pour Basile, on peut dire qu'elle entre sans heurt dans cet ensemble de textes et d'usages primitifs. Il nous paraît donc légitime de placer cette petite législation aux origines de Lérins, dans la première décennie du ve siècle, comme un faisceau d'indices nous y avait invité, que plusieurs observations nouvelles faites en passant viennent de grossir.

V. *La Règle des Quatre Pères à Lérins ?*

Si cette localisation est admissible, voyons quelles réponses on peut faire à nos questions initiales.

Réunion fictive ? D'abord la réunion des trois Pères est-elle réelle ou fictive ? Certes, les exemples de fiction ne manquent pas dans la littérature du temps. Le Livre VIII des Constitutions Aposto-

Livres... », *passim*. – L'influence de RIVP 3, 21-22 et 28-30 pourrait aussi rendre compte de la séquence parallèle chez CASSIEN, *Inst.* 4, 19-20 (ci-dessus, n. 171-172). En revanche, il y a opposition entre RIVP 2, 34 (acceptation de dons des postulants) et *Inst.* 4, 4 (refus).

182. Voir surtout *Praec.* 1, 2 (Ps 67, 7 ; cf. RIVP 1, 6) et 8, 2 (lecture publique de la règle chaque semaine ; cf. RIVP 3, 31, conclusion primitive).

183. Il s'agit surtout des noms des trois Pères. Voir chap. précédent, n. 57-59.

184. Quant à la *Regula Pachomii,* outre la probation des postulants (plus haut, n. 176-177), elle a pu suggérer l'ordre dans la psalmodie (JÉRÔME, *Praef. in Reg. Pach.* 3 ; cf. RIVP 2, 11) et l'interdiction de communiquer avec les visiteurs (PACHÔME, *Praec.* 50 et 59 ; cf. RIVP 2, 37-41).

liques, rédigé vers la fin du IVe siècle, monnaye en une douzaine de discours, attribués à des Apôtres, sa législation sur les différents ministères de l'Église. « Réunis ensemble », les Douze affirment d'abord leur dessein commun de régler le statut de l'Église. Puis chacun prend la parole, en introduisant son intervention par un « Moi, je dis » ou un « Moi, j'ordonne[185] ». La matière – un « règlement ecclésiastique » – est ainsi traitée exhaustivement et en bon ordre.

La Règle des Quatre Pères présente, on l'a dit[186], le même caractère méthodique. On ne serait donc pas surpris qu'un législateur monastique ait recouru à ce faux semblant. De même que les Apôtres ont censément organisé l'Église à ses origines, de même quelques grands moines seraient censés donner à un monastère, peut-être même à plusieurs ou à tous[187], une organisation au moins sommaire.

Cassien, de son côté, imagine un synode des premiers Pères en Égypte établissant aux origines le canon de l'office pour tous les moines à venir[188]. Ce que les Institutions situent à l'âge subapostolique, l'auteur de la Règle des Quatre Pères le placerait à une époque proche de la sienne, celle des héros de l'*Historia monachorum*, mais son concile serait également mythique. Certains traits insolites que nous avons relevés plus haut[189] – le très petit nombre des Pères, l'absence d'indications sur le temps, le lieu et la qualité des personnages – s'expliqueraient facilement dans cette hypothèse.

Réunion réelle ? A son appui, on pourrait aussi invoquer l'unité formelle qui règne d'un bout à l'autre de la règle, les variations de

185. *Const. Apost.* 8, 3-35.

186. Chap. précédent, § II.

187. Chap. précédent, n. 89-94. Voir ci-dessus, n. 58-63.

188. CASSIEN, *Inst.* 2, 5. Sur cette transposition de la « Règle de l'Ange » (PALLADE, *Hist. Laus.* 32, 6-7), voir « Les sources des quatre premiers Livres... », n. 166-179.

189. Chap. précédent, n. 10-12.

style se produisant au milieu des discours et non au passage de l'un à l'autre[190]. Cependant ce fait peut être dû à un simple travail rédactionnel, et l'on se souvient que quelques indices suggèrent d'attribuer à un même orateur, distinct de « Sérapion » et de « Paphnuce », les deux discours de « Macaire[191] ». Il ne faudrait donc pas écarter trop vite l'hypothèse d'une réunion réelle et d'un substrat d'interventions orales, dues à une pluralité de participants. Les réticences sur la qualité de ceux-ci, ainsi que sur le temps et le lieu de la réunion, s'expliqueraient alors par un dessein cryptique, en rapport avec l'adoption des pseudonymes égyptiens, dont nous reparlerons.

Comme exemples d'un tel écrit collectif, on peut citer non seulement certains actes conciliaires, dont le style a manifestement influencé le rédacteur[192], mais encore cette composition à plusieurs qu'est la Vie de Césaire d'Arles par cinq de ses disciples et amis[193]. Là aussi le passage des trois auteurs du premier Livre aux deux du second donne lieu à la formule *Messianus presbyter et Stephanus dixerunt*[194], qui rappelle les introductions des discours des Pères. Suivis d'une référence à *ea quae... superius scripta sunt* [195], ces mots font penser particulièrement à l'exorde de Macaire et à la mention que fait celui-ci de « ce qui a été écrit plus haut[196] ». De part et d'autre, présentation orale et écrite se conjuguent : on « dit » et on rédige tout ensemble. Or la *Vita Caesarii* est

190. Chap. précédent, n. 19-31, 35-41 et 52-54.

191. Chap. précédent, n. 32-34.

192. Chap. précédent, n. 8-15. Voir ci-dessus, n. 67-80.

193. *Vita Caesarii* 1, 48 et 2, 1 (cf. *Praef.* 1). Le premier Livre est dû à trois évêques – on songe à nos trois Pères –, le second à un prêtre et à un diacre.

194. *V. Caesarii* 2, 1.

195. Cf. *V. Caesarii* 1, 48 : *Rogamus... uos... ut huic opusculo uestram collationem iungatis.*

196. RIVP 2, 1 : *Macharius dixit : quoniam fratrum insignia uirtutum... superius conscripta sunt.*

incontestablement l'œuvre collective qu'elle prétend être. Comme elle, notre règle pourrait l'être aussi, encore que la réunion des auteurs en assemblée, telle que l'évoque le prologue des Pères, soit une particularité propre à ces derniers.

L'identité des capitulants

S'il fallait admettre que la Règle des Quatre Pères procède d'une rencontre réelle, quels pourraient être, dans le cadre de l'hypothèse lérinienne, les trois Pères ainsi assemblés ? Le premier auquel on songe est évidemment le fondateur, Honorat. Un deuxième nom se présente aussi sans difficulté, celui du vieux Caprais, le mentor d'Honorat et de Venance au cours de leur pérégrination en Méditerranée, celui que les deux jeunes gens appelaient leur « père[197] » et qu'Honorat, même après la fondation de Lérins, ne cessait de consulter en toute occasion, si bien que Fauste peut les représenter comme de véritables collègues, « gouvernant l'un par ses ordres, l'autre par ses conseils[198] ».

Le troisième personnage ne se laisse pas découvrir aussi facilement. On pourrait songer à l'évêque Léonce de Fréjus,

---

197. Hilaire, *V. Honor.* 12, 1-2 : *senem perfectae consummataeque grauitatis, quem semper in Christo patrem computantes, patrem nominarunt, sanctum Caprasium, angelica adhuc in insulis conuersatione degentem,* etc. Eucher, *De laude eremi* 42, disait déjà : *uenerabilem grauitate Caprasium, ueteribus sanctis parem.*

198. Eusèbe Gall., *Hom.* 72, 5-6 : *assumpto sibi in solatium atque collegium beato Caprasio, quaecumque ei uel ordinanda uel gerenda erant, illius tractatu atque iudicio uelut aequissimi examinis libra, pensauit... tamquam Moyses cum Aaron... gubernantes eos ille imperio iste consilio,* etc. Encore vivant, au témoignage d'Eucher et d'Hilaire, en 428 et 431, Caprais semble ici appartenir au passé. Les dernières nouvelles qu'on a de lui concernent une maladie (la dernière ?) au cours de laquelle Hilaire, Maxime, Théodore et Fauste se trouvèrent réunis à son chevet (Honorat de Marseille, *V. Hil.* 12). C'était après la promotion de Maxime à l'épiscopat et de Fauste à l'abbatiat (434).

qui réussit à fixer le fondateur dans son diocèse et semble avoir été pour lui un ami[199]. Frère de Castor d'Apt, le destinataire des Institutions, et lui-même destiné à recevoir en hommage les dix premières Conférences, n'avait-il pas dès l'époque de la fondation de Lérins cette « ferveur pour la sainte observance » que lui reconnaîtra Cassien[200] ?Celui-ci toutefois ne dit pas qu'il ait été moine, et l'on peut se demander s'il possédait, à cette époque surtout, la compétence requise pour légiférer sur la vie monastique. Malheureusement, c'est à peu près le seul nom que la parcimonie des sources nous permette d'avancer[201].

On verrait assez bien cet évêque prononçant le discours inaugural, comme il revient au personnage le plus élevé en dignité. Par sa brièveté et sa teneur très simple, ce petit discours de Sérapion peut convenir même à un prélat peu au courant des observances monastiques. Les thèmes qu'il développe – vie commune, autorité, obéissance – sont bien ceux qu'on attend d'un évêque, et l'on comprendrait fort bien aussi, de la part de ce pasteur suprême, l'espèce d'investiture officielle donnée à l'unique supérieur qu'il établit.

Ce dernier – Honorat en l'occurence – prendrait la parole aussitôt après. Ce serait le « Macaire » des deuxième et quatrième discours, dont la prépondérance à l'intérieur de la règle correspondrait bien au rôle de supérieur local et de principal intéressé. Le président de la réunion ayant réclamé

---

199. HILAIRE, *V. Honor.* 15, 2. Sérapion est d'ailleurs le nom d'un célèbre évêque égyptien, ami d'Antoine (ATHANASE, *V. Ant.* 82, 3 = 51, *PL* 73, 162 d).

200. CASSIEN, *Conl.* 1, *Praef.* 2 : *sancti studii feruore.*

201. Le « jeune Loup » (SIDOINE APOLLINAIRE, *Carm.* 16, 111), qui aura 45 ans d'épiscopat en 470-471 (SIDOINE, *Ep.* 6, 1, 3), ne peut guère s'être trouvé à Lérins aux origines. Son frère Vincent non plus (EUCHER, *De laude eremi* 42), ni le futur évêque Antiolus (SIDOINE, *Ep.* 8, 14, 2), ni Eucher qui habitait encore vingt ans plus tard avec sa femme Galla (PAULIN DE NOLE, *Ep.* 51). Maxime lui-même, le futur successeur d'Honorat, qui vivra jusque vers 460, était-il déjà là ?

pour lui l'obéissance de tous, il définirait lui-même son rôle de chef[202].

Enfin le troisième discours, celui de Paphnuce, aurait pour auteur le vieux Caprais. Inutile d'insister sur le caractère conjectural de ces identifications, dont la dernière n'a pour elle, que nous sachions, aucune vraisemblance particulière tenant au contenu du discours. C'est le devoir de l'historien des textes d'explorer toutes les voies. Celle que nous venons de suivre n'aboutit pas à une impasse. On ne peut guère en dire davantage. A condition de réserver la rédaction de la règle à un seul écrivain qui l'a fortement unifiée, il n'est pas interdit d'admettre qu'une réunion réelle, dont les participants se sont exprimés tour à tour, soit à l'origine du document.

L'identité du rédacteur Dans le cadre de l'hypothèse lérinienne, ce rédacteur unique serait-il Honorat ? A première vue, une telle conjecture est peu compatible avec ce que nous savons de la culture du jeune fondateur. Comment un homme dont Hilaire vante la *Romana eloquentia*[203] aurait-il écrit un texte aussi aride, rugueux, dépouillé de tout ornement ? La pauvreté du vocabulaire et du style, la répétition incessante des mêmes tours, la négligence des transitions et des liaisons, tout cela n'encourage guère à attribuer la Règle des Quatre Pères à un fils de famille consulaire qui avait dû recevoir une sérieuse éducation littéraire.

On ne saurait exclure toutefois qu'un converti à l'ascétisme ait poussé le mépris du monde, au moins en ces premières années de ferveur[204], jusqu'à bannir volontairement toute

202. Dans cette hypothèse, *his qui praesunt* (RIVP 2, 2) s'expliquerait bien comme un pluriel de modestie. Cf. n. 187.

203. HILAIRE, *V. Honor.* 13, 2 : *Expetunt litora quibus barbara esset etiam illa, quae plurima in ipsis erat, Romana eloquentia.*

204. C'est à cette époque qu'HILAIRE, *V. Honor.* 13, 2 (note précédente), nous le montre soucieux de dissimuler son éloquence latine. Plus tard, le fondateur de Lérins entretiendra une vaste correspondance,

élégance de son écriture. Comme Jérôme dans sa traduction des *Pachomiana*, il aurait délibérément renoncé au *sermo rhetoricus*[205]. L'abandon de toute grâce latine s'imposait d'ailleurs, du moment que la règle prétendait traduire des propos de moines égyptiens.

Au reste, la paternité de l'œuvre ne revient pas nécessairement à Honorat. Si Caprais a pris part au colloque, pourquoi n'en aurait-il pas rédigé le procès verbal ? L'attribution à Honorat présente toutefois l'avantage de vérifier plus précisément ce que Fauste dit de la « règle » et des « préceptes » qui furent « tirés de l'enseignement des Pères d'Égypte » par le fondateur de Lérins en personne[206]. Notons d'ailleurs qu'une telle attribution, déjà plausible dans la perspective d'un synode réel, n'est ni plus ni moins vraisemblable si l'on considère la forme synodale comme une simple mise en scène. En ce cas, Honorat a les mêmes chances d'être l'auteur de la règle, comme paraît l'affirmer Fauste.

Caractère laïc du supérieur

Si l'éducation d'Honorat s'oppose apparemment à ce qu'il ait écrit la Règle des Quatre Pères, sa qualité de prêtre, dont témoigne aussi le panégyrique d'Hilaire[207], ne semble pas s'accorder avec le caractère laïc du supérieur manifesté par les prescriptions de la règle au sujet de l'accueil des clercs[208]. Mais outre que cette indication

---

dont Hilaire, en citant Eucher, vante la qualité et le charme (*V. Honor.* 22). – Voir cependant nos *Addenda* (§ VI, p. 392).

205. Jérôme, *Praef. in Reg. Pach.* 9 : *simplicitatem aegyptii sermonis imitati sumus... ne uiros apostolicos et totos gratiae spiritalis sermo rhetoricus inmutaret.* Comme la RIVP, le dossier des *Pachomiana* comprend trois auteurs : Pachôme, Théodore et Horsièse.

206. Eusèbe Gall., *Hom.* 72, 4 (*regulam... praecepta*) et 13 (*regulae praecepta*). Voir plus haut, n. 104. – De plus, le deuxième discours de Macaire est sans doute fait, en tout ou en partie, d'adjonctions postérieures au compte rendu de la réunion originelle. De tels ajouts ne peuvent guère être le fait que du supérieur en charge, donc d'Honorat.

207. Hilaire, *V. Honor.* 16, 2.

208. RIVP 4, 16-17.

de la Règle des Quatre Pères n'est pas absolument claire, Hilaire n'affirme nullement qu'Honorat fut ordonné prêtre dès le début de son supériorat. Si la règle remonte, comme nous le conjecturons, aux premiers temps de Lérins, on a pu y envisager que le supérieur restât un laïc, comme le fondateur l'était encore quand il arriva dans l'île.

Noms égyptiens

Poursuivant notre série de questions, il nous faut considérer les noms portés par les trois Pères. Plus que la forme conciliaire du texte, ces trois noms égyptiens risquent d'être purement fictifs. A supposer qu'une réunion ait réellement eu lieu, Sérapion, Macaire et Paphnuce sont des pseudonymes qui cachent les vrais orateurs, soucieux d'un certain effacement. Si la présentation synodale est artificielle, ces noms ne recouvrent même pas des personnalités distinctes et dissimulent seulement l'auteur unique.

Dans l'un et l'autre cas, la fiction tend à conférer au texte le prestige supérieur du monachisme égyptien. Que cette référence à l'Égypte ne soit pas sans fondement, nous l'avons constaté plus d'une fois en examinant les prescriptions de la règle et en les comparant avec des témoignages contemporains sur le monachisme de ce pays. Observé *de visu* au cours d'un voyage d'enquête ou connu par des relations de pèlerins, tant orales qu'écrites, celui-ci a certainement marqué notre texte. Si d'autres influences, palestiniennes et capadociennes, se font aussi sentir dans la règle, il revenait à l'Égypte d'étendre son patronage incomparable sur cet ensemble oriental plutôt que spécifiquement égyptien. L'*Historia monachorum*, traduite en 404, a pu fournir les noms de héros qui exprimeraient l'hommage de cette législation occidentale à la portion la plus vivante et la plus avancée du mouvement monastique.

Les principaux symptômes lériniens : récapitulation

Admiration pour les moines égyptiens, volonté de leur ressembler, humilité désireuse de ne point faire parler de soi : si tels sont les motifs qui ont fait prêter aux Pères la règle placée sous leurs noms, ce jeu se comprend à Lérins mieux que partout ailleurs, puisque la fascination de l'Égypte et le goût des pseudonymes sont des traits bien attestés du milieu lérinien. Située à Lérins, notre règle répond au signalement que Fauste donne de la *regula* du fondateur, d'inspiration égyptienne selon lui. Rattaché à Lérins, enfin, ce texte censément égyptien permet d'expliquer que les moines du Jura rangent les *Patres Lirinensium,* au même titre que Basile, Pachôme et Cassien, parmi les auteurs « orientaux ».

Ces correspondances frappantes, jointes à d'autres résonances mineures, donnent à penser que l'œuvre est lérinienne. Les réminiscences ou échos de Fauste, de Porcaire et de Césaire confirment que la Règle des Quatre Pères, avec la Seconde Règle sa suivante, a régné au Ve siècle sur Lérins. Enfin la Vie de Jean de Réomé et celle des Pères du Jura suggèrent que les dérivées de la Seconde Règle – la *Regula Macarii* et l'*Orientalis* – viennent en quelque manière de Lérins, ce qui rend vraisemblable l'origine lérinienne de leur source, elle-même inséparable de notre règle. Les nombreux indices qui convergent dans cette direction font qu'aucun lieu, à notre connaissance, n'est aussi susceptible d'avoir été le berceau de l'œuvre mystérieuse.

L'origine latine du texte

Avant de conclure, cependant, il reste à répondre aux deux dernières questions posées en commençant. D'abord s'agit-il d'un texte écrit en latin ou traduit ? Certes la Règle des Quatres Pères est assez rugueuse pour que sa genèse par traduction ne soit pas invraisemblable. Mais les indices positifs font défaut, autant que nous sachions. De plus, une expression telle que *regula pietatis,* pour ne rien dire de *is qui praeest,* dénote la connaissance de la traduction de Basile par Rufin. C'est donc d'un écrit originellement latin qu'il paraît s'agir.

Le rassemblement cénobitique initial

Enfin que penser de la situation érémique évoquée au début de la règle et du rassemblement des frères en une seule maison décrété par Sérapion ? On a vu dans les expressions de celui-ci (*heremi uastitas et diuersorum monstrorum terror*) un indice de fiction : cette « couleur locale bien égyptienne[209] » ne serait qu'un décor, en relation avec les noms exotiques des Pères[210]. Cependant ces mots correspondent exactement à l'impression que produisait Lérins, d'après Hilaire d'Arles et Fauste, quand Honorat y prit pied[211]. Il nous paraît donc vraisemblable que cet exorde de « Sérapion » vise une situation réelle, celle d'Honorat et de ses compagnons aux origines de Lérins. Ces premiers occupants de l'île vont-ils s'égailler dans le petit « désert », comme ils ont peut-être commencé à le faire, ou se réunir en communauté ? L'entrée en matière de « Sérapion » répond d'emblée à cette question cruciale. En optant pour la vie commune, elle résout un problème fondamental qui se posait sans doute dans la réalité.

Conclusion Nous avons donc, à notre tour, succombé à la tentation lérinienne. Sans perdre de vue tant d'incertitudes qui subsistent, il semble qu'on puisse prudemment avancer cette hypothèse : la Règle des Quatre Pères a été écrite pour la communauté de Lérins à ses origines, vers 400-410. De cette assignation, l'œuvre mystérieuse n'est pas seule à recevoir un rayon de lumière qui commence à la tirer de l'ombre. D'autres documents, comme la Vie des Pères du Jura, s'en trouvent éclairés.

Tel est, à tout le moins, le bénéfice d'une localisation et datation de ce genre. Pour conjecturale qu'elle soit, elle fournit aux recherches un support, peut-être provisoire, mais indispensable. Sur le terrain ainsi désigné, des comparaisons deviennent possibles, des rapprochements s'instituent, des textes sortent de leur isolement et s'éclairent l'un l'autre.

209. J. NEUFVILLE, « Règle... », p. 73 (note sous RIVP 1, 2).

210. J. NEUFVILLE, art. « Regula IV Patrum », à paraître dans *DIP*.

211. HILAIRE, *V. Honor.* 15, 2-4. Cf. ci-dessus, n. 50-56.

C'est alors que l'hypothèse de travail, tout en révélant sa fécondité, subit son épreuve de vérité.

Incontestablement féconde, notre hypothèse lérinienne résiste-t-elle aux multiples confrontations qu'elle engendre ? En répondant par l'affirmative, nous espérons ne pas nous faire illusion. Au reste, d'autres enquêtes, tant à propos de la Règle des Quatre Pères que de ses filles, occasionneront de nouvelles vérifications.

CHAPITRE III

ÉTABLISSEMENT DU TEXTE ET PRÉSENTATION

Les travaux de J. Neufville ont fait connaître la tradition textuelle des Quatre Pères de façon quasi exhaustive et définitive. Sans reproduire le détail de ses exposés, nous en donnerons ici une vue d'ensemble, avec quelques compléments et corrections.

Les cinq familles de manuscrits La tradition manuscrite se divise en quatre branches, dont deux sont italiennes (ε et μ), une germanique (λ) et la dernière gallo-franque (α). De plus, il faut tenir compte d'un cinquième texte, italien lui aussi (π), que ses divergences par trop accusées obligent à mettre à part. Tout en l'éditant séparément, comme l'a fait J. Neufville, nous le retenons ici comme un témoin aberrant mais important du texte commun.

La famille ε ne comprend qu'un représentant direct, lui-même mutilé : le premier fascicule du *Parisinus lat. 12634* (E_1), qui n'est conservé qu'à partir de RIVP 3, 15. Ancien[1] et excellent, ce témoin donne un texte long, allant jusqu'à RIVP 5, 19. En outre, le même codex renferme dans sa seconde

1. « L'écriture désarticulée évoque le VIIe siècle », dit F. MASAI, *La Règle du Maître. Édition diplomatique des manuscrits latins 12205 et 12634 de Paris*, Bruxelles-Paris 1953, p. 59.

partie[2], c'est-à-dire dans la règle-centon d'Eugippe (E_2), un court morceau de notre règle (RIVP 3, 24-31).

La famille λ comprend trois manuscrits principaux, dont le plus ancien est le *Lambacensis 31* (*L*), originaire de Münsterschwarzach (IXe s.)[3]. Avec le *Parisinus lat. 15670* (*C*, XIIe s.), représentant du groupe des manuscrits flamands[4], il donne un texte bref, qui s'arrête à RIVP 4, 20. Quant au *Bambergensis B.VI.15* (*b*, XIe s.)[5], son texte encore plus court se termine à RIVP 4, 13.

La famille μ est d'une extrême diversité quant à l'extension du texte. Le *Cassinensis 443* (*M*, XIe s.) et ses congénères[6] ont l'ampleur maxima de ε (jusqu'à RIVP 5, 19), tandis que le

2. Publiée par F. VILLEGAS - A. DE VOGÜÉ, *Eugippii Regula*, Vienne 1976 (*CSEL* 87). Date : fin du VIe siècle, d'après F. MASAI, *op. cit.*, p. 59. Que ce florilège soit l'œuvre d'Eugippe, nous l'avons montré dans « La Règle d'Eugippe retrouvée ?», dans *RHS* 47 (1971), p. 233-265, article qui semble avoir échappé à l'attention de K. ZELZER, « Die Rufinusübersetzung der Basiliusregel im Spiegel ihrer ältesten Handschriften », dans *Latinität und alte Kirche. Festschrift R. Hanslik*, Vienne 1977, p. 341-350 (voir p. 343, n. 5).

3. De ce ms. de Lambach dérivent une dizaine de copies autrichiennes, énumérées par J. NEUFVILLE, « Règle des IV Pères », p. 58, n. 5. Du subarchétype de *L* dépendent les mss Saint-Gall, Stiftsbibl., *915* (X^e-XIe s.), et son apographe Saint-Gall, Stiftsbibl., *921* (XVe s.) ; Munich, Staatsbibl. *Clm 14949* (XVe s.) ; Augsbourg, Stadtbibl., *2° Cod. Aug. 320* (XVIe s.). Le premier (*G*) est parfois cité par J. Neufville dans son apparat.

4. De *C* dépend le ms. Bruxelles, B. R., *2037-48* (XIVe-XVe s.), et du subarchétype de *C* dépendent les mss Bruges, Bibl. Ville, *134* (XIIIe s.), parfois cité, sous le sigle *D*, dans l'apparat de Neufville ; Saint-Omer, *130* (XVe s.), ainsi que le ms. perdu d'Afflighem dont s'est servi l'éditeur H. van Cuyck.

5. Au sigle *H* que lui donne Neufville, nous substituons le sigle *b*, emprunté à H. STYBLO, « Die Regula Macharii », dans *Wiener Studien* 76 (1963), p. 132. Nous le retrouverons en effet dans la tradition manuscrite de RMac.

6. De *M* dérivent les mss Rome, Bibl. Univ. Aless., *97* et *98* (XVIIe s.). Il a pour collatéral le ms. Mont-Cassin, Arch., *444* (XIe s.), d'après lequel il semble avoir été corrigé (J. NEUFVILLE, *art. cit.*, p. 60, n. 6).

Vaticanus lat. 3542 (*V*, XIIe s.) tient le record de brièveté avec *b* (arrêt à RIVP 4, 13).

Au contraire, la famille α est homogène à cet égard. Ses deux représentants principaux, comme les deux premiers de λ, s'arrêtent l'un et l'autre à RIVP 4, 20. Ce sont le *Parisinus lat. 4333 B (T)*[7] et le *Monacensis Clm 28118* (*A*), tous deux du IXe s. Seul le second, qui renferme le *Codex regularum* de Benoît d'Aniane, a des collatéraux immédiats – les manuscrits de la *Concordia regularum*[8] – et une descendance[9].

Enfin le texte π ne nous est connu que par le *Parisinus lat. 12205* (*P*)[10]. Avec ce manuscrit très ancien (vers 600), nous retrouvons non seulement l'époque de ε, mais encore sa grande extension, qui s'accroît même d'un ajout terminal (RIVP 6, 1-4).

Répartition des témoins selon la longueur du texte Le classement des manuscrits par familles se double donc d'une autre distribution, fondée sur la longueur du texte. Selon ce critère, on trouve quatre groupes : texte très court (*b* et *V*), texte court (*LC* et α), texte long (E_1 et *M*), texte très long (π).

Les deux extrêmes peuvent être tenus pour aberrants : le texte très court résulte d'un abrègement tardif[11], et le texte

---

7. Au sigle *B* que lui donne Neufville, nous substituons le sigle *T*, qui évoque Tours, son lieu d'origine. En effet nous réservons *B* à un témoin de RMac, le ms. Bruxelles, B. R., *8780-93* (cf. H. STYBLO, *art. cit.*, p. 131).

8. En particulier les mss Orléans, Bibl. Mun., *233* (IXe s.), et Vendôme, Bibl. Mun., *60* (XIe s.), tous deux utilisés par H. Ménard pour son édition.

9. Du ms. de Munich, originaire de Trèves, dérivent deux copies du XVe s. : Cologne, Arch., *WF 231*, et Utrecht, Bibl. Univ., *361*. De la première dépendent deux copies du XVIIe s. : Bruxelles, B. R., *8126-41*, et la copie du Nonce Chigi, aujourd'hui perdue, dont L. Holste s'est servi pour son édition.

10. Voir F. MASAI, *op. cit.*, p. 13-26 et 33-67. Cf. M. BOGAERT, « La Préface de Rufin aux Sentences de Sixte et à une œuvre inconnue », dans *Rev. Bénéd.* 82 (1972), p. 26-46 (voir p. 38-40).

11. Cet arrêt au milieu du quatrième discours (4, 13) a probablement

très long d'une recension plus proche des origines mais non moins arbitraire. En revanche, le texte court et le texte long représentent tous deux des états anciens et authentiques de l'œuvre. Le premier s'achève fort naturellement par une formule de conclusion (4, 20). Le second est attesté par les trois familles italiennes (ε, μ, π), et en particulier par le témoin de valeur qu'est E_1.

Authenticité de l'appendice et du texte long La rédaction brève peut donc être tenue pour authentique et primitive. Quant à la rédaction longue, si elle est sans doute postérieure, nous ne croyons pas qu'elle soit pour autant inauthentique, comme le pensait J. Neufville, non sans hésitation d'ailleurs. A juste titre, celui-ci fait remarquer que le style de l'appendice (RIVP 5) ressemble fort à ce qui précède, et que les *hapax legomena* qu'on y trouve ne sont pas un phénomène qui lui soit propre[12]. De notre côté, nous avons montré plus haut que cet appendice s'apparente non seulement, de façon globale, à l'ensemble de l'œuvre, mais en particulier aux deux discours de Macaire, dont le second lui sert de point d'attache[13].

Il paraît donc vraisemblable que « Macaire » a lui-même complété la règle en y ajoutant ces directives pour la

---

pour motif la gêne causée par la suite, où Macaire prescrit d'honorer les clercs en visite. Même dans *M*, témoin du texte long, quelques lignes sont sautées (4, 14-17), et la *Concordia,* on le verra, omet ce passage. Il s'agit donc d'une question ressentie comme délicate aux IXe-XIIe s., du fait de tensions entre moines et clercs séculiers. Il est difficile de dire si *V* abrège *motu proprio* pour une raison de ce genre ou subit l'influence d'un exemplaire abrégé comme *b*.

12. *Art. cit.*, p. 52. Si *dicente propheta* (5, 14) innove, c'est que les psaumes devaient être attribués à « l'Écriture » par Sérapion (1, 4-5) et à « l'Esprit Saint » par Macaire (2, 19-20) en raison du contexte.

13. Voir chap. I, notes 78-86. Aux analogies relevées, on peut ajouter *affectu* (5, 12 ; cf. 2, 7) ; *nouerit* (5, 15 ; cf. 2, 34-35 et 4, 9) ; *quantos... tantos* (5, 18 ; cf. 4, 9). De plus, le couple dilection-correction (5, 12), fait penser au couple bonté-sévérité (2, 4). Tous ces parallèles se trouvent dans les discours de Macaire.

correction. Leur caractère très sommaire – deux sanctions particulières sans vue d'ensemble – suggère une époque assez haute, où l'expérience et la réflexion n'ont pas encore produit leurs fruits. D'après sa teneur, ce pénitentiel semble plus ancien que ceux de la Seconde Règle, ce que confirme le fait qu'il est annexé, non à cette dernière, mais à l'œuvre des Quatre Pères. Si donc il a été ajouté avant la rédaction de la Seconde Règle et que celle-ci, comme nous le verrons, date de 426 ou 427, il est probablement l'œuvre du supérieur en charge, Honorat, c'est-à-dire d'un des trois Pères du synode originel. Par suite, on peut parler à son sujet d'authenticité puisque, s'il n'a pas été édicté collégialement dans cette réunion des origines, il procède néanmoins d'un des membres de celle-ci, voire du plus important d'entre eux[14], qui complète légitimement l'œuvre commune.

Si ces vues sont exactes, on voit ce que signifie le fait qui a particulièrement frappé J. Neufville et entraîné son jugement d'inauthenticité. Que l'unique supérieur (*is qui praeest*) soit absent de cet appendice – alors qu'on le trouvait à chaque paragraphe des quatre discours – et qu'on s'adresse au pluriel, sous un vocable nouveau, à « vous qui remplissez cet office » (la correction), cela signifie moins un changement d'esprit, comme le voulait J. Neufville (« le service substitué à la prééminence »), que l'apparition d'une nouvelle fonction : celle d'officiers subalternes, chargés de surveiller et de reprendre les frères. La croissance de la communauté a dû rendre nécessaire un certain fractionnement de l'autorité, désormais partagée par plusieurs anciens. Ce sont ceux-ci que notre appendice appelle *uos qui huic officio praesto estis*, périphrase aussi gauche que *is qui praeest* et qui porte la marque du même âge reculé. Comme le passage au pluriel, le changement de terme par rapport à *is qui praeest* n'indique pas une évolution du rôle de l'unique chef, mais l'adjonction,

14. On peut même se demander si Macaire-Honorat n'est pas, en plus de sa responsabilité particulière à l'égard des second et quatrième discours, le secrétaire-rédacteur de l'ensemble.

à celui-ci de collaborateurs auxquels il faut bien donner un nom différent.

De son côté, l'emploi de la deuxième personne – autre nouveauté – se comprend de la part du supérieur, qui doit en passant s'adresser à ces aides pour leur instruction. Déjà la conclusion du quatrième discours (4, 20) usait de ce « vous », qui représentait tous les frères[15]. En le reprenant ici dans une acception plus limitée, Macaire nous fournit un indice supplémentaire de sa qualité d'auteur de l'appendice aussi bien que du discours qui précède. Entre les deux morceaux, la continuité est parfaite : l'innovation stylistique que le premier introduisait dans sa dernière phrase se retrouve ensuite dans le second.

L'union des Quatre Pères et de la Seconde Règle dans les manuscrits Reste une difficulté. Dans la famille α comme dans E_1, la Seconde Règle suit l'œuvre des Quatre Pères. Or l'appendice fait défaut dans α. Il semble donc que l'ancêtre de cette famille, qui aura quitté Lérins après 427-428, ne comportait qu'un texte court des Quatre Pères, ce qui tend à prouver que l'appendice est postérieur à cette date.

A cette objection, nous répondrons que la séquence des Quatre Pères et de la Seconde Règle n'a pas nécessairement la même signification dans E_1 et dans α. Sans doute primitive dans le premier cas, elle pourrait bien être un fait secondaire dans l'autre. La collection qu'on trouve dans les deux représentants de α[16] comprend non seulement les Quatre Pères et la Seconde Règle, mais encore la Troisième Règle, la *Regula Pauli et Stephani* et la *Regula coenobialis* de Colomban. Le compilateur qui a réuni ces textes disparates disposait de diverses sources. Il n'est pas sûr que les deux

---

15. Auparavant, il n'apparaissait que dans des citations (1, 13 ; 2, 6.9 ; 3, 17).

16. Placées à la suite dans *T*, les cinq règles se suivent de même dans *A*, mais en deux groupes séparés : RIVP, 2RP, 3RP (fol. 19-23) ; *Reg. Pauli et Stephani* et COLOMBAN, *Reg. coen.* (fol. 83-93).

premières pièces de sa collection fussent déjà réunies dans ces manuscrits qui lui ont servi de modèles. De son propre chef, il peut avoir uni la Seconde Règle aux Quatre Pères, comme il leur a joint les pièces suivantes. Un indice en ce sens est le fait que la Seconde Règle, dans la famille α, ne porte pas la marque d'un remaniement profond, comme celui qu'a subi l'œuvre des Quatre Pères[17]. D'après cette disparité de traitement, on a l'impression que les deux règles ont suivi des voies différentes avant de confluer dans le subarchétype de α[18].

S'il en est bien ainsi, le texte court des Quatre Pères présenté par les familles α et λ aura quitté son lieu d'origine sans avoir la Seconde Règle à sa suite, c'est-à-dire avant 427-428. Dès lors, rien n'empêche qu'il se soit répandu hors de Lérins avant l'adjonction de l'appendice. Quant au texte long, muni de l'appendice et suivi de la Seconde Règle, il se sera diffusé un peu plus tard, après 427-428[19]. Cette double hypothèse nous paraît seule apte à expliquer de façon satisfaisante les suites de textes différentes des familles ε et α[20].

Comparaison des familles

Revenons maintenant aux cinq familles énumérées en commençant. Si on les compare dans la courte section où elles sont toutes représentées (3, 15 - 4, 20), on constate qu'elles diffèrent beaucoup par le nombre de leurs variantes originales[21]. Celles-ci sont au nombre de 4

17. Voir ci-dessous, Introd. à 2RP, chap. II.

18. De son côté, l'absence de 2RP dans λ confirme que le texte court de RIVP n'était pas suivi de 2RP.

19. Cet ensemble, qui ne nous est connu directement que par E_1, sera parvenu à Condat, comme paraît le supposer la *Vie des Pères du Jura* (cf. chap. précédent). De son côté, μ connaît 2RP 15, interpolé dans RIVP 2, 40.

20. Autrement, on ne voit pas bien comment l'appendice pourrait avoir été inséré dans ε entre RIVP et 2RP, après la rédaction de cette dernière.

21. C'est-à-dire entièrement propres à une seule famille, à l'exclusion des autres.

ou 5 dans ε, 11 dans λ, 13 dans μ, 46 dans α. Quant aux originalités de π, qu'on ne peut guère compter, elles sont au moins deux fois plus nombreuses que celles de α.

Ces chiffres indiquent assez bien la valeur relative de chaque famille. Le texte ε est le plus sûr, suivi d'assez près par λ et μ, tandis que α et π viennent loin derrière, avec un caractère de plus en plus aberrant.

Relations particulières de μ et de π

Ce classement doit toutefois tenir compte d'un fait important et difficile à interpréter : les rapports particuliers de μ avec π. Outre ses 13 variantes propres, dont 8 sont formellement contredites par π[22], la famille μ présente dans cette section 11 leçons communes avec π et inconnues des autres familles. Ce phénomène, qui se retrouve dans le reste de la règle[23], signifie-t-il, comme le pense J. Neufville, que μ est un texte du type courant corrigé d'après π ? Une autre explication nous paraît possible, voire préférable[24] : μ représente la continuation d'un rameau ancien, sur lequel s'est greffée très tôt la recension π. En

22. Dans les 5 autres cas, π s'écarte de tous les représentants du texte courant.

23. Soit une quarantaine de variantes communes à μ et à π avant 3, 15 et après 5, 1. En tout, une cinquantaine.

24. Recension très radicale, π est en même temps un témoin du texte courant. Ces deux aspects doivent être soigneusement distingués et pris en considération l'un comme l'autre. Le second n'est pas moins important que le premier. Si, en d'innombrables lieux, π corrige manifestement, ailleurs il ne fait que reproduire le texte des Pères. Son témoignage est alors précieux, car il laisse entrevoir un état qui se situe *entre* λ α et μ : dans la section Pr-2, on le trouve 16 fois d'accord avec les deux premiers (λ α π contre μ) et 20 fois avec le dernier (μ π contre λ α). Parfois même, le texte des Pères qu'il atteste semble jouer entre λ α et μ le rôle d'intermédiaire génétique : *de* λ *se de* π *se* μ (2, 25) ; *Dei uoluntatem* λ α *Domini uoluntatem* π *uoluntatem Domini* μ (2, 29) ; *Non licebit ei* λ *nec ipsi cum eis liceat* π *nec ipse audeat cum ueniente* μ (2, 38). Ces faits s'expliquent au mieux si l'on admet que π est le premier témoin d'une tradition textuelle qui tend vers μ.

d'autres termes, les variantes communes à μ et à π ne sont pas imputables à la recension du second, mais au fonds primitif du premier.

Si l'on accepte cette hypothèse, l'indépendance originelle de μ se renforce notablement : dans la section considérée plus haut (3, 15 - 4, 20), il se distingue des trois autres familles du type courant (ε, λ, α) par 24 variantes propres, ce qui le situe presque à mi-chemin de λ et de α[25]. Dans la même hypothèse, d'autre part, π devient un instrument de contrôle qui permet de discriminer les variantes de μ : les leçons formellement contredites par π – elles sont 8 dans la section considérée – apparaissent comme autant d'originalités secondaires, qui se sont ajoutées au lot primitif de variantes communes avec π.

Les deux témoins de μ Pour en finir avec μ, il faut noter que ses deux témoins principaux, *M* et *V*, ne sont pas d'égale valeur. Outre l'abrègement qu'il a subi, le texte de *V* est dépourvu d'un certain nombre de variantes communes à *M* et à π[26], ce qui, en toute hypothèse, doit sans doute être considéré comme le résultat d'une correction[27]. Le phénomène inverse – leçons communes à *V* et à π mais manquant dans *M* – se produit bien plus rarement[28], ce qui confirme la qualité supérieure de *M*.

25. Ces 24 variantes de μ font un peu plus du double des 11 de λ et un peu plus de la moitié des 46 de α. A côté des 11 leçons communes à π et à μ, on ne trouve dans cette section aucun point de contact particulier entre π et l'une des autres familles (ε, λ, α). Dans le reste de la règle, de tels contacts sont très rares. Des rencontres entre π et λ se produisent en 1, 11 ; 2, 13.15 ; 2, 42 (*b* seul) ; 2, 31 et 3, 4-5 (citations). Rencontres entre π et α : 2, titre (?) ; 2, 25 et 38-39.

26. Voir 1, 1 ; 1, 3 ; 1, 7 ; 3, 4 et 7 ; 4, 2.

27. Autrement, il faudrait supposer, dans l'hypothèse de J. Neufville, que *M* a été corrigé de surcroît d'après π.

28. Voir 2, 31 et 33.

Les titres abrégés du Cassinensis et de la Concordia

Cependant ce même *Cassinensis 443* (*M*) a une particularité étrange : son titre, qui attribue toute la règle au seul Macaire, appelé d'ailleurs « notre père ». Sauf ce *patris nostri*, le même titre se retrouve parfois dans un témoin indirect dont nous parlerons bientôt, la *Concordia regularum* de Benoît d'Aniane. Certains ont voulu voir dans cette appellation de *Regula (sancti) Macharii* la preuve que la Règle des Quatre Pères s'est transmise anciennement sous ce nom[29].

Au contraire, il nous paraît que ces deux attributions sont fortuites, indépendantes l'une de l'autre et sans fondement traditionnel. Les congénères de *M*, y compris le *Cassinensis 444*[30], attribuent la règle aux Quatre Pères, comme le reste de la tradition. Isolé au sein de sa propre famille, le manuscrit *M* ne semble refléter que l'arbitraire d'un scribe. Le monopole qu'il attribue à « notre saint Père Macaire » tient peut-être à l'influence de la Vie de Pachôme légendaire qui fait de celui-ci le successeur d'un abbé Macaire, lui-même successeur d'Antoine. D'autres traces de cette *Vita Pachomii* se reconnaissent en effet dans les textes pachômiens qui précèdent notre règle au sein de la famille μ[31]. La même Vie

29. Sur ces vues de F. Masai, voir notre Introduction à la RMac, chap. II, n. 37.

30. Cf J. NEUFVILLE, *art. cit.*, p. 60, n. 6.

31. Voir A. BOON, *Pachomiana Latina*, Louvain 1932, p. XXXVII, n. 2. Cette pseudo-*Vita Pachomii* (*BHL* 6412) se trouve aussi dans le *Codex regularum* de Benoît d'Aniane (A. BOON, *op. cit.*, p. X). Mais la *Concordia* n'a sans doute pas été influencée par elle. Le titre de *Regula Macharii* donné parfois à RIVP dans la *Concordia* doit plutôt être rapproché du titre courant du *Codex* (ms. *A*, fol. 19^v-20^r et 20^v-21^r) : *Regula a duobus Machariis Serapione Pafnutio seu ceteris patribus edita*, où la réunion des deux Macaire et la place initiale qui leur est donnée annoncent ces titres de la *Concordia*. L'autre titre courant du *Codex* (fol. 21^v-22^r) : *Regula a sanctis patribus per collectionum edita*, qui couvre RIVP, 2RP et 3RP, annonce de son côté le titre *Ex regula Patrum* que portent aussi les extraits de RIVP dans la *Concordia*.

apocryphe était bien connue de Benoît d'Aniane et pourrait aussi l'avoir influencé sur le point qui nous intéresse, mais cette explication n'est ni nécessaire ni même plausible dans le cas de la *Concordia*, où il s'agit sans doute d'une simple abréviation pratique.

Origine et unité du texte α Des quatre rameaux qui présentent le texte courant, α est le plus fortement et le plus systématiquement recensé. Outre sa tendance à modifier ou à compléter les citations scripturaires, en précisant parfois la référence[32], il s'attache à personnaliser la vieille règle, soit en usant du « vous[33] », soit en interpellant *patres* et *fratres*[34], soit en accrochant partout où il peut des mentions de ces mêmes « pères » et « frères[35] ». Le supérieur (*is qui praeest*) prend ainsi un visage paternel (*is qui praeest pater*, une fois même *pater* seul : 3, 11), qui fait penser à la terminologie de Césaire dans ses Sermons aux moines[36]. Le même supérieur est appelé une fois *senior* (1, 10), et le titre d'*abbas* se lit dans l'*Incipit* et dans l'*Explicit*.

Cette dernière formule (4, 20) est d'un intérêt particulier, puisqu'elle nomme l'œuvre *regula patrum abbatum XXXVIII*. Ces 38 abbés, substitués aux Quatre Pères comme auteurs de la règle, ont sans doute formé le synode qui est à l'origine, non de la règle elle-même, mais de la recension α.

---

32. C'est le cas pour Ps 132, 1 (1, 4). Citations retouchées : voir 2, 5.19.24.31.

33. Voir 2, 3.16 ; 3, 13.

34. Voir 2, 3 (*patres*) ; 3, 1 et 7 (*fratres*).

35. Au total, on trouve dans α, 21 *pater* et 17 *frater* nouveaux. Ces derniers sont tous au pluriel, sauf en 2, 40 ; 3, 14 ; 4, 9.

36. CÉSAIRE, *Serm.* 233, 2 ; 234, 1.2.4. (bis) ; 235, 1 ; 236, 1 (bis). 2.3 (bis). Ce dernier sermon s'adresse aux moines de Lérins. Quand il s'adresse aux moines, Césaire dit toujours *pater uester*, avec ou sans épithète (*sanctus, uenerabilis*), jamais *abbas*, qu'il emploie deux fois ailleurs (*Serm.* 1, 19 ; 27, 1). Cf. ci-dessous, n. 41.

Celle-ci représente donc une réédition de la vieille règle par les soins d'un groupe d'abbés.

Peut-on préciser tant soit peu l'époque où s'est tenue cette réunion abbatiale ? A cet égard, une longue interpolation du quatrième discours (4, 9) apporte quelques éléments : le supérieur coupable d'avoir reçu un moine étranger sans l'autorisation du « père » de celui-ci, passera en jugement *in sinodo episcoporum aut in conuentu fratrum suorum*, et il sera privé de son rang[37] jusqu'à ce qu'il ait fait des excuses. Ce « synode épiscopal » et cette « réunion fraternelle » de supérieurs monastiques font penser aux conciles gaulois du VIe siècle, à commencer par le premier concile d'Orléans (511). Dans son canon 19, celui-ci place les abbés sous l'autorité des évêques, qui ont mission de les corriger en cas de faute, et il prescrit que les abbés d'un même diocèse se réunissent (*conueniant*) une fois l'an, sur convocation de l'évêque. Ces réunions d'abbés, appelées *concilia*, sont mentionnées ensuite par les conciles de Tours et d'Auxerre[38].

Il est vrai que ce canon d'Orléans, en confiant « aux évêques » la correction des abbés, pense sans doute à l'évêque diocésain plutôt qu'au « synode des évêques » dont parle notre texte. Mais celui-ci envisage un délit particulier, qui regarde plusieurs supérieurs, donc éventuellement plusieurs évêques. Ainsi cette double mention du synode épiscopal et des réunions de supérieurs situe au mieux l'interpolation de α en Gaule franque, à partir de 511.

De son côté, la dégradation au moins passagère du supérieur fautif fait penser à la Troisième Règle des Pères, où la même sanction s'applique, de façon définitive semble-t-il, à l'abbé coupable d'avoir laissé entrer une femme dans son

---

37. C'est ce que paraît signifier *et tunc recedet tanquam iunior suus*, phrase dont le sens est peu clair.

38. Orléans I (511), can. 19 ; Tours (567), can. 7 (abbés et prêtres) ; Auxerre (561-605), can. 7 (réunion au 1er novembre). Noter en outre Paris (614), can. 4 : un abbé injustement déposé par son évêque pourra « recourir au synode » (des évêques ?).

monastère[39]. Or, nous le verrons, la Troisième Règle est sans doute l'œuvre du concile de Clermont (535).

Il semble donc que nos 38 abbés appartiennent à la Gaule franque du VIe siècle. Trop élevé sans doute pour qu'il s'agisse des abbés d'un seul diocèse, leur nombre fait plutôt penser à une province ecclésiastique. Cette façon d'indiquer le nombre des participants à la fin des actes d'un synode se retrouve dans divers recueils anciens de conciles gaulois, en particulier dans le manuscrit de Cologne *212*, qui date de la fin du VIe siècle[40].

Le titre de *patrum abbatum* donné à ces 38 abbés dans l'*Explicit* ne correspond pas exactement à celui de (*is qui praeest*) *pater*, par lequel α désigne le supérieur dans le corps de la règle. Mais cette divergence n'empêche nullement d'attribuer la recension à ces « abbés ». Césaire, nous l'avons dit, appelle le supérieur de monastère *pater* dans ses Sermons aux moines, tandis qu'il le nomme *abbas*, non seulement dans ses Sermons aux séculiers, mais même dans sa Règle pour les moines[41]. Soucieux de conserver au document sa couleur primitive autant que possible, les recenseurs ont évité *abbas* dans le corps de l'ouvrage, tout en l'employant pour parler d'eux-mêmes dans la rubrique finale. Ce respect du vieux texte, allié au propos d'en mettre à jour le vocabulaire, fait penser à la recension π, qui, vers la même époque (535-540), change pareillement *is qui praeest* en *praepositus*, sans jamais parler d'*abbas*.

---

39. 3RP 4, 3-4.

40. Voir ces indications du *Coloniensis 212* (*K*) dans *CC* 148 A, p. 14 (Orléans 511), 37 (Epaone 517), 48 (Carpentras 527 ; ici la mention se trouve dans la table), 85 (Marseille 533 ; autre table). Voir aussi, pour le même manuscrit, *CC* 148, p. 41 (Valence 374), 51 (Nîmes 394), 87 (Orange 441). Datation de *K* (590-604) : cf. *CC* 148 A, p. VIII. Le nombre des évêques de chaque concile est mentionné dans les citations que font les actes de Marseille (533), *CC* 148 A, p. 89-90.

41. CÉSAIRE, *Serm.* 1, 19 et 27, 1 ; *Reg. mon.*, Titre.1 (bis).11.15.16 (bis).

Reste l'expression *dulcissimi fratres* (3, 3), dans laquelle on a vu un indice de provenance wisigothique[42]. Mais quelle que soit la valeur des indices qui prouveraient l'origine espagnole de cette interpellation, on la trouve vers 515 dans un document aussi étranger au domaine des Wisigoths que la *Vie des Pères du Jura*[43], sans parler du *dulcissimi filii* que contient déjà l'*Historia monachorum*[44]. Plus tard, Ferréol l'emploiera aussi dans sa règle[45]. La cité d'Uzès, dont il est évêque, a bien appartenu au royaume wisigoth, mais celui-ci perd en 507 la majeure partie de son territoire en Gaule[46]. Avec cette annexion d'anciennes provinces wisigothiques au royaume franc, des particularités linguistiques telles que *dulcissimi fratres* se sont répandues hors de leur domaine primitif.

Cette expression ne peut donc être invoquée pour distinguer un premier interpolateur « wisigothique », antérieur à l'interpolateur « mérovingien » qui aurait inséré la grande interpolation mentionnée plus haut (4, 9) et l'autre phrase où figure le mot *monachus*[47]. Jusqu'à preuve du contraire, la recension α doit être considérée comme unitaire et attribuée tout entière aux 38 abbés, sans doute du VIe siècle franc, que mentionne l'*Explicit*.

---

42. Ainsi A. MUNDÓ, « Les anciens synodes abbatiaux », p. 117, n. 27, qui se réfère à G. MORIN, « L'interpellation *dulcissimi* dans les sermons, indice de provenance espagnole ? », dans *Rev. Bénéd.* 29 (1912), p. 85-87. Il est suivi par J. NEUFVILLE, « Sur le texte de la Règle des IV Pères », dans *Rev. Bénéd.* 75 (1965), p. 307-312 (voir p. 311), qui répète la chose dans ses deux articles suivants.

43. *V. Patr. Iur.* 75 : *Veni dulcissime frater.* Cf. 155 : *unde dulcissimi fratres... repedarent.*

44. *Hist. mon.* 1 (395 b) : *Miror... dulcissimi filii.*

45. FERRÉOL, *Reg.* 39 (976 d) : *dulcissimi in Christo fratres.*

46. Déjà Firmin, prédécesseur de Ferréol, assiste au concile d'Orléans IV (541). Voir *CC* 148 A, p. 143, ligne 41, et la note.

47. RIVP 3, 18. Voir J. NEUFVILLE, « Sur le texte », p. 310-311 (répété dans les articles suivants).

L'œuvre de Benoît d'Aniane A cette recension déjà si prononcée, Benoît d'Aniane a ajouté son propre travail d'éditeur. Sans l'étudier de nouveau – il a été suffisamment décrit par J. Neufville[48] –, contentons-nous de relever les passages de la *Concordia regularum* qui contiennent des extraits de notre règle :

RIVP	CONCORDIA REG.	RIVP	CONCORDIA REG.
1, 10-18	8, 2	3, 6-7	55, 6
2, 3-9	5, 2	3, 9-14	55, 2
2, 10-15	54, 7	3, 16-20	55, 3 ; 45, 28
2, 16-35	65, 3	3, 22-31	40, 2
2, 37-40	60, 2	3, 28-30	41, 2
2, 41-42a	63, 3	4, 4-13	68, 2

De ces treize extraits, qui représentent la quasi-totalité du texte court, cinq sont placés sous le titre (*Ex regula sancti*) *Macharii*, dont nous avons déjà parlé[49], les autres portant le titre *Ex regula Patrum*[50].

Notre apparat est bien trop chargé pour que nous l'encombrions des variantes de ce témoin secondaire qu'est la *Concordia*. En revanche, nous y ferons figurer le *Codex regularum* (ms. *A*). Sa valeur critique est faible, certes, mais non négligeable. Dans une quinzaine de cas[51], il permet de

48. « Les éditeurs des *Regulae Patrum* : saint Benoît d'Aniane et Lukas Holste », dans *Rev. Bénéd.* 76 (1966), p. 327-343.

49. Notes 29-31. Il s'agit des extraits suivants : RIVP 2, 3-9.10-15.37-40, qui appartiennent de fait à Macaire ; 3, 9-14 et 16-20 (*Conc.* 55, 3), qui appartiennent à Paphnuce. Le dernier, qui suit immédiatement l'avant-dernier, est intitulé *Item eiusdem cap XI*.

50. Avec la variante *Item ex aliorum patrum regula* (*Conc.* 65, 3).

51. J. NEUFVILLE, « Les éditeurs », p. 330, n'en concède que deux (Titre et 4, 8). Voir aussi 2, T.13.16.17.26 (2, 13 est relevé par NEUFVILLE, *art. cit.*, p. 336) ; 3, 11.13.14.16.17.22.28. ; 4, 2. Bien entendu, ces cas sont tous à examiner un par un.

retrouver la teneur probable du modèle – immédiat ou non – de *T*, dont il dépend lui-même.

Les diverses capitulations C'est à Benoît d'Aniane que remonte, semble-t-il, la division du texte α en 14 chapitres, munis de titres qui figurent d'abord dans une liste initiale de *Capitula*, puis en tête de chaque chapitre. Du *Codex regularum*, cette numérotation a passé dans les éditions modernes, depuis Holste jusqu'à Neufville, qui la reproduit entre crochets. Quant à *T*, on y trouve quelques numéros en marge[52], mais ils paraissent y avoir été inscrits, au moins partiellement, par H. Ménard[53], qui en aura pris l'idée – non sans hésitations et erreurs – à son manuscrit de la *Concordia*. Originellement, *T* était dépourvu de capitulation.

De son côté, la famille μ a aussi une division en 14 chapitres[54], mais celle-ci porte sur le texte long et ne coïncide donc pas, à partir du chapitre III, avec celle de Benoît d'Aniane. Ses deux derniers chapitres (XIII-XIIII), qui faisaient

52. Voici ceux que nous avons pu lire sur notre film, avec les numéros correspondants de *A* et de μ : II = III/... ; III = V/III ; VI = VI/... ; IV = VII/IIII ; III (?) = VIII/V ; V = VIIII/VI ; V (barré) = X/VII ; VI (barré) et XI (barré) = XI/VIII ; VIII = XII/VIII. Il y a donc coïncidence avec *A* pour VI et XI, avec μ pour III et IV. Une explication complète devrait tenir compte de certaines différences d'écriture. Le premier VI, par exemple, est tracé en caractères penchés, qui contrastent avec les caractères droits de II et III précédents.

53. En tout cas, Ménard, dans *Conc.* 5, 3, donne la référence *cap. IV* (au lieu de *cap. VII* qu'il lisait dans le ms. de Fleury), exactement comme *T* porte le numéro IV (au lieu de VII dans *A*) en face du même passage (RIVP 2, 16-35). Aurait-il pris ce numéro à μ ? Et comment a-t-il connu celui-ci ?

54. Voici, d'après *M*, la concordance de ces chapitres avec ceux de *A* : II = II ; III = V ; IIII = VII ; V = VIII ; VI = VIIII ; VII = X ; VIII = XI ; VIIII = XII ; X (3, 23 ; sans équivalent) ; XI = XIII ; XII (4, 18 ; sans équivalent). Même série dans *V*, de IIII à XI. Le *Cassinensis 444* n'a pas de numéros.

défaut chez celui-ci, sont devenus les chapitres XV et XVI de l'édition Holste.

Les éditions imprimées Nous venons de mentionner la plus connue des éditions modernes, celle du *Codex regularum* de Benoît d'Aniane due à L. Holste. Elle a été précédée d'une édition fort différente, procurée par H. van Cuyck (Cuyckius), qui publia notre règle près d'un siècle plus tôt, en appendice aux œuvres de Cassien[55]. Son modèle était un codex d'Afflighem, aujourd'hui perdu, qui donnait le même texte que notre *Parisinus lat. 15670 (C)*. C'est donc la famille λ, et plus précisément sa branche flamande, qui a fourni le premier texte imprimé. Cette édition princeps d'Anvers (1578) a été reproduite à Rome en 1611, à la suite d'une réimpression des œuvres de Cassien éditées par Ciacconius en 1580[56].

Après le texte λ, c'est le texte α qui a été imprimé presque intégralement, quoique par morceaux, avec la *Concordia regularum* de Benoît d'Aniane, publiée en 1638 par H. Ménard[57]. Outre les témoins de la *Concordia*, celui-ci avait à sa disposition nos manuscrits *E, T* et *P*, ainsi que l'édition romaine de 1611. Il en fait usage dans ses notes, mais en général son texte reproduit honnêtement celui de la *Concordia.*

L'édition du *Codex regularum* procurée vingt ans plus tard par L. Holste (Rome, 1661 ; Paris, 1663) est beaucoup moins sûre[58]. Alors que ses prédécesseurs travaillaient l'un et l'autre

---

55. *D. Ioannis Cassiani Eremitae (Opera)*, ed. H. CUYCKIUS, Anvers 1578. La RIVP se trouve à la fin du volume, sans pagination. L'ouvrage est analysé par P. B. CORBETT - F. MASAI, « L'édition Plantin de Cassien, de la Règle des Pères et des Capitulaires d'Aix pour les moines », dans *Scriptorium* 5 (1951), p. 60-74.

56. *Ioannis Cassiani Eremitae (Opera)*, ed. P. CIACCONIUS, Rome 1611, p. 829-835. Cf. J. NEUFVILLE, « Sur le texte », p. 308, n. 1.

57. *S. Benedicti Anianensis Concordia regularum*, ed. H. MÉNARD, Paris 1638, reproduit dans *PL* 103, 713-1380.

58. *Codex regularum... collectus olim a S. Benedicto Anianensi Abbate*, ed. L. HOLSTE, Rome 1661, t. I, p. 26-34.

sur une base manuscrite unitaire et bien définie, l'éditeur du *Codex* combine deux traditions. Pour l'essentiel, il reproduit notre *Monacensis Clm 28118 (A),* connu par l'intermédiaire du *Coloniensis WF 231* et d'une copie perdue, mais à ce texte α remanié par Benoît d'Aniane il associe des leçons venant d'un membre de la famille μ, le *Cassinensis 444*, frère de notre manuscrit *M*. De ce codex du Mont-Cassin, Holste tire encore, comme il a été dit, ses deux derniers chapitres. Enfin son édition, qui est posthume, fournit en appendice des variantes d'un autre témoin de μ, notre *Vaticanus lat. 3542* (*V*).

C'est cet ensemble hybride, muni de corrections plus ou moins heureuses, qui a passé dans les réimpressions de M. Brockie (Augsbourg, 1759)[59], de A. Galland (Venise, 1770)[60] et de Migne. Ce dernier reproduit Brockie dans sa Patrologie latine[61], et Galland dans sa Patrologie grecque[62] (œuvres de Benoît d'Aniane et de Macaire).

Ainsi les textes λ, α, et μ – ce dernier de façon très sporadique – ont pénétré successivement dans la littérature imprimée. A son tour, le texte π y est entré en 1953, avec l'édition diplomatique de la Règle du Maître, où le fragment de E_2 se trouve aussi reproduit[63].

La présente édition Il restait à établir un texte critique à l'aide de tous ces témoins et des manuscrits restants. C'est ce qu'a fait J. Neufville il y a quinze ans[64]. Notre travail lui doit

59. *L. Holstenii... Codex regularum*, ed. M. Brockie, t. I, Augsbourg 1759, p. 11-14, qui reproduit la deuxième édition de Holste (Paris 1663).

60. A. Galland, *Bibliotheca Veterum Patrum*, t. VII, Venise 1770, P. 243-246, qui reproduit la première édition de Holste (Rome 1661).

61. *PL* 103, 435-442.

62. *PG* 34, 971-978. Corriger J. Neufville, « Règle des IV Pères », p. 54, qui fait dépendre *PG* de Brockie.

63. H. Vanderhoven - F. Masai - P. Corbett, *La Règle du Maître. Édition diplomatique* (voir ci-dessus, n. 1), p. 125-132 (*P*) et 321 (E_2).

64. J. Neufville, « Règle des IV Pères et Seconde Règle des Pères.

beaucoup. En plus de ses articles imprimés, nous avons bénéficié de la documentation variée – films, relevés, transcriptions – qu'il avait réunie.

Comme notre prédécesseur, nous divisons le texte en cinq grands chapitres, eux-mêmes divisés en « versets », non sans indiquer entre crochets la division de Holste en seize chapitres plus brefs. Dans l'apparat critique, nous n'avons pas fait appel aux manuscrits Saint-Gall *915 (G)* et Bruges *134 (D)*, dont J. Neufville citait quelques leçons pour critiquer le *Lambacensis* (*L*) et le *Parisinus 15670 (C)*. En revanche, nous avons deux témoins nouveaux : le *Monacensis (A)*, qui s'adjoint au *Parisinus 4333 B (T)* comme témoin de α, et le *Parisinus 12205 (P)*.

Ce dernier ne pouvant être collationné intégralement, vu sa trop grande indépendance, nous l'avons utilisé de façon sporadique, comme en avertit la mention *lectiones selectae* qui le suit dans la liste des témoins de chaque section. A la différence des autres, le texte de ce manuscrit *P* ne peut donc être complètement reconstitué à partir des indications de notre apparat. Quand il s'agit de lui, ces indications ne valent que par ce qu'elles affirment expressément. Des silences de notre apparat, on ne doit tirer, en ce qui concerne π, aucune conclusion[65].

Quant au manuscrit de Munich (*A*), nous l'avons collationné intégralement, mais nous n'enregistrons pas certains détails de présentation qui ont été minutieusement décrits par J. Neufville[66] : liste de *Capitula* en tête, avec titres avant et après[67] ; sous-titre pour chaque chapitre, qui souvent

Texte critique », dans *Rev. Bénéd.* 77 (1967), p. 47-106. Un des seuls défauts de cet excellent travail est de suggérer, par la disposition adoptée (π à gauche, ε à droite), que π représente le texte primitif, et ε un remaniement.

65. Ces silences peuvent signifier, soit que π est complètement aberrant et ne peut servir de témoin, soit qu'il s'accorde avec l'ensemble des manuscrits.

66. Voir « Les éditeurs », p. 331-333.

67. Du premier de ces titres, notre apparat passe sous silence les trois

répète ou incorpore une phrase du texte. Ces particularités dues à Benoît d'Aniane grossiraient inutilement l'apparat. Nous les signalons ici une fois pour toutes.

De façon générale, nous avons visé à réduire le plus possible le volumineux apparat de notre prédécesseur, en éliminant non seulement les détails d'orthographe[68], mais encore les variantes *ante correctionem* de manuscrits qui ont été revus par des correcteurs contemporains du scribe principal, vraisemblablement d'après le modèle de celui-ci[69]. Omises d'ordinaire quand elles restent isolées – on les trouvera dans l'édition Neufville –, ces leçons sont au contraire enregistrées par nous chaque fois qu'elles se retrouvent chez un autre témoin, qu'il appartienne à la même famille ou à une autre.

Quand au texte lui-même, il diffère peu, on le verra, de celui qu'a établi J. Neufville. Des quelque 25 leçons que nous avons corrigées, près de la moitié sont des originalités de α que notre prédécesseur avait préférées au consensus plus ou moins complet des autres familles[70]. D'autres sont des particularités d'un ou plusieurs membres de la famille λ[71]. Parfois aussi nous avons rétabli la leçon des meilleurs manuscrits contre une correction qui ne nous a pas paru

---

premiers mots (*Incipiunt capitula regulae*). Du second, il omet les trois derniers (*supradictorum patrum : prefatio*). Enfin il replace l'*Incipit regula* du second au début du premier comme dans *T*.

68. A savoir les échanges *o/u* et *e/i* en syllabe inaccentuée, *i/y*, *ae/e*, *oe/e*, *ci/ti* ; *h* omis ou ajouté ; *b/p*, *h/ch (nihil)*, *l/ll* ; préfixes assimilés ou non.

69. C'est le cas, notamment, pour *L* (J. NEUFVILLE, « La Règle des IV Pères », p. 59, n. 1).

70. Titres : *Sarapion* ; Pr 2 : *consilio saluberrimo* ; 2, 1 : *sunt* (ici l'accord entre λ et μπ n'est pas parfait) ; 2, 4 : *ueritatis* (*V* appuie α) ; 2, 7 : *decernendum* ; 2, 11 : *psallendi ordinem* ; 2, 15 : *imperium eius* (μ appuie α) ; 2, 17 : *primo* ; 2, 25 : *latebras* ; 2, 29 : *primum* ; 2, 40 : *aut* ; 2, 41 : *horam refectionis*.

71. Ainsi 1, 1 : *tendent* ; 2, 24 : *accederit* ; 2, 29 : *diuis* ; 2, 30 et 3, 13 : *illum* : 4, 2 : *firma*.

nécessaire[72]. Dans quelques cas, le choix s'est avéré délicat et, tout en adoptant la solution de notre prédécesseur, nous conservons des doutes[73].

Au total, la Règle des Quatre Pères est certes un texte difficile à éditer, tant à cause de son style gauche et concis jusqu'à l'obscurité que de la diversité des recensions et des lacunes de témoins importants. Mais ces deux dernières difficultés ne doivent pas être exagérées. Sauf dans le cas de π, elles ne vont pas jusqu'à imposer l'édition séparée d'« états » irréductibles. Dans une très large mesure, le texte authentique peut être reconstitué, à partir des divers témoins, de façon suffisamment probable. Si « vivant » qu'il soit, ce morceau de législation reste un ouvrage littéraire du type courant, auquel on peut appliquer les règles ordinaires de la critique.

72. Ainsi 1, 7 : *firmam... regulam*, accusatif absolu, peut être gardé.

73. Ainsi 1, 11 : *consilio uel* ; 2, 20 : *dicit* ; 2, 39 : *officium* sans *reddere* ; 4, 8 : *sic* ; 5, 8 : *notate et*. En 5, 8 et 10, où, contrairement à Neufville, nous omettons *existimare* et *uestrum instruere alium* en supposant des ellipses, le texte est évidemment problématique.

LA RÈGLE DES QUATRE PÈRES

STEMME DES MANUSCRITS UTILISÉS

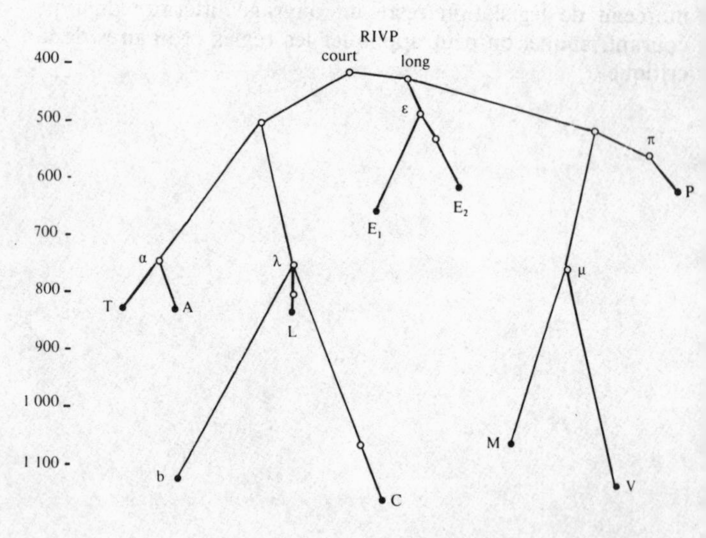

SIGLES

A Munich, Staatsbibl., *Clm 28118*, fol. 19^{v}-21^{v}
b Bamberg, Staatliche Bibl., *B.VI.15* (Liturg. 143), fol. 78^{v}-82^{r}
C Paris, B. N., *lat. 15670*, fol. 93^{v}-95^{v}
E_1 Paris, B. N., *lat. 12634*, fol. 1^{r}-3^{v}
E_2 Paris, B. N., *lat. 12634*, fol. 20^{r}-20^{v}
L Lambach, Stiftsbibl., *31*, fol. 85^{r}-88^{v}
M Mont-Cassin, Arch., *443*, p. 80-84
P Paris, B. N., *lat. 12205*, fol. 61^{r}-64^{v} (leçons choisies)
T Paris, B. N., *lat. 4333 B*, fol. 1^{v}-8^{r}
V Vatican, *lat. 3542*, fol. 13^{r}-16^{r}.

α Famille gallo-franque (*TA*)
ε Famille italienne (E_1E_2)
λ Famille germanique (*bLC*)
μ Famille bénéventaine (*MV*)
π Recension sud-italienne (*P*).

INCIPIT REGVLA SANCTORVM PATRVM SERAPIONIS, MACHARII, PAFNVTII ET ALTERIVS MACHARII

Pr [I] [1]Sedentibus nobis in unum, [2]consilium saluberrimum conperti Dominum nostrum rogauimus ut nobis tribueret Spiritum Sanctum, [3]qui nos instrueret qualiter fratrum conuersationem uel regulam uitae ordinare possimus.

1 [II] Serapion dixit [1]quoniam *misericordia Domini plena est terra* et multorum agmina ad uitae fastigium tendunt [2]et

Pr-3, 15 (possibilitas) : λ (*bLC*) μ (*MV*) α (*TA*) π (*P lect. sel.*)

Pr sanctorum patrum : sancti patris nostri *M* monasteriorum uel deo timentium pro discipulorum eruditione (*om. T*) id est α || Serapionis – alterius *om. M* || Serapionis : Saraph- α || Macharii¹ : et *praem. LC* et *add. bL* || Pafnutii : Pamn- *L* Papn- *V* -nuptii *A* Paenuti *T* Paunuthi π || Macharii² : abbatis *add.* α || 1 Sedentibus : resid- μπ || nobis : simul *add.* μ || 2 consilio saluberrimo L^{pc}α || conperti : cum prece (-ci L^{ac}) L^{pc} || Dominum : -no *T* deum *add.* μπ || nostrum : -tro *T om.* λ || tribueret : -rit $b^{ac}L^{ac}V$ distrib- *A* || 3 conuersationem : -tio *b* -tiones *L om.* μπ || uel *om.* μπ || possimus : possemus $L^{pc}C$

1 Serapion : Sarap- *T* Saraph- *A* || dixit *om. C* || 1 domini misericordia *transp.* μπ || multorum : hominum *add.* μ || ad : beatae *add.* μπ || tendent λ || 2 *tot. om.* π ||

Pr, 2 Cf. Ga 3, 5.

1, 1 Ps 32, 5 ||

Titre. La distinction des deux Macaire n'est probablement pas primitive. Voir Introd., chap. I, § I, n. 1-6.

RÈGLE DES SAINTS PÈRES SÉRAPION, MACAIRE, PAPHNUCE ET L'AUTRE MACAIRE

[1]Comme nous siégions ensemble, [2]ayant pris connaissance d'un projet très salutaire, nous avons demandé à notre Seigneur de nous donner l'Esprit Saint [3]pour nous instruire de la façon dont nous pourrions ordonner le comportement religieux et la règle de vie des frères.

Sérapion a dit : [1]« La miséricorde du Seigneur remplit la terre », et une troupe nombreuse est en marche vers la vie

---

Pr, 1. Sur cette formule initiale d'actes conciliaires, voir Introd., chap. I, § I, n. 8-15 ; chap. II, § II, n. 67-80.

2-3. La mention du Saint Esprit fait penser à Ac 15, 28, ainsi qu'aux conciles d'Arles de 314 (*praesente Spiritu Sancto*) et de 449-461 : *Sancto, ut credimus, Spiritu gubernante* (*CC* 148, p. 4, 29 ; p. 133, 5). En pratique, les directives du Saint Esprit seront cherchées dans l'Écriture inspirée par lui : voir 1, 3-7. Cf. BASILE, *Reg.* 12.

3. *Regulam uitae* : cf. DENYS, *V. Pach., Prol.,* p. 79, 54 : *perfectam uitae regulam* (il s'agit d'un individu).

1, T. Cf. Introd., chap. I, § I, n. 14-15 ; chap. II, § II, n. 71-74.

1-2. *Quoniam... quia* : pour ces deux conjonctions, dont la première se retrouvera en 2, 1 et 4, 1, le sens causal paraît ici exclu par l'absence d'apodose (cf. 3 : *optimumque*).

1. *Agmina* : voir Introd., chap. I, § II, n. 93 ; chap. II, § II, n. 61. *Ad uitae fastigium tendunt* : cf. EUCHER, *De laude* 33 (*ad perfectionem tendentibus*) ; *De cont.* 721 d : *ad uitam... concurrunt.* On trouve *uita aeterna fastigium (Symboli est)* chez CÉSAIRE (?), *Serm.* 9, p. 47, 12.

quia heremi uastitas et diuersorum monstrorum terror singillatim habitare fratres non patitur. [3]Optimumque uidetur Spiritus Sancti praeceptis oboedire, [4]nec nostra propria uerba possunt firma perseuerare, nisi firmitas scripturarum nostrum ordinem firmet. [5]Quae dicit : *Ecce quam bonum et quam iocundum habitare fratres in unum* ; [6]et iterum : *Qui habitare facit unianimes in domo.* [7]Firmam iam nunc regulam pietatis per Spiritus Sancti ostensionem praeclaram, fratrum regulam ordinare prosequamur.

[III] [8]Volumus ergo fratres unianimes in domo cum iocunditate habitare ; [9]sed qualiter unianimitas ipsa uel iocunditas recto ordine teneatur Deo iuuante mandamus.

[IIII] [10]Volumus ergo unum praeesse super omnes, [11]nec ab eius consilio uel imperio quicquam sinistrum declinare, [12]sed sicut imperio Domini cum omni laetitia oboedire, [13]dicente Apostolo ad Hebreos : *Oboedite praepositis uestris, quia ipsi uigilant pro uobis* ; [14]et Dominus dixit : *Nolo*

monstrorum : -truorum *M* -truosorum α nostrorum *L* || singillatim : sig- *T* singulatim μ || fratres habitare *transp.* μ || patitur : permittitur (-tit *A*) α || 3 spiritui sancto *M*π || praecepto μ || 4 nec : tamen *add. V* || nostra *om.* λ || propria : priora *b* || perseuerari *T* || nostrum : qui (quae *A*) CXXXII psalmo α || 5 Quae : quo *A* qu *ex deperd. T* || 6 unianimes $L^{ac}A\pi$: unan- $bL^{pc}C\mu T$ || 7 firmam : firmata μπ || regulam[1] : -la μ || ostensionem : -ne *T* et *add. C* || praeclaram : -ra *bL om.* α || fratrum – ordinare : firmam iam nunc (fratrum *add. V*) regulam μ firmam iam institutionem π || prosequamur : -quatur π -quar μ || regulam[2] : -la L^{pc} || 8 unianimes $bL^{ac}\pi$: unan- $L^{pc}C\mu\alpha$ || 9 unianimitas $L^{ac}\pi$: unan- $bL^{pc}C\mu\alpha$ || ipsa *om. b* || iuuante : iub- $L^{ac}\pi$ iubente bL^{pc} || mandadamus *b* || 10 ergo : enim *M* || praeesse μπ : esse λ seniorem *add.* α || supra *b* || omnes : fratres *add.* α || 11 nec : ne *T* || consilio uel *om.* λπ || quicquam : quemquam μπ || 12 imperium *bL* || 14 et *om. b* ||

3 Cf. Jos 24, 24 || 5 Ps 132, 1 || 6 Ps 67, 7 || 8 Cf. Ps 67, 7 ; 132, 1 || 13 He 13, 17 || 14 Cf. 1 S 15, 22 ; Mt 9, 13 (Os 6, 6) ||

2. Sur cet important indice de localisation et de datation, voir Introd., chap. II, § II, n. 50-56 ; § V, n. 209-211. Lérins est qualifié d'*heremus* par HILAIRE, *V. Honor.* 15, 1 ; 20, 2 ; 22, 2 ; 24, 2 ; 25, 2. Le désert est peuplé de *monstra* : *Hist. mon.* 29, *PL* 20, 453 ab.

4. *Firma... firmitas... firmet* : cf. Introd., chap. I, § I, n. 15. Voir aussi la conclusion de Braga I (561) et l'introduction de Braga II (572) : *firmi-*

parfaite. [2]D'autre part, la désolation du désert et la terreur qu'inspirent certains monstres ne permettent pas aux frères d'habiter chacun à part soi. [3]Et puis le mieux semble être d'obéir aux préceptes de l'Esprit Saint, [4]car nos propres paroles n'ont de valeur ferme et durable que si nos ordonnances s'appuient fermement sur la fermeté des Écritures. [5]Or l'Écriture dit : « Voyez quel bonheur et quelle joie c'est d'habiter ensemble entre frères » ; [6]et encore : « Il fait habiter en une maison ceux qui n'ont qu'une âme. » [7]La règle de la piété est donc fermement fondée désormais par ces indications très claires de l'Esprit Saint. Continuons à ordonner la règle des frères.

[8]Nous voulons donc que les frères habitent en une maison dans une joyeuse unanimité. [9]Mais comment garder cette unanimité et cette joie sans déviation ? Avec l'aide de Dieu, nous allons le faire connaître. [10]Nous voulons donc qu'un seul soit à la tête de tous, [11]et qu'on ne s'écarte en rien de ses avis et de ses ordres pour suivre une volonté perverse, [12]mais qu'on y obéisse avec une allégresse sans réserve comme à des ordres du Seigneur, [13]car l'Apôtre dit aux Hébreux : « Obéissez à vos chefs, parce qu'ils veillent sur vous » ; [14]et le

---

tatem et *firmauimus* ; S. Jean de Losne (673-675), *CC* 148 A, p. 315, 4.9. 12. (*firmarent ; firmitate ; firma stabilitate*).

5-6. Citations : voir Introd., chap. I, § III, n. 95-97. Ajouter HORSIÈSE, *Lib.* 50 (Ps 132, 1) ; BASILE, *Reg.* 3, 496 ab : *communis inter se unanimorum fratrum habitatio* (cf. Ps 67, 7).

7. *Firmam... regulam* : accusatif absolu. Sur *regula pietatis* (cf. 4, 2), expression basilienne et rufinienne, voir Introd., chap. II, § III, n. 162-167.

9. *Deo iuuante* comme chez BASILE, *Reg.* 2, 488 c ; HILAIRE, *V. Honor.* 5, 9, etc.

10. Au monastère, un seul commande : JÉRÔME, *Ep.* 125, 15.

12. Cf. CASSIEN, *Inst.* 4, 10 : *tamquam si ex Deo sint caelitus edita* ; 4, 27, 4 : *uelut a Domino sibi esset praeceptum.*

13-14. La première citation est abrégée, la seconde composite et libre, comme souvent dans RIVP. On les retrouve unies chez CÉSAIRE, *Serm.* 156, 6.

sacrificium, sed oboedientiam. [15]Considerandum est quoque ab his qui se tali opere unianimes esse cupiunt quia per oboedientiam *Abraham* placuit *Deo et amicus Dei appellatus est.* [16]Per oboedientiam ipsi apostoli meruerunt testes Domino in tribubus et populis esse. [17]Ipse quoque Dominus noster de superna ad inferiora discendens ait : *Non ueni facere uoluntatem meam, sed eius qui me misit.* [18]His ergo tantis uirtutibus firmata oboedientia magnopere magno studio teneatur.

2 [V] Macharius dixit [1]quoniam fratrum insignia uirtutum habitationis uel oboedientiae superius conscripta praeuenerunt. [2]Nunc qualiter spiritale exercitium ab his qui praesunt teneatur Deo iuuante ostendimus. [3]Debet is qui praeest talem

oboeditiam *b* || 15 Considerandum – oboedientiam : et *b* || quoque *om. LC* || unianimes π : unan- *bL*pc *C*μα unanimis *L*ac || Abraham – Deo : Abr. Deo pl. π Deo Abr. pl. *M*pc Abr. pl. *V* || Dei amicus *transp.* α || 16 ipsius *V* || Domini μ || tribus *V*πα || et : in *add.* μ || 17 Dominus : Deus *add.* α || supernis *bCA*π || discendens : desc- *L*pc*CA*μπ quid *add. M* || 18 his ergo : his uero *M* idcirco *V* || magno opere *C*acπ || magno : magnoque *L*pc*C*π maximoque μ

2 Macharius : sanctus *praem. T* (*cf.* π) || dixit *om. C* || 1 fratrum : patrum *A* per *add. C* || insignia : -gna *L* -gni π || habitationis : -nes *LCA* quoque *add. A* || oboedientiae μπ : -tiam *bLT* -tia *CA* || conscriptas *bL* || praeuenerunt λ : placuerunt μπ sunt α || 2 spiritale λπ : -lem *T* -li *L*ac spāle *A* spirituale *V* spiritualiter *M* || his : iis *M*pc || praesunt : patres *add. T* patribus *add. A* || Deo *om.* μπ || iuuante : iub- *L*ac iubente *bL*pc adiuuante *C om.* μπ || ostendimus : -demus *CM* -damus *A* || 3 debet – se : debetis qui praeestis patres tales uos α || debet : ergo *add.* μ (*cf.* π) || is : his *bM* ||

15 Jc 2, 23 ; cf. He 11, 5.8 || 16 Cf. Mt 4, 18-22 ; Ac 1, 8 ; Ap 11, 9 || 17 Jn 6, 38 ; cf. Ep 4, 9 ; Jn 8, 23.

---

15. De nouveau, citation très libre.
16. Obéissance des Apôtres : cf. *RM* 7, 7-8 = *RB* 5, 7-8.
17. Sur *ait*, ici et en 2, 3, voir Introd., chap. I, § I, n. 54. Quant à Jn 6, 38 (cf. EUSÈBE GALL., *Hom.* 38, 5), voir Introd., chap. I, n. 110-114.

Seigneur a dit : « Ce n'est pas le sacrifice que je veux, mais l'obéissance ». [15]Ceux qui désirent n'être qu'une seule âme par une telle conduite doivent considérer aussi que c'est par l'obéissance qu'Abraham plut à Dieu et reçut le nom d'ami de Dieu. [16]C'est par l'obéissance que les Apôtres eux-mêmes obtinrent d'être des témoins pour le Seigneur parmi les tribus et les peuples. [17]Notre Seigneur lui-même, à son tour, quand il descendit du haut des cieux dans les régions inférieures, a dit : « Je ne suis pas venu faire ma volonté, mais celle de celui qui m'a envoyé. » [18]Fermement établie par de tels exemples de vertu, l'obéissance doit donc être pratiquée avec grand soin et grande diligence.

Macaire a dit : [1]Les vertus distinctives des frères – habitation et obéissance – viennent d'être mises par écrit. [2]A présent, avec l'aide de Dieu, nous allons indiquer comment les supérieurs doivent exercer spirituellement leurs sujets. [3]Le supérieur doit se comporter comme dit l'Apôtre :

2, 1. *Insignia uirtutum :* Honorat de Mars., *V. Hil.* 2, 21 et 10, 14 ; cf. 3, 30 (*prosperitatum i.*) et 20, 4 (*pietatis i.*). Voir aussi *V. Patr. Iur.* 167, 2-3 (*meritorum i.*) et 179, 8 (*institutionis i.*). – *Habitatio* (cf. 1, 5-8) revient, à propos de Lérins, chez Eusèbe Gall., *Hom.* 39, 2, 30 et 32 ; 39, 3, 48 = 44, 1, 5 ; 40, 3, 113. – *Conscripta* : voir Introd., chap. I, § I, n. 16-18.

2. *Spiritale exercitium* rappelle 1 Tm 4, 8 : *corporalis exercitatio*, opposé à *pietas* (cf. Hilaire, *V. Honor.* 7, 1). Prise en un sens général dans *Hist. mon.* 29, 453 d (*spiritalis uitae... exercitia*), l'expression se rapporte à la lecture chez Pélage, *Ep. ad Dem.* 23 (*spiritalis quodam palaestrae exerceri gymnasio*) ; Cassien, *Inst.* 4, 17 (*sp. exercitationis*) ; Fauste, *Ep.* 6, *CSEL* 21, p. 196, 27 = *Ep.* 5, *PL* 58, 851 b. Cf. Fructueux, *Reg.* 1 : *spiritualibus... operum exercitiis*. Un abbé « exerce » ses disciples : Grégoire, *Dial.* III, 15, 2. – *His qui praesunt* : sur ce pluriel, voir Introd. chap. I, § II, n. 90 et 92 ; chap. II, § II, n. 61, et § V, n. 187 et 202.

3. Cf. Augustin, *Praec.* 7, 3, 227-228, citant Tt 2, 7.

se exhibere ut Apostolus ait : *Estote forma credentibus,* [4]hoc est pro qualitate misticae pietatis et seueritatis fratrum animas ad caelestia de terrenis erigere, [5]dicente Apostolo : *Argue, obsecra, increpa cum omni lenitate* ; [6]et alio loco inquit : *Quid uultis ? In uirga ueniam ad uos an in spiritu mansuetudinis* ? [7]Discernendum est ab illo qui praeest qualiter circa singulos debeat pietatis affectum monstrare. [8]Aequalitatem tenere debet, [9]non inmemor Domini dicentis : *In qua mensura mensi fueritis, remitietur uobis.*

[VI] [10]Astantibus ergo ad orationem, nullus praesumat sine praecepto eius qui praeest psalmi laudem emittere. [11]Ordo iste teneatur ut nullus priorem in monasterio ad standum uel psallendum praesumat praecedere, [12]dicente Salomone : *Fili, primatum concupiscere noli* ; [13]*neque adcubueris prior in conuiuio, ne ueniat melior te et dicatur tibi : « Surge », et confusionem patiaris* ; [14]et iterum dicit :

formam *T* || 4 est : ut *add.* μπ || pro – ueritatis *om.* λ || pro : per μπ || qualitatem *T*μπ || misticae (mys- μ) μπ : quae mistice *T* quae mysticae *A* || seueritatis *M*π : ueritatis *V*α || fratrum : fiunt α || animos *C*μπ || erigat μπ || 5 obsecra : *post* increpa *transp.* μ*A om. bL* || cum : in μπ || lenitate μπ : et mansuetudine *add.* λ patientia et doctrina α || 6 *tot. om.* μπ || inquid *bL* || uirgam *T* || 7 Discernendum : dec- α || illo : eo μ || debeat : *post* pietatis *transp. M om. V* || 8 Aequalitatem : (a)equalitas *bC* et qualitas *L* qualitas π et qualiter *M* et aequalitatem *V* (a)equitatem α || tenere : enim ab eo teneri λ est tenenda π || debet : debeat disciplinam M^{pc} *om. bV*π || 9 non – dicentis *om. b* || non inmemor : memor μ || Domini : uerborum (-bo M^{ac}) *praem. M* uerba *add. V* || In *om.* μπ || remetietur *C*μπ || 10 praeceptum *T* || eius *om.* α || praeest : pater *add.* TA^{ac} patris A^{pc} || 11 psallendum : psallendi ordinem α || 12 Salomone : Salem- *b post* dicente *transp.* μ || noli : *ante* concupiscere *transp. b ante* primatum *transp.* μ || 13 ne : forte *add. V* || te : ad te *T* || dicatur λπ : dicat μα || confusione *T* || patiaris : in die illa *add.* α || 14 et *om. L* || dicitur *C*π ||

2, 3 1 Tm 4, 12 ; cf. 1 Th 1, 7 || 4 Cf. Jn 3, 12 ; 2 M 15, 10 || 5 2 Tm 4, 2 || 6 1 Co 4, 21 || 9 Mt 7, 2 || 12 Cf. Si 7, 4 ; 3 Jn 9 || 13 Lc 14, 8-9 ; cf. Pr 25, 6-7 || 14 Rm 11, 20 ||

---

4. *Pro – seueritatis* : texte et sens peu sûrs. *Mysticus* est fréquent, à propos de l'Écriture, chez CASSIEN, *Inst.* 7, 15, 1, etc. ; *V. Patr. Iur.* 1, 2, etc. ; cf. EUCHER, *De laude* 22. *Pietas* et *seueritas* étaient jointes chez

« Soyez un modèle pour les croyants », [4]autrement dit, en mêlant bonté et sévérité religieuses, faire monter les âmes des frères de la terre au ciel, [5]selon le mot de l'Apôtre : « Reprends, supplie, réprimande avec une parfaite douceur » ; [6]et ailleurs il dit : « Que préférez-vous ? Que je vienne chez vous avec un bâton ou dans un esprit de mansuétude ? » [7]Il faut que le supérieur discerne comment il devra montrer ses sentiments de bonté envers chacun. [8]Il doit garder l'égalité, [9]en n'oubliant pas le mot du Seigneur : « Avec la mesure dont vous aurez mesuré, on mesurera pour vous en retour. »

[10]Donc quand on se trouve à la prière, que personne ne se permette de faire retentir la louange d'un psaume sans une injonction du supérieur. [11]On observera le principe d'ordre que voici : personne, au monastère, ne se permettra de passer devant un plus ancien, qu'il s'agisse de la place où l'on se tient ou de l'ordre dans lequel on psalmodie. [12]En effet, Salomon dit : « Mon fils, ne désire pas être le premier, [13]et ne t'installe pas à la première place dans un festin. Car s'il vient quelqu'un de plus distingué que toi, on te dira ' Lève-toi ', et tu seras couvert de confusion. » [14]Et il dit encore : « N'aie pas

---

Honorat : EUSÈBE GALL., *Hom.* 72, 7 (cf. *Hom.* 35, 7 ; HILAIRE, *V. Honor.* 17, 8-9 et 26, 3). Même couple chez SALVIEN, *Gub.* 1, 48 et 58.

6. *Inquit* : hapax (dittographie ?). Omission de *in caritate* dans 1 Co 4, 21, comme chez JÉRÔME, *Ep.* 108, 20, 4.

7-8. Un père aime tous ses enfants « également », mais diversifie ses marques d'affection (*exhibere pietatis affectum*) : MAXIME TUR., *Serm.* 33, 1. L'*aequalitas* est aussi prescrite au supérieur par HORSIÈSE, *Lib.* 9.

10. *Astantibus* : participe absolu sans sujet, comme en 2, 40 (*Venientibus*). Il faut un ordre pour dire un psaume : PACHÔME, *Praec.* 127 ; *RM* 46, 1-2 ; *RB* 47, 2-4. Sur cette phrase et la suite (11-15), voir Introd., chap. I, § II, n. 67.

11. Ordre de communauté, en particulier pour la psalmodie : JÉRÔME, *Praef. in Reg. Pach.* 3 ; *Ep.* 108, 20 (?) et 125, 15 ; *RB* 47, 2 et 63, 4 (cf. *Reg. Pauli et Steph.* 12, 2).

12-14. Au début, citation d'origine douteuse. Ensuite, deux textes du Nouveau Testament sont attribués à « Salomon ».

Noli altum sapere, sed time. [15]Quod si tardat is qui praeest, oportet primum in notitiam eius deferre, et secundum eius imperium oboedire conuenit.

[VII] [16]Qualiter uero examinatio erga eos qui de saeculo conuertuntur teneri debeat ostendimus. [17]Amputandae sunt primum ab huiuscemodi diuitiae saeculi.

[18]Quod si aliquis pauper conuerti uideatur, habet et ipse diuitias quas amputare debeat, [19]quas Spiritus Sanctus ostendit per Salomonem dicens : *Odit anima mea pauperem superbum* ; [20]et alio loco dicit : *Sicut uulneratum superbum.* [21]Debet ergo is qui praeest magno studio hanc regulam tenere, ut, si pauper conuertitur, primo exponat sarcinam superbiae, [22]et sic examinatus suscipiatur. [23]Debet ante omnia humilitate inbui, ut, quod magnum est et Deo sacrificium acceptum est, suam uoluntatem non faciat, sed ad omnia paratus sit ; [24]quidquid acciderit, memor esse debet : *In tribulatione patientes.* [25]Is qui talis est, cum de saeculi latebris liberari uoluerit, primum adpropians monasterio

alta μ || 15 is : his *bL*^ac^*T*π || oportet – notitiam *om. b* || deferre : differri *CV* deferri *M* (*cf.* π) || eius imperium λπ : imp. e. μα || conuenit oboedire *transp.* μ || conuenit : fratres *add.* α || 16 erga eos examinatio *transp. M* || tenere debent *T* || ostendimus : ostendamus uobis α ostendemus *M* || 17 amputandae : -da α -dum *L*^ac^ -dam π -tendae *b* || primum : -mo α || ab : ad *T* || 18 aliquis – uideatur *om.* α || et *om.* α || quas – debeat *om. C* || debet *V* || 19 per Salomonem (Salem- *b*) ostendit *transp.* λ || dicens *om.* λ || odit *om. L* || superbum : et diuitem mendacem *add.* α || 20 *tot. om.* μπ || dicit *om.* λ || uulnerato superbo *T* || 21 his *L*^ac^*T*^ac^ || praeest : pater *add.* α || conuertitur : conuerti uideatur μ || primum λ || exponat : deponat *V* || 22 sic – suscipiatur : quia ille α || 23 debent *bL* || humilitate inbui : humilitatem i. *L* humiliter i. *A* i. humiliter *T* || est[1] *om. T*^pc^*A* || est[2] : *om. C*μ nam *add.* α || sua uoluntate *bL* || faciat : facit *b* unusquisque (uestrum *add. A*) fratres *add.* α || omnia –sit : omne opus bonum parati estote α || 24 quidquid : uel *praem.* α || acciderit : acced- *bL*^ac^ accesserit μ aut iussum quid fuerit *add.* α || memores... debetis *A* || debet : illius dicti *add.* μ (*cf.* π) || patientes : in operibus honestis (-ti *A*). nolite uos inuicem ad iracundiam prouocari (-re *A*) sed semper bona sectamini *add.* α || 25 is : his *bL*^ac^ α || qui – est : qui tales sunt α || de : se μ se de π || saeculi : huius *add.* μπ ||

19 Si 25, 3-4 || 20 Ps 88, 11 || 23 Cf. 2 Tm 2, 21 || 24 Rm 12, 12 ||

de grandes prétentions, mais sois circonspect. » [15]Si le supérieur fait attendre, il convient d'abord de le lui faire savoir. Ensuite il n'y a qu'à obéir selon ce qu'il décide.

[16]Comment, d'autre part, mettre à l'épreuve ceux qui quittent le monde pour se convertir ? C'est ce que nous allons exposer. [17]A de telles personnes, il faut d'abord ôter les richesses du monde.

[18]Si c'est un pauvre qui se convertit, il a lui aussi des richesses dont il doit se dépouiller. [19]L'Esprit Saint les désigne en disant par la bouche de Salomon : « Mon âme a horreur du pauvre orgueilleux. » [20]Et ailleurs il dit : « Un orgueilleux, c'est comme un blessé. » [21]Avec grande diligence, le supérieur doit donc observer cette règle : si un pauvre se convertit, qu'il dépose d'abord son fardeau d'orgueil, [22]et alors, après l'avoir mis à l'épreuve, on le recevra. [23]Avant tout on doit lui inculquer l'humilité. C'est une grande chose, un sacrifice agréable à Dieu que de ne pas faire sa volonté, mais d'être prêt à tout. [24]En toute circonstance, il doit se rappeler : « Patients dans la tribulation ». [25]Quand un homme de ce genre veut se libérer des ténèbres du monde, qu'il commence par venir aux abords du monastère et par coucher

---

16-17. « Examen » des postulants : CASSIEN, *Inst.* 4, Cap. 3 (cf. PACHÔME, *Praec.* 49 ; BASILE, *Reg.* 6-7). Spoliation : CASSIEN, *Inst.* 4, 3, 1-2.

18-21. Pauvre orgueilleux : AUGUSTIN, *Praec.* 1, 6 ; *Op. mon.* 33 ; *Serm.* 14, 4.

19. Citation découpée comme chez VALÉRIEN, *Hom.* 14, 5.

23. Formation à l'humilité et à l'obéissance (cf. 1, 14-17) : BASILE, *Reg.* 6 ; CASSIEN, *Inst.* 4, 7-9.

25. Sept jours devant la porte (cf. Lv 14, 8) : voir PALLADE, *Hist. Laus.* 18, 13 = *HP* 6, 273 a. Sur le rapport avec les « quelques jours » de Pachôme et les « dix jours » de Cassien, voir Introd., chap. II, § IV, n. 173 et 176-179.

ebdomada pro foribus iaceat. [26]Nullus cum eo de fratribus iungatur, nisi semper dura et laboriosa ei proponantur. [27]Si uero perseuerauerit pulsans, petenti non negetur ingressus, [28]sed is qui praeest huiuscemodi hominem instruere debet qualiter uitam fratrum uel regulam tenere possit.

[29]Quod si diues est habens multas diuitias in saeculo et conuerti uoluerit, debet primum Dei uoluntatem implere [30]et consequi praeceptum illud praecipuum quod adulescenti diuiti dicitur : [31]*Vende omnia tua et da pauperibus, et tolle crucem tuam et sequere me.* [32]Deinde instruendus est ab eo qui praeesse uidetur ut nihil sibi relinquat nisi crucem, quam teneat et sequatur Dominum. [33]Crucis uero fastigia quae tenenda sunt : primum omni oboedientia non suam uoluntatem facere sed alterius. [34]Quod si uoluerit monasterio partem conferre, nouerit quo ordine siue ipse siue eius oblatio suscipiatur. [35]Si autem uoluerit de suis seruis secum habere, noue-

latebris : -bras *T* illecebris μ || uoluerint α || primum *om.* α || adpropians : -prians $L^{ac}T$ -piantes *A* -pinquans μπ || ebdomada : -madam (-mam M^{ac}) *M* continua (-nuam *M*) *add.* μ (*cf.* π) || iaceat *om.* α || 26 nullus – fratribus *om.* α || iungantur α || nisi : *om.* λ et *A* sed π || eis *A* || proponantur : -natur *T* -nuntur b^{ac} prep- *L* || 27 pulsantes *A* || petenti : -ndi *L* eis *A* patri *add. T* || negetur : deneg- λ || ingressus *om.* μ || 28 is : his $L^{ac}T^{ac}$ || praeest : pater *add.* α || huiusmodi μ || homines *A* || instruere : introire α || debet : debent L^{ac} permittat et α || uita *T* || possit : possint *A* ostendat *add.* α || 29 diuis bL^{ac} || in saeculo *om.* α || primum : -mo α ante omnia *add.* μ || Dei uoluntatem : domini uol. π uol. domini μ || 30 illud : illum L^{ac} illd L^{pc} illius α || praecipue α || dicitur : dixit *M* || 31 Vende : uade *praem.* λπ || omnia : bona *add.* α || tua : quae habes *b* quod habes *L* || pauperibus : et habebis thesaurum in caelis (-lo *V*) *add.* μπ || 32 eo : isto λ || praeesse uidetur : praeest pater (patre *A*) α || crucem : -ce *b* christi *add.* α || qua *b* || teneat : teneatur *b* tenet *A* || 33 festigia L^{pc} || primo μ*A* || omni : omnium λμ in omnibus π || oboedientia : -tiam *L* est *add. C* id est *add.* μ || sua uoluntate *bL*π || facere *om. V* || 34 conferri *T* || ipse siue : ipsi sibi *L* || 35 Si autem : quod si μ et *praem. T* et si *A* || secum de suis habere seruis *transp.* μ || seruis suis *transp. C* || habere : in monasterio conducere α || nouerit : se *add. V* ||

25 Cf. Ga 4, 1 ; Col 1, 13 || 27 Cf. Lc 11, 8 ; Ac 12, 16 || 30 Cf. Mt 19, 20-22 || 31 Mt 19, 21 ; cf. Mt 16, 24 ; Mc 10, 21 || 35 Cf. Phm 16 ; Mt 19, 21 ; 2 Tm 3, 17.

---

26. Prédire les *dura et laboriosa* : CASSIEN, *Inst.* 4, 38 (cf. 32.33.36, etc.) ; *RM* 90, 3 (*grauia proponantur*) ; *RB* 58, 8 (*dura*). Voir aussi BASILE, *Reg.* 6 : *oportet ei iniungi... laboriosa opera.*

devant la porte pendant une semaine. [26]Aucun des frères n'entrera en rapport avec lui. On ne fera que lui mettre devant les yeux des choses dures et pénibles. [27]S'il persévère à frapper, on ne lui refusera pas l'entrée qu'il demande, [28]mais le supérieur doit apprendre à ce genre de candidat comment il pourra observer la vie et la règle des frères.

[29]Si c'est un riche qui possède de grandes richesses dans le monde et qui veut se convertir, il doit commencer par accomplir la volonté de Dieu [30]et suivre ce précepte capital qui est donné au jeune homme riche : [31]« Vends tout ce que tu as et donne-le aux pauvres. Puis prends ta croix et suis-moi. » [32]Ensuite il faut que le supérieur lui apprenne à ne se laisser à lui-même rien d'autre que la croix qu'il portera pour suivre le Seigneur. [33]Et voici la croix suprême qu'il faut porter : d'abord, en toute obéissance, ne pas faire sa volonté, mais celle d'autrui. [34]S'il veut donner une part au monastère, qu'il sache à quelles conditions on le reçoit, lui et son offrande. [35]Si d'autre part il veut avoir avec lui tel de ses

---

27-28. « Persévérance » du postulant : CASSIEN, *Inst.* 4, 3, 1 ; 4, 30, 3 ; 4, 36, 2. « Instruction » : PACHÔME, *Praec.* 49 ; *Hist. mon.* 31, 457 c. La fin rappelle Pr 3.

29. *Primum* : sur ce tic de « Macaire », voir Introd., chap. I, § I, n. 34.

31. Citation de Mt 19, 21 avec *et tolle crucem tuam* comme chez ZÉNON, *Tract.* II, 1, 16, qui a aussi *omnia tua* ; HORSIÈSE, *Lib.* 27, qui parle de *deponere diuitiarum sarcinam* (cf. RIVP 2, 21). Précepte observé par les premiers Lériniens : HILAIRE, *V. Honor.* 11, 4 ; HONORAT DE MARS., *V. Hil.* 6 (cf. EUCHER, *De laude* 3).

32-33. *Teneat* remplace *tollat* (Mt 19, 21) : sur cet autre tic des Pères, spécialement de Macaire, voir Introd., chap. I, § I, n. 19-23. Ainsi formulé, l'axiome sera répété par PORCAIRE, *Mon.* 64-65 : *Tene te ad crucem ut non facias uoluntates tuas.* Cf. CASSIEN, *Inst.* 4, 34.

34. Pratique désapprouvée par CASSIEN, *Inst.* 4, 4 (mais cf. *Inst.* 2, 3, 2), admise par AUGUSTIN, *Praec.* 1, 4 et 7.

35. Esclaves entrés en religion avec leur maître : JÉRÔME, *Ep.* 108, 20, 3 ; PALLADE, *Hist. Laus.* 61, 6 = *HP* 49, 334 a ; CÉSAIRE, *Reg. uirg.* 7 ; *Reg. Tarn.* 1, 14-15.

rit iam non eum seruum habere sed fratrem, ut in omnibus perfectus inueniatur.

[VIII] [36]Qualiter peregrini hospites suscipiantur. [37]Venientibus eis nullus nisi unus cui cura fuerit iniuncta occurrat ut responsum det uenienti. [38]Non licebit ei orare nec pacem offerre, nisi primo uideatur ab eo qui praeest, [39]et oratione simul peracta sequatur ordinem suum pacis officium. [40]Nec licebit alicui cum superueniente sermocinari nisi soli qui praeest et quos ipse uoluerit. [41]Venientibus uero ad refectionem, non licebit peregrino fratri cum fratribus manducare, nisi cum eo qui praeest, ut possit aedificari. [42]Nulli licebit loqui nec alicuius audiatur sermo nisi diuinus qui ex pagina profertur, et eius qui praeest, uel quibus ipse iusserit loqui, ut aliquid de Deo conueniat.

3 [VIIII] Pafnutius dixit : [1]Magna et utilia ad animae salutem dicta sunt omnia. [2]Nec hoc tacendum est, qualiter ieiuniorum ordo tenendus sit. [3]Nec aliud huic firmum testimo-

habere[2] *om.* λ*M* || inueniatur : homo ille *add.* α || 36 Qualiter : idemque *praem.* α uero *add.* μ || suscipientur *L* || 37 cura : circa hospitale *add.* α || occurrat *om.* α || ut *om. A* || uenienti : -tibus α || 38 Non — offerre : orare uel pacem offerre non liceat ulli α || non — ei : nec ipse audeat cum ueniente (-tibus *V*) μ (*cf.* π) || pacem : ei *add.* λ || offerre : praesumat *add.* μ || primum λ || uideantur *V* || praeest : pater *add. T* patre *add. A* || 39 orationem $L^{ac}T$ || sequatur απ : sequantur λμ || officium απ : -cio μ reddere (-dente *V*) *add.* λμ || 40 alicui : fratri *add.* α || superuenienti *T* || sermocinari : -re *V*π non (nec reliquum non *V*) sit ulli cura interrogandi unde uenerit quid uenerit uel quando ambulaturus sit *add.* μ || praeest : pater *add. T* patri *add. A* || et : aut α || quos ipse : quibus i. *A* quoscumque λ || uoluerit : -rint *L* iusserit α || 41 uero : autem μ fratribus *add.* α || refectionem : horam refectionis α || peregrinum fratrem *T* || cum fratribus *om. b* || praeest : pater *add. T* patre *add. A* || ut : qui *add. b* || aedificari : -re *bL* || 42 licebit : liceat *b* cum eo *add. V*α || alicuius : ibi *add. V* || sermo audiatur *transp. b* || sermone *T* || diuinus *om. b* || ex : sacra *add. b* || profertur : -ratur α recitatur μπ || eius : ab eo *b* || praeest : pater *add. T* patris *add. A* || uel quibus : aut cui *b* || ipse *om. L*μ || loqui[2] *om.* α || loqui[2] — conueniat : aliquid loqui *b*π

3 Pafnutius : Papn- *V* -nuptius *LA eras. C* Paunuthius π || dixit *om. C* || 1 magnum *T* || salutem animae *transp. V* || omnia : fratres α *om. b* || 2 est *om.* λ || sit : est μ || 3 huic *om.* λ || firmum : firmitati μπ *om.* α || testimonio *A* ||

3, 1 Cf. 1 P 1, 9 ||

serviteurs, il ne l'aura plus pour serviteur mais pour frère, qu'il le sache bien, afin de se montrer parfait sur toute la ligne.

[36]Comment les étrangers recevront l'hospitalité. [37]A leur arrivée, ils ne seront abordés par nul autre que celui qui est chargé de répondre à l'arrivant. [38]On ne pourra prier et offrir le baiser de paix avant que le supérieur ne l'ait vu. [39]Une fois qu'on aura prié ensemble, la salutation du baiser de paix suivra à son tour. [40]Personne ne pourra parler avec l'arrivant, sinon le supérieur seul et ceux qu'il voudra. [41]S'ils arrivent pour le repas, le frère étranger ne pourra manger avec les frères, mais seulement avec le supérieur, qui saura l'édifier. [42]Personne ne pourra parler, et l'on n'entendra pas une parole en dehors de celle de Dieu, tirée du texte scripturaire, et de celle du supérieur ou de ceux auxquels il commandera de parler, pour qu'on tienne des propos qui conviennent au sujet de Dieu.

3 Paphnuce a dit : [1]Elles sont grandes et utiles au salut de l'âme, toutes les prescriptions qui viennent d'être édictées. [2]Mais il ne faudrait pas non plus passer sous silence comment il faut observer la règle du jeûne. [3]A cet égard, il

---

36. Sur ce titre et les suivants, voir Introd., chap. I, § I, n. 35-41.

37. Voir PACHÔME, *Praec.* 50 et 59 (cf. BASILE, *Reg.* 98-99).

39. Prière d'abord : *Hist. mon.* 1, 404 a. Lire ensuite *ordine suo* ?

40. Cf. BASILE, *GR* 32, 2 et 45, 1-2 ; ROr 26, 4 ; *V. Patr. Iur.* 172.

41. Cf. *RM* 84, 1 ; *RB* 53, 9-11 et 56, 1 ; *V. Patr. Iur.* 172 ; DOROTHÉE, *Instr.* 12, 124, 18.

42. Silence à table : PACHÔME, *Praec.* 31 et 33, etc. Lecture : AUGUSTIN, *Praec.* 3, 2 ; CASSIEN, *Inst.* 4, 17 ; HONORAT DE MARS., *V. Hil.* 15 ; *V. Patr. Iur.* 169, etc. Parole du supérieur : *RM* 24, 19 et *RB* 38, 9 (cf. 3RP 11, 2) ; d'un frère interrogé : *RM* 24, 34-37. Les derniers mots sont obscurs.

3, 1. « Salut de l'âme » fait peut-être allusion au caractère spirituel du second discours (cf. 2, 2.4., etc.).

3-4. L'argument paraît supposer un office à none avant le repas.

nium conuenit nisi in eo quod dicit : [4]*Petrus autem et Iohannes ascendebant in templum circa horam orationis nonam.* [5]Debet ergo iste ordo teneri, ut nullo die nisi nona reficiatur in monasterio excepto dominica die. [6]Die autem dominica non nisi Deo uacetur ; [7]nulla operatio in eo die conperiatur, nisi tantum *hymnis et psalmis et canticis spiritalibus* dies transigatur.

[8]Qualiter debent fratres operari praecipimus. [9]Debet ergo iste ordo teneri. [10]A prima hora usque ad tertiam Deo uacetur. [11]A tertia uero usque ad nonam, quidquid iniunctum fuerit sine aliqua murmuratione suscipiatur. [12]Meminere debent hi quibus iniungitur dictum Apostoli : *Omnia quae facitis sine murmuratione facite.* [13]Timere debent illud dictum terribile : *Nolite murmurare, sicut quidam eorum murmurauerunt et ab exterminatore perierunt.* [14]Debet etiam qui praeest opus quod faciendum est uni iniungere, ut ceteri eius praecepto cui iniunctum fuerit oboediant.

[XI] [15]Qualiter infirmitas uel possibilitas corporum ab eo

conuenit : dulcissimi fratres *add.* α || in eo : illud *M*π id *V* || dicit : dicitur *C* || 4 autem *om.* λ || iohannis *L* || ascenderunt μ || circa : ad λ ad circa V^{ac} *om.* π || orationis : circiter *M*π || 5 iste –teneri : homo istum ordinem tenere *b* || teneri : -re *L* fratres *add.* α || ut *usque* 9 teneri *om. b* || nisi : hora *add.* μ (*cf.* π) || reficiatur : reficiantur fratres α || in monasterio *ante* nisi *transp.* λ || excepta *C*π || dominico *L* || die[2] : et quinquagesima pentecosten *add.* μ || 6 non : nullus aliud *T* nihil aliud agant *A* || uacetur : uacentur (uacent *A*) ne pro aliquam (-qua *A*) occasionem (-ne *A*) se uelint aut alios excusare tamen contestor fratres *add.* α || 7 eo die : die illa sancta α eodem (eadem π) die μπ || et[1] *om.* μπ || et[2] *om.* *M*π || spiritualibus *CV* || dies : illa *add.* α ille *add. V* || transeatur α || 8 debeant μπ || operari : -re *V* idemque *add.* α || 9 debent *A* || ergo : fratres *add.* α || istum ordinem tenere *A* || teneri ordo *transp.* μ || 10 ad : horam *add.* α || uacetur : uacent fratres α || 11 uero : hora *add. T* || ad : horam *add. L* || iniunctum fuerit : iniungitur λ a patre *add.* α || aliquo *b* || suscipiatur : faciant α || 12 meminere : -neri *T* -nisse μπ || hii *bM* || quae : quod α || 13 debent : debetis *T* || illum *bL* || terribilem *LT*π || eorum *om.* μ || ab exterminatore : a serpentibus μ || 14 etiam : ergo μ || qui praeest : is *praem.* μπ pater *add.* α || uni *om. b* || praeceptum *T* || iniunctum : nuntiatum *b* || fuerit : fratri *add. T* fratres *add. A* || oboediant : obaud- μ sine querela *add.* α || 15 possibilitas : inpossibilitas L^{pc}μ

4 Ac 3, 1 || 7 Ep 5, 19 || 12 Ph 2, 14 || 13, 1 Co 10, 10 ||

n'est pas d'autre texte assuré et approprié que celui qui dit : [4]« Pierre et Jean montaient au temple pour prier vers la neuvième heure. » [5]Il faut donc observer cette règle que jamais on ne mange au monastère avant none, sauf le dimanche. [6]Le dimanche, d'ailleurs, on ne s'occupera que de Dieu. [7]Ce jour-là, qu'on n'entende parler d'aucun travail, mais que la journée entière se passe à des hymnes, psaumes et cantiques spirituels.

[8]Comment les frères doivent travailler. Nous prescrivons ce qui suit. [9]Voici donc la règle à observer : [10]de la première heure à la troisième, on s'occupera de Dieu ; [11]de la troisième à la neuvième, tout ce qui sera commandé, on l'accomplira sans aucun murmure. [12]Ceux qui reçoivent un ordre doivent se souvenir du mot de l'Apôtre : « Tout ce que vous faites, faites-le sans murmure. » [13]Ils doivent craindre ce mot terrible : « Ne murmurez pas, comme certains d'entre eux murmurèrent, et ils furent mis à mort par l'exterminateur. » [14]De plus, le supérieur doit confier à un responsable l'ouvrage à exécuter, et tous les autres obéiront au commandement de ce responsable.

[15]Comment le supérieur doit prendre en considération

5-7. Voir Introd., chap. II, § IV, n. 123-124 et 140-141. Sanctification du dimanche : CÉSAIRE, *Serm.* 73, 4.

8-13. Voir Introd., *ibid.*, n. 125-139 et 142-150. Dès son titre, cet emploi du temps met l'accent sur le travail. La lecture n'est d'ailleurs désignée que vaguement : *Deo uacetur* (cf. 6-7).

15-19. Honorat veillait *ne quem nimius labor grauaret, ne quis nimia quiete torpesceret* (HILAIRE, *V. Honor.* 18, 1 ; cf. 18, 2 et 4). De même BASILE, *Reg.* 131 : *qui praeest considerantius obseruare debet uniuscuiusque uel uires uel possibilitatem* (cf. *Reg.* 112).

qui praeest cognoscenda sit. [16]Si quis ex fratribus per ieiunia uel operam manuum – [17]quam Apostolus praecipit : *Operantes manibus nostris, ne quem uestrum grauaremus* – [18]is qui talis est, si fuerit infirmitate obsessus, prouidendum est ab eo qui praeest qualiter ipsa infirmitas sustentetur. [19]Quod si infirmus est animo huiuscemodi frater, oportet eum frequentius operari, considerans Apostolum qualiter *corpus suum seruituti redigit*. [20]Hoc autem obseruandum est, ut in nullo uoluntatem suam faciat.

[XII] [21]Qualiter officiis mutuis se fratres praeueniant. [22]Si fratrum congregatio multa est, debet is qui praeest ebdomadarum ordinem et officia quae sibi inuicem succedant in ministrando decernere.

[23]Qualis debeat esse qui cellarium fratrum contineat. [24]Debet talis eligi qui possit in omnibus guilae suggestionibus dominari, [25]qui timeat Iudae sententiam, qui ab initio fur fuit.

3, 15 (corporum) – **24** (debet) **:** ε (E^1) λ (*bLC*) μ (*MV*) α (*TA*) π (*P lect. sel.*)

15 eo qui praeest : pater *add. T* patre *add. A* his qui praesunt μ ‖ sit : sunt α ‖ 16 quis : qui *C* ‖ per ieiunia : pro ieiunio α ‖ uel : et *M* uel per *V* ‖ operam : -ra ελμ*T* -ribus *A* ‖ manuum : suarum *add.* α ‖ 17 quam : quae *C*μ*A* ‖ praecipit : -cepit *bCV*α dicens *add.* μπ ‖ quem : quid *T* ‖ graueremus *bA* grauaremur *V* grauemur *M* ‖ 18 is : his $bL^{ac}T^{ac}$ ‖ tali *b* ‖ est : monachus est dignus in omnibus. in his *add.* α *om. bL* ‖ si : *om.* λ *ante* is *transp.* μ ‖ fuerit : aliquis *add.* α ‖ obsesus ε ‖ ipsa *om.* ε ‖ 19 infirmus est animo : firmus est corpore μπ ‖ fratrem *M* ‖ eum *om. bM* ‖ operare *T* ‖ considerantem *M* ‖ seruituti : -te *bL om. C* ‖ redegit *C* redigat μ ‖ 20 faciat : ille *add. A* faciatque ille *T* ‖ 21 fratres *om. C* ‖ praeueniant : iste ordo (o. i. π) teneatur *add.* μπ ‖ 22 fratrum *om.* α ‖ is : his $bL^{ac}T^{ac}$ ‖ praeest : pater *add.* α et *add. L* ‖ ebdomadarios *A* ‖ ordinem et : et ord. *A* ordinare μπ ‖ et – ministrando : constituere qui sibi inuicem subpeditent in ministrandum (-do *C*) λ ‖ officii α ‖ quae : quam *T* qui μ quo *A*π ‖ sibi : in *add. T* ‖ in ministrando : ad ministrandum μα et *add. A* ‖ decernere : debet ille *add.* α *om.* λ˜π ‖ 23 Qualis : quis α ‖ contineat : continere (-tenere *L*) debeat λ teneat *V* ‖ 24 debet *post* eligi *transp.* λ

3, 24 (talis) – **31 :** ε (E_1E_2) λ (*bLC*) μ (*MV*) α (*TA*) π (*P lect. sel.*)

24 talis : tantummodo *praem. A add. T* ‖ possit *om.* λ ‖ in omnibus *om. V* ‖ guilae – dominari : euangelicum (-co *A*) ordinem (-ne *A*) fratribus suis uictum gubernari (-re *A*) α ‖ guilae : gul- λ gyl- π gulae suae μ ‖ suggestiones *V* ‖ dominari : -natur *bC* -nator L^{ac} -netur L^{pc} ‖ 25 timet λ timent M^{ac} timeant M^{pc} ‖ sententiam : dominari *add.* E_2 ‖ qui² : quia M^{pc} ‖ fuit fur *transp. b* ‖ fuit : fuerit μ ‖

17 1 Co 4, 12 ; 1 Th 2, 9 (2 Th 3, 8) ‖ 19 1 Co 9, 27 ‖ 21 Cf. Rm 12, 10 ‖ 25 Cf. Mt 26, 24 ; Jn 12, 6 ; Jn 8, 44 ‖

faiblesses et possibilités physiques. [16]Si un frère, du fait des jeûnes et du travail manuel – [17]c'est là une prescription de l'Apôtre : « Travaillant de nos mains, afin de n'être à charge à aucun d'entre vous » –, [18]si donc un homme de cette sorte est accablé par sa mauvaise santé, que le supérieur avise aux moyens de soutenir cette mauvaise santé. [19]Si c'est au moral que ce frère est malade, il lui faut travailler plus assidûment, considérant comment l'Apôtre « réduit son corps en servitude ». [20]Au reste, qu'on veille à ce qu'il ne fasse en rien sa volonté propre.

[21]Comment les frères se préviendront de services mutuels. [22]Si la communauté des frères est nombreuse, le supérieur doit établir un roulement hebdomadaire et des tâches de service où l'on se succède l'un à l'autre.

[23]Comment doit être celui qui garde le cellier des frères. [24]Il doit être choisi de manière à pouvoir dominer entièrement les suggestions de l'appétit. [25]Qu'il craigne la

---

16. L'expression *opera manuum* ne se trouve qu'ici, où elle est suggérée par le mot de l'Apôtre cité ensuite (1 Co 4, 12).

18. Seule mention des malades dans RIVP. Leur traitement est à peine esquissé.

19. Après la fin économique et sociale du travail (3, 17), voici son aspect ascétique. Ici comme souvent, « l'Apôtre » est l'autorité souveraine.

20. Cf. Basile, *Reg.* 88, etc.

21-22. Service hebdomadaire : Introd., chap. ii, § iv, n. 172 et 175. *Si fratrum congregatio multa est* : Introd., chap. i, § ii, n. 89 et 94 ; chap. ii, § ii, n. 60. Cf. *RM* 19, 18 et 23, 18 ; *RB* 35, 5.

23. Périphrase désignant le cellérier comme chez Horsièse, *Lib.* 26 ; Basile, *Reg.* 111 ; Grégoire, *Dial.* II, 28, 1. Il est appelé *oeconomus* par Jérôme, *Ep.* 22, 35, 6 et Cassien, *Inst.* 4, 6.18.20, *dispensator* par Pachôme, *Praec.* 77-78 et Cassien, *Inst.* 4, 19, 2. Des directives lui sont données par Basile, *Reg.* 107 et 111-113.

24. Cf. Jérôme, *Ep.* 125, 9 : *quos nec esuries nec saturitas aliquando superauit* ; ROr 25, 1 ; *RM* 16, 62-63 ; *RB* 31, 1.

[26]Studere debet qui huic officio deputatur ut audiat : [27]*Qui bene ministrauerit, bonum gradum sibi adquirit.*

[28]Nosse etiam debent fratres quia quidquid in monasterio tractatur siue in uasis siue in ferramentis uel cetera omnia esse sanctificata. [29]Si quis neglegenter aliquid tractauerit, [30]partem se habere nouerit cum illo rege qui in uasis domus Dei sanctificatis cum suis bibebat concubinis et qualem meruit uindictam.

[31]Custodienda sunt ista praecepta et per singulos dies in aures fratrum recensenda.

4 [XIII] Macharius dixit [1]quoniam Veritas protestatur, quae dicit : *In ore duorum uel trium testium stabit omne uerbum.* [2]Firmanda ergo est regula pietatis.

[3]Nec tacendum est qualiter inter se monasteria pacem firmam obtineant. [4]Non licebit de alio monasterio sine uoluntate eius qui praeest fratrem recipere. [5]Non solum recipere

26 debeat E_2 || huic : hoc E_2 || 27 quia *praem.* α || ministrauerat L^{pc} || gradum bonum *transp.* α || sibi *om.* *C* || adquirit : -ret μ et animae suae lucrum facit *add.* α || 28 etiam : iam *T post* debent *transp.* *A* || debeant E_1T || quidquid : quid E_2 || tractatur : -tantur E_2 -tetur *b* || ceteris am̄a *M* || 29 quis : quid E_2 de fratribus *add.* α || aliquid neglegenter *transp.* α || 30 regi $C^{ac}T$ || Dei : domini E_1 || bibat *L* || et : obseruare *(?) add.* M^{pc} *(cf.* π) || meruerit μ || 31 sunt *om.* E_2 || auribus E_2μ || recensenda : recitanda μ*A*π sunt ut non condemnentur in peccatis suis *add.* α

4, 1-13 : ε (E_1) λ (*bLC*) μ (*MV*) α (*TA*) π (*P lect. sel.*)

4 Macharius : *eras.* *C* item alius *praem.* μ alius *praem.* *A* || dixit *om.* *C* || 1 Veritas *om.* E_1 || protestatur : testificatur μ || dixit μ || testium *om.* E_1C || stabit : -uit E_1π stat μ || omnem E_1π || 2 *tot. om.* *M*π || Firmanda : firma *b* firmam *L* firmamus *C* firmatam *V* || est ergo *transp.* *T* || est : *om.* λ omnem *V* || regulam *LCV* || 3 nec : hoc *add.* μπ || tacenda *b* || est *om.* E_1 || 4 liceuit E_1 || alio : noto *add.* *b* || praeest : pater *add.* *T* patris *add.* *A* || fratribus *T* || recipere : suscipere nec λ et *add.* *V*π || 5 Non – sed *om.* *M* || solum : non *add.* *V* ||

27 1 Tm 3, 13 || 30 Cf. Dn 5, 1-30.

4, 1 2 Co 13, 1 ; cf. Dt 19, 15 ; Mt 18, 16 ||

damnation de Judas, qui fut un voleur dès le début. [26]Celui qu'on désigne pour cette tâche doit s'efforcer de s'attirer ce mot : [27]« Qui sert bien s'acquiert une bonne place. »

[28]Les frères doivent aussi savoir que tout ce qu'on manie au monastère, tant les récipients que les outils et le reste, ce sont autant d'objets sacrés. [29]Si quelqu'un traite quelque chose avec négligence, [30]il partagera le sort – qu'il le sache bien – de ce roi qui buvait avec ses concubines dans les vases sacrés de la maison de Dieu : quel châtiment il a mérité !

[31]Ces prescriptions sont à observer et à rappeler chaque jour aux oreilles des frères.

Macaire a dit : [1]La Vérité l'atteste, quand elle dit : « Par la bouche de deux ou trois témoins toute parole sera rendue valide. » [2]La règle de la piété sera donc fermement établie.

[3]Il ne faut pas non plus passer sous silence comment les monastères garderont entre eux une paix qui soit ferme. [4]On ne pourra recevoir un frère d'un autre monastère sans le consentement de son supérieur. [5]Non seulement il ne faut pas

---

26-27. Voir *RB* 31, 8 ; 64, 21-22 et notes.

28-30. Voir Introd., chap. II, § IV, n. 170-171 et 174. *Cetera omnia* : pléonasme.

31. Sans doute conclusion primitive de la règle, analogue à celle d'AUGUSTIN, *Praec.* 8, 2 (lecture hebdomadaire).

4, 1-2. Voir Introd., chap. I, § I, n. 5 ; § II, n. 71. *Quoniam* complétif (cf. 1, 1 et note) ? Selon LÉON, *Serm.* 51, 4, le « témoignage de deux ou trois » est cause de « fermeté » (*Quid hoc stabilius, quid hoc firmius... ?*). Cf. 1, 7.

3. *Monasteria* : Introd., chap. I, § II, n. 91-92 ; chap. II, § II, n. 62.

4. Cf. Agde (506), can. 27 ; 3RP 14, 1 ; Orléans I (511), can. 19 ; FERRÉOL, *Reg.* 6 ; *RB* 61, 13-14.

5. De même BASILE, *Reg.* 7, 499 a : *nec uideri eos oportet* (apostats ; cf. *GR* 14).

sed nec uidere oportet, [6]dicente Apostolo quia qui *primam fidem inritam fecit est infideli deterior.* [7]Quod si praecatus fuerit eum qui sibi praeest ut in alio monasterio ingrediatur, commendetur ab eo ei qui praeest ubi esse desiderat, [8]et sic suscipiatur, [9]ut quantos fratres in monasterio inuenerit, tantos se nouerit habere priores. [10]Nec attendendum est quod fuit, sed probandum qualis esse coeperit. [11]Susceptus uero si habere uidetur aliquid siue in rebus siue in codicibus, ultra eum possidere non licebit, [12]ut possit esse perfectus qui alibi non potuit. [13]Residentibus uero fratribus, si fuerit aliqua de scripturis conlatio et fuerit ex his talis scitus, non ei liceat loqui, nisi praeceptum fuerit ab eo qui praeest.

[XIIII] [14]Qualiter clerici hospites suscipiantur. [15]Cum omni reuerentia ut ministri altaris. [16]Non licebit nisi ipsis orationem complere ; siue ostiarius sit, minister est templi Dei. [17]Quod si aliquo casu lapsus est et in eo quod dicitur

uideri *LA* || 6 qui *om.* μπ || fecit : facit λ et *add.* *bL*μ || infidele *bL* || 7 eum : ab eo α || sibi *om.* λα || praeest[1] : pater *add.* *T* patre *add.* *A* || alium monasterium *bM* || ei : *om.* λ*V* *post* praeest *transp.* *M* || 8 et *om.* *T* || sic μ*A* : ita π *om.* E_1λ*T* || 9 nam sine uoluntate qui praeesse uidetur in monasterio pater (patris *A*) nullatenus alibi recipiatur frater. quod si praesumpserit talia facere nouerit se in sinodo episcoporum aut in conuentu fratrum suorum in audientiam uenire. et tunc recedet tamquam iunior suus donec ab eo cui iniuriam fecit ueniam petat ut non per ipsius uitium alii dispiciantur patres. ille uero monachus *praem.* α || ut : et μ *om.* T^{pc}*A* || in : alio *add.* α || 10 sed *praem.* α || est[1] *om.* μπ || fuit : antea *add.* α || probandum E_1*b*μπ : est *add.* *LC*α || 11 si : quid *add.* M^{pc} || aliquid *om.* *M* || in[2] *om.* *C* || ei *A* || 12 qui : quia α quod λμ || potuit : esse senex *add.* α || 13 resedentibus *L* || ex *om.* λμ || his : hic *b*μ is *C* || talis : aliquis *b* || scitus : sciens *b* situs *C* || liceat : licebit *b*α || loqui : aliquid dicere α || praeceptum : ei *add.* λμ || fuerit[2] : sit μ || ab – praeest : a patre α

4, 14-20 : ε (E_1) λ (*LC*) μ (*M*) α (*TA*) π (*P lect. sel.*)

4, 14-17 *om.* *M* || 14 idemque *praem.* α || suscipiantur : suscipiendi sunt in monasterio α || 16 liceuit E_1 || ipsis : ipsi E_1 in *praem.* *L* || oratione *L*π || sit : siue α

6 1 Tm 5, 12.8 || 12 Cf. Mt 19, 21 ; 2 Tm 3, 17 ||

---

7. Comme les clercs, les moines ne peuvent être reçus hors de chez eux sans lettres de recommandation : Angers (453), can. 8 ; Vannes (461-491), can. 5-6 ; Adge (506), can. 38.

le recevoir, mais il ne faut même pas le voir, [6]puisque l'Apôtre dit que « celui qui viole son engagement initial est pire qu'un infidèle. » [7]S'il demande à son supérieur d'entrer dans un autre monastère, il sera recommandé par lui au supérieur du lieu où il désire être, [8]et on l'y recevra à condition [9]qu'il regarde tous les frères qu'il trouve au monastère comme ses anciens. [10]Il ne faut pas prendre en considération ce qu'il était, mais examiner ce qu'il a commencé d'être. [11]Une fois reçu, s'il a quelque chose – objets ou livres –, il n'aura plus la permission de le posséder, [12]afin de pouvoir être parfait, puisqu'il n'a pu l'être ailleurs. [13]Quand les frères tiennent séance, si l'on confère ensemble sur les Écritures et que ce personnage soit savant en la matière, qu'il n'ait pas la permission de parler, à moins que le supérieur ne lui ordonne de le faire.

[14]Comment donner l'hospitalité aux clercs ? [15]Avec tout le respect qui est dû à des ministres de l'autel. [16]A eux seuls il sera permis de conclure l'oraison. Même simple portier, c'est un ministre du temple de Dieu. [17]S'il est tombé dans quelque

---

9. Rang d'entrée : 2, 11 ; *RB* 63, 8 (pas de promotion spéciale pour l'étranger comme en *RB* 61, 11-12). Sur l'ajout des mss *TA*, voir Introd., chap. III, n. 37-39.

11. Périphrase avec *uidetur* : Introd., chap. I, § I, n. 31. *Rebus* (vêtements ?) : *ibid.*, § II, n. 73. *Codicibus* : cf. *RB* 33, 3.

12. Quand un moine change de monastère, c'est pour passer *ad districtiorem regulam* (3RP 14, 2).

13. Conférence scripturaire : *Vies coptes de S. Pachôme*, p. 100 (Bo 29).

14-15. Cf. Arles (449-461), ligne 23 : *clerici atque altaris ministri* (distincts ?). Respect dû aux clercs : PACHÔME, *Praec.* 51 ; *RM* 83, 18.

16. Laisser le clerc conclure l'oraison : voir *La communauté et l'abbé*, p. 335-336. Le portier est le dernier des clercs : PAULIN, *Ep.* 1, 10 ; JÉRÔME, *In Tit.* 2, 15 ; LOUP et EUPHRONE, *Ep. ad Thal.* 18.36.42.

17. Le supérieur semble être laïc : Introd. génér., chap. I, n. 14 ; Introd. à RIVP, chap. II, § V, n. 207-208. « Second » : HORSIÈSE, *Lib.* 14, etc. (à moins que *uel secundum* se rapporte au premier *eum*).

probatus crimine, non eum liceat ante eum qui praeest uel secundum complere. [18]Nullo permittatur clerico in monasterio habitare, [19]nisi eis tantum quos lapsus peccati ad humilitatem deduxit et est uulneratus, ut in monasterio humilitatis medicina sanetur.

[20]Haec uobis tenenda sufficiant, custodienda conueniant, et eritis inrepraehensibiles.

5 [XV] [1]Nec hoc tacendum est, qualiter culpae singulorum emendentur. Pro qualitate culpae erit excommunicatio. Ergo iste ordo teneatur.

[2]Si quis ex fratribus sermonem otiosum emiserit, [3]ne reus sit concilii, praecipimus eum triduo a fratrum congregatione uel colloquio alienum esse, ut nullus cum eo iungatur.

[4]Si uero aliquis depraehensus fuerit in risu uel *scurrilitate* sermonis – [5]sicut dicit Apostolus : *Quae ad rem non pertinent* –, [6]iubemus huiusmodi duarum ebdomadarum in

|| 17 eum *om.* λα || liceat : ei *add.* α || praeest : pater *add.* *T* patrem *add.* *A* || 18 nullum α nulli *M*π || clericum α || 19 eos *L* || tantum : tantummodo α || lapsos *T* || medicinam E_1 || 20 sufficiat : fratres *add.* α || conueniunt *L* || eritis *om.* *L* || inrepraehensibiles : inreprehensibilis explicit *L* explicit regula sanctorum patrum serapionis macharii pafnutii et alterius macharii *add.* *C* in populo dei. explicit regula patrum abbatum XXXVIII *add.* α

5, 1-19 : ε (E_1) μ (*M*) π (*P lect. sel.*)

5, 1 erit : et E_1 || 3 congregationem E_1^{ac} π || esse alienum *transp.* *M* || 4 Si : sic *M* || risum E_1 riso π || uel : in *add.* *M* || 5 dicit E_1π : *om.* M^{ac} ait M^{pc} || pertinent *M*π : -net E_1 || 6 ebdomadarum : obdomanarum E_1 spatio *add.* M^{pc} ||

19 Cf. Ps 88, 11 || 20 Cf. Ph 2, 15 ; 1 Tm 5, 7.

5, 2 Cf. Mt 12, 36 || 3 Cf. Mt 5, 22 || 4-5 Ep 5, 4 || 6 Cf. 1 Co 5, 3-5 ||

18-19. Clercs relégués dans les monastères pour fautes : Epaone (517), can. 22 ; Marseille (533), p. 85, 14 ; Orléans III (538), can. 8 ; Pélage Ier, *Ep.* 34, 2 et 54, 1 ; Narbonne (589), can. 5-6 et 11 ; Auxerre (692-696), p. 326, 69.

faute et reconnu coupable du crime dont on l'accuse, qu'on ne lui permette pas de conclure devant le supérieur ou le second. [18]On n'autorisera aucun clerc à demeurer au monastère, [19]sauf ceux qu'une chute dans le péché a conduits à l'humilité et qui sont blessés : ils guériront au monastère par le remède de l'humilité.

[20]Voilà ce qu'il vous suffit d'observer, ce qu'il vous convient de garder, et vous serez sans reproche.

[1]Il ne faut pas non plus passer sous silence comment les fautes de chacun seront corrigées. L'excommunication sera en rapport avec la nature des fautes. Voici donc la règle à observer.

5 [2]Si l'un des frères laisse échapper une parole oiseuse, [3]pour qu'il ne soit pas « passible du conseil », nous prescrivons de le priver pendant trois jours de la vie commune et de tout entretien avec les frères : personne n'aura de rapport avec lui.

[4]Si quelqu'un est pris à rire ou à dire des mots drôles – [5]« ceux qui ne conviennent pas », comme dit l'Apôtre –, [6]nous ordonnons de le réprimer au nom du Seigneur pendant

20. Conclusion en « vous » comme dans *Ordo mon.* 11. Sur l'*Explicit* des mss *TA*, voir Introd., chap. III, n. 40-41.

5, 1. Sur l'authenticité de cet appendice, voir Introd., chap. III, n. 12-20. Châtiment proportionné à la faute : 2RP 28, etc. ; CÉSAIRE, *Reg. uirg.* 13 ; *RM* 12, 4 ; *RB* 24, 1. *Excommunicatio* semble absent des textes monastiques primitifs (Augustin, Pachôme, Basile, Cassien).

2. Honorat ne tolérait pas le *sermo otiosus* : EUSÈBE GALL., *Hom.* 72, 10.

4-5. Voir *RM* 9, 49.51 ; 50, 25.42. Cf. P. B. CORBETT, « Unidentified Source Material... », dans *RBS* 5 (1976), p. 27-31.

6. *Duarum ebdomadarum* : ellipse de *spatio*. Temps intermédiaire entre les 30 jours et les 7 jours de Vannes (465), can. 13-14. Cf. BASILE, *Épitimies* 3 (2 semaines) et 5 (une semaine d'excommunication pour parole vaine ou eutrapélie) ; *RM* 19, 13-17 ; 25, 12 ; 80, 7-8.

nomine Domini omni flagello humilitatis coherceri, [7]dicente Apostolo : *Si quis frater nominatur inter uos* iracundus aut superbus *aut maledicus,* [8]*hunc notate et nolite ut inimicum, sed corripite ut fratrem* ; [9]et alio loco : *Si quis* frater *fuerit praeuentus in aliquo delicto, uos qui spiritales estis, instruite huiusmodi* et corripite fratrem. [10]Sic debet unusquisque, ut per humilitatis frequentiam non reprobus sed probatus in congregatione perseueret.

[XVI] [11]Hoc ante omnia praecipimus uobis, qui huic officio praesto estis, ut personae a uobis non accipiantur, [12]sed aequali affectu omnes diligantur et correptione omnes sanentur, [13]quia aequalitas placet apud Deum, [14]dicente Propheta : *Si uere utique iustitiam loquimini, iuste iudicate, filii hominum.*

[15]Hoc uobis latere nolumus quia qui non corripit errantem, nouerit se pro eo rationem redditurum. [16]Estote fideles et boni cultores. [17]*Corripite inquietos, suscipite infirmos, patientes estote ad omnes,* [18]et quantos fueritis lucrati, pro tantis mercedem accipietis ; [19]*in nomine Patris et Filii et Spiritus Sancti.* Amen.

omni : omnem E_1 *om.* π || 7 inter uos E_1π : *om. M* || superuus E_1π || 8 notate et *M*π : *om.* E_1 || inimicum : existimare *add.* π || 9 et[1] : in *add. M* || 10 Sic E_1π : ita *M* || debet unusquisque E_1π : *om. M* || ut : uestrum instruere alium *praem.* π || congregationem E_1 || 11 praesto estis : praeestis *M*π || accipiatur E_1 || 12 correptione : per correptionem *M* || 14 iuste *M* : -ta π recta E_1 || filii hominum *M*π : *om.* E_1 || 15 Hoc – nolumus : nec latere uos (uos lat. π) uolumus *M*π || quia *M* : quoniam π *om.* E_1 || 16 cultores E_1^{pc} : cunctores E_1^{ac} doctores π doctores ad omnes *M* || 19 Amen : coronam exercensis ac facientibus exp. feliciter *add.* E_1 explicit *M*

7 1 Co 5, 11 ; cf. Ep 5, 3 || 8 2 Th 3, 14-15 || 9 Ga 6, 1 ; cf. 2 Th 3, 15 || 10 Cf. 1 Co 9, 27 || 11-13 Cf. Jc 2, 1 ; Rm 2, 11 ; Ep 6, 9 || 14 Ps 57, 2 || 15 Cf. He 13, 17 || 16 Cf. Ap 2, 10 ; Mt 25, 21 || 17 1 Th 5, 14 || 17-18 Cf. Mt 18, 15 || 18 Cf. 2 Jn 8 || 19 Mt 28, 19.

8-10. Texte incertain (Introd., chap. III, n. 73). *Congregatio* seul, sans *fratrum* (3, 22 ; 5, 3).

deux semaines par toute espèce de punition humiliante. [7]En effet, l'Apôtre dit : « Si l'on entend parler parmi vous d'un frère emporté, orgueilleux ou injurieux, [8]infligez-lui un blâme et reprenez-le, non comme un ennemi, mais comme un frère » ; [9]et ailleurs : « Si un frère commet une faute, vous qui êtes spirituels, instruisez ce frère et reprenez-le ». [10]C'est ainsi que chacun doit agir, pour que ces humiliations multipliées le fassent persévérer dans la communauté, sans qu'il soit réprouvé, mais éprouvé.

[11]Nous vous le prescrivons avant tout, vous qui remplissez cette fonction : ne faites pas de discrimination, [12]mais usez également d'affection envers tous quand il s'agit d'aimer, et de répréhension envers tous quand il s'agit de guérir, [13]car l'égalité plaît à Dieu, [14]selon la parole du Prophète : « Si donc vous dites vraiment la justice, rendez des jugements justes, fils des hommes. »

[15]Nous vous prions de ne pas perdre de vue que celui qui ne reprend pas un égaré doit savoir qu'il en rendra compte. [16]Soyez de fidèles et bons cultivateurs. [17]« Reprenez les fauteurs de trouble, soutenez les faibles, soyez patients envers tous », [18]et plus d'âmes vous aurez gagnées, plus vous recevrez de récompenses, [19]au nom du Père du Fils et du Saint Esprit. Amen.

---

11. *Qui huic officio* (cf. 3, 26) *praesto estis* : Introd., chap. III, p. 161-162. Cf. ROr 29, 2 ; GRÉGOIRE, *Dial.* IV, 13, 1.

12-13. Voir 2, 7-8 ; *RM* 2, 16-19.22.31.

14. *Iuste (M)* se retrouve dans sept mss du Psautier Romain, à côté de *iusta* (cf. π), de *recta* (Psautier Gallican ; cf. E_1) et de *recte*.

15-17. Responsabilité de qui ne reprend pas : BASILE, *Reg.* 17 ; AUGUSTIN, *Praec.* 4, 8. «Compte à rendre » et citation de 1 Th 5, 14 : AUGUSTIN, *Praec.* 7, 3. « Cultivateurs » : cf. EUSÈBE GALL., *Hom.* 51, 9 (*cultor et custos animarum*) ; CÉSAIRE, *Serm.* 1, 4 : *uelut studiosissimi animarum cultores* (évêques).

18. Cf. SALVIEN, *Gub.* 4, 89 : *necesse erit ut sit pro tantis reus quantos secum traxerit in peccatum.*

SECONDE RÈGLE DES PÈRES

INTRODUCTION

CHAPITRE I

Vue d'ensemble et inventaire

I. *Signalement extérieur de l'œuvre*

Titre et union à la Règle des Quatre Pères

La deuxième pièce de notre collection se présente dans la tradition manuscrite en étroite union avec la Règle des Quatre Pères. Que celle-ci se termine au chapitre 4 (texte α) ou au chapitre 5 (texte ε), elle est immédiatement suivie dans ces manuscrits d'une nouvelle législation, beaucoup plus courte, appelée soit *regula* (α), soit *statuta Patrum* (ε). Cette seconde pièce ne nous est pas parvenue seule et indépendamment. Bien des manuscrits donnent la Règle des Quatre Pères sans la Seconde Règle, mais aucun ne donne la Seconde Règle sans qu'elle suive l'œuvre des Pères.

A cette situation de suivante correspond la mention que fait notre règle, dès son exorde, d'une « tradition des saints Pères » à laquelle ses auteurs se conforment. Ainsi qu'on l'a vu[1], il est naturel d'entendre ces mots comme une allusion

1. Voir Introduction générale, chapitre II, n. 7.

aux Quatre Pères. Au reste, l'œuvre entière est parsemée de traits qui font penser à ceux-ci et qu'on peut considérer comme de véritables réminiscences[2]. La Seconde Règle mérite donc bien le nom que lui ont donné les éditeurs modernes. Elle est à tous égards une continuation.

Dimensions Plus encore que leurs prédécesseurs, les auteurs de la Seconde Règle ont fait une œuvre concise. Avec ses 46 versets, notre texte dépasse à peine la longueur d'un seul des discours de la Règle des Quatre Pères[3]. Du noyau primitif de celle-ci, elle représente moins de la moitié[4]. Quant à l'ensemble de l'œuvre, elle n'en constitue guère plus que le tiers[5].

Si brève soit-elle, la Seconde Règle est pourtant plus longue – d'un tiers au moins – que l'*Ordo monasterii* augustinien[6]. Au reste, un de ses épigones, la Troisième Règle des Pères, sera à peu près de même taille, et l'Espagne produira un jour, probablement sous son influence, une règle plus courte encore, la *Regula Consensoria*[7].

Forme synodale Ces dimensions réduites sont peut-être à mettre en rapport avec la présentation de notre règle sous la forme d'un seul discours continu. A la différence des Quatre Pères, les auteurs de la Seconde Règle ne prennent pas la parole l'un après l'autre, mais s'expriment de bout en bout anonymement et collégialement. Ce faisant, ils se conforment à un des

2. *Ibid.*, n. 4-11. Voir ci-dessous le détail de ces rencontres.

3. Celui de Paphnuce, le plus long, a 42 « versets » (RIVP 3).

4. RIVP 1-3 totalise 94 versets.

5. RIVP 1-5 : 133 versets.

6. Dans notre édition d'Eugippe (*Eugippii Regula*, éd. F. VILLEGAS – A. de VOGÜÉ, Vienne 1976 [*CSEL* 87], p. 3-5), l'*Ordo monasterii* comprend 29 versets.

7. Ou *Consensoria monachorum* (*Clavis* 1872). Voir *PL* 66, 993.

styles courants d'actes conciliaires, celui qui est d'usage, en particulier, dans la Gaule des IVe-VIe siècles[8].

Au reste, le Prologue de nos auteurs est aussi vague que celui des Quatre Pères. On n'y trouve aucune de ces mentions du lieu, du temps, des personnes qu'on attend normalement au début d'actes synodaux. Et comme la division en discours fait défaut, les participants ne sont pas davantage désignés dans la suite. La Seconde Règle est ainsi plus mystérieuse encore, en un sens, que sa devancière. En outre, elle a perdu, avec les noms égyptiens de Sérapion, Macaire et Paphnuce, le halo oriental dont s'entouraient les Quatre Pères, tout en se maintenant, par sa référence initiale, dans le sillage de leur prestigieuse « tradition ».

Présentation unifiée Passé le Préambule (1-4), les auteurs de la Seconde Règle n'emploient plus le « nous ». Le discours devient totalement impersonnel. Parfois liés, comme la plupart des phrases, par de simples *autem* ou *uero*, les paragraphes le sont à plusieurs reprises au moyen d'agrafes voyantes qui rappellent les Quatre Pères[9] : *Obseruari etiam hoc debet ut...* (11), *Illud quoque obseruandum est ut...* (17), *Hoc etiam addendum fuit ut...* (40). Nulle part, cependant, le rédacteur n'a recours aux formules d'annonces et aux sous-titres, introduits par *Qualis* ou *Qualiter*, qui parsemaient l'œuvre de ceux-ci. La Seconde Règle est ainsi d'aspect moins pesant et moins morcelé. On y sent un effort d'intégration rédactionnelle plus poussé.

---

8. Voir Introduction à la RIVP, chap. II, n. 68. Cependant l'ablatif absolu initial de la 2RP, au moins selon E_1 (*Residentibus nobis in unum*), reste dans la ligne de la RIVP, en opposition avec l'usage gaulois (Introd. à RIVP, chap. II, n. 67 et 69-70).

9. RIVP 3, 20 : *Hoc autem obseruandum est ut...* A défaut de formule utilisant *addendum*, on trouve l'équivalent *Nec (hoc) tacendum est qualiter...* dans RIVP 3, 2 ; 4, 3 ; 5, 1.

II. *Analyse et comparaison avec les sources*

Le préambule : analogies et différences avec les Quatre Pères

Notre document commence par un préambule (1-4) manifestement calqué sur celui des Quatre Pères, à la « tradition » desquels il se réfère en propres termes. Outre l'entrée en matière *Residentibus nobis in unum*, l'expression *ordinare regulam* et la mention *fratrum* sont des répétitions qui marquent la reprise du propos de ces vénérables devanciers. Mais sur ce fond commun le nouveau texte se détache par de nombreuses particularités. Si « le Seigneur » y est nommé derechef, ce n'est plus pour lui demander l'Esprit Saint, mais seulement pour affirmer que la réunion se fait « en son nom[10] ». Quant à « instituer la règle », ce qui est comme précédemment le but de la réunion, les auteurs ne se sentent pas obligés d'appeler pour cela les lumières d'en haut. Forts de l'assistance du Christ et de l'exemple des saints Pères, ils « décident » d'emblée de se mettre à l'œuvre. Ce qu'ils décréteront sera *ipso facto* « établi par le Seigneur ».

Cette assurance tranquille les porte en outre à ne plus se référer aux « préceptes de l'Esprit Saint », c'est-à-dire à l'Écriture, comme le faisait avec tant d'emphase le début du discours de Sérapion. Certes, ils ne citeront pas moins la Bible que ne le faisaient les Quatre Pères, et dès ce préambule ils l'invoquent par la formule nouvelle *sicut scriptum est*[11]. Mais sur ce point comme sur beaucoup d'autres, il n'est plus nécessaire de montrer du doigt une voie déjà tracée par les Pères. La conscience de l'autorité, la sécurité qu'elle confère,

---

10. 2RP 1. Allusion à Mt 18, 20 ?

11. 2 RP 4. Cf. 6 et 9, ainsi que 33 (*quia scriptum est*). On trouve aussi *sicut docet sanctus Apostolus* (26 ; cf. 5 : *quae docet sanctus Apostolus*). C'est seulement à la fin qu'apparaissent *secundum praeceptum Domini dicentis* (41) et *sicut Dominus dixit* (45), qui rappellent, par l'emploi de *dicere,* la RIVP. Celle-ci n'emploie jamais *scriptum est* et *docet* dans ses citations.

l'habitude de son exercice devenu « traditionnel » ôtent le besoin d'insister sur l'indispensable soutien des Écritures.

« Instituer la règle » n'est pas la seule intention des participants. En se proposant plus précisément de la « mettre par écrit », ils annoncent d'entrée de jeu un dessein qui n'était pas énoncé avant le second discours des Pères[12]. Par une anticipation analogue, le « monastère » est nommé ici dès la première phase, alors qu'on n'en rencontrait la mention qu'au milieu du même discours de Macaire[13]. Auparavant Sérapion s'était longuement employé à établir la nécessité de réunir tous les frères *in unum*, « dans une seule maison ». Ici, ce point est acquis. Le « monastère », au plein sens cénobitique du terme[14], existe d'ores et déjà. Il ne s'agit plus d'y assembler les frères, mais seulement de les y faire « progresser ».

L'installation d'un nouveau supérieur, occasion de la règle

Le même contraste s'observe à propos du supériorat. L'institution de cette charge était, on s'en souvient, le second pas de la démarche fondatrice de Sérapion. A présent, une solennelle déclaration de ce genre serait sans objet. Un supérieur est en place, disons mieux : il vient d'être installé[15]. Les propos qu'on tient à son sujet font penser invinciblement à une instauration toute fraîche, non de la fonction elle-même, qui remonte aux origines du « monastère » et de la « tradition », mais de la personne qui l'exerce : si cet homme risque d'« éprouver quelque hésitation », s'il faut inviter les frères à « le respecter, l'aimer et lui obéir », en rappelant qu'il a été « investi par le jugement de Dieu et l'ordination de l'évêque », c'est apparemment que le *praepositus* en question est tout neuf.

---

12. 2RP 2 : *conscribere*. Cf. RIVP 2, 1 : *superius conscripta sunt*.

13. 2RP 2 : in monasterio. Cf. RIVP 2, 11 : *in monasterio*.

14. Cf. 2RP 30, où *in monasterio* s'oppose à *per cellulis*.

15. 2RP 3 : *sanctus praepositus qui constitutus est in loco* ; 7 : *Hunc autem qui praepositus est Dei iudicio et ordinatione sacerdotali*.

Ainsi se dessine la situation concrète où notre règle est née. C'est sans doute à l'occasion de cette « ordination » d'un nouveau supérieur qu'un groupe de prélats ecclésiastiques et monastiques, parmi lesquels on entrevoit en particulier l'évêque officiant, se sont appliqués à composer le document. Ils l'ont fait non seulement pour la gouverne du nouveau responsable, mais aussi pour se décharger d'un fardeau : *ut neque nos laboremus.* Ces mots laissent entendre que les auteurs de la règle se reconnaissent, même après l'installation du supérieur, un devoir et un droit de regard sur la marche du monastère.

A Lérins en 427 ? Ce sens d'une responsabilité permanente incombant soit à l'évêque du lieu, soit aux abbés voisins restera vivace au VIe siècle, comme en témoigne la Règle de saint Benoît[16]. Mais à l'époque beaucoup plus reculée qu'évoque le titre de *praepositus* donné ici au supérieur, on songe particulièrement à la situation de Lérins avant la crise des années 449-461 et la clarification opérée par le concile d'Arles *in causa Fausti*[17]. Comme le montrent le décret de ce concile et ses considérants, l'évêque de Fréjus n'avait que trop tendance, jusque-là, à intervenir dans les affaires intérieures du monastère aux dépens de l'autorité monastique. Ce que l'évêque Théodore, bien que lui-même ancien moine et abbé, faisait alors, comment son prédécesseur Léonce, qui avait présidé à la fondation, ne l'eût-il pas fait avant lui ?

Le contrôle permanent que suggère ce *ut neque nos laboremus* de notre règle serait donc bien en situation dans le Lérins de la première moitié du siècle. De même que l'ordinaire du lieu, selon notre conjecture[18], peut bien avoir été le Sérapion qui ouvre la Règle des Quatre Pères et y intro-

---

16. *RB* 64, 3-6.

17. Ou *in causa insulae Lerinensis* (449-461). Voir *CC* 148, p.132-134.

18. Introd. à RIVP, chap. II, n. 199-201.

nise le premier supérieur, de même ce prélat pourvoirait ici, en compagnie d'autres personnages qui restent à préciser, à la marche ultérieure de la communauté, après y avoir mis en charge un nouveau supérieur. Celui-ci, disons-le tout de suite, risque fort d'être le successeur immédiat d'Honorat à Lérins, Maxime de Riez (427-434).

La fin du préambule : des Quatre Pères à Augustin

Mais remettant à plus tard l'investigation historique, poursuivons l'analyse de notre préambule. Deux fois plus long que celui des Quatre Pères, il s'achève par une seconde proposition finale, qui vise, non plus les auteurs eux-mêmes et le *praepositus*, mais l'ensemble des frères astreints à l'observation de la règle. En souhaitant d'abord que ceux-ci soient « unanimes », on fait écho, de toute évidence, à la requête centrale du discours de Sérapion[19]. Répété comme un refrain par le premier des Quatre Pères, l'appel à l'« unanimité » reposait chez lui sur une citation scripturaire, le *qui habitare facit unanimes in domo* du Psaume 67, et il entraînait l'exigence d'un supérieur unique qui tiendrait tous les frères unis dans l'obéissance.

Ici la référence scripturaire est changée : à la citation psalmique se substitue un couple de réminiscences pauliniennes[20]. D'autre part, la visée est moins de fonder l'autorité du supérieur que celle de la règle : c'est en «gardant et observant perpétuellement les décrets du Seigneur » que les frères se maintiendront dans la concorde. La personne du chef n'apparaît plus comme le centre vital de la communauté et son principe d'unité. Le *praepositus* n'est considéré à présent que comme le premier bénéficiaire et sujet de la règle, celle-ci devenant le foyer des préoccupations et le principal ciment du convent.

---

19. RIVP 1, 6 (Ps 67, 7).8-9.15. Cf. AUGUSTIN, *Praec.* 1, 2.

20. 2RP 4, citant Ph 2, 2 (*unianimes... unum sentientes*) et Rm 12, 10 (*inuicem honorantes*).

Avant de quitter ce préambule, notons que les Quatre Pères ne sont pas les seuls auteurs dont on y reconnaisse la trace. Une autre influence se fait sentir vers la fin, quand notre règle annexe à sa citation de Ph 2, 2 (*unianimes... et unum sentientes*) ce qui paraît être une réminiscence de Rm 12, 10 : *inuicem honorantes*. La réunion de ces deux *testimonia* scripturaires ne résulte sans doute pas d'un simple rapprochement opéré par le rédacteur. On trouve en effet la même séquence de termes dans la conclusion de la première section de la règle augustinienne : *Omnes ergo unanimiter et concorditer uiuite et honorate in uobis inuicem Deum...*[21]. « Unanimité » et concorde d'une part, « honneurs mutuels » de l'autre, les trois éléments de notre règle correspondent exactement à ceux d'Augustin, tant par leur signification que par leur agencement grammatical en deux groupes, le premier de deux termes, le second d'un seul. Les mots eux-mêmes sont à peu près identiques dans deux cas sur trois. Il semble donc que notre règle s'inspire ici d'Augustin. Déjà Sérapion lui devait sa notion d'unanimité fondée sur un verset du Psaume 67. En remplaçant celui-ci par une citation néotestamentaire, la Seconde Règle ne s'éloigne pas pour autant d'Augustin, mais serre de près une autre de ses formules[22]. Ce curieux processus peut être schématisé comme suit :

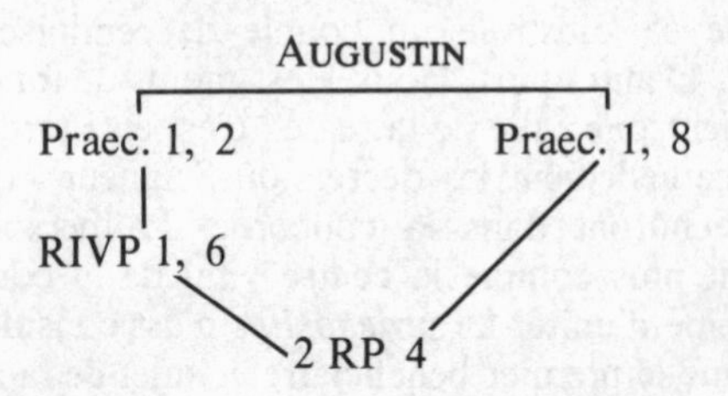

21. AUGUSTIN, *Praec.* 1, 8. Allusion possible à Ph 2, 2 au début (*concorditer = unum sententientes* ?), allusion certaine à Rm 12, 10 à la fin.

22. Ce faisant, le rédacteur a changé en véritable citation l'allusion incertaine qu'Augustin faisait à Ph 2, 2 (note précédente). Quant à Rm 12, 10, sa formulation (*inuicem honorantes*) reste proche d'Augustin

Charité et mise en commun (5-6)

L'influence d'Augustin continue à se faire sentir dans la suite. Quand notre règle réclame des frères qu'ils « aient avant tout la charité », on songe aussitôt à l'exorde de l'*Ordo monasterii : Ante omnia fratres carissimi diligatur Deus, deinde et proximus*[23]. Certes, plusieurs circonstances atténuent la netteté de ce rapport. D'abord nos auteurs ne mentionnent la charité qu'au début d'une liste de vertus qu'ils laissent ouverte ; leur *ante omnia* porte sur la liste entière, et non exclusivement sur l'amour. Ensuite, au lieu de se référer, comme l'*Ordo*, aux deux « préceptes principaux » de l'Évangile, ils citent « l'Apôtre[24] ». Enfin leur *caritas*, qui paraît se rapporter au seul prochain, ne correspond qu'approximativement au *diligere* de l'*Ordo*, dont l'objet premier est Dieu.

Cependant l'analogie reste frappante. Les vertus qui suivent ici la charité – humilité, patience, douceur – s'harmonisent si bien avec elle que la phrase apparaît globalement comme une recommandation de la grande vertu première. L'impression est corroborée par la proposition terminale : en appelant à la mise en commun de toute propriété, cette consécutive oriente spécifiquement vers l'idéal de charité que proposait *caritatem.*

C'est donc bien la charité que notre règle recommande « avant tout », à la manière de l'*Ordo* augustinien. Et elle ne

(*honorate in uobis inuicem Deum*), tout en se rapprochant du texte biblique (*honore inuicem praeuenientes*) par la suppression de *Deum.* Cf. RIVP 1, 6, qui rend formelle la citation implicite (Ps 67, 7) que faisait Augustin. Noter en outre la ressemblance de *inuicem honorantes* avec (*superiores sibi*) *inuicem arbitrantes* (Ph 2, 3).

23. *Ordo monasterii* 1 (*Ante omnia* semble porter sur les deux préceptes réunis plutôt que sur le premier seul, comme on pourrait l'entendre en lui opposant *deinde et*) ; 2RP 5 : *Ante omnia habentes caritatem.*

24. Cf. 1 Tm 6, 11 et Ep 4, 2 (Neufville), auxquels on peut ajouter Ph 2, 2-3 (*caritatem habentes... in humilitate*). Cf. Ga 5, 22-23, etc.

s'accorde pas seulement avec celui-ci sur cette primauté reconnue à l'amour. Les mots *nemo suum quidquam uindicet*, qui énoncent son programme de désappropriation, répètent presque à la lettre un autre article de l'*Ordo*[25]. Quant au modèle des Actes des Apôtres qu'elle propose ensuite, il était déjà suggéré quand cet article de l'*Ordo* ajoutait : *apostolica enim uita optamus uiuere.* Mieux encore, Augustin l'évoque en termes quasi identiques à ceux de la Seconde Règle dans son *Praeceptum*[26].

Sans oublier que ce *habebant omnia communia* (Ac 2, 44) figure aussi dans la Règle de Basile[27], on peut donc dire que la phrase entière rappelle surtout Augustin. La charité avant tout, exprimée par le renoncement à la propriété et le partage des biens à la manière des Apôtres : cette série de thèmes porte l'empreinte de la double législation augustinienne de façon non moins nette que l'appel à l'unanimité, à la concorde et aux honneurs mutuels lancé dans le préambule.

Par rapport aux Quatre Pères, la Seconde Règle fait preuve ici d'une grande originalité. Comme on l'a vu[28], le mot *caritas* ne se rencontre pas une fois chez les Pères. Pour eux, d'ailleurs, la vertu primordiale n'est pas la charité, mais l'obéissance. Et s'ils instituent aussi la désappropriation, ce n'est pas dès le début de leur législation et en référence à la vie commune des Apôtres, mais dans leurs second et quatrième discours seulement, à propos de telle et telle caté-

---

25. *Ordo monasterii* 4 : *Nemo sibi aliquid suum uindicet proprium* ; 2RP 6. Cf. AUGUSTIN, *Praec.* 1, 3.

26. AUGUSTIN, *Praec.* 1, 3 : *Sic enim legistis in Actibus Apostolorum, quia erant illis omnia communia* (Ac 4, 32) ; 2RP 6 : *sicut scriptum est in Actibus Apostolorum : Habebant omnia communia* (Ac 2, 44).

27. BASILE, *Reg.* 3 (496 b) : *haec communis inter se unanimorum fratrum habitationem* (cf. RIVP 1, 5-6 et 2RP 4), *habens in se illam similitudinem et exemplum quod in Actibus Apostolorum refert de sanctis Scriptura dicens quia « omnes credentes erant in unum et habebant omnia communia ».* L'accent est sur *in unum* plutôt que sur la désappropriation.

28. Introd. à RIVP, chap. I, n. 105.

gorie de postulants, et en se fondant sur l'épisode évangélique du jeune homme riche[29]. D'après Macaire, qui inculque cette doctrine, l'abandon des biens n'apparaît pas comme une expression de l'union des cœurs dans l'amour, mais comme un renoncement exigé du disciple qui veut « être parfait » et qui « prend la croix ».

Entièrement neuve, cette première phrase de notre règle marque donc un important changement de perspective. De la vision des Quatre Pères, centrée sur le supérieur et l'obéissance, on passe à une optique augustinienne qui privilégie les rapports mutuels dans la charité et le partage des biens. L'idéal suprême d'« unanimité » n'a pas changé, mais au lieu de le réaliser d'emblée et exclusivement, à la manière des premiers Pères, autour de l'axe vertical de l'autorité, la Seconde Règle revient d'abord au projet fraternel d'Augustin et au modèle de la *koinônia* primitive de Jérusalem[30].

Le supérieur et l'obéissance (7-10)

C'est seulement après cette image primordiale que se présente celle du *praepositus*. Cette fois, notre règle reprend manifestement le fil des Quatre Pères, d'autant qu'Augustin ne traitait du supérieur et de l'obéissance qu'à la fin de son *Praeceptum*[31]. Encore ne suit-elle les Pères qu'avec liberté. Au verbe *oboedire*, qui définissait seul, selon Sérapion, l'attitude des frères envers le supérieur, la Seconde Règle ajoute – ou plutôt préfixe – deux devoirs complémentaires : « craindre » et « aimer ». Peut-être le rédacteur se souvient-il qu'Augustin estimait « nécessaires » ces deux sentiments, tout en recommandant au *praepositus* de s'attirer surtout le

29. RIVP 2, 29-31 et 4, 11-12 (Mt 19, 21).

30. Cependant, à la différence d'AUGUSTIN, *Praec.* 1, 3, elle ne cite pas Ac 4, 35 (*distribuebatur unicuique sicut cuique opus erat*) à la suite de Ac 4, 32 = Ac 2, 44. Ce complément amène Augustin à mentionner le *praepositus,* chargé de la « distribution ».

31. AUGUSTIN, *Praec.* 7.

second[32], mais cet appel aux frères fait davantage penser à un mot de Jérôme dans sa célèbre Lettre à Rusticus : *praepositum monasterii timeas ut dominum, diligas ut parentem*[33]. A cette maxime, que reproduira la Règle de Macaire[34], Jérôme ajoutait d'ailleurs, exactement comme notre texte, une invitation à « obéir » sans discuter[35].

Comparée aux Quatre Pères, notre règle innove aussi en évoquant l'entrée en charge du supérieur « de par le jugement de Dieu et l'ordination conférée par l'évêque[36] ». Sans nous éclairer sur le mode humain de désignation qui a manifesté le « jugement divin » – dans quelle mesure a-t-on pris l'avis des frères[37] ? –, la formule marque du moins que l'autorité ecclésiastique est intervenue pour sanctionner le choix et investir l'élu. Assertion précieuse, puisqu'elle constitue peut-être la plus ancienne attestation que nous ayons d'une prérogative sacerdotale constamment exercée par la suite[38].

---

32. AUGUSTIN, *Praec.* 7, 3 : *Et quamuis utrumque sit necessarium, tamen plus a uobis amari appetat quam timeri.*

33. JÉRÔME, *Ep.* 125, 15 (date : 411). Noter *diligas*, au lieu de *amari* (Augustin).

34. RMac 7, 1. Voir aussi COLOMBAN, *Reg. mon.* 10.

35. *Credas tibi salutare quidquid ille praeceperit, nec de maioris sententia iudices, cuius est officii oboedire,* etc. Cf. RMac 4, 1.

36. Il ne s'agit pas d'ordination à la prêtrise, mais d'installation dans la fonction de supérieur. Cf. *RM* 93, 59 : *per ordinationem sacerdotalem,* ainsi que *RM* 93, 1-2 (*iudicio Dei et testimonio meo uobis pastor eligitur... ordinatur*) et 62 (*Deus elegit et... sacerdos ordinauit*). Le concile d'Agde (506), can. 12, prescrit de jeûner en carême *sacerdotali ordinatione,* par ordre de l'évêque. Celui d'Arles (449-461) distingue l'*ordinatio episcopi* (juridiction de l'évêque sur les moines clercs) et l'*ordinatio dispositioque abbatis* (juridiction de l'abbé sur les moines laïcs).

37. D'après le concile d'Arles (449-461), le droit d'élire l'abbé appartient à la « communauté laïque » des moines, mais dans *RM* 92-93, c'est l'ancien abbé qui désigne son successeur et proclame ainsi le « jugement de Dieu » (n. précédente).

38. Voir en dernier lieu K. HALLINGER, « Regula Benedicti 64 und die

Mais l'intention du rédacteur n'est nullement d'affirmer ce droit du *sacerdos*, pas plus que de lui subordonner le supérieur à la façon dont le *praepositus* est soumis à un *presbyter* dans la Règle d'Augustin[39]. C'est au contraire de fonder l'autorité du supérieur monastique qu'il s'agit. « Ordonné » par l'évêque, il est de ce fait un authentique représentant de Dieu lui-même, selon la déclaration du Christ aux disciples envoyés en mission : « Qui vous écoute, m'écoute, qui vous méprise, me méprise, et qui me méprise, méprise celui qui m'a envoyé[40] » (Lc 10, 16). Cette parole solennelle, deux fois invoquée par Cyprien pour défendre les évêques contre tout mépris de leurs ouailles[41], est aussi appliquée par Basile et Jérôme à ceux qui gouvernent les monastères[42]. Bientôt Fauste de Riez, encore abbé de Lérins, fera la même application dans un de ses sermons aux moines[43]. Tout en s'insérant dans cette tradition monastique, qui comptera entre autres le Maître et Benoît[44], notre règle l'enrichit de sa référence originale à l'*ordinatio sacerdotalis*, qui paraît justifier chez elle, comme dans une des Lettres de Cyprien[45], le recours à la parole du Christ.

Wahlgewohnheiten des 6.-12. Jahrhunderts », dans *Latinität und alte Kirche. Festschrift R. Hanslik,* Vienne 1977, p. 109-130.

39. AUGUSTIN, *Praec.* 4, 9 et 11 ; 7, 1-2. Cf. *Ordo monasterii* 6.

40. 2 RP 8-9. Selon CÉSAIRE, *Serm.* 74, 1, le Christ parle là *de sacerdotibus.*

41. CYPRIEN, *Ep.* 59, 4, 2 et 66, 4, 2, avec *reicit* au lieu de *spernit.* La seconde fois, Cyprien dit que la parole s'adresse aux Apôtres, et par suite *ad omnes praepositos qui apostolis uicaria ordinatione succedunt.*

42. BASILE, *Reg.* 70 (cf. *La Règle de saint Benoît,* t. VII, p. 153, n. 60-61) ; JÉRÔME, *De oboedientia, CC* 78, p. 552, 12.

43. EUSÈBE GALL., *Hom.* 43, 5. Cf. *Hom.* 46, 1 ; 61, 1 et 3 (évêque).

44. *RM* 1, 89, etc. ; *RB* 5, 6 et 15.

45. CYPRIEN, *Ep.* 66, 4, 2 (ci-dessus, n. 41). Chez le Maître aussi, l'application de Lc 10, 16 à l'abbé suppose l'« ordination » de celui-ci par l'évêque, mais ce rapport reste implicite (cf. *La Règle du Maître,* t. I, p. 112-113).

Ce grand texte évangélique, le seul qui soit cité ici pour fonder l'obéissance, tient lieu des cinq motivations scripturaires qu'avait alignées Sérapion[46]. De celles-ci, aucune, pas même la première[47], ne formulait clairement le principe de représentation divine que Lc 10, 16 énonce avec une telle force. Ce que les citations de Sérapion mettaient en relief, c'était seulement l'obligation et le bien de l'obéissance, en vertu de la volonté divine et de l'exemple des saints, voire du Christ en personne. Mais à qui faut-il obéir ? A Dieu, répondaient simplement quatre de ces cinq *testimonia.* Aux *praepositi*, disait le premier, mais sans motivation claire ni autre précision. Au lieu de ces appels, qui incitaient à obéir plus qu'ils ne définissaient des rapports précis de subordination, la Seconde Règle produit une véritable charte conférant aux supérieurs, tant monastiques qu'ecclésiastiques, l'autorité qui découle de Dieu lui-même. L'accent n'est plus sur la valeur et les mérites de l'obéissance, considérés d'un point de vue subjectif, mais sur l'ordre hiérarchique établi par le Seigneur dans son Église. A ces responsables humains qu'il a institués, il faut de toute nécessité se soumettre, sous peine de le mépriser, lui et celui qui l'a envoyé.

Le droit divin de l'autorité, ainsi mis en évidence[48], est aussi plus étendu ou du moins plus explicite que chez les Quatre Pères. Non seulement les frères ne doivent rien « faire » en dehors du supérieur – cela, Sérapion le disait déjà équivalemment[49] –, mais ils ne peuvent non plus rien « recevoir ou donner » sans son aveu. Ce *neque accipiat aliquid neque det* rappelle la condamnation passée plus haut

---

46. RIVP 1, 13-17.

47. RIVP 1, 13, citant He 13, 17 (le « compte à rendre » par les *praepositi* est omis).

48. Déjà RIVP 1, 12 disait : *sicut imperio Domini... oboedire.* En citant Lc 10, 16, la 2RP éclaire cette notation.

49. Comparer RIVP 1, 11 (*nec ab eius consilio uel imperio quicquam sinistrum declinare*) et 2RP 10 (*sine ipsius uoluntate nullus fratrum quicquam agat*).

contre toute propriété. Il marque l'importance nouvelle prise dans la Seconde Règle par le thème de la désappropriation, considérée désormais comme le fondement de la vie commune. Ce thème est foncièrement augustinien, nous l'avons vu plus haut. Mais la requête formulée ici fait penser plus précisément aux deux passages où Augustin réprouve la « réception occulte » de lettres ou de cadeaux[50], ainsi qu'à quelques articles de la Règle pachômienne[51]. Quant à l'interdiction de « se retirer où que ce soit sans un ordre verbal », qui élargit encore le champ soumis au contrôle du *praepositus*, elle paraît viser spécialement certaines résistances à la correction dont on parlera plus loin[52].

Silence au travail et aux réunions (11-13)

Originalité par rapport aux Quatre Pères, échos de Pachôme et d'Augustin : ces traits se retrouvent dans les lignes suivantes, où l'on passe de l'obéissance au silence. Qu'il fût interdit de bavarder pendant le travail, Paphnuce ne l'avait point dit, tandis que l'*Ordo monasterii* augustinien défend à ce moment les « paroles oiseuses » et les *fabulas*, auxquelles de son côté la Règle pachômienne, suivie par Cassien, veut qu'on substitue la « méditation » continuelle des Écritures[53].

A cette condamnation si traditionnelle du bavardage au cours du travail s'accrochent deux autres restrictions à l'usage de la parole, l'une et l'autre simplement juxtaposées

---

50. Augustin, *Praec.* 4, 11 et 5, 3 (*non occulte accipiatur*).

51. Pachôme, *Praec.* 98 (*nec accipiet melius et dabit deterius,* etc.) ; 106 (*Nemo ab altero accipiat quidpiam nisi praepositus iusserit*) ; 113 (*Commendatum aliquid etiam a germano fratre nullus accipiet*). Cf. *Praec.* 127 : *Nemo... sine praepositi uoluntate...*

52. Cf. 2RP 29 : *Correptus autem non audeat usquam recedere.*

53. *Ordo monasterii* 9 ; Pachôme, *Praec.* 59-60 (cf. 116 et 122) ; Cassien, *Inst.* 2, 15, 1. Sans parler spécialement du travail, RIVP 5, 2 condamne déjà l'*otiosum sermonem.* – Sur le sens de *meditem* dans 2RP 11, voir ci-dessous, n. 83.

sans aucune coordination[54]. La première, qui dénie aux *iuniores* le droit de parler aux réunions sans avoir été interrogés, utilise un type de phrase déjà employé dans les deux discours de Macaire à des fins analogues[55]. Ce que le second des Quatre Pères interdisait là en tel et tel cas particulier se trouve ici repris dans une défense plus générale. Au reste, « ne pas parler avant d'être interrogé » est une règle de conduite qu'on ne trouve pas dans les législations cénobitiques primitives. Présente dans les apophtegmes, puis constamment inculquée par le Maître[56], elle ne paraît relever ici que d'un double souci caractéristique de notre règle : celui de l'ordre hiérarchique et du silence[57]. On notera aussi la distinction nette entre réunions conventuelles et entretiens particuliers, qui suppose une communauté assez importante pour requérir le clivage du public et du privé.

Discrétion vis-à-vis des hôtes (14-16)

Par la prohibition suivante, qui concerne les rapports des frères avec le *peregrinus*, notre règle se rattache indubitablement à la fin du premier discours de Macaire. On se souvient qu'après avoir longuement traité des postulants – dont la Seconde Règle ne dit pas un mot –, l'orateur réglait en appendice l'accueil des *peregrini hospites*. Dans ces dispositions, qui plaçaient chaque phase de l'accueil sous le contrôle direct ou indirect du supérieur, notre règle omet toutes les prérogatives de celui-ci et du responsable désigné par lui, pour ne retenir que la consigne de silence donnée aux frères[58].

---

54. 2RP 12-13 et 14-16. Noter les deux continuations analogues par *ceterum* (13) et *reliquum* (15).

55. RIVP 2, 40 (*Nec licebit alicui... sermocinari nisi... quos ipse uoluerit*) ; 2, 42 (*Nulli licebit loqui... nisi... quibus ipse iusserit*) ; 4, 13 (*non ei liceat loqui nisi praeceptum fuerit*).

56. *VP* 5, 10, 58 et 7, 32, 3 ; *RM* 9, 42, etc.

57. On la retrouvera dans la dernière phrase (2RP 46).

58. 2RP 14 (*occursum... et pacem* fait écho à RIVP 2, 37-39) et 16 (cf.

Celle-ci, en passant, est précisée dans le sens de la discrétion : pas de questions importunes posées au voyageur ou à son sujet[59].

Cette exigence de respect pour le secret de l'hôte, qui résulte évidemment d'indiscrétions commises par certains moines, fait penser aux recommandations initiales adressées à tous les frères[60]. De part et d'autre on sent le même souci, engendré par l'expérience, de promouvoir les égards mutuels et d'éviter tout heurt entre les personnes. En matière d'hospitalité comme à tout autre sujet, la préoccupation dominante des Quatre Pères était de marquer ce qui revenait au détenteur de l'autorité. Supposant ces points acquis, la Seconde Règle n'y revient pas, mais elle s'occupe en revanche de la manière de se comporter à l'égard des hôtes, qui doit être empreinte d'« humilité » – le trait est nouveau – et de discrétion.

Respect de l'ordre de communauté (17-21)

Non moins que ces lignes sur l'accueil, celles qui suivent se rattachent manifestement au deuxième discours des Quatre Pères. Avant ses dispositions pour l'admission des postulants, auxquelles s'annexe le règlement pour l'accueil des hôtes, Macaire traitait de l'ordre à observer dans la psalmodie[61]. C'est à ce passage que, revenant en arrière, notre règle fait écho maintenant. Ce faisant, elle complète le dispositif de restrictions à l'usage de la parole qu'elle a mis en place dans les deux paragraphes précédents.

RIVP 2, 40). Curieusement laissé dans l'indétermination, le sujet n'est sans doute pas le supérieur (Neufville), mais soit le moine ordinaire (Ménard), soit plutôt le responsable unique de l'accueil (cf. RIVP 2, 37).

59. 2RP 15.

60. 2RP 4-5. Noter *humilitatem* (5) et *humilem* (14).

61. RIVP 2, 11-14. Séparant bizarrement des phrases concernant le supérieur (RIVP 2, 10 et 15), ce passage est probablement secondaire. Cf. ci-dessous, n. 68-69.

C'est en effet de parole qu'il s'agit avant tout dans ces lignes, encore que les autres formes de « présomption » y soient aussi condamnées[62]. En toute occasion, il est défendu de parler avant son tour, c'est-à-dire avant un frère plus ancien s'il s'en trouve un sur place. Ce principe s'applique non seulement à la prière, où chacun – nous le savons par les Quatre Pères – doit psalmodier à son tour, mais aussi au travail, aux rapports avec l'extérieur et jusqu'aux moindres circonstances de la vie commune[63].

Une règle aussi générale déborde en tous sens la consigne très limitée que donnait Macaire. Pour celui-ci, il s'agissait seulement de ne pas empiéter sur l'ordre d'ancienneté *ad standum uel psallendi ordinem*, « quant à la place où l'on se tient et au tour de psalmodier[64] ». Même si cette « place » est à garder ailleurs qu'à l'office[65], le contexte fait penser surtout à ce dernier, auquel se rapporte exclusivement, en tout cas, le « tour de psalmodie ». La seule espèce de parole à propos de laquelle Macaire interdît d'enfreindre l'ordre d'ancienneté était donc la récitation liturgique des psaumes. On voit combien notre règle élargit la défense. L'*ordo psallendi* n'est plus pour elle le cadre limitatif où l'interdiction reste enfermée, mais un simple point de référence pour l'ensemble des situations de la vie commune : chaque fois qu'il y a lieu de parler, voire de faire quoi que ce soit, cet « ordre dans lequel on psalmodie » est à observer.

Cette généralisation par rapport aux Quatre Pères rappelle celle que nous avons déjà constatée à propos du tour *nullus... quidquam loquatur nisi...* rencontré plus haut[66]. Au

62. 2RP 17 : *facultatem loquendi uel aliquid praesumendi*. Cf. 21 : *uel aliquam praesumptionem*.

63. 2RP 19 (à moins que *imum* représente « le dernier des frères », comme l'entend I. de Piccoli).

64. RIVP 2, 11.

65. *Standum* indique en principe la station debout. Il ne s'agit donc pas du réfectoire (cf. 2, 13 : *accubueris prior in conuiuio*) ni des conférences (4, 13 : *residentibus*), où l'on est assis.

66. 2RP 12. Cf. ci-dessus, n. 55.

reste, la phrase en question restreignait déjà la liberté de parler, et elle visait les *iuniores*, catégorie corrélative des *seniores* mentionnés à présent[67]. Hiérarchiser l'usage de la parole selon le rang d'ancienneté, tel est bien le propos commun des deux passages. L'initiative de parler, que le premier retirait aux « jeunes » dans les réunions de communauté, le second la leur dénie en toute occasion.

Mais revenons aux Quatre Pères et à l'amorce dont s'est emparé l'esprit généralisateur de la Seconde Règle. Cette prescription de Macaire au sujet du tour de psalmodie, il n'est pas sans intérêt d'observer qu'elle semble interpolée dans un contexte qui ne parlait primitivement que du supérieur[68]. Entre deux phrases qui réservaient à celui-ci la direction de la psalmodie, on a inséré cet avis concernant les rapports hiérarchiques entre frères[69]. Le même caractère secondaire marque encore plus nettement tout le deuxième discours de Macaire, où apparaît de nouveau, à propos du moine étranger, cette hiérarchie du rang d'ancienneté[70]. On entrevoit ainsi, à travers les deux règles, le développement progressif du système des rangs. Absent de la rédaction primitive des Quatre Pères, il a d'abord été introduit, sous une forme limitée, dans les deux discours de Macaire, puis confirmé et universalisé par la Seconde Règle. Celle-ci, notons-le au passage, s'avère sur ce point dépendante de la rédaction développée des Quatre Pères.

Outre l'institution elle-même, la terminologie a évolué d'une règle à l'autre. Le « plus ancien », chez les Quatre Pères, se nommait *prior*. La Seconde Règle l'appelle *senior*, en corrélation avec *iuniores*. De plus elle parle de *praecedens* et de *sequens*. Ces différentes appellations font penser à des textes antérieurs ou contemporains. *Prior* se rencontre, avec

---

67. 2RP 17 : *praesente seniore quocumque*. Comment ce *senior* se distingue-t-il du *praecedens in ordine psallendi* mentionné ensuite ?

68. Voir ci-dessus, n. 61.

69. Cf. Introd. à RIVP, chap. I, n. 67.

70. RIVP 4, 8-9. Cf. Introd. à RIVP, chap. I, n. 4-5.

primus, sous la plume de Jérôme décrivant le système des rangs chez les Pachômiens[71]. *Sequens* a aussi un équivalent dans la traduction des Règles de Pachôme[72]. Au contraire, *senior* et *junior*, pris en corrélation dans ce sens, sont absents des *Pachomiana*[73], tandis qu'on les trouve dans les homélies de Fauste aux moines de Lérins[74]. Cet indice est à retenir pour la datation de la Seconde Règle.

Des deux phrases suivantes, la première ne nous retiendra pas : cette réserve concernant le frère « un peu simple ou embarrassé pour parler » qui « cède son tour » au suivant[75], a seulement l'intérêt d'être neuve par rapport aux Quatre Pères et d'attester le soin avec lequel la Seconde Règle traite la question. Au contraire, la deuxième phrase conclut le présent paragraphe, et avec lui toute la réglementation de la parole (11-21), sur une note de « charité » d'autant plus intéressante que le mot et la notion elle-même faisaient défaut, on s'en souvient, chez les Quatre Pères. Recommandée « avant tout » au début de la Règle, la *caritas* revient ainsi en conclusion d'une de ses plus longues sections. Comme plus haut, une réminiscence de l'Apôtre sert à la recommander[76]. Et comme précédemment aussi, une deuxième réminiscence paulinienne se joint à celle-ci pour l'expliciter. En glosant l'*in caritate* de la Première aux Corinthiens par le *non per contentionem* de l'Épître aux Philippiens, le rédacteur revient d'ailleurs au

71. JÉRÔME, *Praef. in Reg. Pach.* 3 : *prior in ecclesia communicat*. Le terme n'est pas encore pris absolument.

72. PACHÔME, *Praec.* 63 : *ei qui post se est in ordine*. Dans *Praec.* 58-59, *antecedere* se dit du *praepositus domus* qui marche en tête des hommes.

73. On trouve seulement des *seniores* au service des vierges (*Praec.* 143) et d'autres qui peuvent être « les supérieurs » en général (*Iud.* 8 ; cf. *maiorum*).

74. EUSÈBE GALL., *Hom.* 38, 5-6 ; 42, 7.

75. 2RP 20. Le concile d'Agde (506), can. 23, prévoit aussi des dérogations à l'ordre hiérarchique *propter simpliciorem naturam*, en raison de la « simplicité » (incapacité) de certains clercs.

76. Comparer 2RP 5 (Ph 2, 2, etc.) et 21 (1 Co 16, 14).

passage auquel il avait emprunté l'appel à l'unanimité et à la concorde qui conclut son Préambule[77]. Rien ne montre mieux la cohésion de sa pensée, illuminée par l'enseignement de saint Paul sur l'union des fidèles dans l'amour.

L'horaire du travail (22-26)

Avec le paragraphe sur l'horaire, on passe du deuxième discours des Pères au troisième[78], auquel notre règle n'empruntera rien d'autre. Aucune section de la Seconde Règle n'est aussi étroitement dépendante des Quatre Pères. Le double examen que nous avons déjà fait de ce passage, d'abord en comparant les deux règles, puis en analysant le discours de Paphnuce[79], nous permet de ne relever à présent que quelques particularités saillantes de la Seconde Règle.

L'une de celles-ci consiste dans la première phrase introduction entièrement neuve qui se réfère à un « statut » déjà existant et en décrète le maintien. De fait, la Seconde Règle va reproduire l'horaire des Pères. Cependant le « temps de méditer et de travailler », qui correspond à la division du jour empruntée à Paphnuce, n'est pas le seul objet de cette déclaration conservatrice. Il y est d'abord question du « *cursus* des prières et des psaumes », c'est-à-dire, semble-t-il, de la série des heures de prière commune et de l'ordonnance des psaumes à ces offices[80]. Sur ces deux

77. Comparer 2RP 4-5 (Ph 2, 2-3) et 20 (Ph 2, 3).

78. 2RP 22-26 ; RIVP 3, 10-12.

79. Introd. générale, chap. II, n. 4-6 ; Introd. à RIVP, chap. II, n. 125-138.

80. Plutôt que des oraisons et psaumes qui alternent au cours de chaque office, sens moins probable, en ce qui concerne *orationum*, tant du fait que ce mot précède *psalmorum* (l'oraison, au cours de l'office, suit le psaume) qu'en raison du double *uel... uel*, qui suggère deux ordonnances distinctes (le premier *uel*, toutefois, manque dans *TA*). Nous entendons donc *orationum* au sens général d'heures de prière (offices) qu'il paraît avoir dans RIVP 2, 10 et 2RP 19 (cf. 31-32). Ce *cursus orationum* (ensemble des heures de l'office) correspond au *canonico... cursu de*

thèmes, on ne trouve absolument rien chez les Quatre Pères. C'est pourtant de cet *ordo officii* avant tout, sinon exclusivement, que notre règle dit qu'il a été « établi depuis longtemps ».

Mais même ici l'office n'est mentionné qu'en passant[81]. La suite du paragraphe ne traitera que des deux grandes occupations qui séparent les heures canoniales : la « méditation » et le travail. Par les mots *meditandi, meditem, medite,* le rédacteur veut désigner une activité entièrement distincte du travail, faite à un autre moment et s'identifiant au moins partiellement avec la « lecture ». Ce sens indubitable de *medite* dans le présent passage ne coïncide pas nécessairement avec l'acception donnée au même mot dans un des paragraphes précédents[82], où la mention de la « méditation » suivait celle du travail au lieu de la précéder et visait peut-être l'exercice, bien connu par ailleurs, de la répétition orale *au cours* du travail manuel[83]. Si tel était alors le sens de *meditem*, on trouverait dans notre règle une description complète de l'activité spirituelle du moine : lecture et mémorisation de l'Écriture au début de la matinée, prolongées par sa récitation de mémoire durant le travail manuel tout le reste du jour.

Comparée aux Quatre Pères, qui parlaient seulement de « vaquer à Dieu » entre prime et tierce, la Seconde Règle est plus précise : on « médite » et on « lit[84] ». Mais sa principale

---

V. Patr. Iur. 175. Voir ensuite AURÉLIEN, *Reg. uirg.* 38 ; FERRÉOL, *Reg.* 12, etc.

81. Si la 2RP se situe à Lérins, on peut se faire une idée du *cursus* qu'elle vise en recourant à CASSIEN, *Inst.* 2, 2 et à l'*ordo secundum regulam monasterii Lirinensis* de CÉSAIRE, *Reg. uirg.* 66-69.

82. 2RP 11 : *unusquisque operam suam et meditem suum custodiat.*

83. Voir notre article « Les deux fonctions de la méditation dans les règles monastiques anciennes », dans *RHS* 51 (1975), p. 3-16, où d'ailleurs nous n'envisagions pas la possibilité de ce sens de *medite* en 2RP 11 (cf. p. 8, n. 29).

84. 2RP 23. Peut-être ce *medite* consiste-t-il simplement à lire, comme nous le supposions dans l'article cité (n. précédente), p. 8. Peut-être aussi

innovation est d'introduire une clause restrictive : les trois heures de *medite* peuvent être omises au bénéfice d'un travail commun[85]. Aux yeux du rédacteur, cette réserve est sans doute de grande importance. Son insertion pourrait bien être la raison majeure pour laquelle il prend la peine de reproduire ce passage du discours de Paphnuce, à la différence de tous les autres. Les frères ne sont que trop attachés à ces trois heures de loisir spirituel qui constituent leur part de vie privée. Selon une requête de la charité mise en évidence par Augustin[86], ils doivent être prêts à les sacrifier, en cas de nécessité, au bien commun. Déjà les Quatre Pères, on s'en souvient, avaient réduit à trois heures le temps indéfini que certains moines gaulois consacraient jusque-là à la *lectio*. Poursuivant dans la même ligne, la Seconde Règle déclare que ces trois heures elles-mêmes ne sont pas intangibles.

On songe ici à l'éloge décerné par Cassien aux cénobites égyptiens pour la préférence absolue qu'ils donnent à l'obéissance et la promptitude avec laquelle, délaissant la lecture et la tranquillité de leur cellule, ils répondent au premier signal du travail commun[87]. Moins généreux ou moins bien dressés, leurs confrères occidentaux sont tentés de murmurer à propos du travail qu'on leur impose – nous le savons déjà par les avertissements des Quatre Pères. Si la Seconde Règle va justement annexer à cette mise en garde contre le murmure un dispositif pénal entièrement neuf, c'est

---

s'agit-il d'une opération distincte : la mémorisation du texte lu. Cette opération finale donnerait son nom au temps d'étude pris dans son ensemble. – Noter l'omission de *a prima hora* (RIVP 3, 10). Le début de l'étude serait-il retardé par la longueur de l'office matinal, ou du moins non garanti ?

85. 2RP 24. Cette restriction fait penser à celle de 2RP 20.

86. Ce *aliquid fieri in commune* de 2RP 24 rappelle AUGUSTIN, *Praec.* 5, 2 : *omnia opera uestra in commune fiant* (cf. 1 Co 16, 14, cité par 2RP 21).

87. CASSIEN, *Inst.* 4, 12 ; cf. 4, 16, 2 : *si lectionem operi uel oboedientiae praeferens...* Cf. Introd. à RIVP, n. 150.

que les difficultés n'ont fait que croître. Restrictions apportées au temps de *lectio* et sanctions pénales : ces deux nouveautés de notre règle vont de pair. Ensemble elles reflètent une situation où le travail suscite d'autant plus de résistance qu'il tend à empiéter sur le temps de *lectio*.

Quant à la raison pour laquelle la « nécessité » de travailler s'est faite si pressante, il n'est pas difficile de la deviner. C'est sans doute la longueur des offices qui explique cette tension. Cassien, de nouveau, laisse entrevoir les problèmes que la longueur de l'office en Gaule posait aux moines de cette région. Un siècle plus tard, Césaire attestera le maintien, voire l'accroissement, de ces énormes quantités de psaumes[88]. Ainsi le *cursus orationum uel psalmorum*, dont notre règle nous parle pour la première fois, pourrait bien être à l'origine du fléchissement de l'horaire de la *lectio*[89].

Fragilité des trois heures de lecture : notre règle en donne ici une première preuve, qui annonce la réduction à deux heures opérée dans le manuscrit *T* et la Règle de Macaire. En plus de cette indication, il faut relever l'ajout *uel haesitatione*, qui complète, à la fin du passage, la citation de l'Apôtre[90]. De cette phrase de l'Épître aux Philippiens, Paphnuce n'avait retenu que le *sine murmuratione* utile à son propos[91]. Mais le chapitre second des Philippiens est cher à notre rédacteur. Après avoir cité à deux reprises quelques mots de son début, il montre à nouveau son intérêt pour lui, en même temps que son souci d'exactitude, en achevant la citation d'un verset ultérieur tronquée par les Pères.

---

88. Voir ci-dessus, n. 81. La sobriété orientale, que Cassien oppose à la prolixité gauloise, a justement pour but de laisser le temps nécessaire au travail (*Inst.* 3, 3, 1).

89. Si les Quatre Pères font déjà allusion à une psalmodie commune (RIVP 2, 10-11), on peut douter qu'elle soit chez eux aussi prolongée qu'elle le sera au temps de Cassien et de la 2RP.

90. 2RP 26, citant Ph 2, 14. Cf. 2RP 4 et 21 (Ph 2, 2-3).

91. RIVP 2, 12. Cependant RIVP était plus littéral en reproduisant *Omnia facite*. Ici comme en 4-5 et 21, 2RP incorpore la citation à son texte.

L'excommunication (27-30) La condamnation du murmure s'accompagne dans notre règle de sanctions contre les murmurateurs. Au lieu de les menacer des châtiments du ciel, comme le faisaient l'*Ordo monasterii* et les Quatre Pères[92], on leur inflige réprimandes et excommunication.

Entièrement neuves, ces mesures répressives n'indiquent pas seulement l'acuité des difficultés que rencontre la discipline du travail. Elles attestent aussi une maturation de l'expérience communautaire et de l'aptitude à légiférer. Chez les Quatre Pères, les pénalités n'apparaissaient que dans un appendice manifestement secondaire, qui manque dans beaucoup de manuscrits. De plus, elles ne portaient que sur deux délits particuliers – parole inutile et rire –, et si Macaire posait en principe que « l'excommunication doit être en rapport avec la faute », il n'entendait pas moins déterminer à l'avance la punition infligée dans chaque cas.

De cette législation rudimentaire à celle de la Seconde Règle, le progrès est évident. Sans doute la répression reste-t-elle ici attachée à une seule catégorie de délits – murmure, résistance, opposition ou mauvaise volonté –, mais celle-ci est déjà bien plus ample et générale que les deux manquements très particuliers punis par les Pères, en attendant qu'un *addendum*, à la fin de la règle, traite universellement des corrections pour « toute espèce de faute[93] ». En outre, le législateur se garde d'entrer dans le détail et de spécifier les punitions selon les cas. Reprenant à Macaire l'expression *qualitas culpae*[94], il laisse au supérieur le soin d'apprécier cette « nature de la faute » et de punir en conséquence. Quant à la loi pénale, elle reste au niveau de généralité qui convient à une législation.

Secundum arbitrium praepositi : cette clause nouvelle et essentielle, qui attribue au supérieur le rôle de juge, se trouve

---

92. *Ordo monasterii* 5 ; RIVP 3, 13.

93. 2RP 40-45.

94. 2RP 28. Cf. RIVP 5, 1.

déjà en propres termes dans la Règle d'Augustin[95]. Peut-être est-ce là que notre rédacteur l'a prise, non sans éliminer la mention du *presbyter* qui coiffait le *praepositus* augustinien. D'autres expressions, à commencer par l'ample formule hypothétique qui énumère les fautes, font penser aux *Iudicia* pachômiens[96]. C'est aussi chez Pachôme que l'on trouve pour la première fois les deux circonstances dont dépend, selon notre règle, la durée de la peine et sa cessation[97] : gravité de la faute[98], humble pénitence et amendement du coupable[99]. De son côté, le verbe *abstineatur*, qui désigne l'excommunication, appartient à la langue des conciles[100], aussi bien que le nom même d'*excommunicatio*, employé un peu plus loin dans notre règle comme déjà chez les Quatre Pères[101]. Quant au délit de ceux qui se solidarisent de façon quelconque avec le réprouvé, on le trouve chez Pachôme et Basile[102], mais l'idée qu'ils tombent *ipso facto* sous le coup de la même excommunication rappelle surtout Cassien[103].

Deux détails sont encore à noter dans cette section.

---

95. AUGUSTIN, *Praec.* 4, 9 (*secundum praepositi uel etiam presbyteri... arbitrium*) et 11 (*secundum arbitrium presbyteri uel praepositi*).

96. PACHÔME, *Iud.* 6 : *Si inoboediens quis fuerit aut contentiosus aut contradictor aut mendax...* (cf. 5 : *Qui habet consuetudinem murmurandi...*) ; 7 : *corripient eum ut dignus est correptione seuerissima.*

97. 2RP 28. Ces deux *uel* semblent être cumulatifs (minimum inévitable et condition ultérieure pour la cessation) plutôt que disjonctifs (chacun, à soi seul, suffit). Le sens serait donc différent de celui que nous avons proposé en 2RP 22.

98. PACHÔME, *Inst.* 9-10 ; *Iud.* 13 et 16.

99. PACHÔME, *Inst.* 4-5 ; *Iud.* 12 (cf. 8-11). Voir aussi CASSIEN, *Inst.* 2, 15-16 ; 3, 7, 1 ; 4, 16, 1.

100. On le trouve 12 fois, par exemple, au concile d'Elvire (305), et 7 fois au concile de Tolède I (400). Voir déjà CYPRIEN, *Ep.* 41, 2, 1 ; 74, 8, 2. Quant à l'idée, cf. PACHÔME, *Iud.* 1 (*separabitur*), etc. ; CASSIEN, *Inst.* 2, 16 (*ab oratione suspensus... segregatus*).

101. 2RP 30 ; cf. RIVP 5, 1.

102. 2RP 30. Voir PACHÔME, *Iud.* 16 ; BASILE, *Reg.* 26.

103. CASSIEN, *Inst.* 2, 16.

D'abord la défense faite au coupable de « se retirer où que ce soit » quand on le reprend. Elle précise une interdiction similaire, formulée antérieurement en termes généraux[104], en même temps qu'elle vise peut-être déjà la possibilité de trouver asile hors du monastère dans une des « cellules » dont il va être question.

Cette mention de « ceux qui habitent dans les cellules » est la seconde particularité que nous voudrions relever. Elle offre un grand intérêt. A côté du « monastère » cénobitique, il existe donc des « cellules », où vivent sans doute des ermites. Comme dans les déserts d'Égypte[105], ces solitaires sont enclins à prendre la défense des frères du coenobium qui ont fait l'objet d'une sanction et se sont réfugiés auprès d'eux. Mais à la différence des apophtegmes égyptiens, notre règle leur dénie absolument pareil droit. Bien plus, elle les frappe d'excommunication, tout comme les cénobites coupables d'une telle faute. Quel que puisse être le prestige de ces hommes, qui sont en principe des moines accomplis, la Seconde Règle les soumet entièrement au supérieur du coenobium et ne souffre de leur part aucune atteinte à son autorité.

Outre ce vigoureux autoritarisme communautaire, qui est bien dans la ligne des Quatre Pères, le fait même que des ermitages avoisinent le coenobium nous intéresse vivement. A cet égard, la situation a bien évolué depuis le temps des Pères. La première démarche de ceux-ci était de déclarer inopportun, voire impossible, que les frères « habitent chacun de son côté » dans le « désert désolé » au milieu de « monstres terrifiants », et de décréter la réunion de tous en une seule maison[106]. A présent, cette maison commune est flanquée de

---

104. 2RP 29 : *correptus autem non audeat usquam recedere*. Cf. 10 : *nec usquam prorsus recedat sine uerbo praecepti*.

105. Voir notre article « L'anecdote pachômienne du *Vaticanus graecus* 2091. Son origine et ses sources », dans *RHS* 49 (1973), p. 401-419, spécialement p. 417-418.

106. RIVP 1, 2-8.

cellules solitaires. Sans renier les considérants scripturaires allégués par Sérapion, sans même fournir du fait nouveau aucune justification théorique, la Seconde Règle nous met en présence d'une pratique contraire aux principes d'antan. Rapprochée de la mention que fait Eucher, en 428, des « vieillards qui ont, avec leurs cellules séparées, introduit les Pères d'Égypte » à Lérins[107], cette donnée de notre règle est de grande importance pour sa localisation et sa datation. Nous en reparlerons.

Exactitude, persévérance et silence à l'office (31-39)

La longue section qui suit se rattache doublement à celle que nous venons de parcourir. D'abord, puisqu'elle traite d'un bout à l'autre de l'office et premièrement de l'exactitude aux « heures de prière », elle fait retour au *cursus orationum*, mentionné avant la méditation et le travail dans la section sur l'horaire[108]. Ensuite, par le caractère répressif de sa première phrase, ainsi que de la troisième, elle continue le thème des pénalités inauguré immédiatement auparavant. De même que ce règlement d'excommunication sanctionnait les délits de mauvaise volonté à l'égard du travail, de même ce qui va suivre réprimera les manquements à l'égard de l'office[109].

L'un et l'autre développement est complètement neuf par rapport aux Quatre Pères. Parmi les autres auteurs, la sanction contre les retards à l'office fait aussitôt penser à Pachôme et à Cassien[110]. Mais ceux-ci donnaient des précisions qu'on cherche en vain dans notre règle : un temps-limite était fixé à partir duquel les retardataires seraient punis, aussi bien de jour (après la première oraison ou le

---

107. EUCHER, *De laude* 42. Cf. Introd. à RIVP, chap. II, n. 34-36.

108. 2RP 22.

109. On a ainsi un chiasme : office (22) et travail (23-26) ; délits et sanctions relatifs au travail (27-30) et à l'office (31 suiv.).

110. PACHÔME, *Praec.* 9-10 ; CASSIEN, *Inst.* 3, 7, 1-2.

premier psaume) que de nuit (après la troisième oraison ou le second psaume). A la place de ces délais miséricordieux, on ne trouve ici que rigueur : est puni d'exclusion « quiconque n'a pas abandonné immédiatement le travail qu'il faisait pour se tenir prêt[111] ».

Ainsi le moindre retard semble être sanctionné, et avec autant de sévérité que le plus considérable[112]. Et si cette peine d'exclusion est la même que chez Cassien, on ne parle pas de sa durée et de sa cessation comme le fait celui-ci. La Seconde Règle se contente de mettre à la porte le retardataire, sans lui prescrire une satisfaction qui lui fasse réparer sa faute. Cette répression des retards a donc quelque chose de brutal et de sommaire, comme si notre règle n'avait derrière elle, à cet égard, que peu ou point d'expérience pratique et de législation antérieure. On dirait que la question vient à peine d'entrer dans le champ des préoccupations disciplinaires.

Il est vrai que l'obéissance immédiate au signal de l'office n'est pas une exigence nouvelle. Pachôme la réclamait déjà, et Cassien en faisait un des mérites du cénobitisme égyptien[113]. Ce qui est nouveau, c'est de l'exiger sous peine de sanction. La Seconde Règle transporterait-elle donc au plan pénal ce que les témoins du monachisme en Égypte se bornaient à prescrire ou à décrire ?

En tout cas, le rapprochement avec Cassien s'impose d'autant plus que ce dernier parle à ce propos de la « préférence » donnée à l'obéissance sur toute autre activité ou vertu, et en particulier sur le travail manuel. Ses expressions rappellent le *nihil orationi praeponendum est* que nous trouvons ici. De même que les cénobites égyptiens ne

---

111. 2RP 31. Il semble que tout retard soit imputé au fait de ne pas avoir abandonné immédiatement le travail.

112. A la différence de *RM* 73, où sont prévues trois sanctions graduées suivant l'importance du retard.

113. PACHÔME, *Praec.* 3 (noter *statim*) ; CASSIEN, *Inst.* 4, 12, où il s'agit plus largement de l'obéissance à tout signal (noter *opus, derelinquens, praeferunt, postponenda*). Cf. *La Règle de Saint Benoît*, t. V, p. 795-800.

préfèraient rien à l'obéissance, de même les destinataires de la Seconde Règle ne doivent « rien préférer à l'office ».

Mais la maxime a son origine bien en-deçà de Cassien et de notre rédacteur. Cyprien et Athanase l'employaient déjà au sujet du Christ[114]. Peut-être les formules des Institutions et de notre règle proviennent-elles toutes deux, indépendamment l'une de l'autre, de ce célèbre « Ne rien préférer à (l'amour du) Christ ». En tout état de cause, il est significatif que le substitut de *(amor) Christi* soit ici l'*oboedientia* et là l'*oratio* de l'office. Ce contraste en dit long sur l'importance prise par la prière commune dans la pratique et la spiritualité du milieu visé par notre texte. Ce que nous savons de l'ampleur de l'office en Gaule s'accorde bien avec cette indication[115].

Outre l'exactitude à la prière, la Seconde Règle réclame la persévérance. De jour et de nuit, il ne faut pas se lasser des offices qui « durent longtemps » et « faire défection[116] ». Une telle recommandation suggère de nouveau des structures liturgiques assez pesantes. Plus qu'aux ouailles de Césaire d'Arles, dont beaucoup sortent de l'église au milieu de la messe du dimanche ou des « vigiles » matinales, pourtant si courtes[117], on songe aux moines du Jura, où Oyend se fera une réputation en ne sortant jamais de l'office, ni de jour ni de nuit[118]. Le mot *missa*, qui désigne ici l'office, est bien en situation aussi dans un milieu monastique gaulois : Cassien l'emploie parfois en ce sens[119].

---

114. CYPRIEN, *Or. dom.* 15 : *Christo nihil omnino praeponere* (cf. *RB* 72, 11) ; ATHANASE, *V. Ant.* 13, *PL* 73, 134 c : *nihil amori Christi anteponendum* = 14, 6 Bartelink : *nihil debere praeponere ipsos horum quae sunt in mundo dilectionis Christi* (cf. *RM* 3, 23 = *RB* 4, 21). Voir aussi DENYS, *V. Pach.* 29 et 31 (amour du Christ) ; EUSÈBE GALL., *Hom.* 38, 5 (obéissance).

115. Voir plus haut, n. 87-89.

116. 2RP 32-34.

117. CÉSAIRE, *Serm.* 73-74 (messe ; elle ne dure qu'« une heure ou deux ») ; 76 (vigiles ; « à peine une demi-heure »).

118. *V. Patr. Iur.* 130.

119. CASSIEN, *Inst.* 3, 6 et 11 (messe remplaçant l'office le dimanche).

Au reste, les sorties au cours de l'office sont une nécessité et une tentation de tous les temps. Il en est question un siècle plus tôt chez Pachôme[120], comme un siècle plus tard dans la *Regula Pauli et Stephani*[121]. Ce qui distingue notre règle à cet égard, c'est qu'elle n'exige pas qu'on demande la permission du supérieur pour sortir. Sur ce point encore, si on la compare non seulement à ce qui la suit, mais même à ce qui la précède, elle fait preuve d'une singulière imprécision. A défaut d'autorisation régulière, elle ne pose d'autre limite aux abus prévisibles qu'une menace de sanctions assez vague contre « ceux qui seront pris[122] ». La motivation de cette pénalité est d'ailleurs intéressante : le fautif est inculpé moins de « négligence » que d'« incitation au vice[123] ». Avec son souci caractéristique des rapports mutuels et de la vie commune, la Seconde Règle envisage la faute avant tout comme un tort causé à autrui.

Enfin les « vigiles » font l'objet d'une recommandation particulière. Ces longues veillées des monastères gaulois comportent des risques d'assoupissement, nous le savons par Césaire[124]. Mais au lieu de combattre le sommeil par le travail manuel ou la station, comme le fera celui-ci, la Seconde Règle ne prévoit pas d'autre remède que de sortir. La tentation subséquente de rester à bavarder hors de l'oratoire préoccupera pareillement Benoît et l'auteur de la *Regula Pauli et Stephani*[125]. Comme notre règle, ce dernier

---

Ailleurs *missa* paraît signifier plutôt « renvoi » (*Inst.* 2, 7, 1 ; 3, 5, 2 ; 3, 7, 1 et 8, 2) ou « messe » (*Inst.* 11, 16 ; cf. 3, 11).

120. Pachôme, *Praec.* 11 (noter *necessitate*), qui suit les sanctions pour retard (*Praec.* 9-10), tout comme en 2RP 31-32.

121. *Reg. Pauli et Steph.* 4, 1-4.

122. 2RP 35.

123. 2RP 36.

124. 2RP 37. Cf. Césaire, *Reg. uirg.* 15 (*In uigiliis... si qua grauatur somno...*) Voir aussi Pachôme, *Praec.* 21 (conférences ; le dormeur doit se lever).

125. *RB* 43, 8 (on est hors de l'oratoire, non à cause du sommeil, mais pour cause de retard et d'exclusion) ; *Reg. Pauli et Steph.* 4, 3-4 (motif de

insistera pour qu'on « revienne aussitôt » à l'office nocturne.

Avec cette mise en garde contre le bavardage, le rédacteur prend à partie pour la troisième fois l'ennemi par excellence que sont pour lui les *fabulae*[126]. La même préoccupation lui fait recommander ensuite le silence à l'intérieur de l'oratoire, au cours des lectures[127]. Qu'il faille adresser une telle recommandation aux moines, tout comme aux séculiers provençaux qu'admonesteront Fauste et Césaire[128], on pourrait s'en étonner. Mais la législation pachômienne montre que le monachisme égyptien n'était pas non plus à l'abri de cette misère[129].

Deuxième règlement pénal (40-45)

Le dernier paragraphe, sur la correction et ses suites, paraît secondaire pour plusieurs raisons. D'abord il se présente lui-même comme « additionnel ». Ensuite, il forme une sorte de doublet avec les dispositions pénales prises plus haut à propos du travail[130], et sa manière de citer l'Écriture s'écarte de la présentation adoptée jusqu'à présent[131]. Enfin il s'insère gauchement entre deux phrases traitant du silence qui paraissent destinées à se suivre[132]. Cet

---

sortie non indiqué ; l'interdiction de sortir à plusieurs implique la crainte du bavardage).

126. 2RP 11.16.37.

127. 2RP 39.

128. Eusèbe Gall., *Hom.* 64, 8. – Césaire, *Serm.* 73, 1 (lectures de la messe) et 78, 1 (leçons des passions) ; cf. *Serm.* 76-77 et 80 (psaumes et oraisons).

129. Pachôme, *Praec.* 8. Cf. Évagre, *Sent.* 47 et 51, *PL* 20, 1183 a, où il peut s'agir de bavardages nocturnes hors de l'office.

130. Voir 2RP 27-30 : la *correptio* (cf. 43) est suivie de l'excommunication (non mentionnée ici, semble-t-il) jusqu'à amendement (cf. 44). Ici, la dégradation (43) et l'expulsion (? ; 44) sont nouvelles.

131. Comparer *dicentis* (41) et *sicut... dixit* (45) avec *sicut scriptum est* (4.6.9), *sicut docet* (26 ; cf. 5 : *quae docet*) et *quia scriptum est* (33). Cet emploi de *dicere* rappelle la RIVP, où il est constant. Voir aussi n. 149.

132. 2RP 39 et 46. *Specialiter* (46) paraît supposer d'autres articles

addendum pourrait donc avoir été introduit quelque temps après la première rédaction, qui se terminait probablement par l'une ou l'autre de ces défenses de parler. Si la seconde de celles-ci existait avant lui, on comprend qu'elle ait été laissée en finale, pour éviter de conclure par la dure sentence d'excommunication qui le clôt[133].

Ce nouveau passage sur la correction accentue l'importance de la question dans la Seconde Règle. Sa formulation universelle, déjà relevée[134], en fait une véritable loi pénale applicable à tous les cas. Partant de la simple réprimande, il envisage successivement la réaction immédiate du délinquant – ne pas répondre, mais s'humilier –, les multiples répétitions du manquement et des reproches, aboutissant à une première peine de dégradation, enfin le châtiment suprême de l'exclusion[135]. Le processus pénal est donc décrit de façon complète, du premier pas au dernier. S'accorde-t-il avec le schéma tracé précédemment à propos du murmure[136] ? En tout cas, son caractère plus général et plus achevé lui donne sur celui-ci une sorte de supériorité. Quand on se souvient que le premier règlement d'excommunication marquait déjà un progrès considérable sur les Quatre Pères, on mesure l'avance réalisée dans ce domaine par la Seconde Règle.

« Répondre durement » est une faute que Pachôme et Cassien réprouvent aussi[137], mais sans spécifier que cette

---

concernant le silence et s'explique mieux si 46 suivait primitivement 39. Cependant ces deux phrases commencent par *autem*, ce qui serait disgracieux si elles se suivaient.

133. 2RP 45 : *Sit tibi sicut ethnicus et publicanus* (Mt 18, 17).

134. Voir ci-dessus, n. 93.

135. C'est-à-dire l'expulsion du monastère, comme le suggèrent ROr 35 (*proiciatur de monasterio et uel extraneus habeatur*) et *RM* 64, 4 (Mt 18, 17 : expulsion), plutôt que l'excommunication, à laquelle s'applique peut-être Mt 18, 17 chez Basile, *Reg.* 28 (cf. *Reg.* 16) et que vise la formule *extraneus habeatur* des conciles francs (ci-dessous, n. 145-146).

136. Imparfait en tout état de cause, l'accord se réduit à peu de chose si l'on entend 44-45, non de l'excommunication, mais de l'expulsion (n. 130 et 135).

137. Pachôme, *Inst.* 10 (*dure respondens*); Cassien, *Inst.* 4, 16, 2 (*si*

réponse s'oppose à une correction. Plus précisément, notre texte fait penser à une homélie où Fauste dépeint le négligent endurci qui refuse de « s'humilier » quand on le corrige et se fait gloire d'avoir « répondu avec autorité[138] ». Illustrée par un couple de citations scripturaires, l'exhortation à « s'humilier en tout » fait écho à deux passages antérieurs, dont le premier recommandait aussi, comme on le fait à présent, la « patience[139] ».

De son côté, la clause *qui non (se) emendauerit*, qui scande les rebondissements de la procédure pénale, fait penser à l'*Ordo monasterii*, où elle s'accompagne comme ici d'un verbe au participe évoquant les avertissements[140]. Ceux-ci, toutefois, dans le texte augustinien, se réduisent à deux, comme le suggère l'Évangile[141], tandis que le vague *saepius* de notre règle indique des réprimandes multipliées. En revanche, la Seconde Règle est plus explicite en ce qui concerne le châtiment : au lieu de soumettre le coupable, comme l'*Ordo*, à une *disciplina monasterii* dont les modalités nous restent inconnues, elle précise qu'il sera « mis à la dernière place ».

Cette notion du rang et son expression même (*in ordine*), telles qu'on les trouve ici, rappellent ce qui a été dit plus haut du respect que chacun doit avoir pour ceux qui le précèdent[142]. Particulièrement net, ce nouvel écho confirme que le présent *addendum*, si c'en est un, a été rédigé en

---

superfluo, si durius, si contumacius responderit). Cf. BASILE, *Reg.* 25 (« tristesse » de celui qui est repris) ; *Reg. Pauli et Steph.* 3, 1 (*nec tumenti ceruice in quocumque respondeant*).

138. EUSÈBE GALL., *Hom.* 38, 6.

139. 2RP 5 et 28.

140. *Ordo monasterii* 10 : *semel atque iterum commonitus, si non emendauerit...* (en finale, comme 2RP 43-44).

141. Cf. Mt 18, 15-16. Quant au *dic ecclesiae* (Mt 18, 17), il correspond à la *disciplina monasterii* de l'*Ordo* : la réprimande publique est une correction.

142. 2RP 17 (*in ordine psallendi*) et 18 (*in ordine*).

continuité avec le noyau primitif de la règle. Si problématique que soit le rapport de cette seconde loi pénale avec la première (27-30)[143], elle ne fait pas figure de corps étranger à l'ouvrage.

La première sanction qui suit les corrections verbales est donc la dégradation au dernier rang. Déjà un article des *Iudicia* de Pachôme inflige la même peine, mais pour une seule catégorie de fautes parmi beaucoup d'autres délits punis de manières diverses[144]. Par rapport à ce précédent pachômien comme par rapport à ses propres dispositions antérieures, la Seconde Règle se distingue ici par son tour généralisateur.

La sanction suivante – *extraneus habeatur* – fait penser aux formules de maint concile, du IVe au VIe siècle[145], mais celles-ci indiquent toujours par un complément l'objet auquel le coupable est rendu « étranger[146] ». Faute d'une telle précision, la sanction de notre règle est difficile à interpréter[147], d'autant que le monachisme dispose de deux peines capitales – l'excommunication et l'expulsion –, là où l'Église n'en a qu'une[148].

En tout cas, la citation de Mt 18, 17 (*Sit tibi sicut ethnicus et publicanus*) nous intéresse parce qu'elle se trouve déjà,

143. Cf. n. 136.

144. PACHÔME, *Iud.* 2 (colère) : après 6 avertissements, *facient eum consurgere de ordine sessionis suae et inter ultimos conlocabitur*. Cf. *Iud.* 9 (supérieur dégradé et mis au dernier rang) et 11 (autre cas de dégradation d'un supérieur). Voir aussi *Praec.* 136.

145. Orléans (511), 3 : *a communione et conuiuio catholicorum... habeatur extraneus*. Ces deux derniers mots ont pour synonymes *separetur* (1), *habeatur indignus* (5), *submoueri* (6), *pellatur* (9), *priuetur* (11). Cf. Elvire (305), 41 : *alieni ab ecclesia habeantur*.

146. *Communione* : Orléans (511), 3 ; Tours (567), 26 ; Paris (556-573), 1.6. – *Caritate* : Orléans (541), 12 ; Orléans (549), 9 (précédé de *officio*) ; Paris (614), 13. – *Consortio* : Auxerre (561-605), 43.45.

147. Voir notes 135-136.

148. A savoir l'excommunication. Cf. *La Règle de saint Benoît*, t. VII, p. 272-273.

avec une teneur légèrement différente mais une introduction presque identique, dans la Règle basilienne[149]. Par cette citation *in extremis*, la Seconde Règle se réfère enfin aux instructions du Christ sur la manière de corriger. On s'étonne qu'elle ne l'ait pas fait plus tôt, en précisant le nombre et le mode des avertissements préalables, comme le font, chacun à sa façon, l'*Ordo monasterii*, le *Praeceptum* d'Augustin et la Règle de Basile[150].

Le silence à table (46)

De façon assez surprenante, qui peut indiquer un remaniement[151], la règle s'achève par un bref retour à la question du silence. Sans doute celle-ci tient-elle tant de place dans la règle qu'elle est une des plus aptes à lui fournir sa conclusion. Mais on ne s'attendait pas à finir sur une note aussi courte et une prescription aussi limitée.

Dans cette prescription sur le silence à table, la Seconde Règle côtoie une dernière fois les Quatre Pères, avec lesquels elle avait perdu contact depuis longtemps. Plus précisément, elle revient, par delà le discours de Paphnuce qui lui a fourni son horaire[152], à un passage du premier discours de Macaire qu'elle avait utilisé auparavant : le règlement pour l'accueil des étrangers[153]. Celui-ci se terminait par deux phrases sur le repas de l'hôte. Laissant de côté la première, où Macaire

---

149. 2RP 45 (*sicut Dominus dixit* ; cf. n. 131) ; BASILE, *Reg*. 28 (*sicut Dominus praecepit dicens* ; *gentilis* remplace *ethnicus*), cf. *Reg*. 16 (*sicut praeceptum est a Domino dicente* : citation de Mt 18, 15-17).

150. *Ordo monasterii* 10 (n. 140) ; AUGUSTIN, *Praec*. 4, 7-9 (application plus précise que dans l'*Ordo*) ; BASILE, *Reg*. 16 (simple citation).

151. Voir note 132. Si 46 suivait primitivement 39, la Règle s'achevait sur une série d'invitations au silence, formant un ensemble d'une certaine longueur (37-39 + 46).

152. 2RP 23-26 ; Cf. RIVP 3, 10-12.

153. 2RP 14-16 ; cf. RIVP 2, 36-40.

réservait au supérieur le droit de manger avec l'hôte[154], notre règle reprend ici la deuxième[155].

Plus de la moitié de ses mots venant du texte-source[156], on reconnaît aisément ce qu'elle retranche et ce qu'elle modifie. Sont omises la mention de la « parole divine » lue à table et celle du caractère spirituel des propos autorisés[157]. La rédaction de ce qui reste est elle-même beaucoup plus brève[158], et « ceux à qui (le supérieur) commandera de parler » devient « celui qui sera interrogé », de sorte que la phrase rappelle l'interdiction de parler adressée précédemment aux *iuniores*[159].

Mais ces modifications de détail, qui donnent à la phrase une concision lapidaire, ont moins d'importance que la généralisation opérée par la suppression du contexte d'hospitalité. Chez les Quatre Pères, ce règlement de la parole à table concernait seulement les repas pris avec les hôtes et visait à édifier ceux-ci. Ici, comme c'est plusieurs fois le cas dans la Seconde Règle, il prend une portée universelle : à tout repas, parler est réservé au supérieur et à ceux qu'il interroge. D'une prescription relative à l'accueil, on passe ainsi à la discipline communautaire du silence, dont l'instauration sous

---

154. RIVP 2, 41.

155. 2RP 46 ; cf. RIVP 2, 42.

156. A savoir *null(us) loqu(atur) nisi qui praeest uel qui...* Que *qui praeest* signifie l'unique supérieur, comme dans RIVP 2, 42, ou un simple président de table, l'empreinte des Quatre Pères est en tout cas évidente.

157. RIVP 2, 42 : *(sermo) diuinus qui ex pagina profertur* (si 2RP 39, avec sa mention d'une lecture scripturaire faite en communauté, précédait immédiatement, ces mots de RIVP auront été omis pour éviter une répétition ; le principe de la lecture *in congregatione* reste valable pour le cas « spécial » de la table), *ut aliquid de Deo conueniat* (cette incise quelque peu énigmatique faisait-elle partie du texte de RIVP que suppose 2RP ? Elle est remplacée, dans le ms. *b* et dans Π, par un simple *aliquid*).

158. Suppression de *licebit, nec alicuius audiatur sermo, eius.*

159. 2RP 46 : *nullus loquatur nisi... qui interrogatus fuerit* ; cf. 12 : *nullus iuniorum quidquam loquatur nisi interrogatus.* Voir note 55.

ses diverses formes est un des soucis constants de notre règle. A cette question d'ensemble, le rédacteur rattache expressément le présent article par son *specialiter* initial, comme par le tour donné à la phrase[160]. Il a voulu que son discours s'achève par un dernier appel au silence.

160. Voir note précédente.

CHAPITRE II

LOCALISATION ET DATATION

I. *Données internes et témoignage de Gennade*

Avant de rassembler les indications fournies, au sujet de l'origine du texte, par les analyses qui précèdent, il nous faut recueillir un témoignage externe de grande importance : celui de Gennade dans son *De uiris inlustribus*.

La Règle de Vigile signalée par Gennade Ce catalogue d'auteurs ecclésiastiques renferme en effet, vers son milieu, une notice sur un certain diacre Vigile qui aurait composé une règle pour moines à la fois brève, claire et complète[1]. Comme nous l'avons montré ailleurs[2], Gennade vise certainement la Seconde Règle des Pères, à l'exorde de laquelle il emprunte une série d'expressions caractéristiques :

2 RP 1-2	GENNADE, *De uir. inl.* 51
[1]Residentibus nobis in unum in nomine Domini Iesu Christi secundum *traditionem Patrum* uirorum sanctorum, [2]uisum est	Vigilius diaconus composuit ex *traditione Patrum* monachorum *regulam, quae in* coenobio *ad profectum fratrum* in conuentu

1. GENNADE, *De uir. inl.* 51, *PL* 58, 1088 a.

2. « La Règle de Vigile signalée par Gennade. Essai d'identification », dans *Rev. Bénéd.* 89 (1979), p. 217-229.

nobis conscribere uel ordinare *regulam, quae in* monasterio teneatur *ad profectum fratrum*...	legitur, breuiato et aperto sermone totius monasticae professionis in se tenentem disciplinam.

D'après ce témoignage du *De uiris*, la Seconde Règle serait l'œuvre d'un diacre nommé Vigile. Il semble que Gennade lisait ce nom d'auteur sur le titre de la règle dans le *codex* qu'il avait sous les yeux. Contrairement à nos deux manuscrits, celui-ci ne présentait pas l'opuscule comme un écrit anonyme – *Statuta Patrum* ou *Regula* –, mais l'attribuait à un rédacteur nommément désigné.

Autre différence avec nos manuscrits : la source de Gennade présentait sans doute la Seconde Règle, non comme un complément de la Règle des Quatre Pères, mais seule et pour elle-même. Il ne semble pas, en effet, que l'œuvre de Sérapion, Macaire et Paphnuce fût comprise dans le bref écrit que signale Gennade[3], ni même qu'elle pût se lire dans les pages précédentes de son *codex*[4]. Bien plutôt, la Seconde Règle est apparue à l'auteur du *De uiris* comme une œuvre indépendante. A cet égard, le témoignage de Gennade est à rapprocher de celui de la *Regula Macarii* et de la *Regula Orientalis*, qui toutes deux utilisent la Seconde Règle seule, sans la Règle des Quatre Pères[5], comme si l'opuscule était

3. Cf. *art. cit.*, n. 15-16. Gennade n'aurait pas manqué de signaler la présentation originale de la RIVP, avec ses discours distincts, attribués à des Pères égyptiens nommément désignés.

4. Pourquoi Gennade aurait-il omis de la signaler, alors qu'il recense la *regula* de Pachôme (*De uir. inl.* 7), ainsi que les autres œuvres de celui-ci et de plusieurs moines d'Égypte (8-11 : Théodore, Horsièse, Macaire, Évagre) ?

5. Même si l'on voyait dans ROr 26, 4 une réminiscence de RIVP 2, 40, il resterait que cette trace incertaine et isolée ne peut se comparer aux emprunts certains et suivis de la ROr à 2RP. Les deux Règles des Pères ne sont en tout cas pas traitées de la même façon par l'auteur des parties propres de ROr, qui a pour 2RP une estime tout à fait à part. Cependant si le rédacteur de ROr s'identifie à celui de la *Vita Patrum Iurensium* (Introd. à RIVP, chap. II, n. 91-107), il doit avoir connu les deux Règles des Pères conjointement, comme deux œuvres provenant de Lérins. Voir l'Introduction à ROr.

aux yeux des rédacteurs une pièce isolée, valant par elle-même.

La notice du *De uiris* dit encore que notre règle « est lue conventuellement au coenobium ». Cette lecture publique fait penser au *Praeceptum* d'Augustin et au discours de Paphnuce, qui la prescrivent l'un et l'autre[6]. Gennade n'a pas trouvé ce trait dans la Seconde Règle, où il fait défaut, mais l'a soit constaté dans un ou plusieurs coenobia où la Seconde Règle faisait autorité, soit imaginé d'après l'usage contemporain qu'attestent à la fois Augustin et les Quatre Pères.

Ici se présentent les questions les plus délicates que pose ce passage du *De uiris* : que signifie *in coenobio* ? Pourquoi ce singulier ? S'agit-il *d'un* coenobium ou *du* coenobium, et dans ce dernier cas, pourquoi Gennade ne nomme-t-il pas le monastère auquel il pense[7] ? En n'ajoutant à cet *in coenobio* ni un *aliquo* ou un *quodam* qui le particularise sous une forme indéterminée, ni un nom de lieu ou d'abbé qui le détermine avec précision, Gennade ne paraît-il pas insinuer que la règle de Vigile est lue d'une façon *générale* dans les coenobia qu'il connaît ? Une telle interprétation correspondrait bien à l'autorité et au rayonnement considérables de la Seconde Règle, tels qu'on peut les conjecturer d'après l'influence littéraire qu'elle a exercée[8]. Écrivant vers 480, Gennade attesterait ainsi la grande diffusion déjà atteinte en Gaule par cette petite législation.

Mais ce n'est là qu'une hypothèse suggérée par deux mots obscurs. Les autres notes que Gennade attribue à la règle de Vigile sont moins malaisées à entendre. Celle de « brièveté »

---

6. AUGUSTIN, *Praec.* 8, 2 ; RIVP 3, 31.

7. Lérins est nommé par Gennade à propos de Vincent (*De uir. inl.* 64) et de Fauste (85), mais passé sous silence dans les notices sur Eucher (63), Salvien (67) et Hilaire (69). Gennade mentionne aussi les monastères de Bau (7) et de Marseille (61).

8. Voir notre article « Les règles cénobitiques d'Occident », dans *Autour de saint Benoît*, Bellefontaine 1975, p. 15-28 (cf. le tableau qui suit l'article), ou ses versions anglaises (*Cistercian Studies* 12 [1977], p. 175-183) et italienne (*DIP*, art. « Regole cenobitiche d'Occidente »).

qu'il lui reconnaît d'abord convient éminemment à la Seconde Règle[9]. La « clarté » (*aperto sermone*) qu'il mentionne ensuite n'est pas caractéristique au même point, puisqu'elle se retrouve dans trois autres œuvres recencées par le *De uiris*[10]. Dire enfin que cette *regula monachorum* « contient la discipline de toute la profession monastique[11] », c'est exprimer, avec un peu d'exagération marseillaise, un mérite réel de la Seconde Règle, surtout si on la compare avec la seule autre règle que semble connaître Gennade, celle de Pachôme[12]. Il est bien vrai qu'en peu de mots notre petit texte embrasse beaucoup de choses et que la généralité de plusieurs de ses formules, jointe à la hauteur de certains de ses points de vue, lui confère une sorte d'universalité.

La date de l'écrit de Vigile

Avec le nom de l'auteur ou du rédacteur, Gennade nous donne une indication concernant la date de l'opuscule. Non qu'il fournisse à son sujet aucune donnée chronologique, mais la position même de sa notice sur Vigile, au sein d'un catalogue qui s'efforce de suivre l'ordre historique, suggère une datation approximative. Si l'on ne peut rien tirer des notices précédentes, également non datées[13], les suivantes fournissent une sorte de *terminus*

---

9. Elle est un peu plus courte que le *libellum in modum symboli paruum* de l'évêque Pastor, recensé dans *De uir. inl.* 76 et connu comme symbole du concile de Tolède (447). Cf. n. 171.

10. Celles d'Eutrope (49), de Vincent (64) et de Salvien (67).

11. Un éloge analogue est décerné au *Liber* d'Horsièse (*De uir. inl.* 9), ainsi qu'au *Libellus* de Pastor (76 ; cf. ci-dessus, n. 9). Voir aussi la notice sur Cassien (61 : *res omnium monachorum professioni necessarias*).

12. *De uir. inl.* 7 : *regulam utrique generi monachorum aptam*, où Gennade semble penser à « l'un et l'autre sexe ». Dans les règles d'Augustin et des Quatre Pères, Gennade aurait trouvé bien des points importants que 2RP ne traite pas (directoire du supérieur, probation des postulants, service mutuel, etc.).

13. *De uir. inl.* 49 (Eutrope) et 50 (Évagre). Auparavant Paulin de

ante quem. Gennade y passe en revue les protagonistes de la querelle nestorienne, en commençant par Atticus de Constantinople, le prédécesseur de l'hérésiarque, et Nestorius lui-même[14]. Celui-ci étant monté sur le trône de Constantinople en 428, il semble que Gennade place la *regula* de Vigile dans la période immédiatement antérieure à cette date.

L'installation de Maxime à Lérins

Cette indication s'accorde admirablement avec l'hypothèse déjà mentionnée, selon laquelle la Seconde Règle aurait été composée pour le monastère de Lérins à l'occasion de l'entrée en charge de l'abbé Maxime, c'est-à-dire vers la fin de 426 ou de 427[15]. Rappelons les principaux indices qui nous ont suggéré pareille conjecture.

D'une part, la Seconde Règle se présente comme une continuation de la Règle des Quatre Pères, dont elle reprend la « tradition », imite le style et incorpore plusieurs des normes[16]. D'autre part, elle parle du supérieur de la communauté en des termes qui font penser à une toute

---

Nole (48) ne donne rien de précis (vers 390-431), mais l'invention des reliques d'Étienne (46-47) mène en 415-416, et l'affaire de Pélage (42-45) a commencé en 411-412. Cf. *art. cit.* (*supra*, n. 2), n. 31-43.

14. *De uir. inl.* 52-53.

15. Suivant qu'on fait d'Honorat le successeur immédiat de l'évêque Patrocle d'Arles, comme on l'a généralement admis jusqu'à nos jours, ou qu'on place entre eux, avec O. Chadwick, suivi par É. GRIFFE, *La Gaule chrétienne à l'époque romaine*, t. II, Paris 2 1966, p. 239-241, un Helladius qui serait le solitaire mentionné par CASSIEN, *Conl.* 1, *Praef.* 2-3, devenu évêque d'après *Conl.* 11, *Praef.* 2. Cf. PROSPER, *Ep. ad August.* 9, et la note des éditeurs dans *Œuvres de S. Augustin*, t. 24, Paris 1962, p. 808.

16. Comparer RIVP Pr 1-3 et 2RP 1-2 (Protocole) ; RIVP 1, 6-9 et 2RP 4 (unanimité) ; RIVP 1, 10-18 et 2RP 7-10 (supérieur et obéissance) ; RIVP 2, 37-40 et 2RP 14-16 (accueil) ; RIVP 2, 11-14 et 2RP 17-19 (ancienneté) ; RIVP 3, 10-12 et 2RP 23-26 (horaire ; travail sans murmure) ; RIVP 2, 42 et 2RP 46 (silence à table). Il existe d'autres correspondances mineures.

récente « ordination par l'évêque[17] ». Or la Règle des Quatre Pères se situe probablement aux origines de Lérins, fondé par Honorat entre 400 et 410. La première « ordination » abbatiale qui se soit produite dans l'histoire du monastère est celle du successeur d'Honorat, Maxime, en 426-427 ou 427-428. Telle serait donc la circonstance qui aurait provoqué la rédaction de la Seconde Règle.

Le nom du supérieur : praepositus

On objectera qu'une nouvelle installation d'abbé eut lieu à Lérins sept ans plus tard[18] – Fauste succède à Maxime en 433 ou 434 – et que l'occasion de rédiger notre texte peut avoir été cette seconde « ordination » aussi bien que la première. Cependant il faut tenir compte d'un fait qui dissuade de descendre plus bas que 426-428 : l'emploi de *praepositus*, dans la Seconde Règle, pour désigner le supérieur. Ce terme archaïque fait déjà problème à la date que nous proposons. Il se comprendrait moins bien encore au milieu de la décennie suivante.

On se rappelle en effet que *praepositus*, au lieu d'*abbas*, est un trait d'antiquité, sinon d'archaïsme[19]. Au moment même où nous supposons que fut rédigée la Seconde Règle, Cassien se sert habituellement d'*abbas* pour désigner le chef de monastère. Cette différence de terminologie avec un auteur contemporain et de la même région nous a longtemps fait hésiter à localiser et à dater la Seconde Règle comme nous le

17. 2RP 3 et 7 (ci-dessus, chap. I, n. 15-18).

18. Cf. EUSÈBE GALL., *Hom.* 35, 4, où il est dit de Maxime à Lérins : *plenis septem annis ibidem Christi gregem pauit*. Le même passage de Fauste présente la promotion de Maxime à l'abbatiat comme le fait de son prédécesseur Honorat, et de lui seul, sans mentionner l'évêque Léonce. Mais l'intervention de celui-ci n'est pas exclue pour autant, car le genre littéraire du panégyrique dispensait Fauste d'entrer dans de tels détails, et d'autre part ses propres démêlés avec le successeur de Léonce (*CC* 148, p. 132-134) ne devaient pas l'incliner à mettre en évidence le rôle joué par les évêques de Fréjus dans la vie de sa communauté.

19. Introd. à RIVP, chap. II, notes 40-49.

faisons à présent. Nos doutes se sont dissipés à la vue d'un cas analogue : celui des appellations différentes données au même personnage, à la même époque, par Augustin et par ses collègues africains. Valentin, supérieur du monastère d'Hadrumète, reçoit le titre d'*abbas* dans deux lettres que lui adressent, entre 425 et 427, l'évêque Évode d'Uzala et le prêtre Januarius[20]. En revanche, Augustin s'abstient de lui donner ce titre et l'appelle simplement *frater*[21].

Deux évêques de la même région peuvent donc, au même moment, saluer le même supérieur monastique de noms différents. *Abbas* est alors en Occident un terme récent, dont l'origine et la couleur orientales sont encore sensibles. Ce néologisme exotique n'est pas encore adopté par tous. Évode, comme Januarius, le fait sien. Augustin, qui n'est pourtant pas d'une autre génération qu'Évode, ne l'utilise pas. Le supérieur de monastère reste pour lui un *praepositus,* comme il l'a appelé trente ans plus tôt dans sa règle et comme l'appelait aussi un peu plus tard (401) le concile de Carthage[22].

Ces faits permettent de comprendre que Cassien et la Seconde Règle diffèrent par leur manière de désigner le

---

20. *PLS* 2, 332 : *Sanctis fratribus abbati Valentino et sanctae congregationi Euodius* ; 335 : *Domino... abbati Valentino Ianuarius.* Cf. L. VERHEIJEN, *La Règle de saint Augustin,* t. II, Paris 1967, p. 98 et 106. Nous laissons de côté les titres de ces Épîtres, dont l'authenticité est douteuse, pour nous en tenir au libellé des adresses.

21. *PLS* 2, 359 : *Domino... fratri Valentino Augustinus.* Ici encore, le titre (*ad abbatem Valentinum*) ne peut être retenu avec sécurité. Cf. AUGUSTIN, *De gratia et lib. arb.* 1, 1 : *Valentine frater ; De cor. et grat.* 1, 1 : *Valentine frater.* De même, le *monasterium* de Milan (*Conf.* 8, 6, 15 ; vers 400) est encore appelé simplement *diuersorium* dans *De mor. eccl.* 1, 70 (388).

22. Cf. *Registri ecclesiae Carthaginensis excerpta* 80, dans *CC* 149, p. 204, 734-740 : le supérieur de monastère est appelé tour à tour *maior monasterii* et *praepositus.* Ce dernier titre demeure seul dans l'abrégé du siècle suivant (523-546) : voir FERRAND, *Breu. can.* 28, *CC* 149, p. 289. Augustin l'emploie seul aussi en citant ce canon de concile (*Ep.* 64, 3 : fin 401). Voir en outre nos *Addenda.*

supérieur de coenobium. Simple auteur spirituel et champion déclaré du monachisme oriental, l'abbé de Marseille emploie *abbas* sans arrière-pensée. Vigile, au contraire, qui tient la plume dans une assemblée de supérieurs ecclésiastiques et monastiques, conserve le terme antérieur de *praepositus*.

Au reste, Lérins est sans doute une communauté plus ancienne que le monastère de Marseille, et nous savons par la Règle des Quatre Pères que le supérieur y était appelé originellement *is qui praeest*. Par rapport à cette périphrase primitive, *praepositus* marque une certaine simplification – un progrès, si l'on veut –, sans produire toutefois un changement aussi radical qu'*abbas*. Il est possible que le vocabulaire interne de Lérins se soit accordé avec l'usage dominant parmi les prélats assemblés pour l'ordination de Maxime, et que l'un et l'autre ait fait préférer *praepositus* à *abbas* en cette circonstance.

Les cellules d'ermites

Cette difficulté écartée, revenons aux indices favorables à la date que nous proposons. L'un d'eux est la mention que fait la Seconde Règle de « frères habitant des cellules » à coté du « monastère »[23]. Ces frères, nous l'avons dit, paraissent être des ermites vivant aux environs du coenobium, dans une symbiose avec celui-ci dont la formule nous est connue par Sulpice Sévère et par Cassien[24]. Or le *De laude eremi* d'Eucher, écrit en 427 ou 428, mentionne de son côté « les vieillards qui ont, avec leurs cellules séparées, introduit les Pères d'Égypte » au « désert » de Lérins[25].

Au reste, l'adverbe *nunc* qui accompagne à la fois cette mention d'ermites lériniens et celle que fait Eucher, quelques

23. 2RP 30 : *Si quis uero de fratribus qui in monasterio sunt uel qui per cellulas consistunt...*

24. Sulpice Sévère, *Dial.* 1, 10-11 ; Cassien, *Conl.* 18, *Praef.* 1-3.

25. Eucher, *De laude* 42 (date liée à celle du retour d'Hilaire à Lérins, peu après l'élévation d'Honorat à l'épiscopat).

phrases plus haut, du nouvel abbé Maxime, suggère que les deux faits sont pareillement récents[26]. En d'autres termes, il semble que les ermitages ne soient apparus à Lérins que peu de temps avant la rédaction du *De laude eremi*, ce que confirme dans une certaine mesure le silence observé à leur sujet par Cassien dans la Préface où il célèbre l'*ingens coenobium* d'Honorat[27]. De son côté, leur mention dans la Seconde Règle suppose qu'ils existaient déjà quand Maxime fut installé comme abbé. Il s'agirait donc d'une innovation admise par Honorat dans les derniers temps de son abbatiat, en harmonie avec la pratique attestée simultanément aux îles Stoechades[28].

Quoi qu'il en soit de cette origine récente suggérée par son *nunc*, le témoignage d'Eucher montre en tout cas que la Seconde Règle, en parlant de « cellules » anachorétiques, peut fort bien se situer à Lérins en 427 ou 428.

Le diacre Vigile et ses collègues

Si c'est alors que la Seconde Règle a été écrite, on ne peut manquer de s'interroger sur l'identité de ses auteurs. D'une part Gennade parle d'un certain diacre Vigile, d'autre part le texte lui-même se présente comme un procès-verbal de synode, œuvre collective et anonyme. Les deux données ne sont pas inconciliables. Élaborée collégialement au cours d'une réunion, la règle a dû néanmoins être mise en forme par un rédacteur unique. C'est sans doute à ce titre de secrétaire-rédacteur que Vigile en est

---

26. Introd. à RIVP, chap. II, n. 35.

27. *Ibid.*, n. 36. Cf. CASSIEN, *Conl.* 11, *Praef.* 1, écrit dans les derniers temps de l'abbatiat d'Honorat. Des ermitages peuvent déjà exister à Lérins, mais depuis trop peu de temps pour être de notoriété publique. Il est vrai que Cassien n'a pas ici les mêmes raisons de s'y intéresser que dans *Conl.* 18, *Praef.*, où tout le *uolumen* suivant s'occupe des relations entre cénobitisme et anachorèse, mais la présence d'ermites à Lérins appellerait normalement une mention même ici, au cas où Cassien en aurait connaissance, puisqu'il décrit à Honorat leurs confrères égyptiens.

28. CASSIEN, *Conl.* 18, *Praef.* 1-3.

considéré comme l'auteur dans la tradition reproduite par Gennade.

Quant aux autres membres de la réunion, on peut avancer quelques noms avec vraisemblance. Son occasion étant l'investiture de Maxime comme abbé en remplacement d'Honorat, ces deux supérieurs, l'ancien et le nouveau, sont probablement présents. En outre, l'évêque de Fréjus, qui est toujours Léonce, doit se trouver à leurs côtés, et c'est à lui que revient la présidence. Le vénérable Caprais, « père » de la communauté et de son fondateur, a sûrement aussi sa place dans le groupe.

Léonce, Honorat, Caprais : nous voici donc ramené aux trois noms que nous avons risqués quand nous cherchions à découvrir qui se cachait sous les pseudonymes de Sérapion, Macaire et Paphnuce[29]. Ces trois hommes, nous le savons avec certitude[30], sont encore vivants et sur les lieux à l'avènement de Maxime. C'est d'eux vraisemblablement que vient l'idée de reprendre l'œuvre initiale, déjà vieille de deux décennies, et de la mettre au point en fonction de l'évolution accomplie par la communauté ainsi que des besoins de la situation nouvelle.

On pourrait objecter que les auteurs de la Seconde Règle, dans leur exorde, parlent de ceux de la Règle des Quatre Pères en des termes qui supposent des personnages différents. Comment, en effet, se qualifieraient-ils eux-mêmes de « Pères » et « d'hommes saints », dont la nouvelle entreprise prend pour norme la « tradition »[31] ?

---

29. Introd. à RIVP, chap. II, § V, n. 197-206.

30. D'après Honorat de Marseille, *V. Hil.* 12, Caprais ne meurt que sous l'abbatiat de Fauste, donc après 433-434. Léonce, à ce moment, est déjà remplacé par Théodore, qui siégera au concile de Riez (439). Son décès, à la suite duquel les habitants de Fréjus voulurent prendre pour évêque Maxime de Lérins, se place « peu de temps » avant l'élection de celui-ci à l'évêque de Riez (Eusèbe Gall., *Hom.* 35, 8-9), donc avant 433-434, et alors que Maxime était abbé, c'est-à-dire après 426-427. Quant à Honorat, il meurt le 16 janvier 429 ou 430.

31. 2RP 1 : *secundum traditionem Patrum uirorum sanctorum.*

L'objection, toutefois, n'est pas décisive. D'abord « saint » est alors un qualificatif de portée bien moindre qu'aujourd'hui : l'épithète s'attache à toute fonction d'Église, sans égard au mérite personnel de son détenteur. Si les Pères de la tradition sont appelés « hommes saints », le supérieur en charge est lui-même dénommé, deux lignes plus loin, *sanctus praepositus*. Au reste, de nos jours encore, les évêques assemblés à Vatican II ne se sont-ils pas qualifiés de « Pères » et de « sacrosaint Concile[32] » ?

Ensuite il faut tenir compte de l'anonymat de la Seconde Règle et la pseudonymie des Quatre Pères. Derrière ce double voile, les auteurs peuvent parler d'eux-mêmes en un style impersonnel, comme s'il s'agissait d'autres personnes dont ils suivraient la tradition[33]. Enfin il ne faut pas oublier que la plume est tenue, dans la Seconde Règle, par un certain diacre Vigile dont rien ne prouve qu'il ait participé à l'œuvre des Quatre Pères. Si ces derniers, à présent, éprouvaient la moindre gêne à parler d'eux-mêmes en ces termes, le rédacteur nouveau n'aurait pas les mêmes raisons de souhaiter un langage plus modeste.

Il est donc permis de penser que la paternité de la Seconde Règle appartient avant tout aux mêmes hommes qui composèrent celle des Quatre Pères. A ces trois anciens se joignent peut-être les supérieurs d'autres communautés[34], mais en tout cas Maxime, le nouvel abbé, ainsi que le diacre Vigile. Qui est celui-ci, et à quel titre prend-il part à la

32. Chaque Constitution de Vatican II commence par la mention du pape *una cum sacrosancti Concilii patribus*.

33. Les trois noms égyptiens de RIVP étaient précisément destinés, selon toute vraisemblance, à faire passer la règle pour l'œuvre de « Pères » et d'« hommes saints ». Le Prologue de la Seconde Règle ne fait que prolonger cette fiction.

34. On songe aux quatre supérieurs des Stoechades (CASSIEN, *Conl.* 18, *Praef.* 1) et à Cassien lui-même, fondateur de deux monastères à Marseille (GENNADE, *De uir. inl.* 61). Apt avait aussi un coenobium fondé par l'évêque Castor (CASSIEN, *Inst., Praef.* 1-3), frère de Léonce de Fréjus et décédé depuis peu (*Conl.* 1, *Praef.* 1-2).

réunion ? Le nom de Vigile est fort commun dans l'Antiquité tardive, spécialement en milieu ecclésiastique[35]. Quant au diaconat, il peut être le fait soit d'un moine de Lérins, soit d'un membre du clergé diocésain. Entre ces deux possibilités, il est impossible de trancher. Dans une communauté principalement laïque comme le sont les monastères de l'époque, un moine-diacre est un personnage assez en vue pour appartenir de droit à une réunion comme celle-ci. D'autre part, l'évêque de Fréjus a bien pu se faire accompagner d'un de ses diacres, qu'il aura, en tant que président, chargé de mettre par écrit les décisions synodales.

Si la Seconde Règle a ainsi des auteurs en partie identiques à ceux de la Règle des Quatre Pères et en partie différents, on s'explique assez bien ses rapports formels avec sa devancière. Certes une simple imitation littéraire peut rendre compte des ressemblances. Cependant l'identité partielle d'auteurs était bien faite pour assurer pareille conformité. D'autre part, la comparaison des deux œuvres montre que le style de la seconde est sensiblement plus soigné[36], et que son vocabulaire est nouveau pour une bonne part[37]. Certaines de ces innovations tiennent sans doute au développement de la vie et de la langue technique des moines[38], mais d'autres

---

35. On trouve ainsi au IIIe s. (?) Vigile évêque, destinataire de la Préface du *De iudaica incredulitate* (*PL* 6, 49) ; au IVe s., Vigile évêque de Trente (*Clavis* 212) ; au Ve s., Vigile évêque de Thapsus (*Clavis* 806) ; au VIe s., en Italie, Vigile évêque, destinataire de la Préface d'ARATOR, *Hist. Apost.* (*Clavis* 1504), et Vigile, diacre romain puis pape ; au concile d'Agde (506), Vigile évêque de Lectoure ; à Marseille en 575, Vigile archidiacre (GRÉG. DE TOURS, *Hist. Franc.* 4, 44).

36. L'asyndète est moins fréquente, les *autem* passant de 4 à 7 et les *uero* restant aussi nombreux (8/8) pour un texte beaucoup plus court. On voit aussi disparaître les sous-titres dont RIVP était parsemée ; la rédaction est plus intégrée.

37. 2RP a 139 mots nouveaux, soit la moitié de son vocabulaire (277 mots), à une unité près.

38. Liturgie : *cursus, missae, uigiliae* ; occupations : *legere, meditari, medite* (sic) ; personnes : *iunior* et *senior, praecedens* et *sequens,*

particularités peuvent être considérées comme la signature d'une main différente[39]. Sans imposer pareille explication[40], ces faits se comprennent sans peine si la Seconde Règle a été composée dans un groupe qui incluait les auteurs de la Règle des Quatre Pères, mais dont le secrétaire était un homme nouveau.

Le titre de l'œuvre : « Statuta Patrum » et « Regula »

Le nom de celui-ci – *Vigilius diaconus* – ne nous est fourni que par Gennade. En revanche, le titre de *regula monachorum* donné à l'ouvrage par le *De uiris* trouve un écho dans l'une des deux branches de la tradition manuscrite de la Seconde Règle. Ce *Regula* du ms. *T*, qu'on serait tenté de considérer comme l'invention tardive d'un scribe guidé par le contenu[41], vient peut-être de plus loin. A en juger par le témoignage de Gennade, il pourrait remonter au ve siècle, voire aux abords de la rédaction du texte.

De son côté, l'*Explicit Statuta Patrum* qui se lit dans le ms. E_1 rappelle curieusement un passage de Sidoine Apollinaire. Écrivant à Volusien en 477, l'évêque de Clermont demande à ce « super-abbé » de rétablir la règle du

praepositus ; réunions : *conuentus omnium* ; sanctions : *abstineri* et *extraneus haberi, correptus, emendare, paeniteri*. Sur *iunior* et *senior*, voir ci-dessus, chap. I, n. 73-74.

39. Disparition des mots-outils *circa, contra, deinde, erga, ergo, inter, ne, nunc, primo, primum, quoniam* et surtout *qualiter* (RIVP : 16 fois), ainsi que des mots fréquents *facere* et *licere* (9 fois), *magnus* (4) et *nosse* (6), les emplois de *debere* tombant de 22 à 1. Apparition de *ita* (4 fois), *quando* (3), *tamen* (2), ainsi que de *scribere* pour introduire les citations (4). Croissance de *uel*, qui passe de 14 emplois à 21 pour un texte beaucoup plus bref.

40. L'imitation, répétons-le, peut expliquer les ressemblances, tandis que l'écart chronologique suffit peut-être, dans l'hypothèse d'un auteur unique, à expliquer les différences.

41. Dans *T*, d'ailleurs, *item regula* se lit de nouveau devant 3RP, qui s'achève par *finit regula*.

monastère de Saint-Cirgues, près de sa ville épiscopale, *secundum statuta Lirinensium Patrum uel Grinnicensium*[42]. De quelque manière qu'on entende, dans cette phrase, l'association de Grigny à Lérins[43], on est tenté de voir dans ces *statuta Patrum* la Seconde Règle des Pères, qui a circulé sous ce titre et dont la vaste diffusion est bien attestée. De cette identification, l'origine lérinienne de notre texte recevrait une confirmation définitive.

Si d'ailleurs la Seconde Règle porte ces deux noms – *Statuta Patrum* et *Regula* – aussi bien dans la tradition manuscrite que dans les références d'auteurs du ve siècle, on doit d'autant moins s'en étonner qu'elle se présente elle-même, dans son exorde, sous ce double titre. Invoquant la « tradition des Pères » – et invitant par là à les appeler eux-mêmes « Pères » –, les auteurs parlent successivement de la « règle » qu'ils rédigent et des « statuts » que le Seigneur établit par eux. A défaut d'un titre originel et authentique, qui ne semble pas avoir existé, l'une et l'autre de ces mentions pouvait suggérer un intitulé, et c'est ce qui est arrivé en fait à l'une comme à l'autre.

II. *L'aggiornamento de Lérins en 426-428*

Il est temps de conclure. Un ensemble d'indices sérieux nous permet de placer la rédaction de la Seconde Règle dans l'île de Lérins en 426-428, à l'occasion de l'entrée en charge du second abbé, Maxime. La Règle des Quatre Pères était une charte de fondation, quelque peu complétée par la suite. Vingt ans plus tard, la Seconde Règle est un document d'aggiornamento.

Encore rudimentaire à certains égards, ce nouveau

---

42. SIDOINE APOLLINAIRE, *Ep.* 7, 17, 3.

43. Si *uel* = « ou », les statuts de Grigny sont différents de ceux de Lérins. Si *uel* = « et », ils peuvent être soit différents, soit identiques (Grigny a adopté ceux de Lérins). De toute façon, il n'est pas certain que Sidoine pense à des règles écrites.

règlement réalise toutefois une avance considérable par rapport à la législation de base. Sans annuler celle-ci, voire en se référant à elle avec vénération et en lui reprenant plus d'un article, il n'en atteste pas moins une compréhension neuve de la vie commune, au sein d'institutions et d'observances évoluées.

Les relations horizontales

Le fait le plus saillant, qui s'observe dès les premières lignes, est l'attention donnée aux relations fraternelles, dont les Quatre Pères ne disaient presque rien. La communauté n'est plus à rassembler dans l'obéissance absolue à un supérieur unique. Elle existe depuis longtemps, et tout en restant unie par la subordination des membres au chef, elle doit renforcer sa cohésion en tissant entre ces membres eux-mêmes des liens de concorde, de respect mutuel et d'amour.

Caritas : tel est le mot-clé de ce nouveau programme communautaire. Si étrange que cela puisse paraître, le mot et la notion manquaient dans la Règle des Quatre Pères. Ici la charité est recommandée « avant tout ». En outre, elle trouve dans les exhortations de l'Apôtre une inspiration, dans le partage des biens son expression fondamentale, dans la primitive Église de Jérusalem son modèle. A l'exemple d'Augustin, et sans égard aux divergences théologiques qui les séparent déjà de celui-ci[44], les Lériniens ont mis cet idéal au premier plan de leur projet de vie commune.

44. La *Conférence* 13 de Cassien est dédiée à Honorat, encore abbé de Lérins, et précède donc la rédaction de 2RP. Il y a tout lieu de penser qu'Honorat, comme ses successeurs, partage les idées de Cassien. Mais cette opposition à la doctrine d'Augustin sur la grâce n'empêche pas les Provençaux d'estimer hautement le reste de l'œuvre de l'évêque d'Hippone, comme le rapporte d'Hilaire (ou plutôt d'Helladius), évêque d'Arles, PROSPER, *Ep. ad August.* 9. Cf. FAUSTE, *Ep.* 7, *CSEL* 21, p. 201, 12-14 = *Ep.* 6, *PL* 58, 853 c.

Le supérieur et la règle La position du supérieur s'en trouve modifiée. Son rôle primordial de créateur d'unité n'est plus indiqué. Passant au second plan, il apparaît seulement, mais de façon beaucoup plus nette que chez les Quatre Pères, comme le représentant de Dieu au sein de cette communauté de frères qui ressuscite l'Église des Apôtres. En d'autres termes, sa figure se rapproche de celle du *sacerdos*, dont il tient son pouvoir par « ordination » et à l'autorité duquel il participe en vertu du *Qui uos audit*... du Christ.

A peine mentionné dans la suite de la règle[45], le supérieur n'apparaît plus comme le centre de l'existence conventuelle et de l'intérêt du législateur. La règle elle-même lui est substituée, au début, comme principe d'unité. Non moins que lui, cette règle tient son autorité du Seigneur, agissant par les prélats qui ont « ordonné » l'un et l'autre[46]. Bien plus, le *praepositus* doit se référer à la *regula* comme à la norme qui « lui ôtera toute espèce de doute ». Ainsi la fonction du supérieur, qui dominait exclusivement chez les Quatre Pères, reçoit un contre-poids non seulement de la structure de communion prise par le groupe, mais encore du rôle plus explicitement dévolu à la règle, à côté et au-dessus de lui, comme organe de la volonté divine.

Non diminué, mais équilibré et situé de façon neuve, le pouvoir du chef appelle en réponse l'obéissance comme auparavant, mais aussi la « crainte » et l'« amour ». Ces deux sentiments, que la Seconde Règle joint à la simple subordination requise par les Quatre Pères, rappellent évidemment la consigne générale d'honneurs mutuels et de charité donnée en commençant à tous les frères. Comme chez Augustin[47], le

45. 2RP 28 : *secundum arbitrium praepositi* (cf. AUGUSTIN, *Praec.* 4, 9 et 11) ; 46 : *nisi qui praeest* (cf. RIVP 2, 42).

46. Comparer 2RP 2 (*in nomine Domini... ordinare regulam* ; cf. 4 : *ea quae statuta sunt a Domino*) et 7 (*qui praepositus est Dei iudicio et ordinatione sacerdotali*).

47. Comparer 2RP 7 (*Hunc autem qui praepositus est... timere,*

courant de dilection lancé dans la communauté atteint le supérieur lui-même. Représentant de Dieu, il devient objet éminent de la divine charité que promeut la règle.

Lérins après Honorat Comme l'ensemble de la Seconde Règle, cette nouvelle image du « prévôt » est à mettre en rapport avec le départ d'Honorat et l'avènement de Maxime. L'éloignement du fondateur et premier père de Lérins est le plus grand événement qui s'y soit produit depuis vingt ou vingt-cinq ans. La période des origines est définitivement close. A la figure hautement charismatique du premier chef[48] succède une autorité non moins forte, mais plus institutionnelle. Le souci d'étayer et guider ce nouveau supérieur se conjugue avec un certain besoin de faire le point. Il ne s'agit pas, en effet, d'innover ou de changer, mais de prendre acte des changements survenus depuis les origines et de leur donner force de loi.

Questions anciennes et nouvelles Certaines de ces adjonctions figuraient déjà dans les sections secondaires de la Règle des Quatre Pères. Ainsi l'ordre de communauté et les sanctions pénales avaient fait leur apparition dans deux passages des discours de Macaire qui ont tout l'air d'être des ajouts[49]. Développant et généralisant ces esquisses, la Seconde Règle donne au rang d'ancienneté et à la discipline pénale la place qui leur revient dans le tableau de la vie commune, non sans montrer elle-même des signes d'évolution et de surcharge[50].

---

diligere et obaudire) et AUGUSTIN, *Praec.* 7, 3 (*quamuis utrumque sit necessarium, tamen plus a uobis amari adpetat quam timeri*).

48. Voir le beau portrait tracé par HILAIRE, *V. Honor.* 17-22. Celui de Maxime que trace Fauste (EUSÈBE GALL., *Hom.* 35, 6-7) est plus riche de symboles scripturaires que de traits personnels. En ampleur et en couleur, il est loin d'égaler le portrait d'Honorat, qui semble avoir été une personnalité exceptionnellement rayonnante et un pasteur incomparable.

49. RIVP 2, 11-14 ; 5, 1-19.

50. Sur 2RP 40-45, voir plus haut, chap. I, notes 130-133 et 151.

Ces deux questions semblent avoir été à l'ordre du jour depuis longtemps. D'autres sont apparemment plus récentes, en particulier celle du silence, à laquelle la Seconde Règle, dans la ligne de la législation pachômienne et de l'*Ordo monasterii* d'Augustin, accorde la plus grande attention. Encore la volonté de réprimer toute parole oiseuse ou déplacée se faisait-elle jour déjà dans la section pénale – secondaire, on l'a dit – qui termine la Règle des Quatre Pères[51].

Trois faits saillants Enfin trois autres traits sont à relever, qui n'ont d'ailleurs ni le même relief dans le texte, ni de relations particulières entre eux dans la réalité. Le plus manifeste est l'apparition d'un *cursus* liturgique de jour et de nuit, « établi depuis longtemps » à ce qu'il paraît, dont l'ampleur se laisse entrevoir à plusieurs indices : problème de l'exactitude à l'office, appel à « ne rien lui préférer », tentation de sortir quand il se prolonge, nécessité d'écourter parfois le temps de *lectio* pour faire face aux urgences du travail, avec les risques accrus de murmure qui s'ensuivent.

A côté de ce fait voyant, la simple mention de « cellules » distinctes du « monastère » peut paraître un détail mineur. Cependant ce n'est pas peu de chose qu'un pareil voisinage pour une communauté originellement constituée – nous l'apprenons au début de la Règle des Quatre Pères – par le regroupement d'individus isolés en une seule maison. Cette admission d'un certain anachorétisme à côté du coenobium atteste la persistante influence de l'Orient, dont l'effacement des noms égyptiens des Quatre Pères pouvait faire douter : non moins que « Sérapion, Macaire et Paphnuce », ces « vieillards en cellules séparées » font penser à l'Égypte, comme le note Eucher. Autant, toutefois, la présentation qu'en fait celui-ci respire la vénération, autant la mention,

51. RIVP 5, 2-10.

dans la Seconde Règle, de « ceux qui vivent dans les cellules » est dépourvue de poésie. Il ne s'agit que de parer à un effet centrifuge qui menace la cohésion du coenobium, les beautés de l'érémitisme ne faisant pas oublier l'impératif premier de la discipline communautaire.

Un troisième fait, tout négatif celui-là, est l'absence d'officiers nouveaux dans la Seconde Règle. A plusieurs décennies de distance, on s'attendrait à entendre parler de fonctions et d'emplois dont la Règle des Quatre Pères ne disait encore rien, et pour cause. Or la Seconde Règle ne nous fait connaître aucune charge nouvelle. Bien plus, elle ne mentionne même pas plusieurs offices qui apparaissaient chez les Quatre Pères : ceux de l'hôtelier, du cellérier, du « second », des responsables de la correction[52]. Son extrême brièveté est sans doute responsable de ces silences. Cependant rien ne donne à penser que Lérins ait développé, entre les deux règles, une organisation décanale sur le modèle égyptien décrit par Jérôme et Cassien. Le défaut d'un tel système d'encadrement restera d'ailleurs, autant que nous sachions, un trait durable du cénobitisme en Gaule[53]. Dans le cas présent, il est d'autant plus notable que Lérins passe, en 426, pour un « énorme coenobium[54] », où une structure de ce genre semblerait se recommander.

De l'obéissance à la charité

Tel est ce premier quart de siècle d'histoire lérinienne qu'on entrevoit en comparant nos deux règles. Au rassemblement peureux des origines, dans un « désert » habité de « monstres terrifiants », a succédé une

52. RIVP 2, 37 (hôtelier) ; 3, 23 (cellérier), auquel s'ajoute le chef de chantier (3, 14) ; 4, 17 (*secundum*) ; 5, 11 (frères chargés de corriger).

53. Cf. *La Règle du Maître*, t. I, p. 232, n. 3. A défaut d'un système décanal proprement dit, Lérins et Arles ont eu des anciens chargés de corriger.

54. CASSIEN, *Conl.* 11, *Praef.* 1 : (*Honoratus*) *ingenti fratrum coenobio praesidens.*

communauté consciente de sa « tradition » déjà ancienne, attachée à ses institutions « établies depuis longtemps[55] », moins soucieuse de se serrer autour d'un chef unique et omnipotent que de nouer entre tous ses membres des liens fraternels dans la charité.

Ce dernier contraste mérite particulièrement d'être relevé. Il annonce en effet l'évolution qui s'accomplira bientôt du Maître à Benoît. Dans cette Gaule méridionale du Ve siècle commençant comme en Italie centrale cent ans plus tard, le cénobitisme suit la même courbe, allant d'une structure strictement verticale, où le supérieur et l'obéissance sont tout, à une vision élargie qui attache non moins d'importance aux relations mutuelles des frères. Sur ce point capital comme par son dessein d'ensemble, la Seconde Règle préfigure déjà, malgré son extrême petitesse, cette autre charte d'aggiornamento que sera celle de Benoît[56].

55. Tel paraît être le sens de *dudum* (2RP 22), qui peut aussi signifier « depuis peu ».

56. Le rapport quantitatif de 2RP à RIVP est d'ailleurs le même, à peu de chose près, que le rapport de *RB* à *RM* (environ un tiers).

CHAPITRE III

ÉTABLISSEMENT DU TEXTE ET PRÉSENTATION

Manuscrits complets : les deux recensions La Seconde Règle des Pères ne nous est parvenue au complet que dans trois manuscrits anciens, dont deux sont étroitement apparentés, tandis que le troisième donne un texte assez différent. D'un côté on trouve les manuscrits carolingiens de Tours (*T*) et de Trèves (*A*), ce dernier reproduisant le *Codex regularum* de Benoît d'Aniane. De l'autre, on a le premier cahier du *Parisinus latin 12634* (E_1), témoin plus ancien (vers 650) et originaire d'Italie méridionale.

La Concordia regularum Au texte du *Codex Regularum* représenté par *A* se joint celui de la *Concordia Regularum* du même Benoît d'Aniane, qui contient plus des trois quarts de la Seconde Règle, répartis en huit ou neuf extraits[1] :

2RP	CONCORDIA REG.	2RP	CONCORDIA REG.
5-10	6, 9	27-29	31, 2
14-16	60, 3	30	74, 9
17-21	54, 4	31-39	52, 2
22-26	55, 4	40-42	76, 12
		46	47, 2 (?)

1. Peut-être le dernier n'appartient-il pas à 2RP, mais à 3RP. Voir Introduction à 3RP, chap. III, n. 1-2.

Parfois utile pour critiquer le texte de *A*, la *Concordia* n'apporte, en fait, rien d'appréciable dans le cas présent, car elle ne diffère du *Codex* que par quelques leçons certainement fautives, sans jamais s'accorder avec *T* contre *A*. Aussi la négligerons-nous, d'autant que la confrontation de *TA* et de E_1 requiert toute notre attention.

La Règle de Macaire et l'Orientale

Au contraire, le témoignage de Macaire et de l'Orientale devra être recueilli avec le plus grand soin. Ces deux règles dérivées, qui datent d'environ 500-515, nous permettent en effet de remonter trois siècles plus haut que les manuscrits carolingiens et un siècle et demi avant E_1.

La Règle de Macaire reproduit habituellement le texte de *T* et *A*, mais dans quelques cas elle s'accorde avec E_1 contre ceux-ci[2]. En ces cas, elle donne sans doute la teneur primitive de la recension *TA*, déformée dans ces témoins relativement tardifs. Quant à l'Orientale, son témoignage est plus partagé, les deux recensions étant représentées chez elle de façon presque égale :

2RP	E^1	*TA*	R Or
6	*suum quicquam*	quicquam suum	30, 2 : suum quicquam
6	habebant	*habeant*	30, 2 : habeant
10	fratrum	*frater*	31, 1 : frater
10	*accipiat*	accipiat ab aliquo	31, 2 : accipiat
10	nec	*neque T* ; nec A	31, 3 : neque
11	obseruare... debet	*obseruantes*	22, 4 : obseruantes

2. Aux quatre mots ou phrases omis par *TA* (26 *uel* ; 28 *secundum arbitrium...* ; 30 *per* ; 44 en entier), s'ajoutent 28-29 *correptus* (*correctus TA*) et 30 *cellul-* (*cell- TA*).

11 ne	*non se*	22, 4 : non se
23 *tertiam*	secundam	24, 1 : tertiam
25 *tertiam*	secundam	24, 3 : tertiam
28 *secundum arbitrium...*	(om.)	32, 9 : secundum ... arbitrium...
36 uitio (a. corr.)	*uitium*	24, 4 : uitium
44 *extraneus habeatur*	(om.)	35 : extraneus habeatur

Valeur des deux recensions Ce double apport de Macaire et de l'Orientale est de grande importance pour l'appréciation des témoins directs. Il montre en particulier que la recension *TA* est fort ancienne. Dans ses grandes lignes, ce texte des manuscrits carolingiens existait déjà au ve siècle. Il mérite donc plus de considération que ne lui en a accordé J. Neufville, qui n'avait enregistré que le témoignage de Macaire, sans recueillir celui de l'Orientale. Quand celle-ci, dans 2RP 11, s'accorde avec *TA* sur la leçon *Obseruantes*, ce participe absolu a toute chance d'être primitif : jugé trop abrupt par l'autre recension, qui le corrige en un banal *Obseruare... debet*, il rappelle une construction analogue qu'on a trouvée, quelques lignes plus haut, dans les deux recensions[3].

Un autre fait confirme la qualité relativement bonne de *TA* en ce qui concerne notre règle. Quand on compare le texte de ces manuscrits avec celui de E_1, d'abord dans la Règle des Quatre Pères, puis dans la Seconde Règle, on constate que le rapport des deux recensions est nettement différent dans les deux cas. Pour la Règle des Quatre Pères, la divergence est très accusée : en 37 versets, *T* et *A* n'ajoutent pas moins de 113 mots au texte de E_1. Pour les 46 versets de la Seconde

3. Voir 2RP 5 : *Ante omnia habentes...*, qui se rattache d'ailleurs plus aisément à ce qui précède. Cf. *RM* 2, 39 : *Timens semper...*, nominatif absolu que *RB* 2, 39 a tiré de son isolement par une série de corrections facilitantes qui rappellent celle de E_1.

Règle, la divergence est près de cinq fois moindre : on ne trouve dans *T* et *A* que 24 mots supplémentaires[4]. Étant donné que, dans la Règle des Quatre Pères, E_1 est soutenu par l'ensemble des autres témoins, on peut dire que *TA* y fait figure de recension fortement corrigée. Dans la Seconde Règle, au contraire, ces deux manuscrits fournissent, au témoignage même de leur antagoniste, un texte relativement pur.

Bien que nous manquions, dans le cas présent, de témoins complets qui soutiennent E_1, on peut présumer que ce manuscrit est, cette fois encore, généralement plus proche du texte originel. Donnons-en deux exemples. D'abord, au sujet de l'heure où l'on passe de la lecture au travail, la leçon *tertiam* (2RP 23-25), conforme aux Quatre Pères et appuyée par l'Orientale, paraît plus primitive que *secundam* (*TA* et Macaire). Ensuite, la version courante de Jc 4, 6 donnée par E_1 (2RP 41 : *Deus superbis resistit, humilibus autem dat gratiam*) s'insère mieux dans le contexte que la leçon plus rare[5] de *TA* et de Macaire, où les deux éléments de la phrase sont intervertis (*Deus humilibus dat gratiam, superbis autem resistit*) : de fait, orgueil et humilité viennent d'être mentionnés dans cet ordre (2RP 40), et la citation évangélique qui va suivre (Lc 14, 11[b]) parlera à son tour d'humilité (2RP 41).

Cependant E_1 lui-même est suspect en plusieurs passages. Nous avons vu plus haut que son *Obseruare... debet* (2RP 11) est probablement une correction d'*Obseruantes*. De même son *abba* (2RP 3), remplaçant *praepositus*, fait mauvaise impression, d'autant que ce dernier terme ou son

4. Ces ajouts sont d'ailleurs compensés par de nombreuses omissions.

5. D'après la *Vetus Latina* de Beuron, on ne la trouve qu'une fois chez l'Ambrosiaster et chez Sedulius, ainsi que quatre fois chez Valérien de Cimiez. Ce dernier est d'un particulier intérêt, vu ses liens avec Lérins. On notera que cette leçon ne paraît plus attestée après lui. La date ancienne de la recension *TA* et son appartenance au milieu lérinien, déjà suggérées par le témoignage de Macaire, n'en sont que plus probables.

équivalent est seul employé par la suite pour désigner le supérieur[6].

Il semble donc que ni E_1 ni *TA* ne méritent une entière confiance. On ne peut que chercher son chemin entre ces deux formes anciennes du texte, dont aucune ne paraît exempte de retouches délibérées. Dans les nombreux cas embarrassants où l'on n'a guère d'indice pour discriminer[7], nous donnerons une préférence de principe à E_1, mais nous nous en séparerons plus fréquemment que ne le faisait J. Neufville.

Divisions du texte Des trois manuscrits complets, seul le moins bon (*A*) divise le texte en paragraphes numérotés. Rendue courante par Holste et ses épigones, cette division sera rappelée entre crochets dans notre édition, mais nous nous référerons uniquement au nouveau découpage en « versets » institué par J. Neufville.

La division ancienne, en effet, ne remonte pas au-delà de Benoît d'Aniane. On peut s'en convaincre en examinant le manuscrit *T*. Ce très proche parent de *A* a bien en marge quelques numéros – IIII à deux reprises[8], puis V, VI et XXX (sic)[9] –, mais ceux-ci semblent avoir été ajoutés par H. Ménard, au temps où il préparait son édition de la *Concordia*[10]. Originellement, le manuscrit de Tours n'avait,

6. Voir 2RP 7 (*qui praepositus est*) ; 28 (*praepositi*, omis par *TA* et remplacé par *senioris* chez Macaire, par *abbatis... ac seniorum* dans ROr) ; 46 (*qui praeest*).

7. Ainsi *monasterio/oratorio* (30).

8. Le premier, erroné, se trouve en face de 2RP 14 (= III).

9. En face de 2RP 46 (= VII, fin).

10. En effet, les deux erreurs relevées dans les notes précédentes se retrouvent dans la *Concordia regularum* 60, 3 et 42, 7, la seconde se trouvant déjà dans le ms. *F* de cette dernière, celui qu'a utilisé Ménard. De toute évidence, celui-ci ne fait que reporter sur *T* les numéros qu'il lit dans *F*. Il ajoutera de même les neuf premiers numéros de paragraphes de 3RP (voir Introduction à 3RP, chap. II).

pour la Seconde Règle, aucune numérotation de paragraphes. C'est Benoît d'Aniane qui en a introduit une dans son *Codex* pour la première fois. Comme elle devrait être en tout cas complétée par une subdivision en versets, il nous a semblé préférable de ne pas créer une « versification » nouvelle, mais de reprendre simplement, au prix d'un léger inconvénient[11], celle de J. Neufville.

Notre édition Pour finir, voici quelques précisions pratiques. Aux trois témoins utilisés par Neufville (E_1, *T* et Macaire), nous en ajoutons deux : le manuscrit *A* et l'Orientale. En ce qui concerne le premier, il importe de savoir que son titre, enregistré dans notre apparat, est précédé de *Capitula*, eux-mêmes introduits par la mention *Incip. capitula regulae a sanctis patribus prolatae*[12]. Quant à l'Orientale, son témoignage très intermittent oblige à donner une forme positive à l'apparat chaque fois qu'elle intervient. Ailleurs, notre apparat est négatif. Pour ne pas le surcharger, nous négligeons ordinairement les simples variantes orthographiques (*e/ae, u/b, b/p, t/d, ti/ci, h* ajouté ou omis), qu'on trouvera dans l'édition Neufville.

---

11. Cette numérotation continue des versets diffère en effet du système adopté pour les autres règles, où la numérotation ne court qu'à l'intérieur des paragraphes.

12. Voir J. NEUFVILLE, « Les éditeurs... », p. 332. On trouvera les *Capitula* de 2RP dans Holste, Brockie, Galland et Migne.

SECONDE RÈGLE DES PÈRES

SIGLES

A	Munich, Staatsbibl., *Clm 28118,* fol. 21^{v}-22^{r}
E^{1}	Paris, B.N., *lat. 12634,* fol. 3^{v}-6^{r}
Ma	Règle de Macaire
Ma^{v}	Règle de Macaire, variantes
Or	Règle Orientale
T	Paris, B.N., *lat. 4333 B,* fol. 8^{r}-11^{r}.

INCIPIT STATVTA PATRVM

[Praef.] [1]Residentibus nobis in unum in nomine Domini Ihesu Christi secundum traditionem patrum uirorum sanctorum, [2]uisum est nobis conscribere uel ordinare regulam, quae in monasterio teneatur ad profectum fratrum, [3]ut neque nos laboremus, neque sanctus praepositus qui constitutus est in loco dubitationem aliquam patiatur, [4]*ut* omnes *unianimes*, sicut scribtum est, et *unum sentientes, inuicem honorantes,* ea quae statuta sunt a Domino iugi obseruatione custodiant.

[I] [5]Ante omnia *habentes caritatem, humilitatem, patientiam, mansuetudinem* uel cetera quae docet sanctus Apostolus, [6]ita ut nemo suum quidquam uindicet, sed sicut

1-22 E_1 TA (Or passim) *Tit.* item regula *T* incipit pactum regulae *A* || 1 Residentibus nobis : cum resideremus *TA* || Domini : nostri *add. TA* || sanctorum uirorum *transp. TA* || 2 regulam ordinare *transp. A* || ordinari E_1^{pc} || regula E_1 || quae : quam *T* || teneretur *A* || fratrum : patrum E_1 || 3 ut *om.* E_1 || praepositus : propos- *T* abba E_1 || patiatur : pati possit *TA* || 4 ea : et *praem.* E_1 || obseruatione custodiant : ordinatione custodiantur E_1 || 6 suum quicquam E_1 *Or* : quicq. s. *transp. TA* ||

1 Cf. 1 Co 5, 4 ; Mt 18, 20 || 4 Ph 2, 2 ; Rm 12, 10 || 5 Ph 2, 2-3 ; 1 Tm 6, 11 ; Ep 4, 2 || 6 Ac 2, 44 ; cf. Ac 4, 32

Titre. Voir Introd., chap. II, n. 42. Cf. 2 (*regulam*) et 4 (*quae statuta sunt*).

1-2. Voir RIVP Pr 1-3. Cf. concile d'Aspasius (551), *Praef.*, p. 163, 3-4 : *recensitis sanctorum uirorum Patrum statutis.*

STATUTS DES PÈRES

[1]Comme nous tenions séance ensemble au nom du Seigneur Jésus Christ selon la tradition des saints Pères, [2]nous avons décidé de mettre par écrit et en ordre la règle qu'on observera au monastère pour le progrès des frères. [3]Ainsi nous ne rencontrerons pas nous-mêmes de difficulté, et le saint préposé qui a été installé en ce lieu n'éprouvera aucune hésitation. [4]De la sorte, tous seront, comme il est écrit, « unanimes et du même avis, s'honorant l'un l'autre », et garderont avec une constante fidélité ce qui a été établi par le Seigneur.

[5]Avant tout, ils « auront la charité, l'humilité, la patience, la douceur » et les autres qualités qu'enseigne le saint Apôtre, [6]étant bien entendu que personne ne s'arrogera la propriété

---

2. *Patrum* (E_1) pour *fratrum* : voir notre article « La Règle de Vigile... », p. 217, n. 1.

3. *Praepositus,* et non *abba* (E_1) : Introd., chap. III, n. 6. Cf. AUGUSTIN, *Obiurg.* 4, 48-49 : *sanctae praepositae sorori meae* (défunte).

4. Unanimité, unité : RIVP 1, 6-15 ; *V. Patr. Iur.* 111 et 113. Ensuite, cf. PACHÔME, *Iud.* 8 : *regulas monasterii quae Dei praecepto constitutae sunt* ; CASSIEN, *Inst.* 3, 8, 2 : *omni obseruatione custodire.*

5. *Sanctus Apostolus* (cf. 26) : « l'Apôtre » est partout sans épithète dans RIVP.

6. Cf. *V. Patr. Iur.* 112 : *Nemo... iuxta apostolicum institutum* (Ac 4, 32) *suum quicquam esse dicebat.*

scribtum est in Actus Apostolorum, *habeant omnia communia.*

[7]Hunc autem qui praepositus est Dei iudicio et ordinatione sacerdotali in omnibus timere, diligere et obaudire secundum ueritatem, [8]quia si quis se putat illum spernere, Deum spernit, [9]sicut scribtum est : *Qui uos audit me audit, qui uos spernit me spernit, et qui me spernit spernit eum qui me misit ;* [10]ita ut sine ipsius uoluntate nullus frater quidquam agat, neque accipiat aliquid neque det, nec usquam prorsus recedat sine uerbo praecepti.

[II] [11]Obseruantes etiam hoc ut non se inuicem fabulis uanis destruant, sed unusquisque operam suam et meditem suum custodiat et cogitatum habeat ad Dominum. [12]In conuentu omnium nullus iuniorum quidquam loquatur nisi interrogatus. [13]Ceterum si quis uult consolationem accipere uel uerbum audire secretum, opportunum tempus requirat.

[III] [14]Aduenienti peregrino nihil plus exibeat quam occursum humilem et pacem. [15]Reliquum non sit illi cura unde uenerit, pro quid uenerit uel quando ambulaturus sit, [16]nec se iungat ad fabulas cum illo.

actibus *TA* || habeant *TA Or* : habebant E_1 || 7 Hunc autem : ille uero *TA* || iudicium *A* || et[1] *om.* E_1 || ordinationem E_1 *A* || sacerdotalem : sacerdotis *TA* || oboedire E_1 || ueritatem : debet *add.* *A* || 8 se putat illum : illum putat se *TA* || spernet E_1 || 9 qui[2] : et *praem.* *TA* || spernit[1] : spernet E_1 || me spernit et qui me spernit *om.* E_1 || spernit[4] : spernet E_1 || 10 frater *TA Or* : fratrum E_1 || accipiat E_1 *Or* : ab aliquo *add.* *TA* || nec E_1 *A* : neque *T Or* || praecepti *om.* *TA* || 11 Obseruantes *TA Or* : obseruare E_1 || hoc : debet *add.* E_1 || non se *TA Or* : ne E_1 || uanis : inanibus *Or* se *add.* E_1^{pc} || operam suam : opus suum *TA* || et meditem : meditetur et *A* || suum *om.* *TA* || cogitationes *TA* || Dominum E_1 : deum *TA* || 12 conuentum E_1 || iunior *TA* || loquatur : *post* interrogatus *transp.* *TA* || 13 consolationis... uerbi E_1 || secretum *add.* *TA* || 14 aduenienti E_1 || peregrinum *T* || occursum – et *om.* *A* || 15 curam E_1^{ac} || pro : uel E_1

9 Lc 10, 16 || 11 Cf. Mt 12, 36 ; Ps 54, 23 ||

---

7. Voir RIVP 1, 12. Cf. CÉSAIRE, *Reg. uirg.* 35 : *uos quae praepositae estis.*

de quoi que ce soit, mais que, comme il est écrit dans les Actes des Apôtres, « ils auront tout en commun ».

[7]Quant à celui qui a été préposé par le jugement de Dieu et l'ordination de l'évêque, il faut en toute chose le respecter, l'aimer et lui obéir en vérité, [8]car si l'on se permet de le mépriser, c'est Dieu qu'on méprise, [9]comme il est écrit : « Qui vous écoute, m'écoute ; qui vous méprise, me méprise, et qui me méprise, méprise celui qui m'a envoyé. » [10]Par conséquent, sans sa volonté aucun frère ne fera rien, ni ne recevra ou ne donnera quoi que ce soit, et il ne s'en ira nulle part absolument sans avoir reçu un ordre verbal.

[11]On veillera aussi à ne pas se détruire mutuellement par de vains bavardages, mais à rester appliqué chacun à son ouvrage et à son étude, en gardant sa pensée dirigée vers le Seigneur. [12]Dans les réunions générales, aucun inférieur ne parlera sans être interrogé. [13]Si par ailleurs quelqu'un veut recevoir des encouragements ou entendre une parole en privé, qu'il choisisse un moment approprié.

[14]A l'arrivée d'un étranger, on ne fera rien de plus que de l'accueillir humblement et de lui donner la paix. [15]Pour le reste, qu'on ne se soucie pas de savoir d'où il vient, pourquoi il vient, quand il s'en ira, [16]et qu'on n'aille pas bavarder avec lui.

---

8. *Putat* (« croit pouvoir, se permet ») se retrouve en 35, sans *se*.

10. Voir RIVP 1, 11 et 3, 20. Cf. BASILE, *Reg*. 80-81 ; *RM* 74, 2-4, et surtout *RB* 49, 8-10 ; 54, 1 ; 67, 7.

11. *Obseruantes* : Introd., chap. III, n. 3. « Destruction » : CÉSAIRE, *Serm*. 77, 6 ; *RB* 67, 5. *Meditem* fait penser à FRUCTUEUX, *Reg*. 9 (10), 214 Campos : *iuxta possem coenobii*. « Médite »-t-on pendant le travail ou avant ? Voir Introd., chap. I, n. 82-84. – A la fin, allusion possible à Ps 54, 23, qui sera cité par PORCAIRE, *Mon*. 44-45. *Dominum* (E_1) correspond au Psautier Gallican, *Deum* (*TA*) au Romain. On songe aussi au *Habemus ad Dominum* de la messe.

12. *In conuentu omnium* comme chez PACHÔME, *Praec*. 13.

14-16. Voir RIVP 2, 36-41.

[IIII] [17]Illut quoque obseruandum est ut praesente seniore quocumque uel praecedente in ordine psallendi, sequens non habeat facultatem loquendi uel aliquid praesumendi, [18]nisi tantum is qui in ordine, ut dictum est, praecedere uidetur, [19]hoc usque ad imum, ante omnia in oratione siue in opere siue in responso dando. [20]Si uero simplicior fuerit uel inperitior sermone et dederit locum, ita demum sequens loquatur. [21]*Omnia* tamen *in caritate fiant,* non per contentionem uel aliquam praesumptionem.

[V] [22]Cursus uero uel orationum uel psalmorum, sicut dudum statutum est, uel tempus meditandi operandique seruabitur. [23]Ita meditem habeant fratres ut usque ad horam tertiam legant, [24]si tamen nulla causa extiterit qua necesse sit etiam praetermisso medite aliquid fieri in commune. [25]Post horam uero tertiam unusquisque ad opus suum paratus sit usque ad horam nonam, [26]uel quidquid iniunctum fuerit *sine murmuratione uel haesitatione perficiant,* sicut docet sanctus Apostolus.

[27]Si quis autem murmurauerit uel contentiosus extiterit aut opponens in aliquo contrariam uoluntatem praeceptis, [28]digne correptus secundum arbitrium praepositi tamdiu

|| 17 ut *om.* E_1 || praecedente : precidente E_1 || ordinem E_1 || 18 his E_1^{ac} T^{ac} || ordinem E_1 || 19 orationem E_1 || siue[1] : seu *TA* || responsum *T* || dando : erit seruandum *add. TA* || 20 inperitior : peditior T^{ac} inpeditior $T^{pc}A$ || 21 aliqua E_1 || 22 uel[1] *om. TA* || 22 statum E_1 || tempus : istud *add. TA*

23-46 E_1 TA Ma (Or passim) 23 ut *om. Ma* || tertiam E_1 *Or* : secundam *TA Ma* || 24 nullam E_1 || meditem *TA Ma* || 25 tertiam E_1 *Or* : secundam *TA Ma* || unusquisque : usque E_1 || sit : et *add. A* || 26 uel[1] *om. TA* || uel haesitatione *om. Ma* || perficiat *TA Ma* || 27 exteterit E_1 || opponens : resedens *Ma* || contraria uoluntate E_1 Ma^v || 28 correctus *TA* || secundum E_1 *Ma Or* : *om. TA* || arbitrium *Ma Or* : -treum E_1 *om. TA* || praepositi E_1 : senioris uel modum culpae *Ma* abbatis (*ante* arbitrium)... ac seniorum *Or om. TA* || tandium... quandium E_1 ||

21 1 Co 16, 14 ; cf. Ph 2, 3 || 25 Cf. 2 Tm 2, 21 || 26 Ph 2, 14 || 27 Cf. 1 Co 11, 16

17. Voir RIVP 2, 11. Cf. *RM* 9, 42, etc.

[17]Voici encore à quoi il faut veiller : en présence de tout ancien ou de quiconque a la préséance dans le tour de psalmodie, il est interdit au suivant de parler ou d'agir de son propre chef. [18]Cela est réservé, comme il a été dit, à celui qui a la préséance dans l'ordre hiérarchique. [19]Ainsi fera-t-on jusque dans les moindres détails, avant tout à la prière, au travail et quand on doit donner une réponse. [20]Si le précédent est un peu simple ou embarrassé pour parler et qu'il cède sa place, alors seulement le suivant parlera. [21]Cependant, « que tout se fasse dans la charité », non en contestant ou en agissant de son propre chef.

[22]L'ordonnance des prières et des psaumes, établie depuis longtemps, sera maintenue, ainsi que l'horaire de l'étude et du travail. [23]Les frères auront étude pour lire jusqu'à la troisième heure, [24]si toutefois il ne se trouve pas de motif obligeant de supprimer l'étude pour faire encore quelque chose en commun. [25]Après la troisième heure, chacun sera disponible pour son ouvrage jusqu'à la neuvième heure, [26]et tout ce qui leur sera commandé, ils « l'exécuteront sans murmure ni tergiversation », comme l'enseigne le saint Apôtre.

[27]Si quelqu'un murmure ou conteste ou oppose en quoi que ce soit de la mauvaise volonté aux ordres reçus, [28]après avoir

---

18. *Videtur* périphrastique comme dans RIVP 2, 18 et 32.

22. *Orationum uel psalmorum* rappelle *Ordo mon.* 2 (*orare uel psallere ; orationes... psalmi*) ; AUGUSTIN, *Praec.* 2, 3 (*Psalmis et hymnis cum oratis Deum*). Voir aussi COLOMBAN, *Reg. mon.* 7 : *de cursu psalmorum et orationum* ; *Reg. coen.* 4, p. 148, 14 : *in cursu orationum*, etc.

23. Voir RIVP 3, 10. Cette fois, « méditer » va de pair avec « lire ». Comparer CÉSAIRE, *Reg. uirg.* 19 (*lectioni*), et *Reg. Tarn.* 9, 1 (*meditationi*).

25-26. Voir RIVP 3, 11-12.

27-28. Cf. *RM* 12, 1-6 et 13, 61 ; *RB* 23, 1-5.

28. Voir RIVP 5, 1-3. *Abstineatur* : Vaison (442), can. 7 ; Epaone (517), can. 4, etc.

abstineatur quamdiu uel culpae qualitas poposcerit uel se paenitendo humiliauerit atque emendauerit. [29]Correptus autem non audeat usquam recedere. [30]Si quis uero de fratribus, uel qui in monasterio sunt uel qui per cellulis consistunt, eius errori consenserit, excommunicatione dignissimus habeatur.

[VI] [31]Ad horam uero orationis, dato signo, si quis non statim praetermisso omni opere quod agit – quia nihil orationi praeponendum est – paratus fuerit, foris excludatur confundendus. [32]Operam uero dabunt singuli fratres, ut tempore quo missae fiunt siue per diem siue per noctem, quando diutius ad orationem standum est, non deficiant uel superfluo foris secedant, [33]quia scribtum est in euangelio : *Oportet semper orare et non deficere,* [34]et alio loco : *Non inpediaris orare semper.* [35]Si quis autem non necessitate sed magis uitio secedere putauerit, sciat se cum deprehensus fuerit culpabilem iudicandum, [36]quia per suam neglegentiam et alios in uitium mittit. [37]In uigiliis uero obseruandum est, quando omnes conueniunt, quicumque grauatur somno et exit foras non se fabulis occupet, [38]sed statim redeat ad opus

abstineat *A* || uel[1] *om. Ma* || qualitas : aequitas E_1 || atque : adque E_1 uel *Ma* || 29 Correptus : correctus *TA* ita ut *praem. Ma* || autem : frater *Ma* || 30 monasterio : oratorio [-tur- *T*] *TA Ma*|| per *om. TA* || cellulis : cellulas *Ma* cellis *A* cellas *T* || errore E_1 T^{ac} || consenserit : similiter *add.* E_1^{pc} culpabilis erit *add. TA Ma* || excommunicatione : excummunicanonem E_1 atque *praem. TA om. Ma* || dignissimus *om. Ma* || habeatur *om. TA Ma* || 31 horam uero *om.* E_1 || foras *TA* Ma^v || confundendus : ut erubescat *Ma* || 32 opera E_1 *T* Ma^v || singulis fratribus E_1 Ma^v || quo : quod E_1 || siue[1] – mittit (36) *om. Ma* || per... per *om. TA* || die... nocte *A* || oratione E_1 || defiant E_1 || foras recedant *TA* || 33 Oportet : autem *add. TA* || 35 secedere : procedendum *TA* || 36 uitium E_1^{pc} *TA Or* : uitio E_1^{ac} || 37 In *om.* E_1 || uero *om. TA Ma* || et exit : exeat *Ma* ||

31 Cf. 2 Th 3, 14 || 33 Lc 18, 1 || 34 Si 18, 22

---

30. Cellules d'hésychastes au coenobium : BASILE, *Épitimies* 44.

31-32. Être à l'office du début à la fin : DOROTHÉE, *Instr.* 11, 118.

31. Répondre « aussitôt » au signal de l'office : PACHÔME, *Praec.* 3. Ensuite, cf. PORCAIRE, *Mon.* 12 : *Orationi nihil praeponas tota die* ; *RB*

été dûment réprimandé selon le jugement du préposé, il sera tenu à l'écart aussi longtemps que la nature de sa faute l'exige et qu'il ne se sera pas humilié en faisant pénitence et corrigé. [29]Une fois réprimandé, qu'il ne se permette pas de s'en aller où que ce soit. [30]Si un des frères qui sont au monastère ou qui habitent dans les cellules se solidarise avec son égarement, il aura bien mérité d'être excommunié.

[31]A l'heure de la prière, quand on donne le signal, si quelqu'un n'abandonne pas immédiatement tout ouvrage qu'il est en train de faire – car rien ne doit être préféré à la prière – pour se rendre disponible, il restera à la porte pour sa confusion. [32]Au temps où l'on célèbre les offices, de jour et de nuit, quand il faut rester en prière assez longtemps, chacun des frères fera effort pour ne pas se décourager et s'en aller dehors sans raison, [33]car il est écrit dans l'Évangile : « Il faut toujours prier, sans se décourager », [34]et ailleurs : « Que rien ne t'empêche de prier toujours. » [35]Si quelqu'un se permet de s'en aller, non par nécessité mais par sa faute, qu'il sache que, pris sur le fait, il sera tenu pour coupable, [36]car par sa négligence il en entraîne d'autres à fauter. [37]Aux vigiles, il faut veiller à ce que, quand tous s'assemblent, celui qui est accablé de sommeil et va dehors ne passe point son temps à bavarder, [38]mais revienne aussitôt à l'œuvre pour

---

43, 3. Chez Honorat de Marseille, *V. Hil.* 5, 1, celui auquel on ne préfère rien est le Christ. Exclusion : Cassien, *Inst.* 3, 7, 1 ; *RM* 73, 3-4 et 7.

32. Chez Césaire, *Reg. uirg.* 66, *missa* désignera les groupes de leçons à l'office nocturne. Autre sens dans *RM* 67, 5 ; 89, 3.

33. Cf. Eusèbe Gallican, *Hom.* 64, 1 ; Césaire, *Serm.* 77, 1.

34. Cf. *Cons. Zac.* 3, 6 ; Eusèbe Gall., *Hom.* 38, 5.

35. De même Pachôme, *Praec.* 11 : *exire pro necessitate naturae* (cf. *RB* 8, 4). *Putauerit* : voir 8 et note.

38. *Opus* : « action, œuvre » comme dans RIVP 1, 15 (cf. Π 5, 16), plutôt que « travail manuel » (2RP 19.25.31), encore que celui-ci soit peut-être pratiqué aux vigiles (cf. Césaire, *Reg. uirg.* 15).

quod conuenitur. [39]In congregatione autem ipsa ubi legitur, aurem semper ad scribturas habeant et silentium obseruent omnes.

[VII] [40]Hoc etiam addendum fuit ut frater qui pro qualibet culpa arguitur uel increpatur patientiam habeat et non respondeat arguenti, sed humiliet se in omnibus, [41]secundum praeceptum Domini dicentis *quia Deus superbis resistit, humilibus autem dat gratiam,* [42]et *qui se humiliat exaltabitur.* [43]Qui uero saepius correptus non se emendauerit, nouissimus in ordine stare iubeatur. [44]Qui nec sic quidem emendauerit, extraneus habeatur, [45]sicut Dominus dixit : *Sit tibi sicut ethnicus et publicanus.*

[46]Ad mensam autem specialiter nullus loquatur, nisi qui praeest uel qui interrogatus fuerit.

EXPLICIT STATVTA PATRVM

38 quod : ad *praem.* *A* || conuenitur : quod uenitur E_1 || 39 congregationem... ipsam E_1 T^{ac} || et silentium : silentio E_1 || 40 patientiam : patien E_1^{ac} patienter E_1^{pc} pacientia *T* || arguenti : se *add.* *Ma Or* || 41 deus humilibus dat gratiam superbis autem resistit *transp.* *TA Ma* || 43 emendat *Ma* || iubetur E_1^{pc} *A* || 44 *tot. om.* *TA* || 45 sit : sic E_1^{ac} || sicut^2 *om.* E_1^{ac} || hectnicus E_1^{ac} hetnicus E_1^{pc} || 46 mensa E_1 || fuerit : amen *add.* E_1 || expl. statuta patrum : finit *T* explicit *A*

41 1 P 5, 5 ; Jc 4, 6 (Pr 3, 34 *VL*) || 42 Lc 14, 11 || 45 Mt 18, 17.

laquelle on s'est assemblé. [39]Dans la réunion même où se fait la lecture, tous prêteront constamment l'oreille aux Écritures et garderont le silence.

[40]Il faut encore ajouter ceci : un frère repris ou réprimandé pour une faute quelconque doit garder la patience et ne pas répondre à celui qui le reprend, mais s'humilier en tout, [41]selon le précepte du Seigneur qui dit : « Dieu résiste aux orgueilleux, mais aux humbles il donne sa grâce », [42]et « Qui s'humilie sera élevé. » [43]Quant à celui qui, souvent corrigé, ne s'amende pas, on lui commandera de se tenir à la dernière place dans l'ordre de communauté. [44]Si même alors il ne s'amende pas, on le traitera en étranger, [45]ainsi que le Seigneur l'a dit : « Qu'il soit pour toi comme un païen et un publicain. »

[46]A table, en particulier, que personne ne parle, excepté le supérieur et celui qui est interrogé.

FIN DES STATUTS DES PÈRES

---

39. *Congregatio* : non pas « communauté » (RIVP 3, 22, etc.), mais « réunion ». Le silence pendant la psalmodie est exigé par CÉSAIRE, *Reg. uirg.* 10 ; *Reg. mon.* 8.

40. Emprunté par CÉSAIRE, *Reg. uirg.* 13 (cf. *Reg. mon.* 11), et *Reg. Tarn.* 5, 2.

41. Cf. *Reg. Tarn.* 5, 3. Voir Introd., chap. III, n. 5. Le *quia* initial peut appartenir à la citation (cf. 1 P 5, 5).

42. Le *et* initial peut aussi appartenir à Lc 14, 11.

43. *Ordine* : « ordre, rang » comme dans 17-18, non « office » comme le veut H. MÉNARD (*PL* 103, 1031, n. *g*).

45. Citation exacte, comme les précédentes, à la différence de celles des Quatre Pères. On la retrouve dans *RM* 64, 4.

46. Voir RIVP 2, 42. *Qui praeest*, tout en venant de là, fait penser à CASSIEN, *Inst.* 4, 7 (*qui suae decaniae praeest*), et à CÉSAIRE, *Reg. uirg.* 18 (*quae mensae praeest*), qui parlent tous deux du silence à table. Le supérieur interroge au cours du repas : *V. Caesarii* 2, 24 ; *RM* 24, 34-37. Ce dernier article sera reproduit par *Reg. Tarn.* 8, 8 (cf. CÉSAIRE, *Reg. mon.* 9).

RÈGLE DE MACAIRE

INTRODUCTION

CHAPITRE I

Description et analyse

Sources littéraires et structure Attribuée par son titre à un certain « Macaire qui eut sous ses ordres cinq mille moines » – c'est-à-dire au grand abbé qui fut, selon une légende, le successeur d'Antoine et le prédécesseur de Pachôme[1] –, cette petite règle n'en est pas moins un texte originellement écrit en latin, comme le montrent à la fois le long emprunt qu'elle fait à la Seconde Règle des Pères et ses citations de Jérôme et de Cyprien. Outre qu'elles indiquent une origine occidentale, ces sources littéraires délimitent nettement, par leur présence ou leur absence, plusieurs sections. La curieuse structure qui en résulte mérite d'être considérée d'emblée.

Au centre (RMac 10-18) se trouve l'emprunt à la Seconde Règle des Pères. Il est massif et à peu près textuel, comprenant toute la deuxième moitié de l'œuvre des Pères (2RP 22-46), sauf une importante lacune vers le milieu (2RP 32-36).

---

1. Voir notre article « La *Vita Pachomii Iunioris* (*BHL* 6411). Ses rapports avec la Règle de Macaire, Benoît d'Aniane et Fructueux de Braga » dans *Studi Medievali* 20 (1979), p. 535-553.

De part et d'autre de ce démarquage (RMac 4-9 et 19-21), la rédaction de Macaire est personnelle, mais on reconnaît une série de citations de la Lettre 125 de Jérôme, auxquelles s'ajoute, dans le second morceau, une maxime du *De oratione dominica* de Cyprien. Conformément au style de Jérôme, qui s'adressait au jeune Rusticus, Macaire emploie dans ces deux morceaux la deuxième personne du singulier, en contraste avec le discours à la troisième personne de la Règle des Pères. Habilement, d'ailleurs, il use de transitions pour passer d'un style à l'autre[2].

En s'éloignant encore du noyau central, on trouve, de chaque côté, des textes qui ne doivent plus rien à Jérôme, ni – autant que nous sachions – à aucune source (RMac 1-3 et 22-30). Bien que leurs contenus soient différents – le premier est une exhortation purement spirituelle, et le second presque entier un morceau de législation –, ils sont l'un et l'autre rédigés à la troisième personne, ce qui rappelle la pièce centrale.

Cette structure concentrique peut être figurée comme suit :

Texte original « il(s) »	Jérôme « tu »	2RP « il(s) »	Jérôme « tu »	Texte original « il(s) »

Du milieu aux extrémités, la rédaction devient de plus en plus indépendante : l'emprunt servile fait place d'abord à une originalité relative et ensuite à la pleine liberté.

Cependant la symétrie des parties n'est pas aussi stricte que le ferait croire notre figure. Outre la dissemblance de fond déjà signalée entre le début et la fin, il faut tenir compte de l'inégale longueur des morceaux. Le premier passage inspiré de Jérôme est plus long que le second, et inversement

2. Voir RMac 9, 2-3 : *Qui... uoluerit*, intermédiaire entre *diligas* (9, 1) et *habeant* (10, 1) ; 19, 1 : *Nullus se... exaltet*, intermédiaire entre *Nullus... loquatur* (19, 1) et *ne auertas* (20, 1), le pluriel *sectantes*, qui précède ces derniers mots, se détachant du contexte comme une citation (Rm 12, 3).

le texte original du début est beaucoup plus court que son homologue de la fin. Au total, ce qui précède l'emprunt à la Seconde Règle ne représente que 27 lignes, et ce qui le suit 49 lignes, l'emprunt lui-même en comprenant 34.

La disproportion du morceau final tient d'ailleurs pour une part aux deux paragraphes, vraisemblablement additionnels, qui le terminent (RMac 29-30). Sans eux, la première rédaction était plus symétrique. Moins long (44 lignes), le texte de la fin se terminait aussi par une phrase et une citation biblique de caractère purement spirituel (RMac 28, 4-7). Cette note finale de spiritualité rappelait le début de la règle (RMac 1-3).

Le titre et son allusion à la Vita Pachomii

Cette vue d'ensemble de l'opuscule va nous permettre d'en examiner tour à tour les différents éléments. Déjà le titre retient l'attention. A de menues variantes près, il est attesté par presque tous les manuscrits, appartenant à toutes les familles, et doit donc être considéré comme authentique. D'après lui, notre règle a pour auteur *beatissimus Macarius abbas qui habuit sub ordinatione sua quinque millia monachorum*.

Ce nom prestigieux de Macaire et ce chiffre énorme de cinq mille moines font immédiatement penser à l'Égypte. De fait, un document pseudo-égyptien, la *Vita Pachomii* légendaire[3] qui circula en Occident avant la Vie grecque traduite par Denys, présente saint Pachôme comme le successeur d'un cénobiarque nommé Macaire, dont elle dit qu'il fut lui-même le disciple et l'héritier d'Antoine : *Nam idem Macarius ab illustri uiro Antonio monachorum fere quinquaginta millia susceperat gubernanda*[4].

---

3. *BHL* 6411-6412. Voir l'article cité ci-dessus, n. 1.

4. Voir *V. Posthumii* 7, *PL* 73, 433 ab = *V. Pachomii* 5, *AS, Maii* t. III, p. 359 e, où *monachorum* est remplacé par *fratrum* (cf. *art. cit.*, note 16).

Cette notice, qui attribue à Antoine et à Macaire la réunion et le gouvernement des cinquante mille moines pachômiens dont parlait Jérôme dans sa Préface à la Règle de Pachôme[5], ressemble tant au titre de notre Règle que celui-ci a toutes chances de lui faire écho. Aucune autre source, en effet, ne nous parle d'un abbé Macaire qui aurait gouverné cinq mille ou cinquante mille moines.

Dix fois inférieur à celui de la Vie, le chiffre de notre titre vient-il d'une correction personnelle de l'auteur de la règle, ou se lisait-il déjà dans l'exemplaire de la Vie qu'il a eu en main[6] ? On notera que Cassien parle lui aussi de « plus de cinq mille frères » réunis, sous l'autorité d'un seul abbé, au coenobium de Tabennesi[7]. Influencé ou non par Cassien, le rédacteur de la règle – ou sa source hagiographique – a en tout cas réduit au même nombre plus raisonnable de cinq mille les cinquante mille moines mentionnés par Jérôme et placés sous la houlette de Macaire par le texte originel de la *Vita Pachomii*.

On peut donc, avec une quasi-certitude, retracer l'origine de la donnée par laquelle débute la Règle de Macaire. Au départ se trouvent les « quelque cinquante mille hommes », disciples de Pachôme, qui se rassemblent chaque année pour Pâques, selon Jérôme, au monastère de Bau. Ensuite la Vie légendaire de Pachôme a imaginé une préhistoire de ces

5. JÉRÔME, *Praef. in Reg. Pach.* 7 (cf. *art. cit.*, note 8) : *ut quinquaginta milia ferme hominum passionis dominicae simul celebrent festiuitatem.*

6. L'une et l'autre édition de la Vie porte *quinquaginta*, ainsi que le ms. de Munich *Clm 28118*. Cependant *quinque* se lit dans le titre de l'édition de Rosweyde (*PL* 73, 429-430), ainsi que dans ses Prolégomènes (*PL* 73, 71 b).

7. CASSIEN, *Inst.* 4, 1 (*Tabennesiotarum*). Peut-être Cassien réduit-il le nombre de Jérôme (*art. cit.*, n. 14), à moins qu'il ne reproduise une information du genre de *Hist. mon.* 3 (trois mille « Tabennésiens », en un seul monastère, semble-t-il) ; PALLADE, *Hist. Laus.* 7, 6 (trois mille « Tabennésiotes ») et 32, 8 (sept mille, en plusieurs monastères). Cf. notre article « Les sources des quatre premiers Livres des Institutions de Jean Cassien », à paraître dans *ANRW*, Berlin (voir n. 339-344).

cinquante mille moines pachômiens, déjà réunis, d'après elle, sous le gouvernement de Macaire, qui les avait lui-même reçus d'Antoine. Enfin, toujours gouvernés par Macaire, ils se sont réduits à cinq mille : c'est ce que nous lisons dans le titre de notre règle. Celle-ci prétend donc provenir d'Égypte, tout comme la Règle des Quatre Pères, parmi lesquels on retrouve d'ailleurs le nom de Macaire.

En outre, elle se réclame d'une tradition hagiographique bien définie, celle qui fait de l'abbé Macaire l'héritier d'Antoine et le prédécesseur de Pachôme. En d'autres termes, elle suppose la plus ancienne *Vita Pachomii*, qui semble avoir été rédigée entre 404, année de la traduction hiéronymienne des *Pachomiana*, et 525 environ, époque où Denys traduisit pour la première fois une Vie de Pachôme authentique.

Au *terminus post quem* qui en résulte pour la Règle de Macaire, nous pouvons joindre un détail susceptible d'éclairer la genèse de celle-ci. La *Vita Pachomii* se termine par une longue exhortation que Pachôme adresse aux innombrables moines dont Macaire, en mourant, lui a remis la direction[8]. Cette pièce, qui occupe près de la moitié de la *Vita*, est une *regula caritatis*[9] que Pachôme a reçue d'un ange – on reconnaît là une autre donnée hiéronymienne – et qu'il transmet à ses nouveaux disciples. Elle prêche avant tout l'obéissance à l'égard des supérieurs, puis la mortification, la prière continuelle, l'humilité, l'amour de Dieu et du prochain. Tout en insistant sur la charité, elle souligne la nécessité d'obéir pour que l'amour soit vrai, et elle donne à ce sujet une série de directives précises, interdisant aux frères de s'accorder le moindre soulagement sans l'autorisation de l'abbé[10]. Suivent d'autres prescriptions minutieuses pour le coucher, la nuit, le réveil. Après quoi on revient à des

8. *V. Posthumii* 8-9, *PL* 73, 434-438 = *V. Pachomii* 7-11, *AS, Maii* t. III, p. 360-361.

9. *V. Posth.* 8 (434 b et 435 b) = *V. Pach.* 7 (360 b et d).

10. *V. Posth.* 8 (435 b-c) = *V. Pach.* 8 (360 d-e).

recommandations plus générales et spirituelles, où la charité fraternelle, avec ses exigences de concorde et de pardon mutuel, tient de nouveau une place notable[11]. Enfin « Pachôme » traite longuement du combat contre les démons, en invoquant sa propre expérience[12].

Cette analyse sommaire de la « règle » pseudo-pachômienne suffit à faire entrevoir l'intérêt qu'elle présente pour qui cherche à comprendre la Règle de Macaire. D'abord son existence même a pu suggérer la rédaction – ou au moins l'intitulé – de cette dernière : comme Pachôme donnera une règle à ses moines, ainsi Macaire, son prédécesseur, est censé légiférer pour cette même communauté. De plus, le genre habituellement large et spirituel des préceptes de ce Pachôme[13], si différent de celui de la législation pachômienne authentique, n'est pas sans analogie avec la première partie de la Règle de Macaire, celle qui fait preuve de la plus grande originalité par rapport aux deux Règles des Pères. Serait-ce donc à cette « règle de Pachôme » que notre « Macaire » a emprunté la tonalité nouvelle de son œuvre[14] ?

L'instruction aux soldats du Christ (1-3)

En outre, quelques similitudes plus précises avec le discours pseudo-pachômien se rencontrent dans la première section de Macaire. De façon imprévue, celle-ci commence par un *ergo*, qui paraît supposer un texte antérieur. Sans entrer dans toutes les explications qu'appelle cette conjonction initiale

11. *V. Posth.* 8 (435 d - 436 d) = *V. Pach.* 9 (360 e - 361 b).

12. *V. Posth.* 8-9 (436 d - 438 a), texte très lacuneux par rapport à *V. Pach.* 10-11 (361 b - f), dont presque tout le § 10 fait défaut dans *PL* 73.

13. Cf. *V. Posth.* 8 (434 b) = *V. Pach.* 6 (360 a) : *formam spiritualium praeceptorum*, où *spiritualium* n'est d'ailleurs pas à prendre en un sens précis qui exclurait les règlements pratiques.

14. De la règle pseudo-pachômienne, Fructueux de Braga a retenu au contraire quelques suggestions pratiques. Voir *art. cit.*, notes 57-68.

– nous les donnerons plus loin –, notons que la Règle de Pachôme débute de même. Après un petit prologue annonçant le message divin, Pachôme commence celui-ci par les mots : *Prima ergo mandati consideratio est...*[15]. Nous relèverons au passage d'autres ressemblances entre les deux textes. A présent, celui de Macaire doit être considéré pour lui-même.

Cette première page s'adresse aux « soldats du Christ ». Le pluriel y règne jusqu'à la dernière phrase, où un singulier collectif (*nullus... unusquisque... qui...*) prépare adroitement le passage au « tu » de la section suivante. A ces soldats du Christ, Macaire propose un comportement idéal (1, 1). Celui-ci tient en une vingtaine de participes et d'adjectifs (1, 2 - 2, 7), qui forment une série à peu près ininterrompue, compte tenu de deux phrases à l'infinitif (1, 3 et 2, 5[b]). Cette longue énumération de vertus ou bonnes œuvres à pratiquer et de vices à éviter est conclue par une invitation à l'humilité (3), dont les verbes au mode jussif ou indicatif, autant que la rédaction au singulier, se détachent de ce qui précède et annoncent ce qui suit.

La série de vertus et de vices débute par une anomalie. Après avoir prescrit pour commencer la charité mutuelle (1, 2), Macaire y joint l'amour de Dieu, en citant textuellement le premier commandement (1, 3). Placer ainsi l'amour de Dieu après l'amour du prochain, c'est aller au rebours de l'ordre scripturaire des deux grands préceptes[16]. De plus, le premier commandement est énoncé à l'infinitif (*diligere*), séparant deux phrases participiales aussi connexes quant au

---

15. Au moins d'après *V. Pach.* 7 (360 b). Cf. *V. Posth.* 8 (434 c) : *Prima est enim mandati confoederatio...* De son côté, le ms. *Clm 28118* n'a pas de conjonction ici (*Prima est mandati confoederatio...*), mais en ajoute une au début de la *Vita*, après le Prologue (*Erat ergo Pacomius...*).

16. Il est vrai que CYPRIEN, *De dom. or.* 15, écrit de même : *cum fratribus pacem tenere, Dominum toto corde diligere*, mais ces deux préceptes sont noyés dans une série qui commence plus haut, et le premier se rapporte moins clairement au second commandement que le *caritatem inter se perfectissimam continentes* de RMac 1, 2.

fond – toutes deux parlent de relations fraternelles – que semblables dans leur forme (*inter se perfectissimam continentes... inter se perfectissimam sectantes...*). Son insertion grammaticale dans la phrase fait d'ailleurs problème : à quoi, après le participe *continentes,* rattacher cet infinitif ?

Selon toute apparence, le premier commandement devait se trouver primitivement non en deuxième position, mais en tête. Si l'on replace ce *Deum... diligere* à la suite de la phrase d'introduction (... *suos debent componere gressus*), on obtient une séquence normale de deux infinitifs et un sens parfait : le premier des « devoirs » annoncés (*sic taliter... debent...*), c'est d'aimer Dieu. A cette solennelle maxime, mise en un relief unique par son ampleur comme par son verbe à l'infinitif, la proposition participiale *caritatem... continentes* faisait une bonne suite, en ouvrant la série des membres plus brefs et de forme différente qui décrivent en grand détail les rapports mutuels.

Le désordre du texte actuel remonte à l'archétype de tous nos manuscrits. Il a pu être provoqué par une série d'accidents dus à la grande similitude des deux phrases qui suivaient le premier commandement[17]. Une autre explication n'est pas à exclure : « Aimer Dieu... » manquait dans le texte primitif ; après l'avoir rajouté en marge, on l'aura introduit maladroitement entre les deux participes[18].

---

17. Saut du même au même (1, 2 et 2, 1 : *inter se perfectissimam*) ; correction de *caritatem* en *inuicem* et rétablissement de *caritatem... continentes* dans la marge ; insertion de *caritatem... continentes* avant le premier commandement et non après.

18. On notera toutefois que *sic taliter... debent* semble appeler un infinitif et qu'une citation scripturaire comme celle du premier commandement ouvre opportunément un exposé qui se terminera par une autre citation évangélique (3, 3). De ces indices suggérant que le *Deum... diligere...* était présent originellement et placé en tête, le premier est quelque peu affaibli par le fait que RMac 20, 1 (*Hospitalitatem sectantes*) débute par un participe au nominatif absolu. Il est vrai qu'il s'agit d'une citation (Rm 12, 13). On pourrait encore objecter que RMac 2, 5 place un infinitif

Quoi qu'il en soit, notre texte est manifestement altéré. En faisant la correction qui s'impose, on retrouve chez Macaire le début de l'*Ordo monasterii* augustinien, voire de la Règle de Basile. Mais alors que ce dernier s'étendait plus sur l'amour de Dieu que sur l'amour du prochain, Macaire traite les deux grands commandements de façon opposée. Si, comme nous l'avons vu, il donne au premier un relief particulier, il s'intéresse bien plus, en fait, au second. Au lieu de citer simplement le précepte biblique d'aimer le prochain, il décrit longuement et de façon personnelle les relations mutuelles des frères. Sans doute ces quelque vingt participes ou adjectifs ne concernent-ils pas tous la charité fraternelle, mais la mention initiale de celle-ci et de sa suivante, l'obéissance réciproque, donne le ton à l'ensemble. Dans la suite, mainte autre recommandation a trait aux rapports avec autrui, en attendant que la phrase de conclusion sur l'humilité remette ce thème fondamental en pleine lumière.

L'accumulation des vertus, bonnes œuvres et vices qui se pressent dans la longue phrase initiale (1-2) donne au premier abord une impression de surcharge et d'entassement. Cependant, à la considérer de plus près, cette liste s'avère élégamment construite. Entre deux propositions participiales positives (1, 2 ; 2, 1) et deux autres négatives (2, 4-5) se rangent trois adjectifs positifs (2, 2) et six autres précédés de *non* (2, 3). Suit une nouvelle série de six adjectifs, le premier négatif[19], les autres positifs, qui se distinguent des séries précédentes par le fait que chaque qualificatif est précédé d'un complément prépositionnel. Deux fois d'abord la préposition est *ad*, quatre fois ensuite elle est *in* (2, 6-7). Enfin une phrase à trois termes, dont le premier membre est lui-même bipartite, sert de conclusion (3, 1-3).

(*nec dedicere*) après le participe *non... sectantes*, mais cet infinitif n'est-il pas substantivé et coordonné à *blasphemiam*, l'un et l'autre étant régi par *sectantes* ?

19. RMac 2, 6 : *ad obsequium non pigri*, transition habile entre la série négative qui précède (2, 3-5) et la série d'adjectifs accompagnés de compléments qui suit.

Ainsi, d'un bout à l'autre, les nombres 2 et 3, avec leur multiple 6, rythment savamment la description[20]. L'alternance des adjectifs et des participes, des membres négatifs et positifs, des termes simples et des termes munis d'un complément montre un écrivain soucieux d'ordre et de variété. Point de redondance ou de doublet pesant, mais des répétitions et des rappels significatifs, soit au sein du même groupe[21], soit à distance[22].

Tout cela fait penser au portrait du chrétien tracé par Cyprien au milieu de son traité de la prière : même objet – une description programmatique du service du Christ –, même style d'énumération, même soin apporté à l'ordonnance et, pour une part, mêmes procédés[23]. Il est très probable que ce morceau de Cyprien a inspiré Macaire dans le présent passage, d'autant qu'il en reproduira littéralement une des maximes dans la suite de sa règle[24].

A côté de ce modèle prestigieux, il faut sans doute reconnaître ici l'influence de la *Vita Pachomii.* La *regula* que

---

20. Outre les groupes déjà signalés, noter les deux infinitifs du début, sans doute consécutifs originellement (1, 1 et 3). Les phrases participiales de 2, 4-5 sont toutes deux bipartites : *non... sed* (cf. 3, 1-2) ; *non... nec.* L'alternance des finales en *-i* et en *-es* est très étudiée. Voir 2, 2-3 : *-i, -es, -i,* puis 2 *-i,* 2 *-es,* 2 *-i* ; 2, 6-7 : 4 *-i,* suivis de 2 *-es.* Dans ce dernier cas, le jeu des finales s'ajoute à celui des prépositions *in* et *ad,* avec lequel il ne coïncide pas, mais qui oppose aussi les nombres 2 et 4.

21. *Inter se perfectissimam* (1, 2 et 2, 1, sans doute consécutifs primitivement).

22. *Milites... Christi* (1, 1) et *militant Christo* (2, 4) ; *perfectissimam* (1, 2 ; 2, 1) et *perfecti* (1, 7) ; *oboedientiam* (2, 1) et *oboedientia* (2, 7) ; *non superbi* (2, 3) et *humilitate* (2, 7), à quoi fait écho 3, 1-3 ; *sectantes* (2, 1) et *non... sectantes* (2, 5).

23. CYPRIEN, *De dom. or.* 15 : 6 substantifs avec complément précédé de *in,* 10 infinitifs, dont le dernier a 3 compléments introduits par *in* et finissant par une relative. Dans la série des substantifs, les rimes et la disposition des mots donnent lieu à des variations savantes, encore plus étudiées que celles de Macaire.

24. RMac 21, 2. Cet *Iniuriam... tolerare* se trouve au début de la série des infinitifs de Cyprien.

Pachôme y donne à ses moines parle déjà d'amour *parfait*, tant pour le prochain que pour Dieu[25]. Et surtout Pachôme lie avec insistance l'obéissance mutuelle à la charité : rien ne sert de s'aimer, si l'on ne s'obéit[26]. C'est vraisemblablement à la *Vita* que Macaire a pris ce couple de vertus, qu'il propose avec tant de force au début de son exhortation. La *Vita Pachomii* a pu lui apporter aussi, s'il ne l'avait déjà reçu d'ailleurs, le titre de *miles Christi* donné au moine[27].

Enfin ce début de Macaire est à rapprocher de celui de la Seconde Règle des Pères. Alors que la deuxième partie de celle-ci sera remployée massivement un peu plus loin, son exorde n'a pas laissé de trace bien claire chez Macaire. Tout au plus peut-on comparer aux premiers paragraphes de celui-ci l'appel inaugural des Pères à l'unanimité et aux égards mutuels, ainsi que la petite liste de quatre vertus — charité, humilité, patience, douceur — qu'ils prônent « avant tout[28] ». On dirait que Macaire, lisant le *uel cetera* qu'ils y ajoutaient, les a pris au mot et s'est efforcé de compléter leur énumération. Chez lui, le nombre des vertus recommandées, que ce soit sous forme positive ou négative, est à peu près triplé. La tonalité d'ensemble reste pourtant inchangée. Comme les Pères, l'essentiel est pour lui, dans ce début, de prêcher la charité fraternelle et la concorde, avec les vertus annexes qui y contribuent.

Parmi celles-ci, il est vrai, Macaire ne mentionne pas le

---

25. *V. Pach.* 7 (360 c) : *in perfecta dilectione Dei et proximi... qui inuicem se diligunt perfecte.* Cf. *V. Posth.* 8 (434 d - 435 a) : *perfecta... dilectio... qui inuicem diligunt... perfectius inuicem diligentes.* L'auteur cite ensuite les deux grands commandements.

26. *V. Posth.* 8 (435 b) = *V. Pach.* 8 (360 d) : *Nihil uobis proderit... si diligitis (diligatis) inuicem et non uultis (nolitis) inuicem obedire.*

27. *V. Posth.* 8 (436 cd) = *V. Pach.* 9 (361 ab) : *miles Dei (Christi)... militis Christi.*

28. 2 RP 4-5 : *omnes unanimes... et unum sentientes, inuicem honorantes... Ante omnia habentes caritatem* (RMac 1, 2), *humilitatem* (RMac 2, 7 et 3, 1-3), *patientiam, mansuetudinem* (cf. RMac 2, 2 : *mites, moderati*) *uel cetera quae docet sanctus Apostolus.*

renoncement à la propriété et le partage des biens, dont les Pères faisaient le signe de l'union des cœurs[29]. Au contraire, il insiste sur les fautes à éviter dans le langage[30], thème voisin mais distinct de celui du silence, que les Pères développent seulement, d'ailleurs, dans la suite de leur règle. Mais au-delà de ces différences, il faut surtout souligner, en définitive, la fidélité de Macaire à la ligne tracée par ses devanciers. Consciente ou non, cette fidélité se marque à l'importance primordiale qu'il attache comme eux à l'amour mutuel et à la bonne entente des frères.

L'idéal d'« unanimité » était déjà au premier plan chez les Quatre Pères, mais ils ne voyaient qu'un moyen de le promouvoir : assujettir tous les membres de la communauté à un supérieur. Dans ce système de relations purement verticales, la Seconde Règle a introduit une considération nouvelle : avant l'obéissance au supérieur, elle place la charité et son cortège de vertus relatives à la vie fraternelle. A son tour, Macaire fait de même. Pas une fois, dans tout ce tableau inaugural des *milites Christi*, il ne mentionne le supérieur. Chez lui, l'obéissance n'est pas absente, certes, mais c'est une obéissance « réciproque », qui découle de la charité mutuelle[31].

On peut donc regarder cette première section de Macaire comme une nouvelle affirmation, plus forte et plus développée, du primat des relations fraternelles, déjà proclamé, à l'encontre des Quatre Pères, par la Seconde Règle. Mais cette progression dans la même ligne s'accompagne de véritables innovations. Sans plus parler, comme ses devanciers, d'« unanimité », la *Regula Macarii* propose d'emblée la notion connexe de « charité », que la Seconde Règle avait insérée entre l'unanimité et l'obéissance.

---

29. 2RP 6. Cf. RMac 24 et 30.

30. RMac 2, 3 et 5.

31. Au moins d'après 2, 1, seul explicite. En 2, 7, *oboedientia* reste indéterminé. L'obéissance au supérieur ne sera formellement enjointe que dans la section suivante (4, 1-3), en dépendance de Jérôme.

Et à cette charité, devenue chez lui première, il donne pour suivante une obéissance non plus hiérarchique, mais mutuelle. L'évolution accomplie à travers les trois règles peut être schématisée comme suit :

RIVP 1, 5-18	: unanimité, obéissance au supérieur.
2RP 4-10	: unanimité, charité fraternelle, obéissance au supérieur.
RMac 1, 2-2, 1	: charité fraternelle, obéissance mutuelle.

C'est encore une nouveauté de Macaire que de faire entrer dans son exposé inaugural des éléments qui ne touchent pas directement au thème de l'union. La « modération » (2, 3), par exemple, et surtout « l'oraison » (2, 6), les « veilles » et le « jeûne » (2, 7) appartiennent moins au domaine des relations entre personnes qu'à celui de l'ascèse. La perspective ouverte par cette première page est donc moins strictement communautaire que celle où s'engageaient, dans leurs débuts respectifs, les Quatre Pères et la Seconde Règle. Dès son exorde, Macaire laisse percer son intérêt pour le progrès des individus. Cette note originale de son œuvre va apparaître plus clairement dans la section suivante.

L'exhortation au moine individuel (4-9)

La deuxième section est en effet un discours en « tu », adressé individuellement à chaque frère. Macaire s'inspire ici de la Lettre de Jérôme à Rusticus, dont il transporte le ton épistolaire à l'intérieur de sa règle pour cénobites.

Cette dépendance à l'égard de Jérôme apparaît dès la première phrase (4, 1), qui fait nettement écho à la maxime *Credas tibi salutare quidquid ille (praepositus monasterii) praeceperit*[32]. Trois autres fois, et de façon quasi littérale, Macaire empruntera à la même Épître hiéronymienne, avant

32. Jérôme, *Ep.* 125, 15. Cf. Saint Jérôme, *Lettres,* éd. J. Labourt, t. VII, Paris 1961, p. 127, 19-20.

de passer à la Seconde Règle des Pères en suivant une dernière suggestion de Jérôme. Un tableau fera saisir la disposition de ces emprunts :

JÉRÔME, *Ep.* 125	RMac 4-9
15 (127, 19-20) : Credas tibi *salutare* quidquid ille *praecep*erit.	4, 1 : *Praecep*tum senioris ut *salut*em suscipias.
7 (119, 27) : *Habe*to *cell*ulam pro *paradiso*.	6, 3 : *Cell*am ut *paradis*um *habe*as.
15 (127, 18-19) : *Praepositum monasterii timeas ut* dominum, *diligas ut parentem*.	7, 1 : *Praepositum monasterii timeas ut* deum, *diligas ut parentem*.
15 (127, 10-11) : *lassus ad stratum uenia ambul*ans*que dormit*es.	8, 3-4 : *ambulesque dormit*ans, *lassus ad stratum uenias*.
[15 (127, 12) : Dices psalmum in ordine tuo, etc.]	[9, 1 : Cursumque monasterii super omnia diligas.]

Sauf dans le deuxième cas, c'est le même § 15 de la Lettre à Rusticus que Macaire utilise constamment. Le premier et le troisième emprunt sont faits à des phrases hiéronymiennes contiguës, que Macaire prend à rebours, et les deux derniers viennent aussi de deux phrases presque contiguës, qui se lisaient un peu plus haut chez Jérôme.

Mais il ne suffit pas de repérer ces réminiscences. Il faut encore reconnaître le rôle déterminant qu'elles jouent dans la constitution du texte de Macaire. En effet, c'est autour de ces sentences empruntées à Jérôme que notre auteur assemble ses propres idées, de sorte que toute la présente section peut être considérée comme une paraphrase de la Lettre à Rusticus.

La première maxime hiéronymienne — « Regarde comme le salut tout ordre donné par le supérieur » — inspire à Macaire une série d'avis sur le travail (*opera*), qu'il faut accomplir sans murmure ni réponse négative, sans élèvement si l'on réussit, sans satisfaction pour ce qu'on gagne ou tristesse pour ce qu'on perd (4-5).

La deuxième maxime — « Tiens ton monastère pour un paradis » — commande aussi bien la phrase qui la précède (6, 1-2) que celle qui la suit (6, 4). La « maison » monastique (*cellula* ou *cella*), contrastée avec le siècle, doit être l'unique demeure de toutes les affections[33] et le paradis du moine, la familiarité des séculiers étant remplacée par celle des frères spirituels qu'on aura pour compagnons à tout jamais.

Ouvrant le paragraphe suivant, la troisième maxime – « Crains le supérieur du monastère comme Dieu, aime-le comme un père » – est explicitement prolongée par un nouvel appel à aimer tous les frères, présentés derechef comme des compagnons d'éternité (7, 2-3).

Enfin la quatrième maxime – « Tu marcheras en tombant de sommeil, épuisé tu iras te coucher » – tient ensemble tout ce qui l'entoure : invitation à travailler et mise en garde contre l'oisiveté, évocation des fatigues de la veille et des sueurs du travail, d'une part (8, 1-3[a]) ; présentation du repos « avec le Christ », de l'autre (8, 4[b]).

Chaque citation de la Lettre à Rusticus sert donc de noyau à un petit développement suggéré par elle. La dernière de ces phrases proprement citées par Macaire était suivie, chez Jérôme, d'une mention du lever matinal, bien en situation après celle du repos nocturne[34]. Omettant cette petite phrase, Macaire semble s'être arrêté à la suivante, où Jérôme passait, peut-être par association d'idées[35], à la psalmodie de l'office choral. C'est bien, en effet, la même réalité de l'office que notre auteur désigne par le mot *cursum* (9, 1), qui fait déjà écho à la Seconde Règle des Pères. Mais au lieu de prescrire au lecteur de « réciter les psaumes à son tour » avec attention et intelligence, il recommande plus généralement d'« aimer l'office du monastère par-dessus tout », en promettant une récompense particulière à celui qui désirerait prier plus souvent (9, 1-2). Ainsi s'accomplit, autour de l'office conventuel, le passage du texte de Jérôme à celui des Pères.

---

33. *Sed tota dilectio uestra in cellula demoretur*. Ce « votre » est unique dans RMac.

34. JÉRÔME, *Ep.* 125, 15 (127, 11-12) : *necdum expleto somno surgere conpellaris*, qui fait penser à RMac 8, 3 : *in uigiliis confectus* (cf. 1, 7).

35. L'office nocturne suit immédiatement le lever. Cf. *RM* 30-33 (coucher, réveil, office nocturne).

Obéissance empreinte de respect religieux et d'amour filial pour le supérieur, estime du monastère tenu pour le paradis, endurance des fatigues d'une vie laborieuse et austère, application à la prière commune, telles sont donc les directives que Macaire a sélectionnées dans la Lettre à Rusticus. Ce choix n'est pas aussi libre qu'on pourrait le croire. En empruntant à Jérôme deux maximes relatives au supérieur, qui invitent l'une à lui obéir, l'autre à le craindre et à l'aimer, notre auteur est sans doute guidé par le modèle de la Seconde Règle des Pères, où il est dit du supérieur, désigné par le même terme de *praepositus*, que les frères doivent « en tout le craindre, l'aimer et lui obéir ». Ce passage des Pères sur l'obéissance (2RP 7-10) a d'autant plus de chances d'être présent ici à l'esprit de Macaire qu'il fait suite à la liste initiale de vertus, dont nous avons vu le rapport avec la première section de notre règle. Il apparaît ainsi que Macaire, à travers ces deux sections, suit pas à pas la trace de ses devanciers.

Dans le cas présent, les trois dispositions vis-à-vis du supérieur, rassemblées par les Pères en une formule brève, sont décrites par lui en deux phrases séparées qu'il prend à Jérôme. Une distance est mise entre elles et leur ordre est modifié : d'abord l'obéissance (sans le mot), puis – en propres termes – la crainte et l'amour. Cette inversion est d'autant plus délibérée que Jérôme, comme les Pères, prescrivait à Rusticus de craindre et aimer son supérieur avant de l'inviter à « tenir pour salutaires tous ses ordres ». C'est donc à l'encontre de ses deux modèles, concordants entre eux, que Macaire écarte l'une de l'autre et intervertit les deux prescriptions.

Que signifie cette dissociation ? On notera qu'elle s'accompagne de l'altération d'une des phrases de Jérôme : au pronom *ille* de celui-ci, qui représentait *praepositus*, Macaire substitue *senioris* (4, 1). Nous trouverons plus loin, dans la section prise à la Seconde Règle, un autre *praepositus* changé en *senior*, et le sens de ces termes ne pourra être discuté à fond que quand nous parviendrons à la dernière section, où le « prévôt » intervient à côté de l'« abbé ». Mais dès à présent il est permis de se demander si le *senior* auquel Macaire prescrit ici d'obéir s'identifie au *praepositus monasterii* mentionné ensuite. En modifiant le terme de Jérôme, notre auteur ne vise-t-il pas une personne différente ou un ensemble de personnes plus large ? Cet « ancien », dont la parole est à recevoir comme le salut, peut être un chef de groupe ou un officier subalterne aussi bien que le supérieur de toute la maison.

Quel que soit le sens des changements qu'il y apporte, Macaire doit certainement ces sentences sur le supérieur à l'influence conjointe de ses deux modèles : les Pères l'ont conduit à Jérôme. Au contraire, la sentence sur le monastère-paradis qu'il intercale entre elles (6, 3) ne lui vient que de la Lettre à Rusticus, ainsi que la phrase ultérieure sur la lassitude et le sommeil (8, 3-4), en attendant que les deux influences interfèrent de nouveau pour suggérer la maxime sur l'office (9, 1).

Ces consignes de la Lettre à Rusticus, dont quelques autres seront recueillies plus loin[36], engendrent à leur tour des recommandations concernant le travail (4-5 et 8), la séparation du monde[37] (6), l'amour fraternel (6-7), l'oraison (9). Le trait le plus remarquable de ces développements est l'importance qu'y revêt le thème de la « dilection ». Seul le troisième emprunt à Jérôme parlait d'« aimer » le supérieur (7, 1). Ce verbe *diligere*, Macaire l'applique aussitôt aux frères (7, 2), déjà visés par le substantif correspondant *dilectio* (6, 2). Plus loin, il répétera, à propos du *cursus monasterii* – expression calquée sur le *praepositus monasterii* de Jérôme –, le même mot d'ordre : *diligas* (9, 1). Une telle insistance sur la dilection rappelle évidemment les deux grands commandements promulgués dans l'exorde de la Règle. Aimer Dieu[38],

36. RMac 19-21. Cf. JÉRÔME, *Ep.* 125, 15 (127, 13-18).

37. Déjà JÉRÔME, *Ep.* 125, 7, recommandait à Rusticus de se garder de sa mère et des servantes de celle-ci.

38. Ce premier amour s'exprime par celui de l'office (9, 1). – La recommandation du travail (8, 1), empruntée à l'Ecclésiastique (Si 7, 16),

s'aimer l'un l'autre : Macaire monnaye ici ses deux préceptes initiaux.

Un second trait frappant est l'effort pour promouvoir le sens de la fraternité. Deux fois de suite, et presque dans les mêmes termes, Macaire tire de la maxime hiéronymienne une invitation originale à s'attacher aux « frères ». La *cella* monastique n'apparaît pas seulement comme l'opposé du monde. Ce « paradis » est aussi peuplé de frères. Le père du monastère n'est pas le seul qu'on doive aimer. Le même amour doit être porté à ces frères que sont tous les autres religieux[39]. Naguère absent de la première section, le supérieur est mis en relief ici par deux des emprunts à Jérôme, mais Macaire continue à cultiver par-dessus tout l'esprit fraternel.

Enfin, avec l'insistance sur le travail, il faut relever l'accent mis par notre auteur sur la personne du Christ. Les trois derniers paragraphes de la section se terminent par sa mention : *gloriam Christi, cum Christo, misericordiam Christi.* Ces *Christus*, seuls et sans autre titre, sont bien dans la manière de Jérôme[40], mais ils rappellent surtout le début de la règle, avec sa notion deux fois formulée de la « milice du Christ ». A ce thème du service militaire s'ajoutent ici des espoirs de récompense : le Christ sera vu en gloire, dès maintenant c'est avec lui qu'on prend son repos[41], et ici-bas ou plus tard la prière assidue obtiendra de lui miséricorde.

Premiers échos des Pères (9) Peut-être cette dernière promesse fait-elle déjà écho à la Seconde Règle des Pères, que Macaire va se mettre à recopier aussitôt après. Les Pères

---

prend elle-même une forme voisine de ces *diligas*, bien que négative : *Non oderis laboriosam operam.*

39. Cf. BASILE, *Reg.* 4, *PL* 103, 496 c, où pères et frères en religion sont déjà unis.

40. JÉRÔME, *Ep.* 125, 7 (*ter*). 8 (*bis*). 17.19.20 (*bis*).

41. RMac 8, 4 : invitation à un effort de vigilance et de prière nocturne (cf. FERRÉOL, *Reg.* 33) .

veulent en effet que, « lorsqu'il faut demeurer longtemps en prière », à l'office diurne ou nocturne, « on tienne sans défaillance », et ils citent à ce propos deux paroles de l'Écriture prescrivant de « prier toujours[42] ». Ce *diutius ad orationem standum* et ce double *orare semper* font penser au *saepius orare* de notre auteur. Bien que les Pères songent aux heures canoniales et Macaire à l'oraison privée entre les offices, leurs recommandations tendent pareillement à soutenir un effort de prière prolongé. On peut voir un indice de relation entre les deux textes dans le fait que Macaire, arrivé à ce passage des Pères, l'omettra – avec son contexte, il est vrai –, comme s'il avait conscience de l'avoir déjà exploité[43].

A supposer que tel soit le cas, les deux règles présenteraient sur ce point un contraste significatif. D'une justification des longs offices communs, on passerait à une recommandation de la prière individuelle. L'intérêt original de Macaire pour la vie personnelle du moine, déjà relevé dans ce qui précède, trouverait là une confirmation frappante.

En tout cas, ce petit paragraphe sur la prière a certainement été suggéré par le texte des Pères, comme le montre le mot *cursum* au début (9, 1). Il se pourrait aussi que *uero* soit de même provenance, car cette conjonction si banale ne se rencontre pas ailleurs dans les parties propres de Macaire[44].

En plus de ces réminiscences verbales du passage des Pères qui lui correspond exactement quant à la place, le texte de Macaire présente, dans sa première phrase, un rapport évident avec une maxime ultérieure des Pères qu'il recopiera bientôt : *nihil orationi praeponendum est*[45]. « Aimer le *cursus* du monastère par-dessus tout », cela signifie, en pratique, « ne

---

42. 2 RP 32-34, citant Lc 18, 1 et Si 18, 22. Cf. JÉRÔME, *Ep.* 125, 11 (123, 16) : *Oratio sine intermissione* (1 Th 5, 17).

43. RMac 15, 2, omettant 2 RP 32^{b}-36.

44. RMac n'emploie *uero* qu'au début des §§ 11.13.14.15.17 = 2 RP 25.30.31.32.43.

45. RMac 14, 3 = 2RP 31.

rien préférer à la prière » quand l'heure de l'office vient à sonner. Mais la présente formulation de Macaire a un tour plus général et plus spirituel. Analogue au *praepositum monasterii diligas* de Jérôme reproduit plus haut, elle enveloppe l'office communautaire dans l'atmosphère de ferveur et de dilection qui caractérise notre règle. Il ne s'agit plus seulement d'« observer » le *cursus* liturgique du monastère, comme le voulaient les Pères. Il faut encore l'« aimer ».

La législation prise à la Seconde Règle (10-18)

Cette phrase si personnelle sur le *cursus* n'empruntait qu'un mot à la Seconde Règle. A partir du paragraphe suivant, celle-ci est reproduite littéralement. Ainsi commence un emprunt massif à la législation des Pères (10-18), qui sera de même longueur, à peu de chose près, que l'ensemble des deux sections précédentes (1-9).

Ce que Macaire prend de la sorte à la Règle des Pères, c'est sa deuxième moitié (2RP 23-46), sauf l'omission médiane dont nous avons parlé (2RP 32-36). Que cette *deuxième* moitié du texte-source prenne place aussi en *deuxième* position chez Macaire, c'est là une similitude qui donne à réfléchir. Il semble que notre auteur ait délibérément substitué à la première moitié de la Règle des Pères un texte propre de longueur presque égale, avant d'en reproduire la seconde moitié à peu près telle quelle.

Dans ce processus de substitution, il s'en faut que Macaire n'ait tenu aucun compte du texte éliminé. En étudiant sa première section (1-3), nous avons relevé que son énumération des vertus monastiques constitue une sorte d'amplification de celle des Pères (2RP 4-5). Ensuite sa deuxième section, en invitant non seulement à obéir au supérieur (4, 1-3), mais encore à le craindre et à l'aimer (7, 1), correspond au passage des Pères qui suit leur liste de vertus et qui prescrit les mêmes attitudes vis-à-vis du *praepositus* (2RP 7-10). Et cette section de notre règle s'achève par une recommandation du *cursus* de l'office (9, 1) qui coïncide, par-delà les prescriptions des Pères sur le silence, avec le début de leur emploi du temps (2RP 22). Malgré l'omission à peu près complète[46]de ces articles sur le silence (2RP 11-21), le développement des autres suggestions des Pères, avec tout ce qui est venu s'y ajouter, a enflé les deux premières sections de Macaire au point qu'elles équivalent presque, en ampleur, à la première moitié de la Seconde Règle (2RP 1-22).

On peut donc dire que Macaire a jusqu'ici suivi ses devanciers de façon très libre, tandis qu'il va maintenant s'attacher à eux presque servilement. Contrairement au cas de Benoit, qui copie d'abord le Maître, puis lui emprunte avec beaucoup de liberté[47], la dépendance est ici d'abord large et ensuite étroite.

Dans un décalque comme celui qui commence maintenant, seules les modifications apportées au modèle appellent quelque commentaire. On en trouve une quizaine, d'importance très inégale, depuis une omission de plusieurs lignes (2RP 32^{b}-36)[48] jusqu'à de simples substitutions de pronoms. Contentons-nous de relever trois des plus notables. D'abord l'activité qui remplit les heures de « méditation » n'est plus désignée par le verbe « lire[49] ». Ensuite la citation de Ph 2, 14 est ramenée, par l'absence de *uel haesitatione,* à la forme brève qu'elle avait, antérieurement à la Seconde Règle, chez les Quatre Pères[50]. Enfin les corrections ne se font plus *secundum arbitrium praepositi,* mais *secundum arbitrium senioris uel modum culpae*[51].

---

46. Ils ne sont représentés que par RMac 2, 3 : *non uerbosi, non praesumptiosi,* qui n'en dérivent pas de façon évidente.

47. Comparer *RB* Prol-7 et *RM* Pr-10 ; *RB* 8-67 et *RM* 11-95.

48. Cf. ci-dessus, n. 43.

49. RMac 10, 1, omettant *ut... legant* (2RP 23). Ce *legant* a des correspondants chez CÉSAIRE, *Reg. uirg.* 19 et 69 ; ROr 24, 1-2 ; *RB* 48, 10.

50. RMac 11, 2. Cf. RIVP 2, 11 ; 2RP 26. Macaire est-il influencé par les Quatre Pères, ou lit-il un texte de 2RP demeuré fidèle à ceux-ci, ou les rejoint-il fortuitement par une correction indépendante ?

51. RMac 12, 3, modifiant 2 RP 28.

Nous retrouvons là le remplacement de *praepositus* par *senior* déjà observé plus haut dans le premier remploi de Jérôme (4, 1). Le problème de sa signification est lié, dans le cas présent, à l'interprétation de l'autre retouche apportée par Macaire : l'ajout *uel modum culpae*. A première vue, ces mots anticipent maladroitement ce qui va être dit aussitôt après : *quamdiu culpae qualitas poposcerit* (2RP 28 = RMac 12, 4). Mais s'agit-il d'une simple redondance ? La « correction » (*correptus*) n'est pas l'excommunication (*abstineatur*) prévue ensuite. Et peut-être le *senior* qui administre la première diffère-t-il du supérieur de la maison – le *praepositus* des Pères – qui fulmine certainement la seconde[52] ? Rapprochée de la deuxième section, où nous avons vu Macaire doubler le *praepositus* de Jérôme d'un *senior* de son invention, la présente mention du *senior* pourrait s'entendre de nouveau d'une autorité subalterne, celle qui « corrige » seulement les fautes en première instance. Mais la question épineuse du sens de ces noms de supérieurs doit être renvoyée à plus tard.

Aux modifications proprement dites, dont nous venons de signaler trois des plus considérables, se joignent certains écarts de Macaire par rapport au texte critique de la Seconde Règle, basé sur le manuscrit E_1, qui se retrouvent dans l'autre témoin de cette dernière, le manuscrit de Tours (*T*). Dans une demi-douzaine de cas, Macaire se range ainsi du côté de *T* en opposition avec E_1, sans qu'il y ait de sa part,

---

52. Dans 2 RP 28, *secundum arbitrium praepositi,* contigu à *digne correptus* et à *tamdiu abstineatur*, pouvait se rapporter à l'un comme à l'autre. Dans RMac 12, 3-4, *secundum arbitrium senioris uel modum culpae* semble se rapporter seulement à *digne correptus*, puisque *tamdiu abstineatur* est suivi de *quamdiu culpae qualitas poposcerit*, qui serait redondant si *uel modum culpae* se rapportait à *abstineatur*. Les avertissements des prévôts et l'excommunication prononcée par l'abbé sont bien distingués dans *RM* 12, 2-6 : *monitus uel correptus (a praepositis)... et qui praeest (abbas) secundum qualitatem uel meritum culpae... tali eum excommunicatione condemnet... quomodo dignus est iudicari...* (cf. *La Règle de saint Benoît,* t. V, p. 727-728).

53. RMac 10, 1 et 11, 1 : *secundam* ; 13, 1 : *oratorio* ; 13, 2 :

semble-t-il, infidélité à sa source[53]. Parfois, au contraire, il s'accorde avec E_1, contre T[54]. Dans l'ensemble, notre règle s'avère dépendante d'un texte des Pères déjà altéré (recension T), dont il accentue l'originalité par un nombre au moins double d'altérations nouvelles.

Parmi les leçons de T passées chez Macaire, il faut surtout noter la variante *secundam,* qui remplace à deux reprises (10, 1 ; 11, 1) le *tertiam* originel de la Seconde Règle (2RP 23 ; 25). Les trois heures d'étude qu'avaient instituées les Quatre Pères, déjà menacées par une clause restrictive de la Seconde Règle (2RP 24 = RMac 10, 2-3), se trouvent à présent réduites à deux, sans que la menace de suppression occasionnelle disparaisse. Ce fléchissement sera homologué par la règle féminine de Césaire[55], tandis que sa règle masculine reviendra aux trois heures[56], que maintient de son côté l'Orientale[57]. Bien que la formulation de Césaire montre qu'il dépend de la Seconde Règle plutôt que de Macaire[58], la mention qu'il fait de la fin des « matines » comme point de départ de la *lectio* le rapproche curieusement de celui-ci[59].

---

culpabilis erit (T ajoute *atque excommunicatione dignissimus*, cf. E_1) ; 15, 2 : *uero* omis ; 16, 5 : interversion des deux membres et déplacement de *autem*.

54. Voir par exemple RMac 12, 3 = 2RP 28, où T omet *secundum arbitrium* (et *praepositi*).

55. Césaire, *Reg. uirg.* 19 et 69. Voir notre article « La Règle de Césaire d'Arles pour les moines : un résumé de sa Règle pour les moniales », dans *RHS* 47 (1971), p. 369-406 (cf. p. 386-387), où nous ne tenions pas compte de la recension *TA* de 2RP.

56. Césaire, *Reg. mon.* 14. Cf. *Ep. ad sanctim.* II, 7, qui dépend de Pélage, *Ep. ad Dem.* 23.

57. ROr 24, 1-3. De même *RM* 50, 10 (hiver), tandis que *RB* 48, 10 (même saison) arrête la lecture *in hora secunda plena.* Benoît ne la prolonge jusqu'à tierce qu'en carême (*RB* 48, 14).

58. Cf. *lectioni uacent* (*Reg. uirg.* 19) et surtout *legant* (*Reg. uirg.* 69). De même, l'omission de *se* dans *Reg. uirg.* 13 est conforme à 2RP 40, non à RMac 16, 3.

59. Voir Césaire, *Reg. uirg.* 69 : *post matutinos* (cf. 19 : *a mane* ;

Le retour à l'exhortation individuelle (19-21) Arrivé à la fin de la Seconde Règle, Macaire revient au genre parénétique qu'il cultivait auparavant. Moyennant une transition, il reprend ses avis à la deuxième personne du singulier.

La continuité avec la deuxième section apparaît plus nettement encore si l'on tient compte de l'écho de la Lettre à Rusticus qui se laisse percevoir dès les premiers mots. En recommandant de ne pas s'enorgueillir de sa *voix* (19, 1 : *neque in uoce exaltet*), Macaire renoue avec le texte hiéronymien au point précis où il l'avait laissé pour s'engager dans la Seconde Règle (9, 1). Ce point était, on s'en souvient, le passage où Jérôme, après avoir parlé du coucher et du lever, disait quelques mots de l'office. Invité à « dire le psaume à son tour », Rusticus recevait le conseil de ne pas y rechercher l'agrément de la *voix* (*dulcedo uocis*), mais la dévotion intérieure. Cette mise en garde contre le plaisir du chant est probablement ce qui suggère à Macaire son présent avertissement sur la « voix[60] ».

Celui-ci, toutefois, vise moins la recherche esthétique que la vanité qui l'accompagne. Au reste, s'enorgueillir de sa voix n'est qu'une forme particulière de l'orgueil qu'inspire généralement tout « savoir-faire » (*peritia*). En prêchant là-contre, Macaire reprend un propos de sa deuxième section : « Ne t'enorgueillis pas, ne te glorifie pas d'avoir fait du bon travail » (5, 1). Quant aux dispositions d'« humilité » et d'« obéissance » qu'il oppose à ces mouvements d'orgueil (19, 2), elles rappellent la liste de vertus de la première section (2, 7 ; cf. 2, 1).

Reg. mon. 14 n'a rien de correspondant), analogue à RMac 10, 1 : *Matutinumque dictum.*

60. Il pourrait aussi y être conduit par ce qui vient d'être dit (RMac 18, 1-2 = 2RP 46) du silence à table, qui va sans doute de pair avec la lecture publique (cf. RIVP 2, 42), à propos de laquelle Benoît semble redouter de l'orgueil chez le lecteur (voir *RB* 38, 2 ; cf. 47, 4). Mais cette attache paraît moins probable.

C'est aussi à la première section que fait penser, au moins par sa forme, le précepte qui suit : *Hospitalitatem sectantes*[61]. Mais cette fois Macaire reproduit un mot de l'Apôtre que citait déjà, avec une variante, la Lettre à Rusticus[62]. Plus précisément, cet appel à l'hospitalité correspond au précepte de « laver les pieds des hôtes », qui suit presque immédiatement, chez Jérôme, les considérations sur l'office rencontrées à l'instant[63] et précède le *passus iniuriam taceas* que Macaire va citer en propres termes au prochain paragraphe (21, 1). Il apparaît ainsi que cette quatrième section de notre règle est soustendue par une série de réminiscences de la Lettre à Rusticus, exactement comme la seconde :

JÉRÔME, *Ep.* 125	RMac 19-21
[15 (127, 13) : non dulcedo *uoc*is *quaeritur.*]	[19, 1 : Nullus se in sua... *uoc*e exaltet.]
[15 (127, 17) : *hospit*um laues pedes ; cf. 14 (126, 12-17) : *Hospitalitatem* persequentes.]	[20, 1 : *Hospitalitatem* sectantes.]
15 (127, 17-18) : *passus iniuriam taceas.*	21, 1 : *Passus iniuriam taceas.*

La citation implicite de l'Ecclésiastique qui suit cet écho de Jérôme (20, 1 ; cf. Si 4, 5) rappelle à son tour la deuxième section, où une sentence du même auteur sacré était citée de la même manière (8, 1 ; cf. Si 7, 16). De son côté, l'adjectif *hilarem,* par lequel Macaire caractérise l'attitude convenable vis-à-vis des hôtes et des pauvres,

61. RMac 20, 1. Cf. 2, 1 et 5 (*sectantes*). Sur ce participe qui rappelle aussi 1, 2, voir ci-dessus, n. 18.

62. Rm 12, 13, cité par JÉRÔME, *Ep.* 125, 14 (126, 13), qui lit *persequentes* au lieu de *sectantes.*

63. JÉRÔME, *Ep.* 125, 15 (127, 17) : *Seruias fratribus, hospitum laues pedes.*

figurait déjà, à propos du jeûne, dans la première section (2, 6).

De l'hospitalité, notre auteur passe, sous la conduite de Jérôme, à la patience (21, 1). A vrai dire, le lien des deux recommandations était bien plus étroit dans la Lettre à Rusticus, où « laver les pieds des hôtes », à la suite de « servir les frères », constituait une marque d'humilité, tout comme « subir l'injure en silence ». En traitant l'hospitalité d'un autre point de vue, celui de la charité, Macaire l'a séparée de la patience, qui se présente maintenant *ex abrupto,* sans rapport avec le paragraphe précédent.

Pour donner un peu de consistance à cette recommandation isolée, notre auteur ajoute au mot de Jérôme la maxime célèbre de Cyprien sur l'injure « supportée, non infligée[64] ». Quand on se souvient que la première section ressemblait assez nettement au passage du *De dominica oratione* d'où provient cette maxime, on voit se dessiner une nouvelle relation entre le présent passage et le début de la règle. De part et d'autre de son emprunt aux Pères, Macaire se montre constant dans sa manière d'écrire et ses réminiscences.

La même observation est à faire au sujet des derniers avis de cette petite section. Les « conseils séducteurs » contre lesquels Macaire met en garde (21, 3) sont l'équivalent de la « familiarité qui entraîne vers le monde », comme disait un passage de la deuxième section (6, 1). On le voit bien quand l'auteur joint de part et d'autre à cet avertissement la même mention de la *cellula* et le même éloge des *fratres,* considérés comme les vrais « parents » du moine. Le parallélisme des deux paragraphes est si frappant qu'il mérite d'être consigné sur une synopse, où nous noterons au préalable la correspondance initiale signalée plus haut :

---

64. RMac 21, 2 = CYPRIEN, *De dom. or.* 15. Cf. CASSIEN, *Inst.* 4, 39, 2 (*quinto*) ; *RM* 3, 35 = *RB* 4, 30, où la citation est approximative.

Deuxième section	*Quatrième section*
5, 1 : Non te extollas aut magnifices aliquam utilem fecisse operam...	19, 1 : Nullus se in sua peritia neque in uoce exaltet.
6, 1-4 : [1]*Nec te* familiaritas ulla ad saeculum trahat, [2]*sed* tota dilectio uestra *in cellula* demoretur. [3]*Cell*am ut paradisum habeas, [4]*fratres* tuos spiritales ut aeternos confidas *parentes.*	21, 3-6 : [3]*Non te* inania seducant consilia, [4]*sed* magis te semper in Christo confirma. [5]Non tibi ullos aestimes proximiores *parentes* quam [6]qui tecum sunt tui *in cellula fratres.*

Cette répétition confirme l'intérêt dominant de Macaire pour les relations fraternelles et la notion même de fraternité[65]. On notera en outre, dans cette fin de la quatrième section, la récurrence de *Christus,* seul et sans autre titre, qui a été souvent employé de même au cours de la deuxième.

La législation autonome : les sorties (22) La dernière section ressemble à la première par son indépendance à l'égard de toute source connue, et à la troisième par son caractère législatif. Le « tu » de Jérôme est abandonné. Macaire légifère en un style impersonnel, qui ressemble à celui des Pères.

Malgré ce changement de ton, la première prescription (22, 1-3) se relie assez bien à ce qui précède. On vient de mettre en garde contre les mauvais conseils qui ramèneraient au monde, et d'exalter la compagnie fraternelle dans laquelle on demeure au monastère. A présent, on s'occupe des sorties, qu'on entoure de précautions : la compagnie de frères y sera de nouveau une sauvegarde[66].

---

65. L'opposition entre parenté charnelle et spirituelle rappelle surtout BASILE, *Reg.* 4 (496 c).

66. Bien que séparés ici (22, 1), les mots *in cellula... fratres* rappellent 21, 6.

Cette prescription de sortir à deux ou trois se retrouve dans l'Orientale, qui cite auparavant un article de Pachôme interdisant de sortir seul, motive ensuite amplement ses dispositions et finit par des recommandations contre le bavardage, qu'elle tire – moyennant un changement de contexte – de la Seconde Règle des Pères[67]. Macaire et l'Orientale ont en commun l'expression *bini uel terni,* ainsi que le souci d'éviter que les voyageurs ne bavardent. Mais la rédaction de Macaire inclut, dans sa brièveté, deux éléments originaux : le choix à faire de sujets dignes de confiance (22, 2) et la préoccupation d'éviter l'intempérance (22, 3).

Laissant de côté la *Tarnantensis,* dont l'interdiction de sortir seul semble venir de Pachôme[68], il faut surtout rapprocher de notre texte deux passages de la Règle augustinienne[69]. Le premier, qui appartient à l'*Ordo monasterii,* ne prescrit que de sortir à deux, mais son début ressemble fort à la phrase de Macaire, et la défense qu'il fait de manger au dehors fait penser à la mise en garde contre l'intempérance trouvée dans notre texte. Le second est un article du *Praeceptum* qui veut qu'on n'aille aux bains – et n'importe où – qu'à deux ou trois.

Sauf la *Tarnantensis,* chacun de ces textes parallèles a un ou plusieurs points de contact particuliers avec Macaire, les deux plus proches étant l'*Ordo monasterii* et l'Orientale. Il est curieux que la rédaction très concise de notre auteur envisage ensemble les deux dangers signalés

67. ROr 22, 2 : *Missi uero non singuli, sed bini uel terni ambulent,* qui suit PACHÔME, *Praec.* 56 (22, 1). La motivation *ut... seniores... eorum... securi sint* (22, 3) fait penser au *quibus credendum est* de Macaire : même souci de sécurité. La mise en garde contre les *fabulae inanes* (22, 4-5) s'inspire de 2RP 11.

68. *Reg. Tarn.* 2, 2. Cf. PACHÔME, *Praec.* 56.

69. *Ordo mon.* 8 : *Si opus fuerit ad aliquam necessitatem monasterii mitti, duo eant*, etc. (le *fideliter... agant* de la fin se retrouve en RMac 20, 4 : *fideliter age*) ; AUGUSTIN, *Praec.* 5, 7 : *Nec eant ad balneas uel quocumque ire necesse fuerit, minus quam duo uel tres.*

séparément par ces documents : l'indiscipline alimentaire et la loquacité. Elle le fait d'ailleurs en des termes qui rappellent la première section[70].

L'admission des postulants (23-25)

Après cet article sur les sorties vient un important règlement pour l'admission des nouvelles recrues. Son *Ergo* initial paraît démenti par l'absence de lien entre les deux questions. Nous reviendrons sur cette conjonction surprenante, mais on peut noter dès à présent qu'un *ergo* se lit plus haut à un autre endroit insolite : le début même de la règle (1, 1).

La formation des postulants a été longuement décrite chez les Quatre Pères (RIVP 2, 16-35 : premier discours de Macaire), tandis que la Seconde Règle l'a passée sous silence. Comparé à son homonyme de la Règle des Quatre Pères, notre auteur est bien plus bref, mais, tout en ne distinguant pas expressément entre riches et pauvres, il suit à peu près le même ordre : d'abord l'instruction et l'admission de l'homme (23 ; cf. RIVP 2, 18-23 et 32-33), puis la réception des biens qu'il apporte au monastère (24 ; cf. RIVP 2, 34-35)[71].

Cependant ces deux phases sont marquées par deux actes nouveaux : la lecture de la règle et la déposition des dons sur la *mensa,* ce dernier geste étant lui-même référé à une prescription de la « règle » (24, 2 : *uelut regula continet*). En outre, notre Macaire parle d'une sorte d'engagement pris par le candidat, qui doit « tout accepter » (*susceperit*) avant d'être lui-même « accepté » (*suscipiatur*). Cette acceptation préalable de la règle et

---

70. Comparer RMac 22, 3 (*non qui uerbositatem... sectantur*) avec 2, 5 (*non... sectantes*) et 2, 3 (*non uerbosi*).

71. Il est vrai que RIVP 2, 17 et 29-31 traitent par priorité de la liquidation des biens. Le second passage annonce RMac 24, 5 (distribution aux pauvres).

des observances n'était pas formellement exigée par les Quatre Pères, pas plus qu'elle n'avait été mentionnée clairement par Pachôme[72] ou par Cassien.

Les conditions et modalités d'admission sont donc précisées par Macaire. Neuves par rapport à la Règle des Quatre Pères, ces précisions deviendront banales dans les règles du VIe siècle. La lecture de la règle au postulant et son acceptation formelle par celui-ci sont prescrites par le Maître et Benoît, ainsi que par Césaire – au moins dans sa *Recapitulatio* – et par Aurélien[73]. Que le nouveau venu puisse en outre, contrairement à la discipline égyptienne rapportée par Cassien, offrir au monastère des biens, sur lesquels il perd tout droit, c'est là aussi une pratique générale au VIe siècle et qui était déjà admise, semble-t-il, par les Quatre Pères[74].

Ce qui est moins courant, c'est le rite consistant à « déposer *in mensa,* devant tous les frères », les biens offerts. Plusieurs règles n'en parlent pas, ce qui ne signifie nullement, d'ailleurs, qu'il n'ait pas été pratiqué ici ou là. Seuls la *Tarnantensis* et le Maître – ce dernier suivi, avec une modification, par Benoît – prescrivent au candidat de déposer son offrande « sur l'autel »[75].

Ce *super altare* équivaut-il à l'*in mensa* de Macaire ? On peut le penser, car *mensa*, que Macaire prenait plus haut,

72. PACHÔME, *Praec.* 49 (25, 18), a bien la clause *Si eum uiderint aptum ad omnia...*, mais elle vient avant la présentation des usages du monastère.

73. *RM* 87, 3-4 et 90, 64-67 ; *RB* 58, 13-14 ; CÉSAIRE, *Reg. uirg.* 58 ; AURÉLIEN, *Reg. mon.* 1. Cf. *Reg. Tarn.* 1, 5 (lecture de la règle, sans mention de son acceptation).

74. RIVP 2, 34-35.

75. *Reg. Tarn.* 1, 8-9 : *oblationem... super altare statuat* ; *RM* 89, 17 : *donatio... super altare ponatur* (en présence de tous, cf. 89, 3-4 et 26). Dans *RB* 58, 20 (*eam manu sua super altare ponat*), il s'agit d'une *petitio* portant avant tout sur l'engagement personnel du profès, mais incluant sans doute, le cas échéant, la donation de ses biens (cf. *RB* 59, 3).

avec les Pères, dans son sens ordinaire[76], a bien parfois celui d'autel[77]. En tout cas, le mot n'a sans doute pas ici, comme le voudrait Ménard, le sens abstrait de « mense » ou propriété commune[78]. Les termes de Macaire – on « pose » l'offrande « devant tous les frères » – font plutôt penser à un geste et à une *mensa* bien visibles, autrement dit à un meuble concret qui reçoit l'objet.

La *Regula Tarnantensis,* la Règle du Maître et – avec une particularité – celle de Benoît prescrivent donc un rite de déposition sur l'autel qui correspond vraisemblablement à ce que prévoit Macaire. Cette correspondance est d'autant plus intéressante que notre auteur se réfère justement à une « règle » prescrivant le rite en question : *uelut regula continet* (24, 2). Ces mots feraient-ils allusion à l'une des trois règles ?

Nous touchons ici à l'énigme majeure de notre texte. Que vise-t-il en parlant d'une *regula* qui « contient » cette prescription ? D'autres règles, par des expressions analogues, renvoient à elles-mêmes[79], mais ce ne semble pas être le cas présentement, puisqu'il s'agit d'une action précise dont Macaire ne parle pas ailleurs. On notera toutefois qu'il parle à deux reprises, avant et après la phrase qui nous occupe, d'une *regula* à lire aux candidats, qui n'est autre, à première vue, que sa propre règle. Peut-il, à quelques lignes d'intervalle, donner au mot une portée différente ? Toutes situées dans le même

---

76. RMac 18, 1 = 2RP 46. Peut-il s'agir ici de la table du réfectoire ?

77. Cf. A. BLAISE, *Dictionnaire,* s. u., § 3.

78. Voir sa note sous *Concordia Reg.* 65, 2, *PL* 103, 1270, n. *i,* renvoyant, avec des inexactitudes que nous corrigeons, à GRÉGOIRE DE TOURS, *Hist. Franc.* 10, 31 (§ 16 : *mensam canonicorum*) et à *V. Caesarii* I, 10 (*ecclesiae mensae*).

79. ROr 29, 3 (*quae in regula continentur* : toutes les prescriptions de la règle) et 5 (*quas regula continet* : toutes les sanctions) ; CÉSAIRE, *Reg. uirg.* 51 (*sicut in ipsa regula constituimus* ; cf. 46) et 53 (*sicut in hac regula statuimus* ; cf. 39).

passage relatif à l'admission des postulants, ces trois mentions de la *regula* visent apparemment le même texte. Si la règle lue aux nouveaux venus est la *Regula Macarii* elle-même, cette dernière doit aussi contenir la prescription de déposer leur offrande sur l'autel.

Et de fait elle la contient... mais juste dans le passage qui nous occupe. Est-ce que, par hasard, Macaire, usant d'une sorte de réduplication majestueuse, viserait ce qu'il vient d'écrire, en déclarant que le postulant doit agir de la sorte « comme le contient la règle » ? Une telle façon de citer ce qu'on est en train de dire paraît étrange, assurément, mais elle se comprend mieux si l'on se souvient que le paragraphe précédent parlait de « lire » la règle et de l'« accepter ». Le but de la mention *uelut regula continet* pourrait être justement de souligner qu'un des points ainsi proposés et acceptés est ce rite de donation par lequel le postulant renonce solennellement à toute propriété. Outre cet appui fourni par le contexte, l'interprétation que nous envisageons pourrait invoquer le langage du Maître, qui présente parfois ses propres décrets ou sentences comme des arrêts rendus par la *regula* personnifiée, et plus précisément encore celui de Donat[80].

Cette interprétation n'est certes pas obvie ou même aisée, mais les difficultés ne sont pas moindres si l'on entend *uelut regula continet* comme une référence à un autre texte. En 567, les évêques assemblés à Tours, écrivant à Radegonde, se réfèrent ainsi à un article de la

---

80. *RM* 16, 61 : *regulae sententia haec est* (cf. 2, 48, où la même maxime est appelée *sententia monasterii*) ; 90, 95 : *huius regulae tripertita sententia haec est* ; 93, 61 : *regula ideo uetat constitui secundarios* (cf. 93, 59 : *quod non licebat per regulam*). Voir surtout DONAT, *Reg.* 75, 1 : *iuxta normam regulae nostrae.* – On notera que 3RP 1, 6 reproduit *uelut regula continet*, mais après avoir parlé de la lecture de *regula et instituta Patrum* faite devant les capitulants au début de la séance (1, 1). D'après ce protocole, *regula* ne semble pas désigner 3RP, mais un document préexistant (RMac ?).

Règle de Césaire[81]. Macaire pourrait pareillement citer la *Tarnantensis*, le Maître ou Benoît, mais la date sans doute assez haute de son œuvre rend une telle dépendance problématique, même si on la restreint au Maître.

Il pourrait encore citer une règle plus ancienne, aujourd'hui disparue, qui serait peut-être aussi la source du Maître et de la *Tarnantensis*. Mais toute hypothèse de ce genre oblige à supposer que la *regula* lue au postulant est également un texte différent de la *Regula Macarii*, et cette supposition fait problème : qu'est-ce, en effet, que la Règle de Macaire, sinon une « règle », comme l'indique un titre assez fermement attesté par les manuscrits[82] ? Et si elle ne l'est pas, comment se rapporte-t-elle à la *regula* dont elle parle ? A la façon d'un résumé ? Mais résumer une règle, n'est-ce pas en rédiger une autre ?

On pourrait, il est vrai, se représenter l'union des deux documents – la *regula* perdue et l'abrégé que nous conservons – sur le modèle de la Règle des Vierges de Césaire et de sa « Récapitulation[83] ». Une fois son œuvre achevée, l'évêque d'Arles l'a fait suivre d'une sorte de résumé qui, en principe, la remplace et l'annulle, mais en fait y renvoie plusieurs fois et la laisse subsister auprès d'elle. Cependant Césaire préfixe à sa *Recapitulatio* une introduction qui la situe par rapport à la règle[84], tandis que Macaire commence *ex abrupto*, sans souffler mot d'un texte antérieur. D'ailleurs aucun manuscrit de Macaire, à la différence de ceux de Césaire, ne nous fournit pareil texte adjoint.

---

81. Voir *CC* 148 A, p. 196, 59 : *sicut contenet regula*, renvoyant à CÉSAIRE, *Reg. uirg.* 58 (cf. *Reg. uirg.* 2-4), après avoir désigné l'ouvrage par l'expression *secundum beatae memoriae domni Caesarii Arelatensis episcopi constituta*.

82. Ne font exception que H_1 (aucun titre lisible) et, de façon seulement partielle, les mss *L* (*aliquae sententiae de regula...*) et *v* (*Regula... Cassiani*).

83. Cf. CÉSAIRE, *Reg. uirg.* 51 et 53 (ci-dessus, n. 79).

84. CÉSAIRE, *Reg. uirg.* 48-49.

Une autre solution serait de considérer ce règlement d'admission (23-25) comme un morceau provenant d'une source littéraire inconnue. De même qu'il a pris sa troisième section à la Seconde Règle des Pères, Macaire emprunterait ce passage, à peu près tel quel, à quelque règle perdue. Celle-ci, dans le morceau emprunté, prescrirait qu'on la lise elle-même au postulant et renverrait à un autre passage où elle décrivait le rite de profession. Dans cette hypothèse, le *Ergo* initial (23, 1) relierait le fragment à un contexte disparu. On s'étonne toutefois que Macaire ait laissé subsister cette conjonction, ainsi que la référence *uelut regula continet,* l'une et l'autre désormais privée de sens. Une telle maladresse ou négligence est-elle compatible avec le soin que nous avons souvent constaté dans la rédaction des sections précédentes[85] ?

Enfin il ne faudrait pas négliger une dernière explication. Comme le suggère le titre d'un des meilleurs manuscrits, nous n'aurions pas l'œuvre complète, mais seulement « quelques sentences de la Règle du bienheureux Macaire[86] », c'est-à-dire une sorte de florilège ou d'abrégé. En ce cas, le renvoi *uelut regula continet* pourrait viser un passage non reproduit par le florilège, et non seulement le *Ergo* qui ouvre ce règlement d'admission (23, 1), mais aussi celui du début de la règle (1, 1) et celui que nous trouverons plus loin (26, 1) auraient perdu leur signification du fait d'omissions.

Cette explication est une de celles qui soulèvent le moins de difficultés[87]. Elle ne met pas en question la

85. En particulier dans les transitions qui encadrent l'emprunt à la Seconde Règle des Pères (RMac 9 et 19). Au reste, la RMac n'est évidemment pas exempte d'imperfections de style, et la suture qu'elle opère en 15, 1-2 (*Operam... dabunt... ut... obseruandum est...*) est pour le moins malhabile.

86. Voir note 82 (ms. *L*).

87. Son principal inconvénient est que RMac 23-25 ne donne pas

continuité des premières sections, dont notre analyse a montré qu'elles se tiennent solidement, et elle peut rendre compte de telle ou telle discontinuité que nous avons remarquée[88].

Qu'on adopte cette solution ou qu'on en préfère une autre[89], il faut en tout cas souligner, pour finir, le caractère relativement archaïque de cet *ordo susceptionis*. Si plusieurs de ses traits annoncent la discipline du VIe siècle, le fait qu'il n'impose aucun délai déterminé avant la réception du postulant est une imprécision qui surprend. Pachôme parlait de «quelques jours », les Quatre Pères d'une semaine, Cassien de dix jours ou plus sans compter l'année probatoire qui suivait, et au VIe siècle cette année, placée désormais avant l'admission, deviendra la règle générale[90].

Aucun de ces laps de temps n'est prévu par Macaire. S'il en indique un, c'est seulement à propos de l'apostasie du nouveau venu, et ce *post tertium diem* (25, 1) nous laisse perplexes. A supposer que ces trois jours soient comptés à partir de l'entrée du frère en communauté et du rite d'oblation des biens qui vient d'être décrit, on se demande pourquoi un tel délai doit intervenir pour que le renoncement à la propriété prenne son effet[91]. Peut-être le laps de temps est-il compté à partir de l'arrivée au monastère, qui aura été suivie d'une réception quasi

---

l'impression d'être lacuneux : la procédure commence par le commencement et se tient ensuite, sans qu'on sente d'interruption.

88. Ainsi entre RMac 20 et 21, encore que le substrat hiéronymien explique assez bien la séquence.

89. En tous cas, il ne semble pas que *uelut regula continet* puisse renvoyer à RIVP 2, 34 (*nouerit quo ordine siue ipse siue eius oblatio suscipiatur*), texte trop peu explicite.

90. Le Maître, qui impose cette année d'attente au postulant laïc (*RM* 90), prescrit plus généralement un délai de deux mois avant la profession (*RM* 88-89).

91. *Tertia die* marque aussi le terme de divers délais dans *RM* 13, 68 ; 30, 29 ; 78, 3 ; 80, 7.

immédiate. En toute hypothèse, ce départ au bout de trois jours et cette rétention des biens par le monastère font penser à une admission hâtive, à la fois mal préparée et mal réglée. On entrevoit un législateur encore fruste et peu expert[92].

Cet auteur est-il le même que celui des premières sections ? Un trait au moins semble l'indiquer : la mention répétée des « frères » du monastère. Ce sont eux qui « reçoivent » le postulant (23, 3), assistent en corps à l'oblation des biens (24, 2) et bénéficient de l'apport de ceux-ci (24, 5). Du supérieur, il n'est pas question une seule fois dans ce règlement d'admission. On reconnaît là le propos habituel de Macaire, bien moins occupé du rôle du supérieur que des relations qui unissent les frères. La suite de mots *fratres in cellula*, qui se lit ici aussi bien que dans la section précédente[93], constitue même une sorte de signature garantissant dans une large mesure l'unité d'auteur.

La procédure pénale (26-28)

Quant aux paragraphes suivants, qui traitent des pénalités, leur continuité avec ce règlement d'admission est patente. L'*Ergo* initial (26, 1), le *Quod si* et le *Nam si* qui le suivent (26, 3 ; 27, 1), les expressions *ex qualibet causa* (26, 1), *coram omnibus fratribus* (26, 3 ; 27, 5), *si casu* (28, 1), tout cela fait nettement écho à ce qui précède[94]. Mieux encore, une phrase entière est reproduite à peu de chose près : *Quod si ex qualibet causa scandali... inde exire uoluerit,* disait le règlement d'admission (25, 1) ; *Quod si... de cella de*

92. Quant au retour au monde en vêtements séculiers, sans emporter rien d'autre, cf. CASSIEN, *Inst.* 4, 6 ; *RM* 90, 85 ; *RB* 58, 27-29.

93. Comparer RMac 21, 6 et 23, 3. Cf. 6, 2-4 et 7, 2 ; 24, 2 et 5.

94. Voir 23, 1 (*Ergo*) ; 23, 3 et 24, 1 (*Quod si* et *Nam si*) ; cf. 24, 3 et 5 : même couple) ; 25, 1 (*ex qualibet causa*) ; 24, 2 (*coram omnibus fratribus*) ; 25, 3 (*si casu*).

qualibet causa scandali exire uoluerit, reprend le règlement pénal (28, 1), et les deux conditionnelles ont des apodoses presque identiques : *nihil penitus nisi uestem...* (25, 2) ; *nihil penitus nisi... uestitu...* (28, 2). Le même auteur a donc écrit les deux passages, et il l'a fait d'un seul jet, en se répétant constamment.

Ce règlement pénal revient sur un sujet déjà copieusement traité par la Seconde Règle dans sa deuxième partie, que Macaire a reproduite plus haut. Les Pères, on s'en souvient, ne semblaient pas pleinement conséquents avec eux-mêmes en cette matière, leur procédure générale, ajoutée en post-scriptum (2RP 40-45 = RMac 16-17), ne correspondant guère aux sanctions portées auparavant contre les murmurateurs et leurs complices (2RP 27-30 = RMac 12-13). A son tour, la nouvelle procédure que Macaire instaure ici ne s'harmonise pas avec ces précédents. Si elle ressemble au second par son tour général – *ex qualibet causa* (25, 1) ne l'est pas moins que *pro qualibet culpa* (16, 2) –, cette commune universalité ne rend que plus manifeste le désaccord sur les sanctions à infliger. Ici, ni réprimandes préalables et réitérées, ni relégation au dernier rang. D'emblée le coupable est déclaré « suspens » de la prière commune et soumis au jeûne.

La première de ces sanctions fait penser à l'« abstention » que les Pères (2RP 28) – et Macaire à leur suite (12, 4) – infligeaient au murmurateur, peine qui comportait certainement l'exclusion de la prière commune. Rien ne prouve, en revanche, que cet *abstineatur* des Pères impliquât l'exclusion de la table commune[95],

95. C'est seulement au concile de Vaison (442), can. 6, qu'on voit poindre l'idée, inspirée par le Pseudo-Clément, d'une excommunication générale, par laquelle le peuple s'associe au clergé en ne parlant plus au coupable. Le concile d'Arles II (442-506), can. 49, renforce ce boycottage en spécifiant : *totius populi colloquio atque conuictu* (cf. CÉSAIRE, *Serm.* 189, 4). Chez Cassien, il n'était pas question d'exclure le coupable de la table des frères.

comme l'entendra la *Regula Orientalis*[96]. De même que cette dernière, dans son interprétation de la Seconde Règle, associe la *mensa* à la *missa*, de même Macaire joint la punition du jeûne à la ségrégation liturgique.

Au VIe siècle, les deux sortes de peines – celle de l'oratoire et celle du réfectoire – figureront d'ordinaire côte à côte dans les règles, qu'elles soient laissées au choix, comme cela semble être le cas chez Césaire[97], ou infligées cumulativement aux coupables de fautes graves, comme chez le Maître et Benoît[98]. Selon ceux-ci, l'excommunication *a mensa* implique non seulement que l'excommunié mange à part, mais encore qu'il prend son repas trois heures au moins après la communauté[99]. Ce retard constitue un véritable « jeûne », qu'on peut rapprocher du *ieiuniis distringatur* de Macaire.

La double sanction prévue ici est donc à peu près identique à l'excommunication *ab utroque* du Maître et de Benoît. Mais les deux législateurs italiens ne punissent ainsi que les fautes graves, tandis que Macaire ne fait aucune distinction : toute faute – *ex qualibet causa* – est passible des deux sanctions. Notre règle fait donc preuve d'une grande sévérité, dont le caractère sommaire et sans nuances est à rapprocher des dispositions rudimentaires que nous avons trouvées dans le règlement d'admission.

Pour situer cette législation sévère dans l'histoire des pénalités monastiques, il faut remonter au moins jusqu'à Cassien. Macaire nous y invite en employant l'expression

---

96. ROr 32, 7-8 : *abstineatur a conuentu fratrum, ita ut nec mensae nec missae intersit*, etc. (cf. 32, 4 : *excommunicetur et non manducet quidquam*).

97. CÉSAIRE, *Reg. uirg.* 13, 2 : *a communione orationis uel a mensa secundum qualitatem culpae sequestrabitur*. Cf. *Reg. uirg.* 12, 2 : *a communione uel a conuiuio separetur.*

98. *RM* 13, 41-42 et 62 (*ab utroque excommunicetur, id est ab oratorio et a mensa*) ; *RB* 25, 1 (*suspendatur* – le mot même de Macaire – *a mensa simul ab oratorio).*

99. *RM* 13, 50-51 ; *RB* 24, 5-6 et 25, 5.

ab oratione suspendatur, qui se lit trois fois dans les Institutions[100], et là seulement autant que nous sachions[101]. Mais pas plus que la Seconde Règle des Pères, Cassien ne joignait à cette exclusion de la prière une sanction alimentaire[102]. En ajoutant celle-ci, Macaire se range aux côtés des législateurs du VIe siècle.

Cependant il se sépare du Maître, nous l'avons vu, par l'absence de distinction entre fautes graves et légères. L'intérêt de cette particularité apparaît pleinement quand on observe, comme nous l'avons fait ailleurs[103], que le Maître semble avoir construit sa législation pénale en deux temps : après avoir prévu une seule peine pour tous les cas, à savoir la double excommunication de l'oratoire et de la table, il a distingué entre les fautes graves, auxquelles serait réservée cette excommunication complète, et les fautes légères, frappées seulement de l'excommunication *ab oratorio*. Le système pénal de Macaire correspond donc à l'état primitif de celui du Maître.

Une telle correspondance a valeur d'indice chronologique, dont nous devrons nous souvenir quand nous tenterons de dater notre règle. Pour l'instant, contentons-nous de mettre à profit ce rapport entre Macaire et le Maître pour éclairer un tant soit peu la figure du premier. Sa sévérité surprend moins quand on a constaté qu'elle était le fait des débuts du Maître. Peut-être en est-il lui

---

100. CASSIEN, *Inst.* 2, 16 ; 4, 16, 2 ; 4, 20 : *ab oratione suspensus (est).*

101. On trouve *a communione suspensus* dans les conciles d'Orléans (511), can. 11 ; Epaone (517), can. 4 ; Lyon (518-523), can. 1, et déjà dans celui d'Arles II (442-506), can. 49. L'expression est aussi employée par AURÉLIEN, *Reg. mon.* 12, 3, qui ajoute *uel a cibo*, sans doute au sens cumulatif. Chez COLOMBAN, *Reg. coen.* 15 (166, 19), *ab oratione suspensus* vient de CASSIEN, *Inst.* 4, 16, 2.

102. CASSIEN, *Inst.* 4, 16, 3, *remplace* l'excommunication par des coups, en cas de faute très grave (cf. *RM* 14, 87).

103. Voir *La Règle de saint Benoît*, t. V, p. 731. La distinction entre fautes graves et légères manque aussi dans la Règle des Vierges de Césaire.

aussi à ses débuts, n'ayant pas encore découvert la nécessité de graduer les punitions selon la gravité des fautes. Ou plus exactement, il tient des Pères – et il a même souligné pour sa part – que la *durée* du châtiment doit être proportionnée au délit[104], mais il n'a pas encore étendu ce principe de proportionnalité à la *nature* des peines. On entrevoit ainsi une certaine inexpérience, analogue à l'impéritie que révélaient la procédure d'admission et le traitement de l'apostat.

Au terme de cette répression par l'excommunication et le jeûne, Macaire envisage deux issues. La première – demande de pardon par prostration devant tous les frères (26, 3) – rappelle à nouveau Cassien[105]. Comme chez celui-ci et chez le Maître, la réconciliation du pénitent paraît être immédiate, sans les délais qu'ajoutera Benoît[106].

La seconde issue est plus mouvementée. Impénitent, le coupable déclare qu'il ne peut supporter les sanctions et qu'il va partir. Ces paroles sont rapportées par un frère au prévôt, qui les rapporte à l'abbé. Celui-ci fait fouetter le coupable en présence de toute la communauté, après quoi on prie pour lui et il rentre en grâce (27, 1-6).

Les paroles prêtées à l'impénitent ressemblent singulièrement à celles que Fauste de Riez met dans la bouche d'un moine de Lérins qui menace de partir[107]. Mais tandis que Fauste discute avec l'insoumis et cherche à lui démontrer l'absurdité de tels propos, Macaire le fait rosser publiquement pour venir à bout de sa résistance. Une autre différence

---

104. 2RP 28 = RMac 12, 4, qui ajoute un *secundum modum culpae* (12, 3), mais ces mots visent probablement la réprimande antérieure (voir ci-dessus, n. 52).

105. CASSIEN, *Inst.* 2, 16 (cf. 2, 15, 2) ; 4, 16, 1.

106. Cf. *RM* 14, 22-73 ; *RB* 44, 3-10.

107. EUSÈBE GALL., *Hom.* 38, 2, lignes 42-43 : *Desero atque discedo ; hoc ego ferre non patior ; ingenuus homo sum.* Cf. lignes 53-54 : *Malo discedere quam emendare, quam satisfacere, quam implere quod praecipis.*

entre les deux auteurs est que le mauvais moine de Lérins semble tenir ces propos devant ses supérieurs[108], tandis que le récalcitrant de la *Regula Macarii* les tient en son particulier et est dénoncé à l'autorité par un frère qui les entend.

L'une et l'autre divergence est significative. A Lérins, sous Fauste, l'impénitence s'accompagne de bravade. Au nom de sa dignité d'« homme libre », le fautif défie ses supérieurs et leur déclare ouvertement son intention de partir, ne leur laissant rien d'autre à faire que de lui adresser des remontrances. Chez Macaire, au contraire, le personnage n'ose pas braver les supérieurs. A moitié clandestines, ses intentions de départ sont déjouées par la délation et brisées par les coups. D'un texte à l'autre, et compte tenu de genres littéraires différents[109], on constate que la condition du moine et son rapport au supérieur se sont modifiés. Chez Macaire, l'empire de la communauté sur l'individu paraît plus entier, le pouvoir des chefs plus redouté, leurs moyens de coercition plus vigoureux et plus efficaces.

Ce ne sont pas là les seuls indices d'une situation socioculturelle nouvelle, marquée par la rudesse des mœurs et par une certaine grossièreté. Toute cette procédure est d'une naïveté qui étonne. Au lieu de formuler une loi générale, embrassant l'ensemble des cas, Macaire émet à la file une série d'hypothèses très particulières, dont chacune risque de ne pas se vérifier et de rendre vain ce qui est dit ensuite. Qui sait si l'impénitent voudra partir, s'il le dira, si on l'entendra, si on l'arrêtera à temps, s'il sera guéri par le châtiment des verges ? La confiance placée dans celles-ci a quelque chose de surprenant. Suffit-il de battre un homme pour lui ôter l'envie de partir, vaincre sa mauvaise volonté, le corriger de ses fautes, le rendre digne d'être réadmis à la communion ?

108. *Ibid.*, ligne 44 : *qui ante praepositum uel abbatem ingenuum esse se iactitat.*

109. Une homélie n'est pas une règle. Cependant l'homélie de Fauste attribue au récalcitrant une fierté d'homme libre qui ne s'accommoderait sans doute pas des coups prévus par la Règle de Macaire.

Ce règlement si naïf se termine par une maxime : « Ceux qu'on ne corrige pas par de bonnes paroles, on les amende avec des verges » (27, 7). A la différence de Cassien et du Maître, qui, n'infligent le châtiment corporel aux moines adultes que pour des fautes très graves, en contraste avec les fautes ordinaires punies d'excommunication[110], Macaire fait des verges une peine pour les caractères durs, que de simples remontrances verbales ne corrigent pas. Cette façon d'attribuer les sanctions cuisantes non à certains actes, mais à certains sujets fait penser à telles considérations du Maître et de Benoît[111], encore que celles-ci présentent les coups comme un substitut de l'excommunication, non comme une pénalité ultérieure[112].

A cet égard, le présent règlement annonce plutôt un autre passage du Maître, selon lequel l'excommunié qui refuse de satisfaire est battu et mis à la porte[113]. Mais chez Macaire, loin de constituer une simple peine vindicative précédant l'expulsion, le châtiment des verges est censé corriger le

---

110. CASSIEN, *Inst.* 4, 16, 3 ; *RM* 14, 87.

111. *RM* 14, 79-86 : les coups remplacent l'excommunication pour les enfants au-dessous de quinze ans ; *RB* 23, 4-5 (même principe, mais étendu aux adultes inintelligents) et 30, 1-3 (les jeûnes sont joints aux coups). Voir surtout *RB* 2, 27-28, qui contraste les coups et la *castigatio corporis* (jeûne ?), non avec l'excommunication, comme le font les textes cités précédemment, mais avec les admonitions verbales, comme le fait apparemment RMac 27, 7 (*sana... doctrina* ; voir toutefois la note suivante).

112. RMac 26-27 recourt aux coups *après* l'excommunication, et c'est sans doute ce que vise la maxime finale de RMac 27, 7 (*sana... doctrina* représenterait alors l'excommunication de 26, 2). Mais prise isolément, cette maxime peut s'entendre en ce sens que les coups sont à administrer *au lieu de* la « saine doctrine » (celle-ci fait penser à de simples admonitions verbales, cf. note précédente).

113. *RM* 13, 68-73. La réserve *si placuerit abbati* (13, 70) laisse entendre que les coups peuvent n'être pas suivis d'expulsion et par conséquent concourir à la réintégration du coupable, mais cette issue, qui leur donnerait un certain caractère médicinal, est à peine esquissée et la suite du paragraphe n'en parle plus.

coupable et terminer l'affaire. Quant à Benoît, il croit aussi à la vertu médicinale des verges, mais sans le même optimisme. S'il ordonne de battre l'obstiné que l'excommunication n'a pas vaincu, il envisage aussitôt une continuation de l'affaire : après les coups, restés inefficaces, on prie pour le malheureux et finalement on l'expulse[114].

Ce paragraphe sur la correction de l'insoumis parle d'un officier subalterne, le *praepositus*, et d'un chef suprême, l'*abbas*. Cette terminologie surprend quand on se souvient que la deuxième section a cité un mot de la Lettre à Rusticus sur la crainte et l'affection du moine pour le *praepositus monasterii* (7, 1). Ce *praepositus* était manifestement le « père » de toute la communauté, le premier supérieur du monastère. Le présent passage semble donc en contradiction avec le début de la règle quant à la signification de *praepositus* et au nom du pasteur suprême.

Cependant cette opposition disparaît presque complètement si l'on tient compte de certains faits. D'abord la phrase de la deuxième section n'est pas un énoncé de Macaire lui-même, mais la citation d'un texte célèbre de Jérôme, probablement familier aux destinataires de la règle aussi bien qu'à son auteur. Au reste, Jérôme lui-même n'employait là l'expression *praepositum monasterii* que par exception, en raison d'un contexte qui l'empêchait de désigner le supérieur par son nom habituel de « père[115] ». Ces deux circonstances – la contrainte littéraire visiblement subie par Jérôme et le respect dû par Macaire à la phrase citée – suggèrent déjà que ce passage du début de la règle n'implique nullement que

114. *RB* 28, 1-8.

115. JÉRÔME, *Ep.* 125, 15 (127, 18-19) : *praepositum monasterii... diligas ut parentem.* Puisqu'il s'agit de recommander à Rusticus d'aimer son supérieur « comme un père », Jérôme ne peut sans gaucherie appeler ce supérieur *pater monasterii*, comme il l'a fait une fois plus haut (§ 13 ; 125, 14), ou *pater*, comme il l'a fait deux fois (§ 13 et 15 ; 125, 20 et 127, 5). Cf. *La communauté et l'abbé*, p. 390-391. Plus loin (127, 20), il emploie le synonyme *maior*.

praepositus fût, dans la communauté visée par notre auteur, le titre ordinaire du supérieur.

En outre, il faut noter qu'à deux reprises, au début de la deuxième section et au milieu de la troisième, Macaire substitue au terme de *praepositus*, que lui présentaient ses sources – Jérôme la première fois, les Pères la seconde –, celui de *senior*[116]. Quel que soit le personnage – ou l'ensemble de personnes – visé dans chaque passage par ce dernier terme[117], il est en tout cas significatif que notre auteur n'ait conservé ni le *praepositus* de Jérôme, ni celui des Pères, qui désignaient tous deux le premier supérieur. Ce comportement s'accorde avec ce que nous observons dans le présent passage, où *praepositus* est réservé à un officier subalterne, chef de groupe ou lieutenant de l'abbé.

Ainsi la *Regula Macarii* semble conséquente avec elle-même dans ses différentes parties. La citation hiéronymienne de la deuxième section ne rend pas celle-ci hétérogène au règlement pénal que nous examinons à présent. L'œuvre de Macaire est une et sa terminologie cohérente. On peut la rapprocher du langage de Fauste, où *praepositus, abbas* et *senior* se retrouvent ensemble et ont habituellement, semble-t-il, les mêmes valeurs[118].

Le dernier paragraphe du règlement pénal prévoit le départ d'un frère pour cause de dispute (28, 1). L'hypothèse a déjà été envisagée à propos du nouveau venu (25, 1). Dans les deux cas, elle donne lieu à la même prescription : l'apostat n'emportera rien d'autre que ses vêtements. Ceux-ci, pour le nouveau venu, seront les habits qu'il a apportés ; pour un religieux plus ancien, des vêtements ridicules. Ce dernier détail confirme l'impression d'assurance et de rudesse que

116. RMac 4, 1 = Jérôme, *Ep.* 125, 15 (127, 19-20) ; RMac 12, 3 = 2RP 28. Cf. ci-dessus, n. 32 et 51-52.

117. Voir les discussions ci-dessus.

118. Voir Introduction à RIVP, chap. II, n. 40-49 ; Introduction à 2RP, chap. II, n. 19-22. On trouve aussi *praeposito uel abbate* réunis dans *V. Patrum Iurens.* 126, 5-6.

donnait le paragraphe précédent. Le monastère n'a rien à craindre de l'opposant et le traite sans ménagements.

On pourrait s'étonner de la facilité avec laquelle Macaire, ici et à la fin du règlement d'admission, laisse partir le frère irrité, alors qu'il s'oppose par la force à la fuite de l'excommunié. La dispute (*scandalum*) semble être pour lui un mal hors série et irrémédiable, auquel il ne peut ou ne veut appliquer les sanctions habituelles de l'excommunication et du jeûne. Cette façon de mettre à part la discorde et de lui attribuer une gravité hors de pair fait penser à la première section, où la charité mutuelle et la concorde étaient singulièrement mises en relief.

C'est aussi à ce début que ramènent les dernières lignes du règlement pénal (28, 4-7), qui formaient sans doute, avant l'adjonction des deux appendices, la conclusion de toute la règle. Elles le rappellent non seulement par leur genre spirituel et leur ton biblique, mais encore par leur éloge de l'homme pacifique et humble. *Pacifici* qui désigne ici ceux auxquels Macaire promet le royaume (28, 4), était le premier qualificatif appliqué aux soldats du Christ dans la description inaugurale (2, 2). Notre auteur couronne donc à présent les lutteurs qu'il a enrôlés au début de la règle. D'une extrémité à l'autre de celle-ci, le portrait du moine n'a pas varié, non plus que le trait sur lequel il s'achève chaque fois : l'humilité (3, 3 ; 28, 7).

L'appendice sur le jeûne (29)

Au moyen d'une attache qui rappelle les Quatre Pères et la Seconde Règle[119], Macaire ajoute à cette conclusion un premier post-scriptum, menaçant d'une peine sévère ceux qui rompent le jeûne du mercredi et du vendredi. Cette peine est-elle infligée par les hommes – législateur et supérieurs –, ou le sera-t-elle par le Seigneur lui-même ? Le vague de l'expression ne permet pas d'en décider, peut-être à dessein[120].

---

119. Cf. RIVP 2, 30 ; 2RP 17 et 37 (= RMac 15, 2).

120. Même vague dans *RB* 5, 19 : *poenam murmurantium incurrit.*

Cette condamnation portée contre ceux qui enfreignent les deux jeûnes hebdomadaires rappelle avant tout un passage de l'*Historia monachorum*[121], auquel des témoins espagnols de notre règle font écho de façon particulièrement nette[122]. Mais si ancienne que soit la question, ce qu'en dit Macaire est probablement en relation avec la pratique du monachisme contemporain. De fait, la dispense de ces deux jours de jeûne, au moins durant l'été, deviendra courante vers le milieu du VIe siècle[123]. L'avertissement de Macaire vise sans doute de tels relâchements. Déjà pratiqués ici ou là, ils ne sont pas encore entérinés par des textes normatifs. La protestation de notre auteur se situerait donc assez bien à la veille des concessions de Césaire et de Benoît, vers le début du VIe siècle.

Mais cette petite phrase de Macaire peut être placée sous un autre éclairage. Rapprochée de ce que les Quatre Pères et la Seconde Règle disent ou ne disent pas au sujet du jeûne, elle prend une signification intéressante. Paphnuce, le troisième des Quatre Pères, prescrivait de jeûner chaque jour jusqu'à l'heure de none[124]. Tout en reproduisant l'horaire des Pères en ce qui concerne la lecture et le travail[125], la Seconde Règle ne dit plus rien de ce jeûne quotidien. Aurait-il subi des entorses ? Se réduirait-il, au moins en certaines périodes, aux deux grands jours traditionnels ? En tout cas, on voit ce que la défense de ces deux jours peut signifier chez Macaire. De maintenir le jeûne quotidien, comme le fait encore le Maître[126], il n'est pas question chez lui. Tout ce qu'il entend

---

121. *Hist. mon.* 7 (419 ab) : violer ces jeûnes, c'est se rendre solidaire de Judas (*cum tradente tradere Saluatorem*) et des bourreaux du Christ.

122. *Iudae aestimantur participes, qui Christum tradidit* (mss AH_3).

123. *RB* 41, 2-4 ; CÉSAIRE, *Reg. uirg.* 67 (à la différence de *Reg. mon.* 22) ; AURÉLIEN, *Ordo conuiuii* des deux règles ; *Reg. Tarn.* 9, 12-13.

124. RIVP 3, 2-5.

125. 2RP 22-26. Cf. RIVP 3, 8-11.

126. *RM* 28, 1-7. De même *Reg. cuiusdam* 11, 2.

sauvegarder, c'est le minimum particulièrement vénérable du mercredi et du vendredi.

Des Quatre Pères à Macaire, en passant par le silence de la Seconde Règle, on entrevoit donc un sérieux recul du jeûne monastique. *In ieiunio hilares* : ce n'est peut-être pas sans raison que l'exhortation aux soldats du Christ se terminait par ces mots (2, 7). Les moines de Macaire ont besoin de tels encouragements pour maintenir une observance qui fléchit[127].

La note sur les métiers (30)

Un deuxième appendice s'accroche à cette phrase sur les jeûnes et termine l'opuscule. La formule qui l'introduit rappelle de très près le début de l'appendice pénal de la Seconde Règle, que Macaire a reproduit plus haut[128]. Selon toute apparence, l'auteur de cette note terminale n'est autre que celui qui a inséré dans la règle la longue citation des Pères.

Deux conditions sont mises à l'exercice des métiers : l'artisan doit être d'une fidélité éprouvée et travailler uniquement dans l'intérêt du monastère. L'une et l'autre requête vise l'esprit d'appropriation. On craint que les artisans ne profitent de leur travail pour se constituer un pécule. Cette pratique de l'*opus peculiare* est déjà stigmatisée par Cassien[129], et le Maître y fait encore allusion en prescrivant aux artisans de remettre « fidèlement » à l'abbé le prix des objets vendus[130].

Cependant la formulation de Macaire fait surtout penser à

127. Noter aussi l'emploi du jeûne en tant que punition (RMac 26, 2), comme s'il ne faisait pas partie de l'observance quotidienne. Cependant le Maître l'emploie aussi à ce titre, tout en maintenant le jeûne conventuel tous les jours.

128. 2RP 40 = RMac 16, 1 : *Hoc etiam addendum fuit ut...* Ici *hoc* était à éviter, puisque déjà employé dans RMac 29, 1.

129. CASSIEN, *Inst.* 7, 7, 3. Cf. *Conl.* 10, 14, 2. Voir aussi AUGUSTIN, *Praec.* 5, 2.

130. *RM* 85, 8.

un passage de l'*Ordo monasterii* augustinien, où les frères envoyés pour vendre ou acheter *ad necessitatem monasterii* reçoivent l'avertissement d'agir « fidèlement », en serviteurs de Dieu[131]. L'expression *cuius fides probata fuerit* rappelle aussi la Règle pachômienne, qui l'emploie à propos de ceux qui sortent[132]. Enfin cette façon d'exiger que tout *artificium* soit « utile » à la communauté peut être rapprochée d'une prescription de Césaire, où toutefois l'autorité de la supérieure joue un rôle qui est ici, comme souvent chez Macaire, passé sous silence[133].

Malgré son caractère adventice, cette note finale conclut la règle de façon appropriée. Le dernier mot de Macaire est pour obliger les frères à consacrer toute leur activité au bien commun. Plus encore qu'aux exhortations à travailler de la deuxième section[134], on songe à l'esprit de fraternité si fortement inculqué dans cette paraphrase de la Lettre à Rusticus et dans les phrases de la quatrième section qui lui font écho[135]. Si la charité mutuelle est la première prescription de la règle (1, 2), il sied que la dernière se rapporte à cette entière mise en commun des ressources qui constitue traditionnellement, dans le cénobitisme, l'expression et la condition de l'union des cœurs.

Vue d'ensemble : unité de l'œuvre

Au terme de cette analyse, il apparaît que la Règle de Macaire n'est pas aussi hétérogène et inarticulée qu'on le croirait à première vue. Sans doute contient-elle, mêlés à ses parties propres, des éléments fort divers : un long morceau de la Seconde Règle des Pères, des sentences de Jérôme et de Cyprien. Mais ces matériaux

131. *Ordo mon.* 8.

132. PACHÔME, *Praec.* 53 (*est*) ; 54 (*sit*). Cf. *Leg.* 14 : *probatae... fidei.*

133. CÉSAIRE, *Reg. uirg.* 8. Cf. *RB* 57, 1.

134. RMac 4-5 et 8. Cf. 11 = 2RP 25-26.

135. RMac 6, 3-4 ; 7, 2-3 ; 21, 5-6.

d'emprunt sont soigneusement liés les uns aux autres et s'intègrent dans une construction bien agencée.

Avant de reproduire la deuxième moitié de la Règle des Pères, Macaire s'inspire déjà de la première moitié en rédigeant son exorde et sa paraphrase de Jérôme. La transition de celle-ci au texte des Pères se fait sans heurt, au niveau thématique comme à celui du style. A l'autre bout de la citation des Pères, le retour à Jérôme s'accomplit avec la même aisance, et si cette quatrième section répète souvent la seconde, de telles redites supposent la distance que met entre elles l'emprunt à la législation des Pères. Outre ces rapports évidents et normaux avec la première, cette deuxième paraphrase de Jérôme est en relation avec l'exorde par la citation qu'elle fait de Cyprien. Et à son tour, la dernière section rappelle l'exorde par son style impersonnel comme par certaines expressions, en attendant que sa conclusion accentue cette ressemblance en prenant un tour spirituel analogue à l'exhortation du début. Par d'autres traits, du reste, ce morceau législatif de la fin se relie aux commentaires de Jérôme, tandis que les deux appendices qui le suivent commencent par des formules qui rappellent la Seconde Règle des Pères.

Bref, toutes les parties de la Règle de Macaire ont entre elles des traits communs, et leur agencement harmonieux suppose un écrivain attentif, non dénué d'habileté. Il apparaît donc que l'œuvre est une et complète. Bien établie par une multitude d'indices convergents, cette unité n'est pas sérieusement compromise par la variation du sens de *praepositus*, puisque le premier emploi du mot appartient à une citation hiéronymienne et que l'auteur montre à deux reprises, avant et après, qu'il répugne pour sa part à appliquer le terme au premier supérieur, nommé plus loin *abbas*.

Quant au caractère complet de la règle, il semble qu'on doive le maintenir malgré le titre d'*Aliquae sententiae de regula sancti ac beati Macarii abbatis* que lui donne le manuscrit de Lambach, malgré son *Ergo* initial, malgré le renvoi qu'elle fait à une *regula* apparemment distincte d'elle-même. D'abord le titre du vieux *codex* germanique est trop isolé pour être recevable[136].

Ensuite l'*Ergo* du début n'est pas un fait sans exemple. Dans la Vulgate, treize Livres de l'Ancien Testament commencent de même par une conjonction[137], et celle-ci est précisément *ergo* pour l'un d'eux[138]. Si étrange qu'elle nous paraisse, cette façon de débuter se retrouve dans la littérature patristique[139]. Le plus intéressant de ces parallèles est celui de la *Regula Pauli et Stephani*, œuvre du VIe siècle, qui commence par les mots *In primis ergo hortamur*. Cet *ergo* marque-t-il que Paul et Étienne rattachent leur œuvre à un écrit antécédent, dont elle serait le complément ou le résumé ? Bien qu'on l'ait cru[140], il nous paraît plus probable

136. D'après J. VILANOVA, *Regula Pauli et Stephani*, Montserrat 1959, p. 26, le même ms. *L* donnerait plus loin (f° 134) un titre analogue : *Sententiae aliquae in libro S. Augustini « De opere monachorum »* (Vilanova ne reproduit celui de la *Regula Macarii* que de façon approximative).

137. *Autem* (Lv ; 2 S ; 2 R) ; *et* (Jos ; 1 R ; Ba ; Lm ; Ez ; Jon ; 1 M) ; *itaque* (Jdt) ; *-que* (Nb).

138. 1 Ch 1, 1 : *Confortatus est ergo Salomon*... Non moins intéressant est Jdt 1, 1 : *Arphaxad itaque rex Medorum*...

139. Dans la Table de la *Clavis Patrum Latinorum*, Steenbrugge 1951, p. 435-458, nous avons relevé 56 *Initia* pourvus d'une conjonction de coordination, qui est *ergo* à 7 reprises. Cependant beaucoup de ces cas sont illusoires, s'agissant de fragments. Voici quelques exemples vérifiés : EUSÈBE GALL., *Hom.* 32, 1 (*Hodie itaque sacras*...) et 54, 1 (*Videamus ergo nunc*... ; on retrouve *ergo* aux lignes 15.21.34.43.48.74.120, *itaque* aux lignes 31.53, *et ideo* à la ligne 123 ; le *ergo* initial pourrait toutefois faire allusion à la lecture précédente de Ps 132, 1, répété aussitôt après, comme dans PS.-AUGUSTIN, *De or. et eleem.*, *PL* 40, 1225, il fait allusion à Ps 40, 2, qui vient d'être cité) ; PS.-AMBROISE, *De Trinit.*, *PL* 17, 509 : *Nullus igitur qui sanum sapit*... ; PS.-CYPRIEN, *De centesima*, *PLS* 1, 53 : *Quaeso nunc igitur*... ; *Instituta Bernensia* (*Clavis* 1864) : *Igitur cognoscat uniuersalis ecclesia*...

140. Voir J. VILANOVA, *op. cit.*, p. 134 et 139, n. 3. Malgré E. Spreitzenhofer, qui est cité là, il ne semble pas que *RPS* 1, 1 synthétise BASILE, *Reg.* 1-2, ni que la lecture quotidienne des Règles des Pères, dont il sera question à la fin (*RPS* 41), soit supposée par ce début.

que ces auteurs, et notre Macaire avec eux, usent tout bonnement d'un tour à la fois biblique et familier, analogue aux « Eh bien... », aux « Donc... », aux « Alors... », que des orateurs un peu négligents ou soucieux de simplicité mettent parfois, aujourd'hui comme hier, au principe de leurs discours. A deux reprises, au début de son *ordo susceptionis* (23, 1) et de son *ordo correptionis* (26, 1), Macaire répétera cette entrée en matière, qui semble être chez lui une sorte de tic.

Enfin l'incise *uelut regula continet* (24, 2) n'implique pas nécessairement, nous l'avons vu, l'existence d'un écrit distinct ou d'une partie de l'ouvrage omise dans le texte que nous possédons. Comme le suggèrent les mentions de la *regula* dans le contexte, elle peut s'expliquer par le dessein de souligner que le rite d'offrande des biens et la désappropriation totale qui s'ensuit sont au nombre des points de règle que le postulant s'est engagé à accepter.

Nous tenons donc la Règle de Macaire pour une œuvre complète et relativement homogène, c'est-à-dire rédigée d'un bout à l'autre par le même auteur, qui s'est servi de matériaux préexistants. Reste à déterminer, autant que faire se peut, le lieu et le temps de cette rédaction.

CHAPITRE II

Vers une localisation et une datation

Macaire et les législations précédentes

Avant tout, notre texte est à rapprocher de la Seconde Règle des Pères, qu'il suit d'abord très librement (1-9), puis reproduit telle quelle (10-18) et enfin complète (19-30). Une dépendance aussi forte et suivie dénote une estime privilégiée pour l'œuvre des Pères, dont les dimensions mêmes semblent avoir servi de modèle et sont à peine dépassées.

Macaire a donc pour source primordiale la règle de Lérins en son deuxième état. En revanche, il ne semble pas en utiliser le premier état, c'est-à-dire la Règle des Quatre Pères. S'il aborde certains sujets traités par ceux-ci et négligés par la Seconde Règle, comme l'admission des postulants et la question des jeûnes, il le fait de façon indépendante. Son seul point commun avec eux est son nom même de Macaire, déjà porté par l'auteur des deuxième et quatrième discours de la vieille règle.

Règle de Macaire et Vie de Pachôme

Encore ce nom est-il spécifié, dans le titre de la *Regula Macarii,* par la mention des « cinq mille moines » qu'aurait gouvernés le saint homme, qui se trouve ainsi relié à l'histoire de son successeur présumé, Pachôme. C'est à cette *Vita Pachomii* légendaire, plutôt qu'à la Règle des Quatre Pères, que notre règle se rattache en vertu du nom donné à son auteur[1].

Dès lors, on aimerait savoir où et quand a été composée la Vie de Pachôme. Mais comme la plupart de ses semblables, cette pièce fantaisiste ne peut être située que très vaguement, entre les *Pachomiana* de Jérôme qu'elle suppose (404) et la Vie traduite par Denys vers 525. En tout cas, elle semble répondre au désir de compléter la très sèche législation pachômienne par une ébauche de biographie édifiante et une *regula caritatis* plus « utile à l'âme ». En écrivant à son tour une règle attribuée au prédécesseur de Pachôme, notre auteur paraît avoir fait sien ce propos spirituel de la *Vita Pachomii*. Comparée à la Seconde Règle des Pères, celle de Macaire se distingue par son souci d'éduquer et d'édifier le moine individuel, dans une atmosphère d'union fraternelle et de dilection chaleureuse.

Si le nom de Macaire ne met pas notre règle en relation directe avec les Quatre Pères, du moins la situe-t-il dans le même espace imaginaire, c'est-à-dire en Égypte. En rattachant son œuvre à la légende de Pachôme, l'auteur l'a replongée dans l'atmosphère égyptienne qui avait enveloppé, qu'il le sût ou non, les origines de Lérins. La *Vita Pachomii* elle-même serait-elle née en milieu lérinien ? On manque d'indices internes pour l'affirmer, mais la question vient à l'esprit naturellement quand on considère soit l'orientalisme de Lérins au ve siècle, soit l'usage que la Règle de Macaire fait conjointement de cette Vie de Pachôme et de l'écrit certainement lérinien qu'est la Seconde Règle des Pères.

Macaire et Jérôme A travers le pachômianisme légendaire de la *Vita,* notre règle se réfère en dernière analyse à Jérôme, traducteur des *Pachomiana.* Et c'est à ce même auteur qu'elle emprunte une série de maximes qui forment l'armature de deux de ses

1. Est-ce pour distinguer ce nouveau Macaire de celui de RIVP qu'on a inséré cette mention des cinq mille moines ?

sections. Autant et plus que la Vie de Pachôme, la Lettre à Rusticus inspire à Macaire son souci ascétique, sa manière fervente, son tour personnel, et lui en fournit l'expression.

Outre le *terminus post quem* que fournit cette Lettre écrite en 411, peut-on voir un indice de localisation dans la personnalité de son destinataire ? Moine et prêtre à Marseille jusqu'en 427, puis évêque de Narbonne pendant plus de trente ans, Rusticus fut spécialement invité, vers la fin de sa carrière, à siéger au concile d'Arles qui arbitra la querelle de l'évêque de Fréjus et de l'abbé de Lérins[2]. Ce prélat prestigieux par ses vertus, son passé monastique et la longueur de son épiscopat fut donc en relation avec la grande communauté insulaire. Ce fait n'a pu qu'accroître l'intérêt des Lériniens pour l'Épître que lui avait adressée, dans sa jeunesse, l'érudit de Bethléem.

Mais Jérôme est un auteur beaucoup trop célèbre pour que ses Lettres restent cantonnées dans la région où vivaient ses correspondants, et tout indice de localisation tiré de celle-ci manque de poids. Plus considérable peut-être est celui qui résulte de l'estime particulière dont semblent jouir les écrits hiéronymiens dans le monachisme provençal au ve siècle. D'après le dossier patristique constitué en 529 par les Pères du concile d'Orange, sous la présidence de l'ancien moine de Lérins qu'était Césaire, il est clair que les « semipélagiens » de Provence essayaient d'opposer l'autorité de Jérôme à celle d'Augustin[3]. Sans doute s'agissait-il d'opinions théologiques, et non directement de doctrine monastique, mais les deux domaines n'étaient guère séparables dans la vie religieuse de ce milieu. Le soutien que les semipélagiens croyaient trouver chez Jérôme implique une haute appréciation des conseils qu'il avait donnés aux moines.

A cet égard, il est significatif que la Lettre de Jérôme joue, dans la Règle de Macaire, un rôle analogue à celui des écrits

2. Concile d'Arles (449-461). Voir *CC* 148, p. 132, 20.

3. Voir les *Capitula sanctorum Patrum*, *CC* 148 A, p. 70-76, surtout les §§ 16-17, p. 75-76.

d'Augustin dans celle de Césaire. Toute proportion gardée, et compte tenu de son emprunt aux Pères, on peut dire que Macaire est « hiéronymien », comme Césaire sera « augustinien ». Cette attitude se comprend bien dans le monachisme semipélagien de Provence, dont Lérins fut longtemps le foyer[4].

D'autre part, ce goût hiéronymien de notre règle la met de nouveau en rapport avec la Vie de Pachôme. Celle-ci ne se contente pas d'emprunter aux *Pachomiana* de Jérôme le peu de substance historique qu'elle renferme. Si incertain soit-il, son texte semble faire écho, sinon à la Lettre à Rusticus, du moins à une autre Épître fameuse de Jérôme, la Lettre à Eustochium[5].

La Vie de Pachôme et la Règle de Macaire se ressemblent donc par le fait qu'elles dépendent à la fois des *Pachomiana* et de la correspondance hiéronymienne. Par suite, ce que nous venons d'entrevoir au sujet du sens des références de Macaire à Jérôme s'applique peut-être aussi à celles de la *Vita* au même auteur. La Vie de Pachôme proviendrait-elle déjà de ce milieu monastique provençal, où, de surcroît, nous savons par Gennade qu'on s'intéressait vivement à la version hiéronymienne des écrits pachômiens[6] ?

---

4. Sous l'abbatiat de Fauste, en tout cas. Cependant les Sermons de celui-ci à ses moines (EUSÈBE GALL., *Hom.* 37-44) ne s'inspirent pas de Jérôme, semble-t-il. Quant aux *Monita* de Porcaire, ils parlent fort peu de la grâce (ligne 71, cf. l. 10). Pour sa part, Macaire n'en parle pas du tout.

5. *V. Posthumii* 8, *PL* 73, 434 c : *Prima est enim mandati confoederatio, in omnibus uos oboedire maioribus.* Cf. JÉRÔME, *Ep.* 22, 35, 1 : *Prima apud eos confoederatio est oboedire maioribus.* On lit *consideratio* au lieu de *confoederatio* dans *V. Pachomii* 8, *AS, Maii* t. III, p. 360 b, mais nous avons trouvé la leçon de Rosweyde dans le ms. *Clm 28118*.

6. GENNADE, *De uir. inl.* 7-9. D'après Ch. MUNIER, *Les Statuta ecclesiae antiqua*, Paris 1960, ces *Statuta* seraient l'œuvre du même Gennade (p. 242), qui aurait subi l'influence des Lettres et des *Pachomiana* de Jérôme (p. 164-166).

Macaire et les abbés de Lérins Nous avons ainsi passé en revue les principales influences qui paraissent s'être exercées sur notre auteur. Celle des Pères est de beaucoup la plus importante, non seulement en elle-même, mais aussi pour notre enquête, tant par la date de la Seconde Règle, postérieure d'une quinzaine d'années à la Lettre 125 de Jérôme, que par son lieu d'origine qui est Lérins. Quant à la *Vita Pachomii* et à la Lettre de Jérôme, leur apport confirme dans une certaine mesure l'indice de localisation fourni par la Règle des Pères. Si notre Macaire se situe dans la zone d'influence de Lérins au Ve siècle, il est naturel qu'il s'intéresse à la légende pseudo-égyptienne de Pachôme aussi bien qu'à la Lettre à Rusticus.

Avant de quitter ce domaine des sources et parallèles littéraires, deux autres symptômes lériniens sont à noter. L'un est l'écho que font à un passage de Fauste les propos prêtés par Macaire au moine impénitent. Compte tenu d'une situation qui paraît changée, on a l'impression que Macaire se situe assez longtemps après Fauste dans le même milieu.

Et c'est aussi au Lérins de la fin du Ve siècle que fait penser le ton parénétique et le souci de la formation spirituelle des personnes qui caractérisent notre règle. L'abbé Porcaire, qui reçut Césaire à Lérins vers 490, nous a en effet laissé des *Monita* du même genre[7]. Avec ses 75 lignes, cette courte pièce est bien dans la manière concise des règles lériniennes, à laquelle Macaire, pour sa part, reste fidèle. Tout en faisant écho aux Quatre Pères et à la Seconde Règle – et le *Orationi nihil praeponas* qu'elle emprunte à celle-ci se retrouve chez Macaire –, elle se distingue de ces premières législations lériniennes en s'adressant à un seul individu et en se bornant à des avis moraux. Quel que soit le destinataire de ces conseils[8], le ton et le souci fondamental de Porcaire

7. A. WILMART, « Les *Monita* de l'abbé Porcaire », dans *Rev. Bénéd.* 26 (1909), p. 475-480.

8. Rien ne prouve qu'il soit moine et cénobite, pas même *ut non facias*

ressemblent à ceux de notre règle. Des points de contact s'observent même dans le détail. Comme Macaire, et avec les mêmes mots, Porcaire proscrit les disputes et les injures[9], met en garde contre le bavardage[10], recommande la prière fréquente[11]. Ses listes de vertus et de vices, élégamment ordonnées[12], font penser à l'exorde de notre règle.

Macaire, pseudonyme de Porcaire ? Notre pseudo-Macaire serait-il donc l'abbé Porcaire ? On peut se le demander. En latin comme en français, les deux noms se ressemblent, et l'on comprendrait que ce pseudonyme-là ait été choisi, de préférence à d'autres noms égyptiens, pour représenter cet abbé de Lérins. Sans doute ne trouve-t-on pas dans les *Monita* de réminiscence manifeste de la Lettre à Rusticus, si chère à l'auteur de la règle, mais leur style concis et nerveux est bien dans la manière des conseils de Jérôme au moine de Marseille.

Cependant l'identification que nous envisageons paraît difficile à concilier avec certains traits de la règle. La dernière section de celle-ci contient, on s'en souvient, un règlement

---

uoluntates tuas (l. 64-65). La prière du matin et du soir (l. 13), « ceux qui assurent ton repos et s'efforcent de satisfaire tes besoins » (l. 19-20), les *sacerdotes magnos quos uidisti* (l. 41) font plutôt penser à un ecclésiatique haut placé.

9. *Monita* 18 et 25 (*scandalum*) ; 20-21 (*Non sis facilis ad iniurias inrogandas*). Cf. RMac 2, 3 (*non iniuriosi*) ; 21, 2 (*Iniuriam facere non nosse*) ; 25, 1 et 28, 1 (*scandalum*).

10. *Monita* 49 (*uerbositates*). Cf. RMac 2, 3 (*non uerbosi*) ; 22, 3 (*uerbositatem*).

11. *Monita* 12 (*Orationi nihil praeponas tota die* ; cf. 2RP 31 = RMac 14, 3) ; 23 (*cum... oratione*) ; 30-31 (*Contende in oratione semper*) ; 43 (*oratione continua*) ; 64 (*orationis instantiam*). Cf. RMac 9, 2 (*Qui uero saepius orare uoluerit...*), complétant l'exhortation à « aimer l'office par-dessus tout » (9, 1).

12. *Monita* 46-50 : 3 séries de 4 vices à éviter (jeu de finales en *-em, -am, -es*) ; 61-64 : 4 séries de vertus et bonnes œuvres, avec alternance de termes simples et composés, de finales en *-am* et en *-em*. Cf. RMac 2.

d'admission et un règlement pénal qui nous ont surpris par leur aspect rudimentaire, leurs lacunes, la manière expéditive de plusieurs de leurs dispositions. Comment croire que l'abbé d'une communauté aussi importante et ancienne soit l'auteur d'une législation aussi sommaire ?

Sans nier la difficulté, il est permis de ne pas la juger insurmontable. La règle a pu être écrite par un supérieur encore jeune et peu expert, qui n'aura pas ensuite, comme le Maître, amélioré son premier travail par les ajustements que suggérait l'expérience. De plus, il faut sans doute compter avec un tempérament plus spirituel que pratique, dont l'intérêt allait moins à la réglementation communautaire qu'à l'édification des âmes. L'optimisme un peu déconcertant de la procédure pénale pourrait refléter cette tendance à ne pas s'attarder sur les problèmes concrets et à s'en débarrasser prestement. Au reste, le format très réduit adopté par Macaire à l'instar des Pères ne lui permettait guère d'entrer dans les détails.

A supposer que notre règle soit due à Porcaire et remonte au début de son abbatiat, dont les dates précises nous sont inconnues, il est plausible de la considérer comme antérieure aux *Monita*. Tout en faisant écho aux Quatre Pères et à la Seconde Règle, ceux-ci manifestent une indépendance littéraire beaucoup plus grande que la *Regula Macarii,* tant par rapport aux Pères qu'à l'égard de Jérôme. On se les représente volontiers comme l'œuvre d'un écrivain plus mûr et plus sûr de soi.

Quant à l'intérêt dominant de Macaire pour les relations fraternelles et à ses silences sur la fonction du supérieur, on peut rapprocher ces traits du peu que nous savons de l'abbé Porcaire. Que celui-ci n'ait pas été un supérieur autoritaire, c'est ce qui semble résulter de l'histoire d'un de ses moines, le jeune Césaire.

Arrivé à Lérins, Césaire y fut d'emblée « reçu par le saint abbé Porcaire et par tous les anciens[13] », et ces termes de son

13. *V. Caesarii* I, 5. *Susceptus ergo a sancto Porcario abbate uel ab omnibus senioribus.* Cf. RMac 23, 3 : *a fratribus... suscipiatur.*

biographe font penser à la Règle de Macaire non seulement par l'absence de délai probatoire imposé au nouveau venu, mais encore par le caractère collectif de la réception. On est loin de la Règle des Quatre Pères, où le supérieur laissait le postulant à la porte pendant une semaine et se chargeait seul de son instruction[14]. Suit une évocation des vertus pratiquées par le nouveau moine, qui n'est pas sans rappeler l'exorde de notre règle[15]. « Peu de temps après, continue le biographe, on le choisit pour cellérier de la communauté[16]. » Mais l'abbé reçoit bientôt les plaintes de certains moines, dont Césaire refusait de satisfaire les caprices. Ils demandent sa destitution. Elle leur est accordée.

Même si elle a été quelque peu arrangée par l'hagiographe, l'affaire ne donne pas une haute idée de la fermeté de Porcaire. Non mentionné à propos de la nomination de Césaire, l'abbé paraît du moins responsable de son renvoi. Et celui-ci, si l'on en croit la *Vita Caesarii*, lui fut arraché, au préjudice de l'observance, par une cabale de moines peu vertueux. Ce récit laisse entrevoir un supérieur plutôt faible, chez qui la bonté l'emporte sur l'autorité.

Plus loin, on le voit « non seulement ordonner, mais même imposer » à Césaire de se laisser conduire en Arles, mais c'est pour que ce fils recouvre une santé dont le délabrement a « gravement troublé » son cœur de père[17]. Ce nouvel épisode montre derechef un homme bon et sensible, qui passe par-dessus la règle pour le bien physique d'un de ses sujets.

---

14. RIVP 2, 16-35.

15. *V. Caesarii* I, 5 : *coepit esse in uigiliis promptus, in obseruatione sollicitus, in obauditione festinus, in labore deuotus, in humilitate praecipuus, in mansuetudine singularis* (il est donc « parfait »). Cf. RMac 2, 7 : *in humilitate perfecti*, etc.

16. *V. Caesarii* I, 6 : *Post paruum igitur tempus in cellario congregationis eligitur.*

17. *V. Caesarii* I, 7 : *Cumque de infirmitate ipsius abbas sanctus grauiter turbaretur et... animo laboraret... iubet eum immo cogit beatissimus abbas ad ciuitatem Arelatensem causa recuperandae salutis adduci.*

La Troisième Règle des Pères condamnera formellement ces séjours hors du monastère pour cause de maladie[18].

L'effacement du supérieur dans la Règle de Macaire n'est donc pas un trait qui détonne avec ce que nous savons de l'abbé Porcaire et du monastère de Lérins sous son gouvernement. Cet abbé, qui devra encore « accorder contre son gré » l'autorisation d'ordonner Césaire[19], est bien l'homme modeste, discret, peu soucieux de se mettre en avant, qui pouvait écrire la *Regula Macarii* sans presque parler de lui-même.

L'état des institutions

Mais laissons de côté pour l'instant l'auteur de la règle et finissons de recueillir les indices de temps et de lieu. La fin du ve siècle, à laquelle nous avons été conduit par ce qui précède, est bien l'époque qui convient aux institutions décrites ou supposées par notre règle. Conditions d'admission, répression des fautes, règle des jeûnes, tout cela, on l'a vu, se place au mieux à la veille des grandes codifications du VIe siècle, celles du Maître, de Césaire et de leurs épigones.

Entre les deux Règles des Pères

C'est aussi cette époque que suggère la situation de l'œuvre de Macaire entre la Seconde et la Troisième Règle des Pères. Sans doute son emprunt à la Seconde Règle indique-t-il seulement, de soi, qu'elle est postérieure au premier quart du ve siècle, mais il faut tenir compte du fait que le texte reproduit est déjà fortement évolué, dans la ligne de la recension *TA*. Un certain temps paraît nécessaire pour que le texte des Pères, rédigé en 426 ou 427, se soit altéré de la sorte.

---

18. 3RP 12 (retour en famille).

19. *V. Caesarii* I, 10 : *Mox ergo ab abbate suo sancto Porcario eum expetit. Rogante igitur beato uiro Eonio episcopo, licet ab inuito conceditur.*

D'autre part, l'utilisation de Macaire par la Troisième Règle, conjointement avec les conciles d'Agde (506) et d'Orléans (511 et 533), ne permet guère de descendre plus bas que le premier tiers du VIe siècle. De plus, à considérer la position qu'occupent, dans la Troisième Règle, les emprunts à Macaire, on a l'impression que celui-ci se range parmi les auteurs que les Pères considéraient comme anciens, plus près du concile d'Agde, qui fournit à la règle son protocole, que du second concile d'Orléans, cité seulement vers la fin[20]. Au reste, si c'est bien la *Regula Macarii* et les canons conciliaires que visent respectivement les Pères en parlant, dans leur introduction, d'une *regula* qui leur a été lue avant les *instituta Patrum*[21], on pourrait en induire que la première était antérieure, à leurs yeux, aux conciles du VIe siècle.

Quoi qu'il en soit, ces relations avec l'une et l'autre Règle des Pères ne dessinent pas seulement une aire chronologique voisine de 500. Elles pointent en outre vers une région. La Seconde Règle était lérinienne, la Troisième utilise des conciles gaulois. Macaire a donc toutes chances d'appartenir au même pays, c'est-à-dire à cette Gaule dont l'unification sous le sceptre des Francs va bientôt s'effectuer par les victoires de Clovis et rendre possible les conciles de plus en plus généraux tenus à Orléans.

Le témoignage des manuscrits

Les données de la Troisième Règle des Pères se retrouvent, de façon remarquable, dans nos deux plus anciens témoins de la Règle de Macaire. Ces manuscrits de Bruxelles (*B*) et de Paris (*P*), copiés à la fin du VIIIe siècle au Nord-Est de la France, reproduisent notre règle

---

20. Les citations de Macaire se trouvent dans 3RP 1.5-8.10, celles d'Orléans II (533) dans 3RP 13-14.

21. 3RP 1, 1 : *in primis placuit ut regula et instituta Patrum per ordinem legerentur.* Cet « ordre » est probablement chronologique, mais *regula et instituta* (remplaçant *canones et statuta* du protocole d'Agde) manque de clarté.

avant la règle masculine de Césaire, au milieu d'actes de conciles gaulois des Ve et VIe siècles[22]. Sans doute les deux collections canoniques n'ont-elles pas exactement la même composition ni le même ordre[23], et les canons qui y précèdent immédiatement la Règle de Macaire sont-ils différents[24]. Mais il n'en est pas moins suggestif qu'elles s'accordent à unir cette législation monastique de Macaire aux monuments de l'Église gallicane d'avant et après l'an 500. En quoi elles s'accordent aussi avec la Troisième Règle, tout en débordant le premier tiers du VIe siècle, auquel se limitaient les références conciliaires de celle-ci.

Outre l'indication géographique qui résulte de ces faits, il

---

22. Mss de Bruxelles, Bibl. Royale, *2493 (8780-8793)*, f°s 20-25^v^ ; Paris, Bibl. Nationale, *lat. 1564*, f°s 14^v^-16 (*Codex Pithoeanus*).

23. Sur *B*, outre la notice de J. VAN DEN GHEYN, *Catalogue des manuscrits de la Bibliothèque royale de Belgique*, t. IV, Bruxelles 1904, p. 1-3, voir les indications de Ch. MUNIER dans *CC* 148, p. VI (cf. *Les Statuta ecclesiae antiqua*, p. 31) et de Ch. DE CLERCQ dans *CC* 148 A, p. VII (sigle *M*). On y trouve les conciles de Tours 567 (f° 8), Auxerre 561-605 (f° 9), Lyon 583 (f° 14), Mâcon 581-583 (f° 15^v^), Orléans 511 (f° 16), Epaone 517 (f° 18^v^). Après Macaire et Césaire viennent entre autres les canons de Clermont 535 et des extraits du concile d'Agde 506 (f° 32^v^), les Canons des Apôtres, les *Statuta ecclesiae antiqua* (f°s 49-62^v^), Gangres, la Lettre d'Innocent 1er à Decentius. – Quant à *P*, il contient Orange 441 (f° 1), Vaison 442 (f° 2), Arles 442-506 (f° 3^v^), Agde 506 (f° 4^v^), Clermont 535 (f° 9^v^), la foi d'Isaac (f° 11 ; *Clavis* 189 : sous Damase). Après Macaire et Césaire, on trouve la Lettre de Loup et d'Euphrone (f° 18^v^ ; *CC* 148, p. 140), Vannes 461-491 (f° 19^v^), la Lettre de Léon, Victor et Eustoche (f° 20^v^ ; *CC* 148, p. 136), celle de Troianus à Eumirius (f° 21 ; *Clavis* 1074 : vers 532) ; puis, après divers documents, Epaone 517 (f° 26^v^), Arles 524 (f° 29^v^), et plus loin Orléans 511 (f° 55^v^), Orléans 538 (f° 58).

24. Dans *B*, f° 19^v^, on trouve une partie du *Breuiarium Hipponense* (BRUNS, t. I, p. 136-138) ; dans *P*, f° 14, sous le titre de *Tituli ex canones excepti*, sept canons : le premier, sur la réfection des églises par les soins des archiprêtres, ne semble pas se trouver dans *CC* 148 et 148 A, mais les suivants sont Orléans 533, can. 13-14, Clermont 535, can. 5 et 14, Orléans 538, can. 11 (10) et 13 (12), rangés de façon curieuse : les trois conciles se succèdent deux fois dans le même ordre, qui est chronologique.

faut noter l'éclat que donne à notre petite règle monastique l'espèce de parité avec les actes conciliaires qui semble lui être attribuée. En l'utilisant ou en la reproduisant conjointement avec ceux-ci, nos divers témoins suggèrent qu'elle jouissait d'un singulier prestige. Même placée sous le patronage d'un héros égyptien légendaire, l'œuvre de « Macaire » n'a pu recevoir cette sorte de consécration officielle qu'en raison d'une origine avérée et d'une autorité reconnue. Son auteur réel devait jouir d'une notoriété et d'une considération peu communes.

A cet égard, le voisinage de Macaire et de Césaire est significatif. La séquence de ces deux petites règles dans *B* et dans *P* donne à penser qu'on les unissait et attire notre attention sur ce qui les unit. A peu près de mêmes dimensions, elles dépendent l'une et l'autre, bien que très inégalement, de la Seconde Règle des Pères[25]. L'une et l'autre aussi joignent la parénèse ascétique à la législation[26]. Mais ce qu'il faut surtout remarquer, c'est que Macaire ne semble pas moins considéré que le grand évêque d'Arles, dont un curieux *Incipit*, conservé par le manuscrit *P*, nous apprend qu'il envoyait de tous côtés sa règle pour moines et que son neveu Teridius continua de la diffuser après sa mort[27].

La place de l'œuvre de Macaire *avant* celle de Césaire a-t-elle une signification chronologique ? Il en résulterait une limite de temps pour notre règle, regardée comme antérieure aux dernières années de l'évêque[28], sinon à l'ensemble de sa

---

25. CÉSAIRE, *Reg. mon.* 11 et 14, dépend de 2RP 40 et 23-26, à travers *Reg. uirg.* 13 et 19 (cf. 69), mais avec recours direct à 2RP dans le second cas. Voir notre article « La Règle de Césaire pour les moines : un résumé de sa Règle pour les moniales », dans *RAM* 47 (1971), p. 369-406 (cf. p. 386-387), en tenant compte de la leçon *secundam* (*TA*) dans 2RP 23 et 25.

26. Voir en particulier CÉSAIRE, *Reg. mon.* 13.19.26. Cf. *art. cit.*, p. 393, 397, 398.

27. *Incipit* reproduit par Holste et Morin dans leurs éditions. Cf. *art. cit.*, p. 370-371.

28. C'est en effet de ces dernières années que date la *Regula monacho-*

carrière d'écrivain[29]. En tout cas, la jonction des deux règles et leur position au milieu d'une série d'actes épiscopaux laissent entrevoir que notre Macaire était un personnage important de l'Église et du monachisme gaulois, à l'instar du grand moine-évêque qui domina la vie religieuse de son pays dans la première moitié du VIe siècle.

Les mentions de la « Regula Macarii » au VIIe siècle

Entre son premier utilisateur – la Troisième Règle des Pères – et les premiers manuscrits qui nous la conservent, la Règle de Macaire est nommée dans trois documents du VIIe siècle. En 659, d'abord, Jonas de Bobbio profite de son passage à Réomé (Moutiers-Saint-Jean) pour écrire la Vie du fondateur de ce monastère. Il y raconte que Jean, à son retour de Lérins, recommença d'instruire ses moines *sub regulare tenore quam beatus Macharius indedit*[30]. Vingt-cinq ans plus tard (684), une charte octroyée par l'évêque de Vaison au monastère de Grausel prescrit à cette fondation de se régir *secundum normam uenerabilis uiri sancti Patris Benedicti abbatis uel sancti Macarii seu sancti Columbani*[31]. La même année (684) mourait saint Philibert, et son biographe, un moine de Jumièges qui écrit sous son deuxième successeur, rapporte qu'au temps de son abbatiat à Rebais, vers le milieu du siècle, il lisait assidûment *Basilii sancti charismata, Macarii regulam, Benedicti decreta, Columbani instituta sanctissima*[32].

---

rum, comme nous l'avons montré (*art. cit.*, p. 403-406), non de l'abbatiat de Césaire, comme on le croit généralement.

29. C'est-à-dire à 499 (abbatiat) ou 503 (épiscopat).

30. JONAS, *V. Iohannis Reomaensis* 5. Nous citons B. KRUSCH, « Zwei Heiligenleben des Jonas von Susa », dans *Mittheilungen des Instituts für oesterreichische Geschichtsforschung* 14 (1893), p. 385-448, dont l'édition du texte (p. 411-427) a été reproduite par lui dans *MGH*, *Scr. mer.*, t. III, p. 502-517.

31. MABILLON, *Annales OSB*, t. I, Lucques 1739, p. 643.

32. *V. Philiberti* 5, dans MABILLON, *AS OSB*, t. II, Paris 1669, p. 819.

Ces trois témoignages émanent du même milieu : le monachisme franc d'inspiration colombanienne et bénédictine. Placé entre Benoît et Colomban dans la charte de Grausel, avant eux et à la suite de Basile dans la Vie de Philibert, Macaire apparaît comme une des autorités suprêmes en matière de législation monastique. Dans le récit de Jonas, il figure même seul. C'est que le retour de Jean à Réomé se place à une date bien trop haute – vers 506-510 – pour qu'il puisse être question de Colomban ou même de Benoît[33]. Ce signalement de Jonas est donc d'un intérêt particulier. Il atteste la présence d'une Règle de Macaire en Bourgogne dans le premier quart du VIe siècle.

La Règle de Macaire à Réomé

Cette règle est-elle bien celle dont nous nous occupons ici ? On l'a contesté à plusieurs reprises, mais sans argument valable. Notre *Regula Macarii* ne saurait être écartée sous prétexte que sa langue est trop

Auparavant, le biographe raconte que Philibert visita Luxeuil et Bobbio, ainsi que les autres communautés observant la Règle de Colomban et tous les monastères de « France », Italie et Bourgogne. On ne saurait en conclure que la *Regula Macarii* était observée à Bobbio, comme le fait G. PENCO, *S. Benedicti Regula*, Florence 1958, p. CVI. Philibert quitta Rebais pour Jumièges en 657.

33. Grégoire de Langres, qui fit revenir Jean de Lérins (*V. Ioh.* 4), fut évêque de 506/507 à 539/540 (L. DUCHESNE, *Fastes*, t. II, p. 186), et Jean, dont l'abbatiat semble avoir été long, mourut vers 544 (B. KRUSCH, dans *MGH, Scr. mer.*, t. III, p. 502). Quant à l'Honorat mentionné, à propos de Lérins, dans *V. Ioh.* 4, il peut s'agir soit du fondateur de Lérins, que Jonas, par un grossier anachronisme, donnerait pour l'abbé qui reçut Jean (ainsi B. Krusch), soit d'un deuxième abbé de ce nom, qui se placerait entre Porcaire (*V. Caesarii* I, 5-10) et Marin (*V. Patrum Iurensium* 179). Mais le texte de Jonas est peu clair. Parle-t-il bien là de l'abbé en charge ? Cette *uenerabilis Honorati religionis forma* n'est-elle pas simplement l'ensemble des normes et des exemples laissés par le saint fondateur ? Quant au supérieur en charge au temps de Jean, Jonas se contente plus loin de l'appeler *eum qui praeerat*, sans dire son nom.

tardive[34] et qu'elle se présente comme un simple résumé d'une règle plus ancienne[35].

Quant à voir dans la Règle des Quatre Pères, suivie ou non de celle du Maître, ce document primitif dont elle serait le condensé[36], c'est là en tout cas, une erreur, car notre Macaire n'a pas de rapport direct avec les Quatre Pères et le Maître, tandis qu'il dépend manifestement de la Seconde Règle et de Jérôme. Au reste, s'il est arrivé à Benoît d'Aniane, dans sa *Concordia Regularum*, de placer des extraits des Quatre Pères sous le titre abrégé de *Regula Macarii*[37], rien ne prouve qu'on l'ait fait avant lui.

---

34. Ainsi F. MASAI, « La Règle du Maître à Moutiers-Saint-Jean », dans *A Cluny*, Dijon 1950, p. 192-202 ; voir p. 194, où la référence à B. Krusch (n. 2) est à corriger (remplacer *Sitzungsberichte* – il s'agit là d'un article de F. Stöber – par *Mittheilungen* ; même erreur chez H. STYBLO, « Die Regula Macharii », p. 126, n. 8). Au reste, B. KRUSCH, *art. cit.*, p. 392, dit seulement : « Die... Regel ist nach ihrem Latein gallischen Ursprungs und kaum vor dem 6. Jahrhundert geschrieben », sans nier qu'elle ait existé au temps de Jean. En fait, comme l'écrit H. STYBLO, *art. cit.*, p. 128, qui dit avoir donné des preuves dans sa thèse de Vienne, « langue et style correspondent très bien à l'usage linguistique des Ve et VIe siècles ».

35. F. MASAI, *art. cit.*, p. 194-195 (RMac 1, 1 : *ergo* ; 24, 2 : *uelut regula continet*) et 202 (Titre du ms. *L* : *Incipit aliquae sententiae de regula...*). Ce dernier indice se retrouve seul chez F. MASAI, « Recherches sur les Règles de S. Oyend et de S. Benoît », dans *RBS* 5 (1977), p. 43-73 ; voir p. 61, n. 53. Entre temps, H. STYBLO, *art. cit.*, p. 128, a déclaré que « *ergo* peut fort bien se trouver au début d'un texte original », mais renoncé à réfuter les deux autres arguments.

36. Comme le fait F. Masai dans les deux articles cités, ce que H. STYBLO, *loc. cit.*, trouve « völlig unerklärlich », vu l'absence de correspondance entre RIVP et RMac. De toute évidence, Styblo a raison.

37. BENOÎT D'ANIANE, *Concordia Regularum* 5, 2, *PL* 103, 774 b ; 54, 7 (1172 a) ; 55, 2-3 (1181 ab) ; 60, 2 (1219 a). Sept autres fois, Benoît cite RIVP sous le titre de *Regula Patrum*. Celui de *Regula Macarii* abrège un titre courant du *Codex* (*Clm 28118*, f°s 19v-20r et 20v-21r : *Regula a duobus Machariis Serapione Pafnuptio seu (uel) ceteris Patribus edita*). Ces faits sont allégués par F. MASAI, « La Règle du Maître... », p. 196 ; « Recherches... » p. 61, n. 53. Celui-ci, dans sa première étude (p. 195),

Enfin, l'identification de notre *Regula Macarii* avec celle que rédigea vers la fin du VIe siècle, au témoignage d'Isidore, l'abbé espagnol Jean de Biclar[38], n'est qu'une conjecture sortie de l'imagination féconde de Trithème, comme nous l'avons montré ailleurs[39].

Il n'y a donc pas de raison de douter que le texte dont parle Jonas ne soit notre Règle de Macaire. Ce que nous venons d'entrevoir de la date et du lieu d'origine de celle-ci trouve une confirmation remarquable dans la notice de l'hagiographe colombanien. S'il est vrai que Jean de Réomé mit en application les normes de Macaire à son retour de Lérins, vers la fin de la première décennie du VIe siècle, nous sommes fortement encouragé à croire que cette législation est un produit lérinien des dernières années du siècle précédent.

On peut, il est vrai, se demander, comme nous l'avons fait plus haut[40], si c'est à Lérins même que l'opuscule a été fabriqué

---

avait aussi argué du titre de *Regula sancti Patris nostri Macarii* donné à RIVP dans le ms. du Mont-Cassin, *443* (XIIe s.), argument que rejette à bon droit H. STYBLO, *art. cit.*, p. 128 (elle ne mentionne pas l'argument tiré de la *Concordia*). De fait, ce témoin tardif et isolé ne peut être tenu pour le représentant d'une « tradition fort ancienne », que Benoît d'Aniane attesterait de son côté. La *Concordia* de celui-ci ne fait qu'abréger un titre courant du *Codex*, qui n'est lui-même qu'une simplification pratique du titre inscrit dans le texte.

38. F. MASAI, « Recherches... », p. 61, n. 53, citant A. C. VEGA, « En torno a la herencia literaria de Juan de Biclaro », dans *Boletín de la Real Academia de la Historia* 164 (1969), p. 13-74.

39. A. DE VOGÜÉ, « Trithème, la Règle de Macaire et l'héritage littéraire de Jean de Biclar », dans *Sacris Erudiri* 23 (1978-1979), p. 217-224.

40. Voir notre Introduction à RIVP, chap. II, § III, note 90. Voir aussi *ibid.*, n. 87 : quand JONAS raconte (*V. Ioh. Reom.* 4-5) que Jean fut admis à Lérins incognito, y vécut dans l'obéissance et l'humilité pendant 18 mois, fut longuement dévisagé et reconnu au travail par un *quidam* qui se prosterna à ses pieds, devint un objet de vénération pour les frères de Lérins, dut enfin rentrer dans son monastère et en reprendre le gouvernement, toute cette histoire correspond trait pour trait – avec des détails différents – à CASSIEN, *Inst.* 4, 30, 4-5, et *Conl.* 20, 1, 4 (Pinufius se

ou en dehors, à Moutiers-Saint-Jean par exemple. En d'autres termes, l'auteur est-il un abbé lérinien, tel que Porcaire, ou cet abbé bourguignon revenant de Lérins qu'était Jean ? Vu l'autorité dont le document semble avoir joui, la vraisemblance est plutôt en faveur du premier. Dans son siècle, Jean de Réomé est resté peu connu. Sa Vie n'a été écrite qu'au siècle suivant, et sa figure est absente de la grande galerie hagiographique de Grégoire de Tours[41]. Cette obscurité relative paraît peu compatible avec le prestige singulier dont est entourée, nous l'avons vu, la Règle de Macaire. L'abbé du grand et célèbre monastère provençal a beaucoup plus de chances d'avoir écrit cette œuvre que celui de la modeste fondation bourguignonne.

On est donc fondé à penser que Jean de Réomé trouva la *Regula Macarii* à Lérins et l'apporta de là dans son monastère. Dès lors, le nom de Porcaire est celui que nous pouvons avancer avec le plus de probabilité au terme de notre enquête sur l'auteur de cette règle. Sans doute pourrait-on encore songer à son disciple Césaire, au temps

---

cache pendant trois ans à Tabennesi). Un parallélisme aussi soutenu ne peut manquer d'éveiller certains soupçons, d'autant que Jonas fera explicitement d'un autre héros de Cassien, l'abbé Isaac, le modèle de Jean (*V. Ioh.* 18, citant longuement *Conl.* 9, 3, 1-2). D'autres réminiscences apparaissent chez lui. Comparer *V.* 2 et ATHANASE, *V. Ant.* 2, *PL* 73, 127-128 : le héros, âgé d'une vingtaine d'années, est appelé au renoncement par deux lectures de l'Évangile entendues à l'église ; *V.* 6 et DENYS, *V. Pachomii* 31 : au nom de Mt 10, 37, il refuse de voir sa mère, mais se montre à elle en passant ; *V.* 18 et CASSIEN, *Conl.* 5, 6, 1 : Adam tombe dans les trois vices de gastrimargie, cénodoxie et superbe ; *V.* 19 et ATHANASE, *V. Ant.* 60, *PL* 73, 168 (cf. 56) : mourant à plus de cent ans, le saint a les yeux et les dents intacts. Dans le récit du séjour de Jean à Lérins, quelle est donc la part des faits et celle de l'imitation de Cassien ?

41. Malgré une notice (GRÉGOIRE DE TOURS, *Glor. conf.* 87, *PL* 71, 894), qui est interpolée. Grégoire ne connaît que son disciple Sequanus (ch. suivant). Aussi, quand JONAS, *V. Ioh.* 18, fait grand cas de la vénération dont Jean était l'objet de la part des rois francs et de la noblesse, on peut se demander ce que vaut cette information.

où celui-ci était abbé du monastère suburbain d'Arles[42]. Mais cette hypothèse s'accorderait moins bien avec certains faits[43]. Aussi resterons-nous sur celle qui s'est imposée à nous peu à peu : la Règle de Macaire semble avoir été rédigée au monastère même de Lérins, vers la fin du ve siècle, par un supérieur qui pourrait bien être l'abbé Porcaire.

42. C'est-à-dire de 499 à 503. Ce n'est pas alors que Césaire a rédigé sa *Regula monachorum*, qui date seulement de la fin de son épiscopat (ci-dessus, n. 28).

43. Au temps de son abbatiat, Césaire avait déjà reçu les leçons de Pomère et donc probablement appris à estimer Augustin et sa règle, si ce n'était déjà fait. On ne voit pas pourquoi la règle qu'il aurait écrite alors ne dépendrait pas d'Augustin, comme en dépendra la Règle des Vierges. Et puis, si Césaire avait composé alors la RMac, pourquoi aurait-il rédigé une autre règle, de même format, à la fin de sa vie ?

CHAPITRE III

ÉTABLISSEMENT DU TEXTE ET PRÉSENTATION

La tradition textuelle de Macaire a déjà été explorée par Helga Styblo[1], dans un travail auquel nous devons beaucoup. En prenant pour base cette étude et en mettant au point certains détails, on arrive à la vue d'ensemble suivante.

Les trois familles de manuscrits Les manuscrits réellement utiles sont au nombre de huit et se répartissent en trois groupes. Le premier de ceux-ci comprend deux manuscrits germaniques, que nous avons déjà rencontrés en étudiant la Règle des Quatre Pères : le *Lambacensis 31* (*L*, IXe s.) et le *Bambergensis B. VI. 15* (*b*, XIe s.). Comme précédemment, nous les réunissons sous le sigle λ. L'un et l'autre, ils placent la Règle de Macaire dans le voisinage des Quatre Pères, de l'Épître de Macaire, de la Règle colombanienne et des Préceptes de Pinufius[2].

1. H. STYBLO, « Die Regula Macharii », dans *Wiener Studien* 76 (1963), p. 124-158.

2. Dans *L*, RMac vient immédiatement après l'*Epistola Macarii* et RIVP, avant les Sentences d'Évagre et les deux règles de Colomban ; suivent les *Monita* de Porcaire, une Épître de Colomban et les Préceptes de Pinufius (cf. J. VILANOVA, *Regula Pauli et Stephani*, Montserrat 1959, p. 26). Dans *b*, RMac vient après *RB*, la *Regula monachorum* de Colomban et l'Épître de Macaire (*Lignorum copia*), avant un poème de

La seconde famille compte deux représentants anciens[3], originaires de la France du Nord, qui reproduisent notre règle au milieu d'actes de conciles gaulois et juste avant la règle masculine de Césaire[4] : le *Bruxellensis 2493* (*B*, VIIIe s.) et le *Parisinus lat. 1564* (*P*, VIIIe s.). Nous désignons cette paire de manuscrits par le sigle γ.

La troisième famille est la plus nombreuse et la moins facile à ordonner. Elle comprend avant tout le *Codex regularum* de Benoît d'Aniane, c'est-à-dire le *Monacensis Clm 28118* (*A*, IXe s.), où Macaire prend place entre la

---

l'abbé de Seeon, les *Praecepta Pinufii* (CASSIEN, *Inst.* 4, 32-43) et RIVP (cf. B. BAUERREISS, « Seeon in Oberbayern, eine bayerische Malschule des beginnenden XI. Jahrhunderts », dans *SMGBO* 50 [1932], p. 529-555 ; voir p. 537).

3. Il s'y ajoute un ms. du XVIIe s., le *Parisinus lat. 12635*, fol. 108-110. Voir H. STYBLO, *art. cit.*, p. 132 et 137-138 (*p*), ainsi que le *Stemma codicum*, p. 149. D'après celui-ci, *p* serait indépendant de *B* et de *P*, mais Styblo le tient pour négligeable en raison de ses corrections arbitraires. En fait, *p* peut avoir été copié sur *P*, dont il a plusieurs leçons absentes de *B* : 5, 2 *adquirend(o)* ; 10, 1 *matutino(m)* ; 24, 4 *nec* om. ; 25, 3 *audire*, tandis que les cas contraires (accords *Bp* contre *P*) relevés par Styblo sont inexistants ou sans portée. Copiste consciencieux, le scribe de *p* se contente de corriger les anomalies grammaticales et orthographiques, sans altérer le texte γ. Ses variantes textuelles, probablement involontaires, sont rares : 2, 3 *susurrantes* ; 10, 3 *etiam* om. ; 11, 2 *quod* (= 3RP) ; 23, 3 *cella* ; 27, 3 *ob* pour *ad*. C'est en marge – et parfois en interligne – que sont notées quelques leçons prises soit à η, soit à 2RP et à 3RP. Les emprunts à η ne viennent pas de Rovier, mais de Holste, qui a fourni aussi les textes de 2RP et de 3RP. Seule la variante originale *Qui* (27, 3) est peut-être prise à Rovier. A la fin (30, 4), on trouve une phrase tirée de *Concordia* 44, 4 (CASSIEN, *Reg.* 33, 12 ; cf. *Inst.* 4, 14). Après RMac, une autre main a copié la *Regula Posthumii* tirée de la *Vita Posthumii*, en notant que Posthumius fut le successeur de Macaire (p. 112) : rapprochement judicieux qui a pu être suggéré par Holste. On trouve ensuite, de la même main que RMac semble-t-il, des *Fragmenta Regulae monachorum S. Caesarii*, qui sont en réalité des extraits de textes pour les vierges mis au masculin, provenant sans doute de la *Concordia* (p. 116). Enfin la *Regula uirginum* du même Césaire (p. 119).

4. Voir chap. II, notes 22-24.

Troisième Règle des Pères et les *Pachomiana*[5]. De ce témoin important à bien des égards, le plus proche parent est le manuscrit de Valenciennes *168* (*v*, XIIIe s.), qui donne notre règle à la suite des Conférences de Cassien[6]. Les deux autres membres du groupe sont le *Scorialensis a.I.13* (H_1, xe s.) et le *Londinensis add. 30055* (H_3, xe s.). Ces recueils espagnols de règles monastiques contiennent des séries de textes analogues, mais la place de la Règle de Macaire y est différente : dans H_3, comme dans A, elle est rangée avant les *Pachomiana*[7] ; dans H_1, au contraire, où son texte est malheureusement mutilé, elle forme un appendice après la souscription du copiste[8]. Directement ou indirectement, les quatre représentants de cette famille sont tous de souche espagnole. Nous les désignons par le sigle η.

Le texte s'est donc diffusé anciennement dans trois directions : Germanie (λ), Gaule (γ), Espagne (η). A cet éventail de manuscrits s'ajoutent deux témoins indirects,

---

5. Voir Introduction générale, chap. II, n. 25.

6. RMac est suivie du Livre III des *Vitae Patrum*, mais celui-ci commence sur un autre folio et se présente nettement à part. Au contraire, RMac fait corps avec ce qui précède : la fin de la *Conférence* 24 et un court poème de six vers qui paraît célébrer l'œuvre de Cassien. C'est d'ailleurs à celui-ci que *v* attribue RMac.

7. RMac vient après les *Institutions* de Cassien, dont la sépare seulement un court morceau sur la superbe (GRÉGOIRE, *Mor.* 34, 23). Voir A. LINAGE CONDE, *Los orígenes del monacato benedictino en la península ibérica*, t. II, León 1973, p. 836-838. Sur l'ordonnance des *Pachomiana*, différente dans H_3 et dans A, voir A. BOON, *Pachomiana latina*, Louvain 1932, p. XXI. – La même séquence de RMac et des *Pachomiana* se retrouvait dans le *Codex* perdu d'Arlanza décrit par A. de YEPES, *Chroniques générales de l'Ordre de Saint Benoist*, trad. par D. RETHELOIS, t. I, Toul 1674, p. 162, dont la séquence suivante (règles de Pachôme et de Cassien) rappelle H_1. – Sur RMac et les *Pachomiana* dans les mss espagnols, voir notre article « La *Vita Pachomii Iunioris...* » (cité plus haut, chap. I, n. 1), notes 47-56.

8. Non signalé par L. VERHEIJEN, *La Règle de Saint Augustin*, t. I, Paris 1967, p. 40-41, cet appendice figure sur le relevé de A. LINAGE CONDE, *op. cit.*, p. 827-828.

d'importance inégale : l'épigone très ancien de Macaire qu'est la Troisième Règle des Pères, et la *Concordia regularum* de Benoît d'Aniane.

La Troisième Règle des Pères comme dérivée de celle de Macaire

Due, comme nous le verrons, au concile d'Auvergne de 535, l'œuvre des Pères n'est postérieure à notre règle que d'une trentaine d'années. Elle permet donc de saisir la tradition textuelle de Macaire tout près de sa source, et présente de ce fait un intérêt considérable. Voici la liste de ses six emprunts[9].

RMac	3RP	RMac	3RP
10 ; 11, 1-2	5	22	8
14, 1-3	6	23 ; 24, 1-4	1
18	7	28, 1-3	10

Nous aurons donc à invoquer la Troisième Règle dans notre apparat, et nous lui assignons à cet effet le sigle ρ. Le texte de Macaire attesté par elle s'apparente aux familles λ et γ.

La « Concordia regularum » de Benoît d'Aniane

De son côté, la famille η a un témoin subsidiaire : la *Concordia regularum* de Benoît d'Aniane. Dans ses sept extraits de la Règle de Macaire, Benoît reproduit environ les deux tiers de l'opuscule :

9. Nous indiquons les versets de RMac quand le chapitre est incomplètement reproduit par la *Concordia*.

RMac	CONCORDIA REG.	RMac	CONCORDIA REG.
1-9	7, 2	23-25	65, 4
17	37, 2	26-28	37, 3
20, 1-4	60, 5	30, 1-4[11]	64, 2
21, 1-5	14, 2[10]		

Donnant le même texte que le *Codex regularum*, avec quelques détériorations supplémentaires, la *Concordia* ne mérite pas de figurer dans notre apparat, déjà très chargé. Dans plusieurs cas, cependant, elle peut servir à retrouver une leçon du modèle de Benoît altérée par le *Codex*[12].

La Seconde Règle des Pères comme source de Macaire Notre revue ne serait pas complète si nous ne mentionnions un dernier document, qui, sans appartenir à la tradition textuelle de Macaire, n'en est pas moins un auxiliaire pour l'établissement de son texte : la Seconde Règle des Pères. Fournissant à notre auteur toute une section (RMac 10-18), la Seconde Règle apporte là un appoint à la critique[13]. Dans un cas même, où les trois familles s'opposent et paraissent toutes en défaut, elle permet de restituer la teneur probable du texte primitif et d'en expliquer les diverses altérations[14].

10. Dans le manuscrit de Fleury reproduit par Ménard, cet extrait porte assez étrangement un numéro de chapitre : *K. LXXXIII*, à la suite du titre *ex regula sancti Macharii*. C'est la seule trace d'une capitulation de RMac que présente la *Concordia*.

11. Noter l'omission de RMac 29, ici comme dans *v*. Elle provient sans doute de la gêne éprouvée à une époque où le jeûne des mercredis et vendredis était mal observé.

12. Ainsi RMac 3, 1 : *ab* ; 5, 2 : *lucri* ; 6, 2 : *dilectio* ; 8, 2 : *sectaueris* ; 21, 5 : *estimes* ; 27, 3 : *hoc eum*.

13. Elle soutient notamment les leçons *meditem* et *praetermisso meditem* (RMac 10, 1 et 3) ; *quidquid* (11, 2) ; *foras* (15, 5), à l'encontre des variantes préférées par Styblo.

14. Voir RMac 14, 1-3 (cf. 2RP 31). Là, *paratus fuerit* a été omis dans

Valeur relative des témoins

A la lumière de cette source de Macaire qu'est la Seconde Règle, il apparaît qu'aucun témoin ne peut être suivi en toute confiance. La même conclusion se dégage quand on essaie de classer les familles d'après les deux autres critères dont nous disposons : le décompte des leçons propres et le témoignage de la Troisième Règle des Pères (ρ).

Pour commencer par ce dernier, voici le nombre des accords particuliers de la Troisième Règle avec chaque famille[15] :

ρλ = 3 (RMac 24, 4 [bis] ; 28, 2)
ργ = 3 (RMac 14, 3 ; 22, 2 ; 28, 2)
ρη = 1 (RMac 28, 2)

Ainsi, la Troisième Règle se tient à égale distance de λ et de γ, mais plus loin de η, d'autant que son unique rencontre avec ce groupe espagnol est peu significative[16].

En second lieu, si l'on dénombre les variantes entièrement propres à chaque famille, on en trouve une vingtaine pour λ, une trentaine pour γ, une quarantaine pour η. Ces chiffres confirment la qualité inférieure de η, qui s'isole par des leçons originales bien plus souvent que les deux autres familles. Mais entre celles-ci, le présent critère fait apparaître une différence que le précédent laissait ignorer : γ s'avère nettement plus divergent que λ[17]. Ce dernier – le groupe

---

γ et ρ, tandis que λ le remplaçait par *occurrerit*, placé avant l'incise *quia nihil orationi praeponendum est.* Celle-ci est omise par η. Il semble que l'interruption causée par elle soit à l'origine de ces altérations.

15. Il s'agit d'accords de ρ avec telle famille *seule*, à l'exclusion des autres.

16. Voir RMac 28, 2 : *uestimento*, dont la variante de γ (*uestimentum*) diffère à peine. Ici comme dans RMac 14, 1-3 (ci-dessus, n. 14), c'est λ qui se trouve le plus éloigné du texte soutenu par l'une ou l'autre Règle des Pères.

17. D'autant que – précision importante – nous n'avons pas tenu compte des nombreuses variantes orthographiques de γ (cf. note précédente).

germanique – apparaît donc comme central : c'est lui qui se sépare le moins de ses frères et s'accorde le mieux avec l'un et l'autre. Cette observation rejoint celle que nous avons faite à propos de la Règle des Quatre Pères. Là, λ l'emportait à cet égard sur μ et sur α, en ne le cédant qu'à ε. Ici, où ε fait défaut, λ a la palme. Après ρ[18], c'est donc en principe à λ d'abord, puis à γ et enfin à η que l'on paraît devoir se fier.

Structure de la famille espagnole Fortement aberrante, la famille espagnole est aussi fort divisée. A côté d'une quarantaine de fautes communes à tous ses membres, elle présente de nombreuses variantes propres à deux ou trois manuscrits. La partition la plus saillante est celle qui sépare H_1 et H_3 d'une part[19], *A* et *v* de l'autre[20]. Mais on trouve aussi des fautes communes à H_1 et à *v*[21], à H_3 et à *A*[22], à H_3 et à *v*[23]. Souvent, *A* s'avère seul correct – c'est-à-dire d'accord avec λ et γ –, en contraste avec ses trois alliés[24], ou – quand H_1 vient à

---

18. Compte tenu, bien entendu, de l'indépendance foncière de 3RP, dont seul le texte commun avec RMac est visé par notre sigle ρ.

19. Outre les premiers lieux allégués à la note suivante, voir RMac 1, 3 (*bis*) et 3, 2. Cf. 1, 1 (accord avec γ) et 2, 5 (accord avec *L*). Il ne faut pas oublier que H_1 cesse au milieu de RMac (13, 1).

20. Outre les lieux allégués à la note précédente, voir RMac 2, 5 ; 3, 1 ; 7, 1 et 12, 4 (cf. *b*) ; 15, 6 (cf. *L*) ; 16, 1 ; 20, 1 ; 22, 2-3 ; 23, 3 ; 25, 3 ; 27, 3 ; 30, 1. A partir de 13, 2, *A* et *v* s'opposent à H_3 seul, ce qui a pour effet de renforcer apparemment leur parenté.

21. RMac 1, 1 (*sensos*) ; 2, 3 (*non inrisores* om.) ; 4, 1 (*ulla* ; cf. *L*) ; 7, 3 (*uiuere*).

22. RMac 3, 2 (*ab* om.) ; 23, 1 (*ad*) ; 27, 4 (*et* add.) ; 27, 5 (*fratribus resideat*). Voir aussi n. 26.

23. RMac 7, 2-3 (*te*) ; 8, 2 (*sectaueris*) ; 11, 1 (*paratus* om.). Voir aussi n. 25.

24. RMac 2, 7 (9 mots om.) ; 4, 3 (*inri-*) ; 8, 1 (*laboriosa opera* ; cf. *L*) ; 10, 3 (*medita-*) ; 11, 1 (*sit* om.) ; 12, 4 (*pos-*).

manquer – avec les deux restants[25]. Mais H_1, H_3 et *v* sont parfois dans la même situation vis-à-vis de leurs frères[26].

Si donc la famille espagnole se divise pour l'essentiel en deux sous-groupes[27] (H_1H_3 et *Av*), cette classification, que notre stemme représente seule, laisse échapper quantité de faits qui indiquent d'autres relations. Leur complexité suggère de multiples contaminations et corrections en sens divers. Pour achever de compliquer le problème, il se présente dès le début (1, 1) un cas où le sous-groupe *Av* s'accorde avec λ (*taliter*), tandis que le sous-groupe $H_1 H_3$ s'accorde avec γ (*tales*). Un phénomène de ce genre, qui se reproduit en 10, 3 (*qua/quae*), suggère que certains membres de la famille espagnole, dont l'unité originelle ne fait pas de doute, ont subi secondairement l'influence d'autres familles[28].

Les éditions imprimées Après l'édition princeps du jésuite Pierre Rovier[29], enfouie dans une monographie sur le monastère de Réomé et vouée de ce fait à une faible notoriété, celle de L. Holste a mis en

25. RMac 15, 2 (*uero* add.) ; 16, 1 (*est*) ; 22, 1 (*si* om. ; cf. ρ) ; 22, 2 (om.) ; 22, 3 (long ajout) ; 24, 4 (*habeat potestatem...* ; cf. *b*) ; 25, 6 et 27, 5 (*fuit* et *abba* ; cf. λ). Voir aussi n. 23.

26. H_1 : Voir RMac 5, 3 (*contristes*). – H_3 : RMac 1, 2 (*inter*) ; 5, 3 (*nec*) ; 10, 2 (*nulla*) ; 12, 5 (*se*). – *v* : RMac 12, 1 (*aliquo*) ; 23, 2 (*patefiat*). Voir aussi n. 22.

27. Ils apparaîtraient sans doute plus nettement si H_1 continuait jusqu'à la fin.

28. Il se pourrait, en particulier, que Benoît d'Aniane, ici comme ailleurs, ait corrigé le texte de son modèle principal d'après divers mss, ce qui expliquerait, au moins pour une part, la correction supérieure de *A*.

29. P. ROVERIUS, *Reomaus seu Historia monasterii S. Ioannis Reomaensis in tractatu Lingonensi,* Paris 1637, p. 24-28. C'est à tort que H. STYBLO, *art. cit.*, p. 150, le fait dépendre d'une copie du *Coloniensis W. F. 231* et prétend que Holste dépend de lui. En réalité, Rovier tire sa RMac *ex codice ms. Beccensi* (p. 24), auquel s'adjoignent la *Concordia regularum* (citée en marge) et un ms. de la bibliothèque de Thou (p. 497). Ce dernier est certainement notre ms. *P*, car le *Parisinus lat. 1564* a bien

circulation le texte de Benoît d'Aniane, c'est-à-dire d'un membre de la famille η. Comme l'ensemble de l'édition du *Codex*, elle repose en effet sur une copie du *Coloniensis W.F. 231*, lui-même copié sur *A*. Ici comme ailleurs, le copiste du manuscrit de Cologne, Arnold Losen, n'a retouché son modèle que très légèrement[30]. De ces huit corrections qui ont passé dans l'édition de Holste, seules les deux premières sont originales[31]. Les autres ont été suggérées à Losen par la Seconde Règle des Pères.

---

eu pour propriétaire, entre Pithou et Colbert, Jacques-Auguste de Thou, comme Mme D. Bloch a bien voulu nous l'assurer (lettre du 18-IV-80) : « On peut déchiffrer une partie de la signature de J. A. de Thou à la lumière ultraviolette au bas du fol. 1 : *Jac. Aug...* Ce volume correspond à l'article 193 du catalogue des manuscrits de J. A. de Thou rédigé en 1617 par Pierre Dupuy et contenu dans le ms. *653* de la collection Dupuy (fol. 12ᵛ). » Le ms. du Bec n'a pu être retrouvé, en dépit de recherches faites sur place et à l'*IRHT*. Quant à la *Concordia*, qui ne sera publiée par Ménard que l'année suivante (1638), Rovier a dû la trouver dans un manuscrit, peut-être l'actuel *Berolinensis Philipps 108*, dont l'appartenance aux Jésuites du Collège de Clermont semble probable à H. PLENKERS, *Untersuchungen*, p. 14. – Telles étant les sources de Rovier, on s'explique que son texte soit hybride. S'il a 47 variantes de *A* (dont 24 de η), il lui en manque tout autant (53, dont 30 de η). D'autre part, on trouve chez lui une douzaine de leçons γ. Celles-ci lui viennent sans doute de *P*, tandis que les leçons de *A* proviennent de la *Concordia*. De fait, on ne trouve pas de leçon vraiment caractéristique de *A* et de η dans les passages où la *Concordia* fait défaut (RMac 10-16 ; 18-19 ; 22-29). Quant aux points de contact avec H_1, H^3 et *v* (une demi-douzaine dans toute la règle), ils peuvent être considérés comme fortuits. – Tout en reproduisant un texte différent, Holste a pu être influencé par Rovier dans une quinzaine de cas. Il lui doit en particulier, semble-t-il, les mots *erogauit - aliquid* (RMac 24, 5), qui manquent dans le *Coloniensis* comme dans la *Concordia*.

30. RMac 6,2 (*dilectio*) ; 8, 2 (*sectatus fueris*) ; 12, 2 (*aliquo*) ; 12, 4 (*abstineat*) ; 12, 6 (*non audeat usquam recedere* add.) ; 13, 1 (*Si quis* add.) ; 15, 2 (*fiunt* add.) ; 15, 3 (*ne deficiant* add.). En 12, 1, le *Coloniensis* a l'inversion *murmurauerit autem*, mais celle-ci ne se retrouve pas dans les éditions imprimées.

31. RMac 6, 2 ; 8, 2, où le *sectaberis* de *A* (cf. n. 23) est corrigé en *sectatus fueris*.

C'est donc un texte espagnol de la *Regula Macarii*, légèrement corrigé d'après la source littéraire de celle-ci et d'après l'édition princeps, qui a paru à Rome en 1661, puis à Paris en 1663, et qui, à travers les réimpressions de Galland et de Brockie, a passé dans l'une et l'autre Patrologie de Migne[32]. Un des traits de l'édition de Holste est de diviser le texte en trente paragraphes. Absente du manuscrit de Cologne comme de celui de Munich, cette division ne vient pas du *Codex regularum*, mais de l'édition de Rovier[33].

De ce texte basé sur un seul témoin appartenant à la moins bonne des trois familles, on est passé en 1963 à une édition bien meilleure, grâce au travail de H. Styblo. Cette fois, la tradition manuscrite a été prise en considération dans son ensemble, et une étude sinon complète[34], au moins sérieuse de ces témoins a permis d'établir le texte selon des critères assez sûrs. Tout en maintenant la capitulation de Holste, Styblo subdivise les 30 paragraphes de celui-ci en « versets » très courts.

Malgré le progrès considérable que marque cette édition viennoise, elle laisse à désirer sous plusieurs rapports. Encombré de simples parallèles, l'apparat des citations ignore ces véritables sources que sont la Seconde Règle des Pères et l'Épître de Jérôme à Rusticus. Quant à l'apparat critique, il est lui aussi inutilement chargé, soit en raison d'une rédaction défectueuse, soit du fait d'une dizaine de

---

32. Rappelons que *PG* 34, 967-970 reproduit l'édition de Galland (Venise 1670), non celle de Brockie (Augsbourg 1759), dont dépend seul *PL* 103, 447-452 (corriger sur ce point H. STYBLO, *art. cit.*, p. 150). D'où de légères différences entre les deux Patrologies. Outre l'abrègement du titre, noter dans *PG* 34 deux coquilles : 12, 4 *obstineat* ; 14, 1 *qui* om. En revanche, Brockie et Galland ont transmis l'un et l'autre *Deo* pour *uero* en 15, 1. Ailleurs (12, 6), ils s'accordent aussi sur *recidere* (cf. γ), alors que le *Coloniensis* a *recedere*.

33. Sur *Concordia* 14, 2 et son numéro de chapitre aberrant, voir ci-dessus, n. 10.

34. Il manque en particulier la reconnaissance du subarchétype de *L* et de *b* (notre λ), de 2RP comme source de RMac, et de 3RP comme dérivée.

manuscrits autrichiens dépendants du *Lambacensis*, qui n'ajoutent rien d'utile à celui-ci. Des omissions et erreurs assez nombreuses compromettent d'ailleurs son exactitude[35]. Le texte lui-même n'est pas toujours établi de façon satisfaisante[36].

Notre édition Il restait donc à améliorer ce travail fondamental. Nous y avons été grandement aidé par les recherches préparatoires de nos confrères J. Neufville et Y. de Carheil, à qui nous devons des transcriptions très exactes de plusieurs manuscrits et de soigneuses collations d'après les microfilms[37]. En revoyant nous-même le manuscrit *v*, grâce à des photocopies fournies par la Bibliothèque municipale de Valenciennes, et en tenant compte des deux Règles des Pères, nous avons pu mener à terme l'œuvre de nos devanciers.

Sauf le *Codex* de Benoît d'Aniane (*A* au lieu de *C*), nous désignons les manuscrits par les sigles de l'édition Styblo, auxquels nous ajoutons des lettres grecques représentant les trois familles (λ, γ, η) et la Troisième Règle des Pères (ρ). A une exception près[38], nous conservons aussi les « versets » de

35. Le ms. *v*, en particulier, est assez mal collationné. Les corrections portées sur *A* par Losen sont attribuées à *A* lui-même (e. g. 15, 2 *fiunt* et *deficiant* add.), sans même qu'on soit informé qu'il s'agit de corrections.

36. La mention des cinq mille moines devrait figurer dans le titre, puisqu'elle est attestée par toutes les familles. Il est vrai que Styblo semble avoir perdu de vue sa présence dans *B* et *P*, pourtant indiquée précédemment (p. 138). – En 27, 4, l'omission de *et* par γλ*v* aurait dû faire omettre ce mot, mais elle n'est même pas enregistrée dans l'apparat. De même, en 29, 1, le consensus γ*b* en faveur de *et* devrait prévaloir sur *L* qui l'omet seul, mais la leçon de *b* n'est pas notée.

37. Notre reconnaissance va aussi à F. Villegas pour d'autres travaux d'approche, que des nécessités professionnelles l'ont obligé d'abandonner. Il préparait une édition séparée de RMac, analogue à ses excellentes éditions de la *Regula cuiusdam*, de la *Tarnantensis* et de Novat.

38. La structure littéraire (les quatre *in*...) nous a fait placer le début de RMac 2, 7 à *in humilitate perfecti* (au lieu de *in obedienta precincti*). De

Styblo. Comme la citation de Cyprien, les emprunts à la Seconde Règle des Pères et à Jérôme sont signalés par des italiques dans toute la mesure du possible. Quand il s'agit de simples réminiscences, nous les indiquons seulement dans les notes. L'apparat critique est à la fois allégé – notamment par l'omission des détails d'orthographe – et complété. Enfin notre texte serre de plus près les deux meilleures familles (λ et γ), en utilisant les deux autres témoins (η et ρ) pour les départager le cas échéant[39]. Avec le recours à la Seconde Règle des Pères, ces améliorations nous auront permis, espérons-le, de restituer une *Regula Macarii* qui se rapproche un peu plus de l'original.

---

plus, la modification du texte de RMac 14, 1-3 entraîne le passage du verbe d'un verset à un autre.

39. De ρ, nous citons dans l'apparat quelques variantes (ρ^v), quand un des mss de 3RP (*T* et *A*) s'accorde avec un des témoins de Macaire (e. g. 23, 1 *quis de saeculo* ; 23, 2 actos). Mais nous n'incluons pas l'édition de la *Concordia* (*m*) dans ces mentions ρ^v.

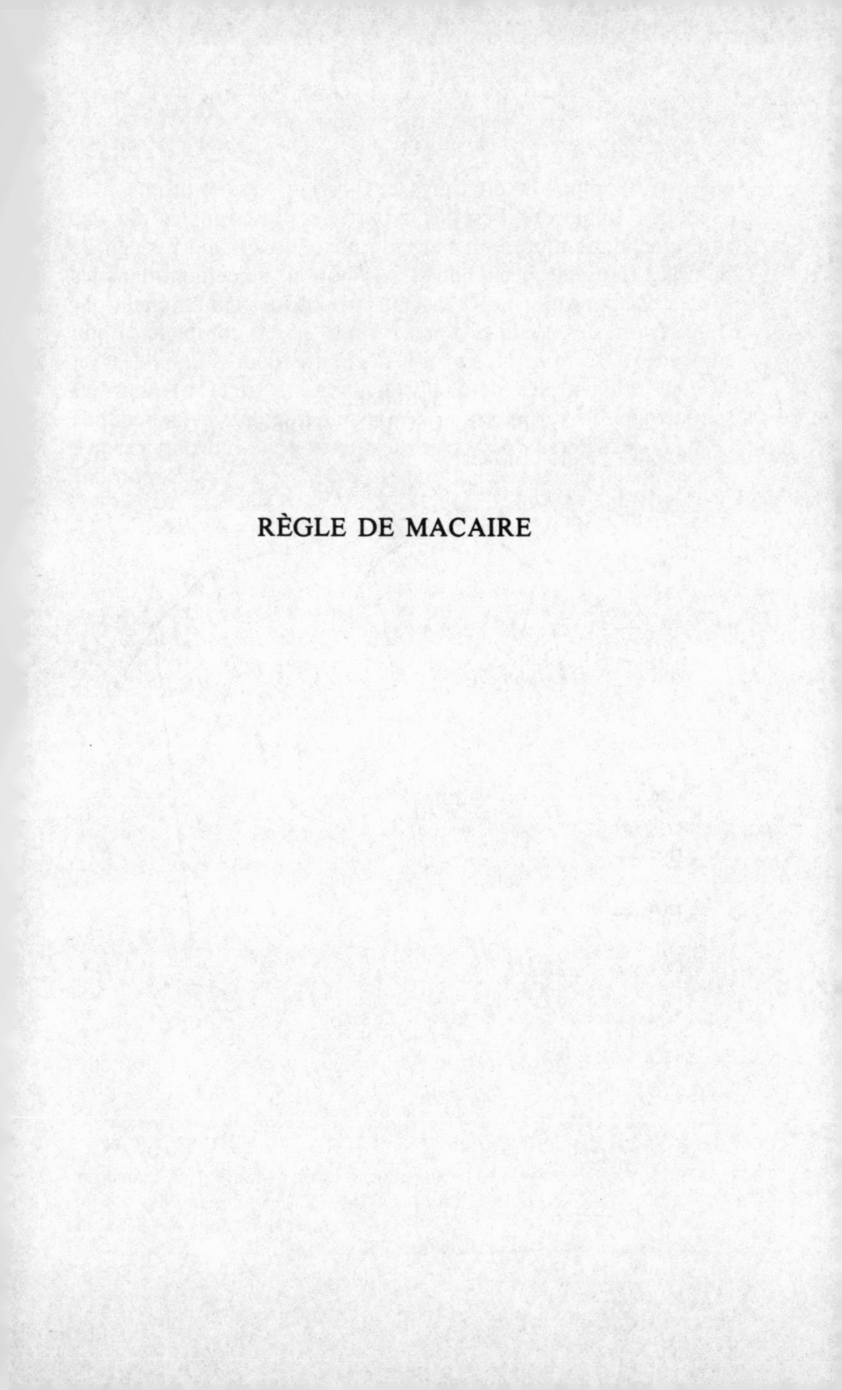

RÈGLE DE MACAIRE

STEMME
DES MANUSCRITS UTILISÉS

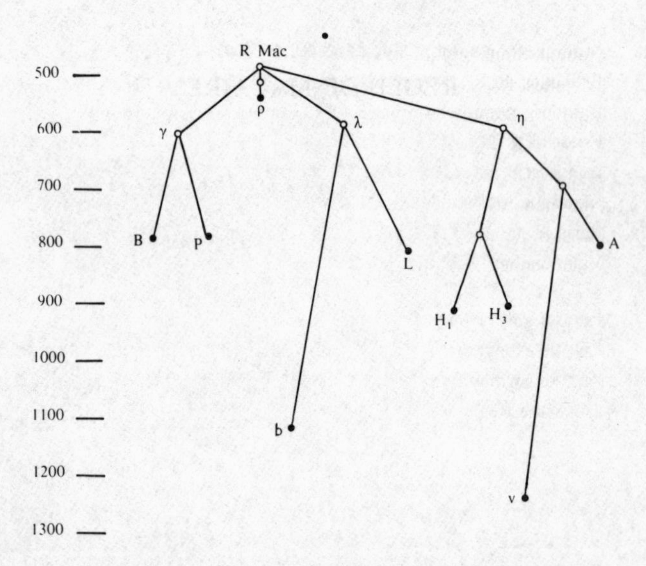

SIGLES

A	Munich, Staatsbibl., *Clm 28118*, fol. 23ʳ-24ʳ
B	Bruxelles, B. R., *2493 (8780-93)*, fol. 20ʳ-25ᵛ
b	Bamberg, Staatliche Bibl., *B.VI.15* (Liturg. 143), fol. 66ʳ-69ʳ
H_1	Escorial, R. B., *a.I.13*, fol. 187ʳ-188ʳ
H_3	Londres, B. M., *add. 30055*, fol. 115ᵛ-117ʳ
L	Lambach, Stiftsbibl., *31*, fol. 89ʳ-91ᵛ
P	Paris, B. N., *lat. 1564*, fol. 14ᵛ-16ʳ
v	Valenciennes, Bibl. mun., 168, fol. 157ᵛ-158ᵛ.

γ	Famille gallo-franque (*BP*)
η	Famille espagnole (AH_1H_3v)
λ	Famille germanique (*Lb*)
ρ	Troisième Règle des Pères (emprunts à RMac)

INCIPIT REGVLA SANCTI MACHARII ABBATIS
QVI HABVIT SVB ORDINATIONE SVA
QVINQUE MILLIA MONACHORVM

1. Milites ergo Christi sic taliter suos debent componere gressus : [2]caritatem inter se perfectissimam continentes, [3]*Deum ex tota anima diligere et ex tota mente et ex toto corde et ex tota uirtute* sua,

2. inuicem inter se perfectissimam sectantes oboedientiam, [2]pacifici, mites, moderati, [3]non superbi, non iniuriosi, non susurrones, non inrisores, non uerbosi, non praesumptiosi, [4]non sibi placentes, sed ei cui militant Christo, [5]non blasphemiam sectantes nec dedicere quemquam, [6]ad obse-

Tit. - 13, 1 : : λ (*Lb*) γ (*BP*) η (AH_1H_3v) ρ (*3RP passim*)

Tit. *legi nequit* H_1 || Incipit : Incipiunt aliquae sententiae de *L* in nomine domini *praem.* H_3 exortatio seu commonitio uel potius *add.* *v* || sancti : beatissimi γ*v* ac beati *add.* *L* || Macharii : cassiani *v* || abbatis : -ti γ *om.* AH_3v || qui – monachorum : ad monachos *v* || ordine suo H_3

1, 1 ergo *om.* λ || sic *om.* *b* || taliter : tales γH_1H_3 || suos : *post* gressus *transp.* γ *om.* *b* || gressus : sensos H_1v ut *add.* H_3 || 2 inter : in AH_1v || continentes : tenentes γ continere H_1 retinentes *v* || 3 deo γ || ex[1] – et[2] *om.* H_1H_3 || et[1] *om.* *b* || et[2] – uirtute *om.* *v* || corde : suo *add.* γ tota mente *add.* H_1 || ex[4] *om.* H_1 || sua : diligere *add.* H_1 diligentes H_3

2, 1 perfectissimam : sint *add.* H_3 || 2 deinde ut sint *praem.* H_3 || 3 non[1] – inrisores *om.* *b* || iniuriosi : inuidiosi γ || non inrisores *om.* H_1v || 4 ei : Deo *Av* ipsi H_3 et *b* || 5 blasphemiam : -ia γ -ias LH_1H_3 || nec : neque *v* || dedicere quemquam : dicere quicquam preter quod bonum est *Av* dicere quicquam quod non edificat H_1H_3 || 6 ad[1] – pigri *om.* H_3

1, 1 Cf. 2 Tm 2, 3 || 2 Cf. 1 P 4, 8 ; 1 Jn 4, 18 || 3 Mc 12, 30.

2, 1 Cf. Ga 5, 14 ; Ep 5, 21 || 2 Cf. Mt 5, 9 et 4 || 3 Cf. Tt 1, 7 || 4 Cf. Rm 15, 3 ; 2 Tm 2, 4 ||

RÈGLE DU SAINT ABBÉ MACAIRE QUI EUT SOUS SA JURIDICTION CINQ MILLE MOINES

1. Les soldats du Christ doivent donc régler leur marche de la manière suivante : [2]en gardant entre eux la charité la plus parfaite, [3]« aimer Dieu de toute leur âme, de tout leur esprit, de tout leur cœur et de toutes leurs forces »,

2. en pratiquant assidûment entre eux l'obéissance la plus parfaite, [2]en se montrant pacifiques, doux, modestes, [3]sans orgueil, sans injures, sans médisance, sans moquerie, sans bavardage, sans présomption ; [4]ne cherchant pas leur bon plaisir, mais celui du Christ dont ils sont les soldats ; [5]sans se complaire à blâmer ni à contredire personne ; [6]servant sans

---

Titre. Voir Introd., chap. I, n. 3-14.

1, 1. *Ergo* : Introd., chap. I, n. 15 et 137-140. Sur la *militia* (*christiana, spiritalis, caelestis,* etc.) des moines, voir EUSÈBE GALL., *Hom.* 35, 1.6 ; 38, 2 ; 40, 1 ; 42, 8 ; 43, 5. Cf. PS.-BASILE, *Admon.* 1. *Sic taliter* : pléonasme (cf. 7, 2).

2-3. Préceptes intervertis (Introd., chap. I, n. 16-18) ?

2, 1. Obéissance en tête, après la double charité : COLOMBAN, *Reg. mon.* Pr-1 ; *Reg. cuiusdam* 2-3. Service mutuel : *Reg. cui.* 3, 6.

3-4. Cf. *RB* 4, 34-40 : sept *Non...*, commençant par *Non esse superbum.* Ici, *non uerbosi* et *placentes... Christo* rappellent PORCAIRE, *Mon.* 49 et 9-10. Cf. PS.-BASILE. *Admon.* 3 (*placere Christo*).

5. *Blasphemia* (Ep 4, 31 ; Col 3, 8) comme chez PORCAIRE, *Mon.* 47. *Dedicere*, absent des dictionnaires classiques, figure chez Du Cange, Niermeyer, Blaise (*Lexicon*).

6. Cf. *RB* 4, 38 (*RM* 3, 43) : *non pigrum* ; 2RP 31 = RMac 14, 1-3 : *ad horam orationis... paratus.*

quium non pigri, ad orationem parati, [7]in humilitate perfecti, in oboedientia praecincti, in uigiliis instantes, in ieiunio hilares.

3. Nullus se ab alio iustiorem arbitretur, [2]sed unusquisque ab omnibus se inferiorem contemnat, [3]*quia qui se exaltat humiliabitur et qui se humiliat exaltabitur.*

4. Praeceptum senioris ut salutem suscipias. [2]Non murmurando ullam operam facias. [3]Non responsionem contra praeceptum usurpes.

5. Non te extollas aut magnifices aliquam utilem fecisse operam. [2]Non in adquirendo aliquid lucri congaudeas [3]nec in damno contristes.

6. Nec te familiaritas ulla ad saeculum trahat, [2]sed tota dilectio uestra in cellula demoretur. [3]Cellam ut paradisum habeas, [4]fratres tuos spiritales ut aeternos confidas parentes.

7. *Praepositum monasterii timeas ut* Deum, *diligas ut parentem.* [2]Similiter quoque et omnes oportet diligere fratres,

7 in[1] – instantes *om.* H_1H_3v || in[1] *om.* γ || instantes : constantes *L* || ieiuniis *L*

3, 1 se *post* alio *transp.* γ || ab *eras. A om. v* || iustiorem : esse *add.* H_3 || 2 ab *om.* AH_3 || contemnat : reddat γ confiteatur H_1H_3 || 3 et – exaltabitur *om. b* || humiliat : -liauerit *L*

4, 1 seniores *B* || suscipiat v^{ac} *ut uid.* || 2 murmorandum γ || ulla LH_1v || operam : -ra *Lv* operationem H_3 || 3 responsionem : inrisionem H_3v inridendo H_1 || contra – usurpes : ullum opus exerceas H_1

5, 1 extollat *v* || magnificet v^{ac} || aliquam utilem : aliqua utilia H_3 aliquod opus utile *v* || fecisse : -ses LH_1 *post* operam *transp.* AH_1H_3 || operam : -ra H_3 *om. v* || 2 in : ad BH_3 *om.* H_1b || adquirendo : -dum *Pv* inquirendum BH_3 || aliquod H_3 || lucri : lucrum AH_3 res H_1 *om. v* || 3 nec : aut AH_1v || damno : -num H_3 || contristeris AH_3v

6, 1 Nec : non η || te *ante* trahat *transp.* H_1 || ad saeculum : saecularis (-ria H_1) η ||2 dilecti *A* || uestra : tua η || cellula : uel monasterio *add.v* || demoretur : commor- *b* || 4 tuus γ || ut aeternos : uterinos *L* || confidas : consideras *L* habere *add.* η

7, 1 timea *L* || Deum : dominum *bAv* || diligas *post* parentem *transp.* H_3 || parentem : patrem H_1 || 2 omnis *P* || oportet : -tit *P* te *add.* H_3v ||

paresse, disponibles pour la prière, [7]parfaits dans l'humilité, dispos pour l'obéissance, assidus à veiller, joyeux de jeûner.

3. Que personne ne se croie plus juste qu'un autre, [2]mais que chacun se méprise et se juge inférieur à tous, [3]« car celui qui s'élève sera humilié, et qui s'humilie sera élevé. »

4. Ce que t'ordonne ton ancien, reçois-le comme le salut. [2]Ne murmure jamais en faisant un travail. [3]N'oppose à aucun ordre une réponse négative.

5. Ne t'enorgueillis pas, ne te flatte pas d'avoir fait du bon travail. [2]Ne te réjouis pas d'avoir réalisé un gain [3]et ne t'afflige pas d'avoir subi une perte.

6. Et qu'aucune relation familière ne t'entraîne dans le siècle, [2]mais que tout votre amour demeure dans la communauté. [3]Tiens la maison pour un paradis, [4]compte bien que tes frères spirituels seront tes parents pour l'éternité.

7. Respecte le préposé du monastère comme Dieu même, aime-le comme un père. [2]De même aussi, il faut aimer tous

7 Cf. 2 Co 6, 5 ; Mt 6, 16-18.

3, 3 Lc 14, 11.

4, 1 Cf. JÉRÔME, *Ep.* 125, 15.

6, 3 Cf. JÉRÔME, *Ep.* 125, 7.

7, 1 JÉRÔME, *Ep.* 125, 15.

---

7. Le premier de ces quatre *in...* ne doit pas être séparé des suivants, comme c'est le cas dans l'édition Styblo (2, 6).

3, 2. Cf. CASSIEN, *Inst.* 4, 39, 2 : *si semetipsum cunctis inferiorem... credat* ; 12, 33, 1 : *nosmetipsos inferiores omnibus iudicantes.*

4, 1-2. Jérôme : *Credas tibi salutare quidquid ille praeceperit* (cf. 2RP 7-10). « Murmure » : 2RP 27 = RMac 12, 1.

5, 1-2. Cf. *RB* 57, 2. Voir plus loin 19, 1.

6, 1. « Familiarité » avec les femmes : 3RP 4, 1-5.

3. Jérôme : *Habeto cellulam pro paradiso* (cf. *Ep.* 24, 3 : *unius cellulae clausa angustiis latitudine paradisi fruebatur*).

4. Voir plus loin 21, 5-6.

7, 1. Cf. 2RP 7. *Praepositum* : Introd., chap. I, § I, n. 115. Au lieu de *Deum*, Jérôme a *dominum*, rétabli dans plusieurs de nos mss.

2. *Similiter quoque et* : double pléonasme (cf. 1, 1).

[3]cum quibus etiam te confidis uidere in gloriam Christi.

8. *Non oderis laboriosam operam*, [2]otium quoque ne secteris, [3]in uigiliis confectus, in opere iusto madefactus, *ambulesque dormitans*, [4]*lassus ad stratum uenias*, cum Christo requiescere te credas.

9. Cursumque monasterii super omnia diligas. [2]Qui uero saepius orare uoluerit, [3]uberiorem inueniet misericordiam Christi.

10. Matutinumque dictum *ita meditem habeant fratres usque ad horam secundam*, [2]*si tamen nulla causa extiterit*, [3]*qua necesse sit etiam praetermisso meditem aliquid fieri in commune.*

11. *Post horam uero secundam unusquisque ad opus suum paratus sit usque ad horam nonam*, [2]*uel quidquid iniunctum fuerit « sine murmuratione perficiat »*, [3]*sicut docet sanctus Apostolus.*

12. *Si quis autem murmurauerit uel contentiosus extiterit* [2]*aut* reserans *in aliquo contrariam uoluntatem praeceptis*,

3 te *om.* H_3^{ac}ν || confidis : -des γ -das ν || uiuere H_1ν || in *om.* *A* || gloria *L* || Christi : dei ν

8, 1 laboriosa opera LH_1H_3ν || 2 otio γ || quoque : que H_3 || nec λ H_1 || secteris : -taueris H_3ν -taberis AH_1 || 3 uigiliis : quoque *add.* ν || iustus H_3 || madefactus : malfatus (-tos *P*) γ affectus AH_1 effectus H_3 confectus ν || ambulesque : ambulans (-las ν) quasi η || dormiens H_3 || 4 stratum : tuum *add.* η || uenias : -es *L* -at ν

9, 3 misericordiam : mercedem H_3

10 (ρ 5), 1 matutinumque : -nomquae *P* -noque *bA* -no ρ || dicto *Ab*ρ || ita – fratres : fratres lectioni uacent ρ || meditem : meditationem $L^{pc}b$ meditari H_3 || habeant *om.* H_1 || secundum *P* || 2 nulla : ulla A^{ac}ν ullam H_1 || causa : -sam H_1 *post* extiterit *transp.* *b* || exteterit γ || 3 qua : quae PH_3 que BH_1 quia *L* || praetermissa PLH_3ρ || meditem : -tatione L^{pc} -tantem H_1 *ut uid.* -tatio H_3 -tato ν lectione ρ *om.* *b* || commune : -nem *B* licebit *add.* ν

11 (ρ 5), 1 uero *om.* ρ || unusquisque *post* sit *transp.* *L* || ad : agat ν || sum H_3 || paratus : pereunt H_1 *ut uid.* *om.* H_3ν || sit *om.* H_1H_3ν || ad horam *om.* ν || 2 quidquid : quid γ quod νρ || perficiant η || 3 *tot. om.* ρ || sicut : sic *A* sic enim H_3 || docet : dicit η || sanctus *om.* H_1 || Apostolus : paulus si quis non operauerit nec manducet *add.* H_3 (*2 Th 3, 10*)

12, 1 Si quis : qui H_1 || exteterit γ || 2 reserans : resedens γ referens (reu- H_1) η || aliqua AH_1H_3 || contraria H_1H_3 || uoluntate H_3 || precipientis H_3 ||

les frères, [3]avec lesquels tu comptes bien te voir, toi aussi, dans la gloire du Christ.

8. « Ne prends pas en aversion le travail pénible », [2]ne recherche pas non plus l'oisiveté, [3]accablé par les veilles, trempé de sueur par de justes travaux ; dormant debout dans tes allées et venues, [4]gagne ta couche recru de fatigue, crois que tu reposes avec le Christ.

9. L'ordonnance liturgique du monastère, aime-la par-dessus tout. [2]Quant à celui qui voudra prier plus souvent, [3]il trouvera une plus abondante miséricorde auprès du Christ.

10. Après la récitation des matines, les frères auront étude jusqu'à la deuxième heure, [2]si toutefois il ne se trouve pas de motif [3]obligeant de supprimer l'étude pour faire encore quelque chose en commun.

11. Après la deuxième heure, chacun sera disponible pour son ouvrage jusqu'à la neuvième heure, [2]et tout ce qui lui sera commandé, il « l'exécutera sans murmure », [3]comme l'enseigne le saint Apôtre.

12. Si quelqu'un murmure ou conteste [2]ou montre en quoi

8, 1 Si 7, 16 || 2 Cf. Pr 28, 19 || 3-4 Jérôme, *Ep.* 125, 15.

10-18 2RP 23-46.

11, 1 Cf. 2 Tm 2, 21 || 2-3 Ph 2, 14.

---

3. Cf. Jn 11, 40 et Ac 7, 55 (vision de la gloire divine), mais ici le sens paraît différent.

8, 3-4. Jérôme : *lassus ad stratum uenias ambulansque dormites.* Les altérations de RMac et l'insertion de la citation dans le contexte font problème.

9, 1-3. Correspond tout ensemble à Jérôme, *Ep.* 125, 15 (*Dicas psalmum in ordine tuo*, etc.) et à 2RP 22 (*Cursus*). Zèle pour l'oraison : Porcaire, *Mon.* 12-13, etc. ; *RB* 52, 3-4.

10, 1. Omission de *ut... legant* (2RP 23). Que signifie donc *ita* ? Cf. Césaire, *Reg. uirg.* 69 : *post matutinos usque ad horam secundam legant.* Cette *secunda* remplaçait déjà tierce dans les mss *TA* de 2RP.

3. De nouveau, *meditem* (pour *medite*) comme dans *TA* (2RP 24).

11, 2. *Vel haesitatione* (2RP 26) est omis comme dans RIVP 3, 11.

12, 2. *Reserans* remplace *opponens* (2RP 27). Le mot devient *resedens* dans γ, qui avait de même *inuidiosi* pour *iniuriosi* (2, 3).

[3]*digne correptus secundum arbitrium* senioris uel modum culpae, [4]*tamdiu abstineatur quamdiu culpae qualitas poposcerit* [5]*uel se paenitendo humiliauerit* uel *emendauerit* ita, [6] *ut correptus* frater *non audeat usquam recedere.*

13. *Si quis uero de fratribus, uel qui in oratorio sunt uel qui per cellulas consistunt,* [2]*eius errori consenserit, culpabilis erit.*

14. *Ad horam uero orationis, dato signo,* [2]qui *non statim praetermisso omni opere quod agit* – [3]*quia nihil orationi praeponendum est* – *paratus fuerit,* [4]*foris excludatur,* ut erubescat.

15. *Operam uero dabunt singuli fratres,* [2]*ut tempore quo missae fiunt, in uigiliis obseruandum est,* [3]*quando omnes conueniunt,* [4]*quicumque grauatur somno,* [5]exeat *foras, non se fabulis occupet,* [6]*sed statim redeat ad opus quod conuenitur.* [7]*In congregatione autem ipsa ubi legitur,* [8]*aurem semper ad scripturas habeat et silentium obseruent omnes.*

3 senioris : -res γ senoris H_1 || modium H_1 ||4 tamdiu – culpae *om.* γ || abstineatur : -netur H_1 -neat *v* || quamdiu : uel *add.* $bA^{pc}v$ || poposcerit : poscit H_3v possit H^1 || 5 uel[1] *om.* *L* || se : si bAH_1v si se H_3 || 6 frater : usque *add.* *P* *om.* *v* || non – recedere *om.* η || audierit usquem recidere γ

13, 1 Si – de *om.* η || quis : qui *P* que *B* || fratribus : *om.* AH_1H_3 fratres *v* || per : in H_3 || consistunt : commorantur *L*.

13, 2 - Explicit : γ (*BP*) η (AH_3v) ρ (*3RP passim*)

13, 2 quicumque *praem.* η || eius : ei *v* || errore λ*B* || consenserint *P*

14 (ρ 6). 2 qui : quae *P* || opere : tempore *L* || agit : occurrerit *add.* λ paratus fuerit *add.* η || 3 quia – est *post 4* erubescat *transp.* η || quia : qua γ || praeponendum : praeparandum *v* || paratus fuerit *scripsi (cf. 2RP 31)* : *om.* λγηρ || 4 *tot. aliter* ρ || foras λ

15, 1 operam : -ra *v* -re H_3 || uero *om.* λ || dabuntur singulis fratribus *v* || 2 ut *om.* η || tempore : uero *add.* H_3v || missi *v* || fiunt : fuerint *v* *om.* *A* || obseruandis A^{pc} || est *om.* *A* || 4 grauatur : -tor *B* -tos *P* -tus H_3 || 5 foris γ*v* || non : ut *add.* λ || occupit γ || 6 redeat : sedeat *b* || quo *LAv* || conuenitur : uenitur H_3 || 7 elegitur *B* || 8 aures η || habeant *b*η || obseruet *B* || omnes : *om.* η *sententiae seq. coni.* γ

---

3. *Senioris uel modum culpae* remplace *praepositi* (2RP 28).

4. *Vel* (2RP 28) omis devant *culpae.*

que ce soit de la mauvaise volonté à l'égard des ordres reçus, [3]après avoir été dûment réprimandé selon le jugement de l'ancien et la gravité de la faute, [4]il sera tenu à l'écart aussi longtemps que la nature de sa faute l'exige et qu'il ne se sera pas humilié en faisant pénitence et corrigé, étant bien entendu [5]que le frère réprimandé ne se permettra pas de s'en aller où que ce soit.

13. Si un des frères qui sont à l'oratoire ou qui habitent dans les cellules [2]se solidarise avec son égarement, il sera tenu pour coupable.

14. A l'heure de la prière, quand on donne le signal, [2]celui qui n'abandonne pas immédiatement tout ouvrage qu'il est en train de faire – [3]car rien ne doit être préféré à la prière – pour se rendre disponible, [4]celui-là restera à la porte, afin d'en éprouver de la honte.

15. Chacun des frères fera effort [2]pour ceci, au temps où l'on célèbre les offices – aux vigiles, il faut y veiller, [3]quand tous s'assemblent : [4]celui qui est accablé de sommeil, [5]qu'il aille dehors et ne passe point son temps à bavarder, [6]mais revienne aussitôt à l'œuvre pour laquelle on s'est assemblé. [7]Dans la réunion même où se fait la lecture, [8]tous prêteront constamment l'oreille aux Écritures et garderont le silence.

5-6. *Vel* pour *atque* (2RP 28). *Ita ut... frater* pour *autem* (2RP 29).

13, 1. *Oratorio* pour *monasterio* (2RP 30) comme dans *TA*. Comparer Grégoire, *Dial.* II, 3, 13 (*monasteria*) et 8, 5 (*oratoria*). *Cellulas* tient à la fois de *cellulis* (E_1) et de *cellas* (*T*).

2. *Culpabilis erit* comme dans *TA* (2RP 30). Ensuite (*atque*) *excommunicatione dignissimus habeatur* est omis.

14, 2. *Qui* remplace *si quis* (2RP 31).

3. Reconstitué grâce à 2RP. Cf. Introd., chap. III, n. 14.

4. *Vt erubescat* pour *confundendus* (2RP 31).

15, 2. Après *fiunt*, longue omission (2RP 32-36) entraînant une redondance (*operam dabunt... ut... obseruandum est*). Omission de *uero* (2RP 37) après *uigiliis* comme dans *TA*.

5. *Exeat* pour *et exit* (2RP 37).

8. *Habeat* pour *habeant* (2RP 39), que gardent certains mss.

16. *Hoc etiam addendum fuit* [2]*ut frater qui pro qualibet culpa arguitur uel increpatur* [3]*patientiam habeat et non respondeat arguenti* se, [4]*sed humiliet se in omnibus, secundum praeceptum Domini dicentis* [5]*« quia Deus humilibus dat gratiam, superbis autem resistit »,* [6]*et « qui se humiliat exaltabitur. »*

17. *Qui uero saepius correptus non se emendat,* [2]*nouissimus in ordine stare iubeatur.* [3]*Qui* se *nec sic quidem emendauerit,* [4]*extraneus habeatur, sicut Dominus dixit : « Sit tibi sicut ethnicus et publicanus. »*

18. *Ad mensam autem specialiter nullus loquatur,* [2]*nisi qui praeest uel qui interrogatus fuerit.*

19. Nullus se in sua peritia neque in uoce exaltet, [2]sed per humilitatem et oboedientiam laetetur in Domino.

20. *Hospitalitatem sectantes* per omnia et *ne auertas oculos* ut inanem *relinquas pauperem*, [2]ne forte Dominus in hospite aut in paupere ad te ueniat [3]et uideat te haesitantem et condemneris, [4]sed omnibus te hilarem ostende et fideliter age.

16, 1 adtendendum *Av* || fuit : est H_3v || 2 ut : cum *add.* λ || qui *om. B* λ || 3 et *usque 4* se *om. v* || arguentem γ || se *om.* H_3 || 4 sed *om.* λ || humiliet se : humilitatem habeat H_3 || dicentes γ || 5 resistet *P* || 6 et *om.* γ || se : *om. v* exaltat humiliabitur et qui se *add.* H_3

17, 1 correptus : corripitur *A* || non : nec λ et non *A* || se *om.* H_3 || emendauerit η || 2 stare iubeatur : habeatur H_3 || iubetur *v* || 3 se : si *B* uero λ si *add.* H_3 || quidem *om.* H_3 || 4 dicit *v* || ethnicus : et hinnicus *B*

18 (ρ 7), 1 autem *om. L* || nullus specialiter *transp. b* || 2 praeest : prior est η || qui — fuerit : quem ipse interrogauerit aut iussit *v*

19, 1 exaltet : extollat H_3 || 2 per *om.* γ || et : in *add. v*

20, 1 oculos : oculum *Av* oculum tuum H_3 || ut : aut *Av om.* γ || relinquas : -quens *P* dimittas η || 2 hospitem... pauperem γH_3 || ad te ueniat : adueniat H_3 || 3 condemneris : contemneris bA^{ac} contemnaris A^{pc} condempnis *v* || 4 sed : in *add. v* || hilarem te *transp. A* || age : ut *add.* H_3

16, 5 1 P 5, 5 ; Jc 4, 6 (Pr 3, 34 *VL*) || 6 Lc 14, 11.

17, 4 Mt 18, 17.

19, 2 Cf. Ps 31, 11.

20, 1 Rm 12, 13 ; Si 4, 5 || 2-3 Cf. Mt 25, 43-46 || 4 Cf. 2 Co 9, 7.

16. Il faut encore ajouter ceci : [2]un frère repris ou réprimandé pour une faute quelconque [3]doit garder la patience et ne pas répondre à celui qui le reprend, [4]mais s'humilier en tout, selon le précepte du Seigneur qui dit : « Dieu donne sa grâce aux humbles, mais il résiste aux orgueilleux », [6]et « Qui s'humilie sera élevé. »

17. Quant à celui qui, souvent corrigé, ne s'amende pas, [2]on lui commandera de se tenir à la dernière place dans l'ordre de communauté. [3]Si même alors il ne s'amende pas, [4]on le traitera en étranger, ainsi que le Seigneur l'a dit : « Qu'il soit pour toi comme un païen et un publicain. »

18. A table, en particulier, que personne ne parle, excepté le supérieur et celui qui est interrogé.

19. Que personne ne s'enorgueillisse de son savoir-faire ou de sa voix, [2]mais qu'on mette sa joie dans le Seigneur par l'humilité et l'obéissance.

20. « Cultivez l'hospitalité » en toute circonstance, et « Ne détourne pas les yeux pour laisser le pauvre dans le dénuement », [2]de peur que le Seigneur ne vienne à toi en la personne de l'hôte ou du pauvre, [3]qu'il te voie hésiter et te condamne. [4]Montre-toi plutôt avenant envers tous et agis avec foi.

16, 3. *Se* ajouté à *arguenti* (2RP 40) comme dans ROr 34.

5. Interversion des deux membres (2RP 41) comme dans *TA*.

17, 1. *Emendat* pour *emendauerit* (2RP 43).

3. *Se* ajouté après *Qui* (2RP 44).

19, 1. Voir 5, 1-3. Cf. JÉRÔME, *Ep.* 125, 15 : *non dulcedo uocis sed mentis affectus quaeritur.*

2. Humilité et obéissance : 2, 7.

20, 1. Voir JÉRÔME, *Ep.* 125, 15 : *hospitum laues pedes* (cf. 14 : Rm 12, 13). *Per omnia* comme chez GRÉGOIRE, *Dial.* IV, 18, 1. La seconde citation est très libre.

2. Cf. *RM* 16, 37 ; CÉSAIRE, *Serm.* 83, 4. *Dominus* au lieu de *Christus*, seul employé dans 1-9.

4. *Fideliter age* rappelle *Ordo mon.* 8.

21. *Passus iniuriam taceas.* [2]*Iniuriam facere non nosse, factam posse tolerare.*

[3]Non te inania seducant consilia, [4]sed magis te semper in Christo confirma. [5]Non tibi ullos aestimes proximiores parentes quam [6]qui tecum sunt tui in cellula fratres.

22. Si ad necessaria quaerenda in cellula bini egrediantur uel terni fratres, [2]et ita illi, quibus creditur, [3]non qui uerbositatem aut gulam sectantur.

23. Ergo si de saeculo quis in monasterio conuerti uoluerit, [2]regula ei introeunti legatur et omnis actus monasterii illi patefiat. [3]Quod si omnia apte susceperit, sic digne a fratribus in cellula suscipiatur.

24. Nam si aliquam in cellulam uoluerit inferre substantiam, [2]in mensa ponatur coram omnibus fratribus, uelut regula continet. [3]Quod si susceptum fuerit, non solum de

21, 1 iniurias *b* || 2 facere : facienti et nocentem te *v* || nosse : et *add.* λ noscas sed H_3 noceas *v* || factum *L* || posse : possit *v* potius H_3 || 3 reducant H_3 || 4 te *om. v* || Christo : teipsum *add. v* || 5 tibi : te H_3 || extimes AH_3 || ullos : ullus γ *om. b post* estimes *transp.* η || proximiores parentes : esse *praem.* γ habere parentes aut proximos H_3 || 6 tui *om. b*η || cellula : cellam *v*

22 (ρ 8), 1 Si *om.* H_3vρ || necessaria : necessariam rem H_3 || qua erenda : -do γ requirenda *Av* perquirendum H_3 || in : de H_3 *om. v* || cellula : monasterio (-rii *v*) η || bini : hi non *v* || uel terni *om. v* || fratres *om.* H_3v || 2 *tot. om.* H_3v || et – illi : tales fiant *A* || ita : sint *add.* λ || creditur : credendum est γ qui timorem dei in se habere uidentur *add. A* || 3 non *om. v* || uerbositatem : ebrietatem λ || aut : et *v* uel λH_3 || gulam : gula *P*ρ^v gule *L* guilam H_3 || sectantur : sectentur sed qui causam monasterii et mandatum patris fideliter agant H_3 sed egrediantur ueterem qui timorem domini in se habere uidentur *add. v*

23 (ρ 1), 1 Ergo *om.* ρ || quis de saeculo *transp.* ηρ^v || in : ad AH_3 || monasterium η || 2 regulam H_3 || introeunte γ || omnis : omnes PAH_3ρ omn *B ex deperd.* ōs *v* || actus : actos H_3ρ^v actio λ || patefiat : pati- γ -fiant *A*ρ patefaciantur H_3 *ut uid.* || 3 apte : apta *A* ab te H_3 || susceperit : sustinuerit η || cellula : monasterio η || suscipiatur : *om. L ante* in *transp. Av*

24 (ρ 1), 1 Nam – cellulam *om. L* || aliqua γρ^v || in *om.* γ || cellulam : -la *v om.* γ || 2 uelut : sicut *v* || 3 si : apte *add.* γ || susceptum : -tam γ -tus η ||

21, 1 JÉRÔME, *Ep.* 125, 15 || 2 CYPRIEN, *Or. dom.* 15 || 5-6 Cf. BASILE, *Reg.* 4 (496 c).

24, 3-4 Cf. CASSIEN, *Inst.* 2, 3, 1 ; *Conl.* 24, 23, 1 ||

21. « Quand tu subis un tort, garde le silence. » [2]« Ne pas savoir faire de tort, pouvoir supporter celui qu'on te fait. » [3]Que de vains conseils ne te séduisent pas, [4]mais affermis-toi toujours plus dans le Christ. [5]Ne crois pas avoir de parents plus proches que [6]tes frères qui sont avec toi en communauté.

22. S'il faut aller chercher ce qui est nécessaire à la communauté, qu'on sorte deux ou trois frères ensemble, [2]et seulement ceux-là qui inspirent confiance, [3]non ceux qui s'adonnent au bavardage ou à la bonne chère.

23. Donc si quelqu'un veut quitter le monde et mener au monastère la vie religieuse, [2]on lui lira la règle à son entrée et on lui exposera tous les usages du monastère. [3]S'il accepte tout cela comme il faut, alors les frères l'accepteront à bon droit dans la communauté.

24. S'il veut apporter quelque bien matériel à la communauté, [2]ce bien sera déposé sur l'autel en présence de tous les frères, comme le prescrit la règle. [3]Si on accepte cette

---

21, 1-2. Conseil de Jérôme à Rusticus et maxime générale de Cyprien.

3-4. Voir 6, 1-2.

5-6. Voir 6, 3-4 et 7, 1-3.

22, 1-3. Voir Introd., chap. I, n. 66-70. Sorties à deux : GRÉGOIRE, *Reg.* 11, 26 et 12, 6 = *Ep.* 11, 44 et 12, 24 (c'est une *regula*). *Egrediantur* semble à la fois dépendre de *Si* et servir de verbe principal. *Verbositatem* : voir 2, 3 et note. Le mot revient chez EUSÈBE GALL., *Hom.* 44, 3, et CÉSAIRE, *Serm.* 80, 2 ; 4 ; 204, 3.

23, 1. *Ergo* initial : 1, 1 ; 26, 1. Ensuite, cf. PACHÔME, *Praec.* 49 ; CÉSAIRE, *Reg. uirg.* 2 et *Reg. mon.* 1 ; AURÉLIEN, *Reg. mon.* 1 ; *Reg. Tarn.* 1, 1 ; *RM* 90, 1 ; *RB* 58, 1.

2-3. Lecture de la règle et acceptation : Introd., chap. I, n. 73. Instruction : RIVP 2, 28. *Sic... suscipiatur* comme dans RIVP 2, 22.

24, 1-2. Voir Introd., chap. I, n. 74-89. Cf. Π 2, 34.

3-4. Voir RIVP 2, 34, mais surtout CASSIEN, *Inst.* 2, 3, 1 : *Non solum uniuersis suis facultatibus reddatur externus, sed ne sui quidem ipsius esse dominum uel potestatem habere cognoscat* (de même *Conl.* 24, 23, 1 ; cf. *Inst.* 4, 20 et *Conl.* 18, 7, 4). Cf. BASILE, *Reg.* 29 et 106 ; *RB* 58, 24-25 ; FERRÉOL, *Reg.* 10.

substantia quam intulit, [4]sed etiam nec de seipso ab illa iudicabit hora. [5]Nam si aliquid prius erogauit pauperibus aut ueniens in cellula aliquid intulit fratribus, [6]ipsi tamen non est licitum ut aliquid in sua habeat potestate.

25. Quod si ex qualibet causa scandali post tertium diem inde exire uoluerit, [2]nihil penitus nisi uestem in qua uenit accipiat, [3]aut si casu transierit, nullus heredum eius adire debet. [4]Quod si inpulsare uoluerit, [5]regula ei legatur et confundatur turpiter et discedat confusus, [6]quia et illi a quo repetit fuerit recitata.

26. Ergo ex qualibet causa quis peccauerit frater, [2]ab oratione suspendatur et ieiuniis distringatur. [3]Quod si coram omnibus fratribus prostratus ueniam petierit, dimittatur illi.

27. Nam si in sua uoluerit perseuerare nequitia et superbia et dicat : [2]« Hoc ego durare non possum, sed accipiam casulam meam et eam ubi mihi uoluerit Deus », [3]quis de

quam : que B quae P || 4 nec *om.* Pv || de *om.* η || se ipso : -sum $\gamma A H_3$ sui met v || ab – hora : ulla iudicabit horam γ ab illa hora ullam habeat potestatem b habeat potestatem ab ea ora H_3 potestatem non habeat ut ordo iudicauit v || 5-6 *tot. om.* ρ || 5 Nam *om.* γ || erogauit – aliquid² *om.* η || erogauerit L^{pc} || ueniens : prius *add.* L || cellula : cellam λ || 6 ipse bH_3 || tamen *om.* λ || habeat *ante* in *transp.* Lη || potestatem B

25, 1 Quod si : et si Av *om.* H_3 || scandali : scandalicet si H_3 || inde : exinde γ || 2 uestem in : uestem L ueste in γ in ueste A || qua uenit *om.* L || accipiat *ante* nisi *transp.* η || 3 aut : quod Av || si *om.* γ || nullus : e saeculo nullum H_3 || adire η : audire P audere Bλ || debet : debit γ debeat A debebit v aliquid a monasterio de suo repetere *add.* λ || 5 regulam H_3 || ei : introeunti *add.* L || confundantur P || et² *om.* Lb^{ac} || 6 et *om.* L || illi : ab illo A^{pc} || a quo : aliquo v || fuerit : fuerat A^{pc} fuit $\lambda H_3 v$ || recitatum γ

26, 1 Ergo : si *add.* λ || causa : si *add.* H_3 || 2 ieiuniis : ieiunus H_3 || 3 petierit : postulauerit η

27, 1 si : autem *add.* b^{pc} || uoluerit perseuerare : perseueraberit H_3 || nequitiam... superbiam γ || 2 Hoc : hic A *om.* λH_3^{ac} || ego *om.* b || casulam : causam b || eam : habeam H_3 || mihi : me b *post* uoluerit *transp.* η || uoluerit Deus : placuerit γ || Deus : dominus A || 3 quis : si *praem.* L ||

5 Cf. Mt 19, 21.

6. *In potestate habere* : *RM* 81, 13, etc. ; *Reg. Tarn.* 1, 7.

offrande, non seulement le bien qu'il a apporté, [4]mais encore sa propre personne cessera d'être en son pouvoir à partir de cet instant. [5]Même s'il a fait auparavant quelque largesse aux pauvres ou, à son arrivée en communauté, apporté quelque chose aux frères, [6]il ne lui est pas loisible pour autant d'avoir quelque chose à sa disposition.

25. Si, après un délai de trois jours, il veut s'en aller pour un motif de discorde, quel qu'il soit, [2]il ne recevra absolument rien d'autre que le vêtement avec lequel il est venu. [3]Si d'aventure il vient à mourir, aucun de ses héritiers ne doit aller trouver le juge. [4]S'il veut intenter un procès, [5]on lui lira la règle, et ainsi, couvert de confusion et de honte, il s'en ira tout confus, [6]puisque lecture en avait déjà été faite à celui dont il réclame les biens.

26. Donc si un frère commet une faute pour quelque motif que ce soit, [2]il sera exclu de la prière et soumis à des jeûnes sévères. [3]S'il demande pardon en se prosternant devant tous les frères, on lui pardonnera.

27. Si, au contraire, il veut persévérer dans son méchant orgueil et qu'il dise : [2]« Je n'y tiens plus. Je vais prendre mon manteau et m'en aller là où Dieu le voudra pour moi », [3]le

---

25, 1-2. Cf. *RM* 90, 92. Vêtement : Introd, chap. I, n. 92.

3-4. *Transire* (mourir) : *V. Patr. Iur.* 126 (cf. 177 ; HILAIRE, *V. Honor.* 30, 2 et 34, 1). *Adire* (aller en justice) : *Ep. episcop.* (v. 453), *CC* 148, p. 136, 24 ; Epaone (517), can. 11, etc., mais le texte est peu sûr. *Inpulsare* semble équivaloir à *pulsare* (attaquer en justice), qui est fréquent : *Ep. episcop.*, p. 136, 28 ; Agde (506), can. 32 ; Epaone (517), can. 11, etc.

26, 1. *Ergo* : cf. 23, 1. *Quis* pour *quisquis* comme en 27, 3 ; 30, 4.

2. L'absence des avertissements préalables prescrits, selon Mt 18, 15-17, par AUGUSTIN, *Praec.* 4, 8-9 ; 2RP 43 ; CÉSAIRE, *Reg. uirg.* 12, 2 ; *RM* 12, 2 ; *RB* 23, 2-3, etc., fait penser à CASSIEN, *Inst.* 4, 16 ; RIVP 5, 1-6.

27,1. Cf. *RM* 13, 68 : *Si... in superbia... perseuerantes* ; ROr 32, 6.

2. *Hoc* (peu sûr) semble rendre *durare* transitif. *Casulam meam* : langage contraire à CASSIEN, *Inst.* 4, 13. Il s'agit du vêtement bien connu (3RP 3, 2 ; FERRAND, *V. Fulg.* 37 ; ISIDORE, *Orig.* 19, 24, 7, etc.).

3. *Quis* : cf. 26, 1 et note. Dénoncer tout projet de fuite dont on a connaissance : BASILE, *Épitimies* 40.

fratribus hoc eum loquentem prius audierit, [4]referat praeposito, praepositus abbati. [5]Abbas coram omnibus resedeat fratribus, [6]eum exhiberi praecipiat, uirgis emendato oratio fiat et sic ad communionem recipiatur. [7]Quia si quis sana non emendatur doctrina, uirgis purgantur.

28. Quod si casu quis frater de cella ex qualibet causa scandali exire uoluerit, [2]nihil penitus nisi nugalissimo induatur uestimento [3]et extra communionem infidelis discedat. [4]Nam quieti et pacifici excelsum diripiunt regnum [5]et ut filii computantur Altissimi et pretiosas splendidas accipiunt coronas, [6]*filii autem* tenebrarum *in exteriores* ibunt *tenebras.* [7]*Super quem requiescam, dicit Dominus, nisi super humilem et quietum et trementem uerba mea ?*

29. Ita et hoc obseruandum est [2]quod quarta et sexta feria qui infrangunt ieiunium grauem sibi poenam adquirunt.

---

eum hoc *transp.* *Av* || loquentem : dixisse η || prius *om.* γH_3 *ante* loquentem *transp.* *b* || 4 referat : statim *add.* H_3 || praeposito : -tum γ et *add.* *A*H_3 || 5 abba λH_3*v* || resedeat : resid- L^{pc}*Av* sedeat H_3 *post* fratribus *transp.* *A*H_3 || 6 eum : et eum η || exhibere λ*B* || praecipiat : iubeat et η || emendato : -tum γ purgetur et η || oratione H_3 || fiat : pro eo *add.* H_3 || 7 Quia : quod *v* ut *A*H_3 || si quis : si quispiam H_3 qui λ || sana : sanam γ sane *Av* *om.* H_3 || emendatur : -dantur *b* emandantur *L* emendaberit H_3 || doctrinam γ || purgetur η

28 (ρ 10), 1 cella : cellula ρ monasterio η || ex – scandali *om.* η || ex : de γ || qualibet : quali *L* || scandali causa *transp.* ρ || exire *usque 2* induatur *om.* *L* || 2 penitus : accipiat *add.* η || nugalissimo : -mum γ nugacissimo λ in notatissimo (nut- H_3) η || induatur *om.* η || uestimento : -tum γ uestitu λ || 3 communicationem *v* || 4-7 *om.* ρ || 4 diripiunt : dei percipient H_3 || 5 ut *om.* η || computantur : -tatur H_3 -tentur *L* compotabuntur γ || et : aut γ uel λ || splendidas : et spl. λ splendidasque η spectandas γ || accipiunt : -ant *L* -ent η || 6 exteriores : -ras *B* - ra *A* -ribus H_3*v* || tenebras : *ante* ibunt *transp.* γ tormenta *A* tormentis H_3*v* || 7 requiescam : respiciam γ || quietum : et tenentem mandata mea *add.* H_3 || uerba mea : sermones meos η

29 *tot. om.* *v* || 1 Ita *usque 2* quod *om.* *A*H_3 || 1 et *om.* *L* || 2 quarta : III *L* feria *add.* H_3 || infrangunt : frangunt H_3 || grauem – adquirunt : iude estimantur (ext- H_3) participes qui christum tradidit *A*H_3

27, 7 Cf. Tt 1, 9.

28, 3 Cf. 1 Co 7, 15 || 4 Cf. Mt 5, 9 ; 11, 12 || 5 Cf. Mt 5, 9 ; Sg 5, 5 ; Lc 1, 32 ; Ps 20, 4 || 6 Mt 8, 12 || 7 Is 66, 2.

premier frère qui l'entendra dire cela [4]ira le rapporter au préposé, et le préposé à l'abbé. [5]L'abbé siégera en présence de tous les frères [6]et le fera comparaître. Après l'avoir corrigé à coups de verges, on priera pour lui, et alors on le recevra à la communion. [7]En effet, ceux qui ne se laissent pas corriger par de bonnes paroles, on les guérit à coups de verges.

28. Si d'aventure un frère veut quitter le monastère pour un motif de discorde, quel qu'il soit, [2]on ne lui mettra absolument rien d'autre qu'un vêtement tout à fait ridicule, [3]et il s'en ira hors de la communion comme un infidèle. [4]Car les doux et les pacifiques s'emparent du royaume d'en haut ; [5]ils sont mis au nombre des fils du Très Haut ; ils reçoivent des couronnes précieuses, resplendissantes. [6]« Mais les fils des ténèbres s'en iront dans les ténèbres extérieures. » [7]« Sur qui me reposerai-je, dit le Seigneur, sinon sur l'homme humble et tranquille qui révère mes paroles ? »

29. Voici encore une chose à noter : [2]ceux qui rompent le jeûne le mercredi et le vendredi s'attirent un grave châtiment.

---

4. Cf. le couple *praepositus uel abbas* chez EUSÈBE GALL., *Hom.* 38, 2 ; *V. Patr. Iur.* 126. Le *praepositus* informe le supérieur : PACHÔME, *Inst.* 12 ; *RM* 15, 12-13.

5. Oraison de réconciliation : *RM* 14, 32 ; *RB* 44, 4-5.

6. *Communio* : communion sacramentelle (*RM* 14, 74, etc.) ou union fraternelle signifiée par le repas commun (*RM* 62, 7) ?

7. *Emendantur... purgantur* comme chez CASSIEN, *Inst.* 4, 18, 3, qui oppose aussi, un peu plus haut, vindicte spirituelle et physique. Paroles et coups : *RB* 2, 27-28.

28, 1-2. Calqué sur 25, 1-2.

3. « Communion » : 27, 6 et note. *Infidelis discedat* : *RB* 28, 7.

4-7. Genre spirituel comme en 1-9 et 19-21. *Pacifici* : 2, 2.

7. Texte prévulgate comme chez CASSIEN, *Inst.* 12, 31 ; CÉSAIRE, *Serm.* 48, 3 ; 100, 4.

29, 1. *Ita* (cf. 10, 1) fait penser à *ergo* initial (23, 1, etc.).

30. Illud etiam addendum fuit [2]ut intra monasterium artificium non faciat ullus, [3]nisi ille cuius fides probata fuerit, [4]qui ad utilitatem et necessitatem monasterii faciat quid poterit facere.

EXPLICIT REGVLA SANCTI MACHARII

30, 1 adtendendum *A* ν || fuit : est ν || 2 intra : ultra η || monasterii H_3 || non : si *b* || 3 ille cuius : illi cui γ || 4 qui : quae H_3 et ν || et necessitatem *om.* λ || faciat : fiat H_3 || quid : si quid λ quod η || potuerit λH_3 || Explicit – Macharii *om. BbA* || regula : exortatio ν || sancti : *om. P* beatissimi ν || Macharii : *om. P* abbatis *add. L* cassiani ad monachos ν

30. Il faut encore ajouter ceci : [2]personne, au monastère, ne fera de travail artisanal, [3]si ce n'est celui dont la foi a été mise à l'épreuve [4]et qui fera pour le bien et les besoins du monastère tout ce qu'il pourra faire.

FIN DE LA RÈGLE DE SAINT MACAIRE

30, 4. *Quid* pour *quidquid* comme en 26, 1 ; 27, 3.

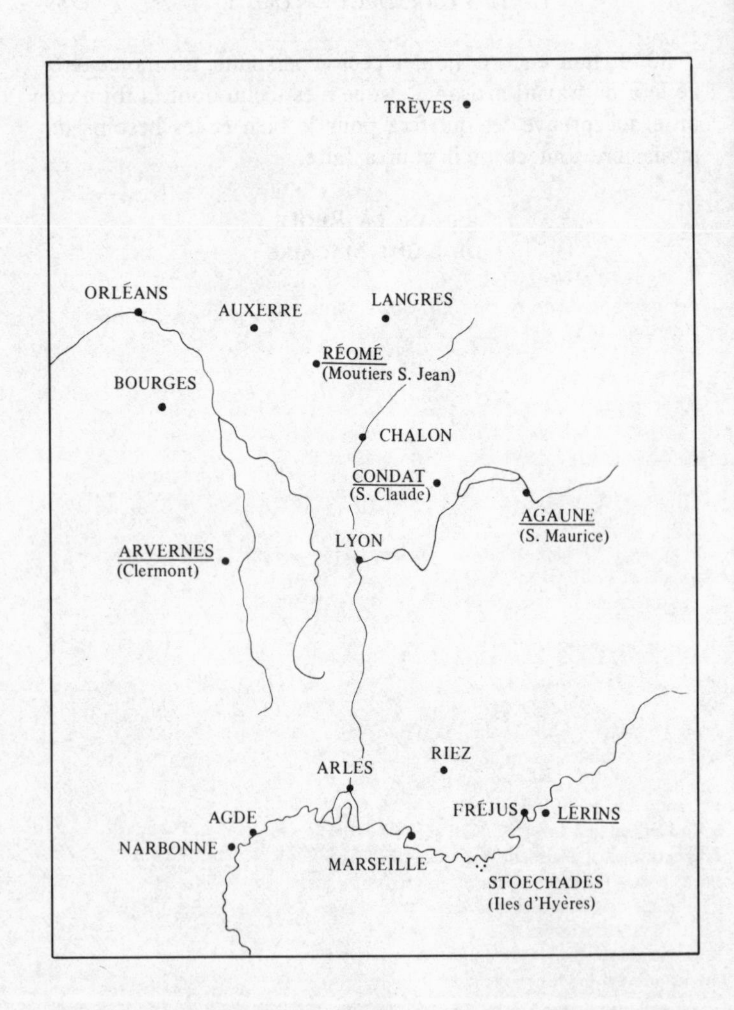

LES RÈGLES DES SAINTS PÈRES EN GAULE

Les noms des lieux où les cinq premières pièces furent élaborées ou reçues sont soulignés.

ADDENDA

I. **P. 17 (Bibliographie).** Ajouter : *Early Monastic Rules. The Rules of the Fathers and the Regula Orientalis,* Translated by C. V. FRANKLIN, I. HAVENER, J. A. FRANCIS, Collegeville (Minnesota), 1981.

II. **P. 108-109 (cf. p. 22, n. 3).** Ces expressions d'Hilaire sont à rapprocher de JÉRÔME, *Ep.* 3, 4, où le courage d'un moine, établi sur un ilôt désert, est célébré en termes analogues : *solitudo terrori est... in tanta uastitate... horrore... ille securus, intrepidus...*

III. **P. 119, n. 94.** Le *iuxta Patrum regulam* de l'Anonyme (*V. Patr. Iur.* 172, 4) fait penser à plusieurs passages où le même auteur parle de *regula sanctorum Patrum* (Titre), *Patrum... regulam* (4, 2), *eorumdem (sanctorum Patrum) regulam* (59, 8), en désignant ainsi la règle non écrite des moines du Jura, instituée par Romain et Lupicin.

IV. **P. 132-133** L'horaire de l'*Ordo monasterii* 3 se retrouve chez PASCHASE DE DUMIO, *Liber geronticon* 96, 4b (p. 328, 26-28 Freire) : *In die uero usque ad sextam operabantur ; deinde uero usque ad nonam legebant, findentes folia palmarum ; et post hoc uictum sibi praeparabant.* Ces lignes finales manquent dans l'apophtegme *Anub 1* et dans *Vitae Patrum* 5, 15, 11, qui rapportent la même histoire. On trouve quelques variantes de détail dans *Vitae Patrum* 3, 199. Certaines d'entre elles se retrouvent dans *Vitae Patrum* 7, 42, 4b, où toutefois les trois heures de lecture disparaissent : le travail se prolonge jusqu'à none. — Cet horaire de l'*Ordo monasterii* serait-il donc d'origine égyptienne ?

L'usage de consacrer à la lecture de la Bible le temps qui suit l'office de l'aurore est attesté par CHRYSOSTOME, *In I Tim., Hom.* 14, 4, *PG* 62, 576 (Constantinople, 401-402 ?), qui mentionne ensuite l'heure de tierce, sans dire toutefois que les moines dont il s'agit poursuivent leur lecture jusqu'à ce moment ou qu'il s'y arrêtent de lire. Même notation déjà dans *In Matth., Hom.* 68, 4, *PG* 58, 646 (Antioche, 390) : « Quand ils (les moines) quittent le chœur, l'un prend Isaïe..., l'autre les Apôtres..., un autre les œuvres de quelque autre auteur... » Il est vrai que l'orateur a dit plus haut (§ 3), à propos du même moment (fin de l'office matinal) : « Chacun s'en va à son travail », mais cette remarque, avec le commentaire qui l'accompagne, paraît anticiper sur l'horaire des moines. C'est bien à la lecture que ceux-ci s'adonnent en sortant de l'office, comme Chrysostome le précise ici.

V. **P. 142-144.** Que les Quatre Pères soient antérieurs à Cassien, on peut en voir un indice dans le fait qu'ils ignorent l'année de probation imposée aux postulants d'après *Inst.* 4, 7. S'ajoutant aux quelques jours passés à la porte, cette « année entière » allonge et complique, chez Cassien, le système de probation. Celui-ci reste plus simple chez les Quatre Pères, qui paraissent se situer à un stade institutionnel moins évolué.

VI. **P. 148-151.** Au lieu d'attribuer le second et le quatrième discours à Honorat, on pourrait voir dans le « Macaire » qui les prononce le vieux Caprais. La vénération dont il était l'objet de la part d'Honorat – celui-ci l'appelait « son père » et en faisait son directeur (HILAIRE, *V. Honor.* 12, 1-2 ; cf. EUSÈBE GALL., *Hom.* 72, 5) – expliquerait assez bien qu'il prenne la parole avant le jeune supérieur, auquel il donnerait très naturellement des directives pour son gouvernement. Restant sur place, il pourrait aussi reprendre la parole, dans le quatrième discours, pour compléter la règle. En tant que rédacteur de celle-ci, il serait responsable de son style sans grâce, qu'on hésite à imputer à Honorat.

VII. **P. 170.** Déjà AUGUSTIN, *Ep.* 45, 1, appelle *nobis dulcissimi fratres* les deux messagers que lui a envoyés Paulin de Nole. Cf. *Ep.* 71, 2 : *mi frater dulcissime* (Jérôme).

VIII. **P. 202-203.** Les trois jours de silence infligés au bavard (RIVP 5, 3) font penser à COLOMBAN, *Reg. coen.* 6-8, où diverses fautes – de parole, pour la plupart – sont punies de *tribus superpositionibus,* cette privation d'une journée qu'est la *superpositio* étant parfois expressément définie comme une interdiction de parler (*superpositio silentii,* dans *Reg. coen.* 6, p. 150, 21 Walker, etc.). Voir aussi *RM* 13, 41-49 et 54-56 ; *RB* 25, 1-6. Cf. CASSIEN, *Inst.* 2, 16.

IX. **P. 230, n. 81.** En comparant CASSIEN, *Inst.* 2, 2, 1-2, et CÉSAIRE, *Reg. uirg.* 66-69, il apparaît que les moines de Lérins sont les *nonnulli* mentionnés par Cassien à deux reprises – et chaque fois à la fin de ses énumérations – comme récitant 18 psaumes aux offices nocturnes et 6 psaumes aux heures du jour.

X. **P. 253, n. 22.** Peu d'années avant d'écrire à Valentin, Augustin avait, à la fin de 422, mentionné Urbain, supérieur du monastère d'Hippone, dans sa Lettre à Fabiola, récemment publiée par F. Divjak : voir *Ep.* 20*, 2, 5-6 et 5, 1 (*CSEL* 88, p. 95-96). Il l'appelle *frater Urbanus... presbyter et praepositus monasterii,* ou *praepositi (sui),* ou *praeposito monasterii.* Mise à part la conjonction du presbytérat et du supériorat – fait nouveau et de grand intérêt –, on voit qu'Augustin reste fidèle à sa terminologie : le supérieur de monastère est toujours pour lui un *praepositus,* non un *abbas.*

XI. **P. 277 (note sous 2RP 11).** Voir aussi Didier de Cahors, *Ep.* I, 13, 17 : *si possis permittit* ; II, 13, 6 : *iuxta quod Deus possem dabat.*

XII. **P. 279 (note sous 2RP 22).** Pour *cursus,* voir aussi Ferréol, *Reg.* 12, 2 : *excepto publico psallendi cursu dominico,* et déjà Aurélien, *Reg. uirg.* 38, 1 : *Cursum diurnum uel nocturnum.* Quant à *orationum uel psalmorum,* on trouve ce couple chez Basile, *Reg.* 137 : *tempore orationum uel psalmorum... tempore psalmorum uel orationum,* où c'est Rufin qui ajoute les « oraisons » à la « psalmodie », seule mentionnée par Basile, *PR* 173. Cf. Basile, *Reg.* 107 : *adesse ordini psallentium uel ad orationem ;* cette fois, les deux termes de Rufin viennent de son modèle (*PR* 147 : *tô kanoni tès psalmodias kai tès proseuchès*).

XIII. **P. 314, n. 69.** Dans une lettre récemment éditée par F. Divjak (*Ep.* 13*, 3, 2-3, *CSEL* 88, p. 82), Augustin déplore qu'on ne puisse empêcher les clercs de circuler seuls. C'est à peine si l'on obtient que les prêtres ne le fassent pas. Sur ce point comme sur beaucoup d'autres, moines et clercs sont soumis aux mêmes règles.

XIV. **P. 323-325.** Déjà Basile, *Reg.* 76 (= *PR* 44), joint la privation d'aliments (*non manducare*) à l'excommunication. Ce précédent basilien affaiblit quelque peu la relation que nous avons établie entre Macaire et les législateurs du VIe siècle.

XV. **P. 357.** La *Regula sancti Macharii* se lisait à Reichenau, entre la Règle bénédictine et douze homélies de Césaire d'Arles, dans un codex mentionné par le catalogue de 821-822. Voir F. Prinz, *Frühes Mönchtum im Frankenreich,* Munich-Vienne 1965, p. 290, n. 13.

XVI. **P. 385 (note sous RMac 27, 2).** Cette façon de « prendre son manteau et de s'en aller » se retrouve dans *Vitae Patrum* 5, 7, 15 (*Ego igitur collecta pelle mea uado ubi est labor*) ; 5, 7, 39 (*quotidie tollebat pelliculam suam... ut exiret*) ; 5, 7, 47 (*parabat a sero melotem suam ut discederet*).

TABLE ANALYTIQUE DU TOME I

RÈGLE DES QUATRE PÈRES

Introduction

SECONDE RÈGLE DES PÈRES

INTRODUCTION